JN161475

貴志俊彦・白山眞理 編

京都大学人文科学研究所所蔵
華北交通写真資料集成

《写真編》

国書刊行会

京都大学人文科学研究所所蔵　華北交通写真資料集成《写真編》目次

【凡　例】

一、京都大学人文科学研究所が所蔵する「華北交通写真資料」には、原板（ネガフィルム）の密着（コンタクト）が貼付された整理用カードが約三万五〇〇〇点あり、これらは原板番号順の通番カードと、別表の華北交通写真分類によって配列された分類カードからなる。各カードには、台帳項目というべき原板番号、場所、説明、撮影年月と撮影者の記載欄があり、通番カードの記載がより詳細である場合が多い。分類カードは全体の約一割で、通番カードのすべてに分類カードがあるわけではない。また、残されたネガにより後年補完されたと考えられる通番カードには、原板番号以外の記載がない。なお、カードの左右辺が記載ごと切断されている場合もある。

一、「写真編第一部」は主に検閲印のない分類カードより編者が四四七点を選択し、華北交通による別表（次頁）の大分類ごと、原板番号順に配列した。またリストを作成し、原則として通番カードの記載を反映した。記載規則は次の通り。

①通番カードの空欄は「—」とした。ただし、内容把握のために、分類カードの記載を［　］内に、前後カードからの推察を〔　〕内に記した。

②通番カードがない場合は、備考に「※」とした。

③通番カードに原板番号以外の記載がない場合は、備考に「＊」とした。

④通番カードに別の写真が貼付されている場合は、備考に「別」とした。

⑤原板番号の記載がないカードは、備考に「#」とした。

⑥台帳項目以外の記載は、「その他」に記した。

⑦分類カード配列の中にあって分類番号の記載がないカードは、「分類番号なし」にまとめ、若干の通番カードもここに収めた。

一、「写真編第二部」は検閲印付の通番カードおよび分類カードから三三〇点を選択し、リストとも原板番号順に配列した。空欄の場合は、前後に配列されたカード記載欄から推測した内容を〔　〕内に記した。

華北交通による写真分類表

[1]	11	11-0	11-1	12	13	14	15	16	17	18	19		
[華北交通]	建設	人物	雑	鉄道	自動車	水運	警務	愛路	教育	農業	厚生		
[2]	21	22	23	24	25	26							
[資源]	石炭	鉄	塩	棉花	礬土	雑							
[3]	31	34		36	37	38							
[産業]	製鉄	農耕	水運・船舶	羊毛・羊皮	水産	市場・集貨							
[4]	41	41-0	41-1	41-2	41-3	42	43	44	45	46	47	48	49
[生活・文化]	衣・人物（女）	外国人	日本人ノ生活	動物	花	食	住	行事	冠婚葬祭	街頭風景	店舗（看板）	趣味	蒙古人
[5]	51	52	53	54	55	56	57						
[各路線]	京山線	京古	津浦	京漢線	同蒲	京包線	石太線						

【第一部解題】

華北交通写真には、独自の分類があった（右分類表参照）。大分類として、一が華北交通、二が資源、三が産業、四が生活・文化、五が各路線でまとめられる。分類は、何を伝えようとするストックフォトであるかを明確に示しており、会社創設時には確定されていたと考えられる（論考編第一章参照）。

カードの約九割は、密着そのままが貼付されている通番カードで、ほとんどの分類カードはトリミングによって主題が強調されている。写真をどのように読ませようとしていたのかは、通番カードと異なる説明にも表れているので、リストと対照されたい。

分類カードには、「使用の節は必ず華北交通株式会社提供とご記入下さい」とあって、通番カードにある撮影者名は記されていない。ストックフォトは、東京支社によって華北交通株式会社の法人著作物として管理運営されていたことがわかる。中には、「坂本万七氏撮影」と記されている写真が混在していた。これには通番カードやネガがないことから、坂本が外部協力者として供与提携し、刊行物などには彼の名前で掲載のために特記されたと推察される。

原板番号としてA、Bの伴う番号で記載されているものもあったが、このような番号による通番カードはない。ネガの調査過程で通番とA、B番号が両方記載されている例が見出されつつある。A、B番号の意味については、今後の研究課題である。

（白山眞理）

【第二部・解題】

華北交通写真の検閲は、北支那方面軍報道部、部隊の報道課、在北京日本総領事館、領事館警察などがおこなっていた。検閲の際の根拠法となったのが、一九〇九年に発布された「要塞地帯法」に加え、三七年八月に全面改正された「軍機保護法」であった。後者の施行によって、軍施設以外のどんな場所でも機密保護の対象となることが明確にされただけでなく、罰則規定が設けられた。さらに、戦域の拡大とともに、一九三九年「国境取締法」「軍用資源秘密保護法」があらたに制定された。これらの法規が写真や映画の撮影に与えた影響は大きかった。

華北交通写真のなかで、軍報道部が検閲印を付しているものは全部で四五九点、軍報道課はその三倍以上の一五九五点、在北京日本総領事館のものは二七点が確認できるほか、手書きで「不許可」などの文字を記載しているものが四点ある。時期からみれば、軍の場合は華北交通創立直後の一九三九年六月から太平洋戦争勃発直前の四一年一一月まで、また在北京日本総領事館の場合はその後、すなわち一九四一年一〇月から四五年三月までである。

華北交通写真は、もともと弘報用写真として撮影され、満鉄北支事務局発行の『北支画刊』や、華北交通発行の『北支』『華北』などの自社グラフ誌に利用された。さらに、左記のような社外のメディアやイベントにも提供されており、利用には検閲が伴った。

新聞：『満洲日日新聞』『東京工業日日新聞』、華字新聞『庸報』など

雑誌：『写真週報』『少年倶楽部』『遠東画報』『英文日本』、『週刊朝日』、『新東亜経済大観』『中外商業』『東亜新報』『Glimpses of the East』など

書籍：『同盟通信写真年鑑』『実業之日本』『大東亜産業大観』『新東亜経済大観』『新中国大観』など

展示：大陸交通案内所、満鉄社員館記念室など

展覧会：一九三九年四月大阪朝日新聞主催「大東亜建設博覧会」、横浜の「大陸発展展」、佐世保や今治で開催の「支那事変展」など。

第二部の写真集成により、弘報写真に対する軍の検閲方針や、太平洋戦争勃発による軍の検閲システムの変化などが考察できる。

（貴志俊彦）

《第一部》

一、華北交通

番號 110
原板番號 154
說明
場所
撮影年月日 年
◎この寫眞御使用の節は必ず華北交通株式會社提供と御記入下さい
坂本万七氏撮影
華北交通株式會社東京調査室
(A列5)

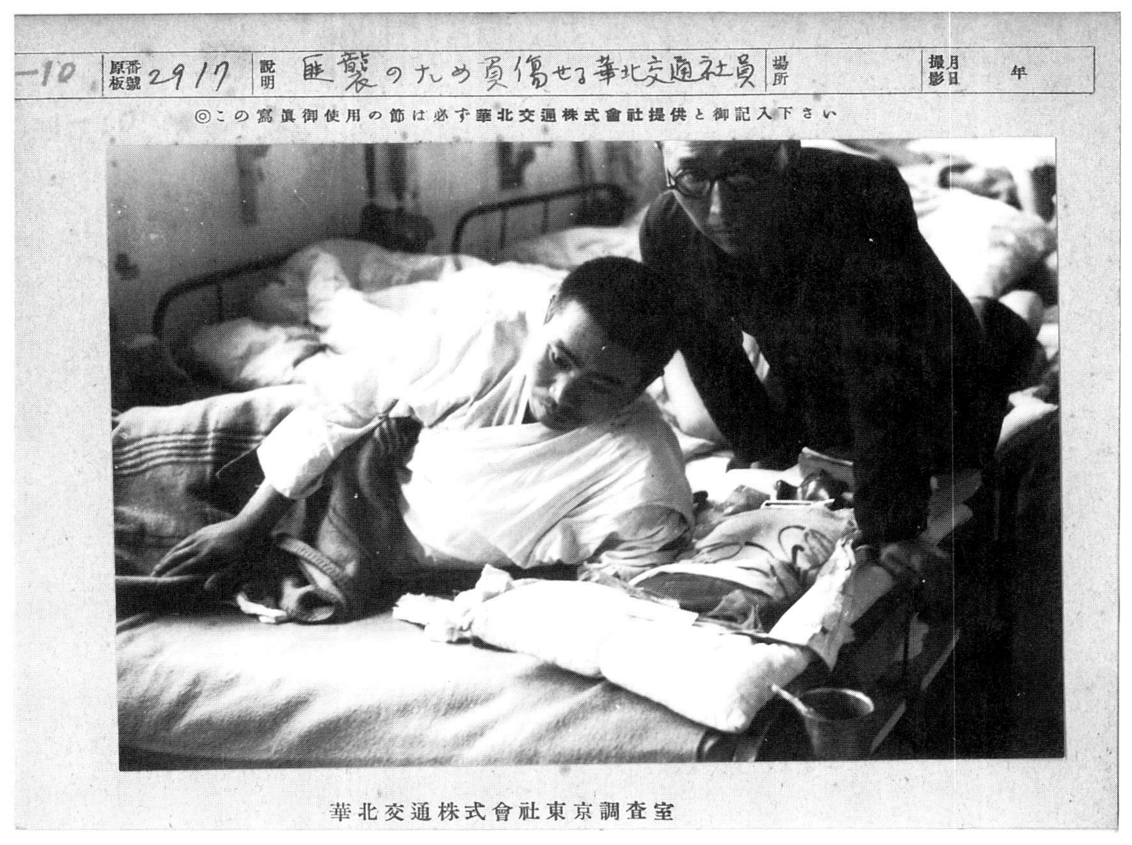
-10
原板番號 2917
說明 匪襲のため負傷せる華北交通社員
場所
撮影年月日 年
◎この寫眞御使用の節は必ず華北交通株式會社提供と御記入下さい
華北交通株式會社東京調査室

4
原番板號 42220
說明
場所
撮影 年月日
14
◎この寫眞御使用の節は必ず華北交通株式會社提供と御記入下さい
華北交通株式會社東京調査室

13
原番板號 4890
說明 難行スルバス
場所 徳縣
撮影 年月日
◎この寫眞御使用の節は必ず華北交通株式會社提供と御記入下さい
華北交通株式會社東京調査室

原番板號 4915
說明 桑梓店 銃痕
場所 津浦線
撮影月日 年
◎この寫眞御使用の節は必ず華北交通株式會社提供と御記入下さい
桑梓店
華北交通株式會社東京調査室
(A列5)

原番板號 6134
說明 警備犬育成所
場所 北京
撮影月日 年
1-5
◎この寫眞御使用の節は必ず華北交通株式會社提供と御記入下さい
華北交通株式會社東京調査室

番號	原板番號	説明	場所	撮影月日
16	10395			年

◎この寫眞御使用の節は必ず華北交通株式會社提供と御記入下さい

華北交通株式會社東京調査室

番號	原板番號	説明	場所	撮影月日
11	14751	~~榆林~~七里河橋	榆林 ~~七里河橋~~	年

◎この寫眞御使用の節は必ず華北交通株式會社提供と御記入下さい

華北交通株式會社東京調査室

1-1
原番板號 14761
説明 建設
場所 同蒲線
撮影月日 年
◎この寫眞御使用の節は必ず華北交通株式會社提供と御記入下さい
華北交通株式會社東京調査室
(A列5)

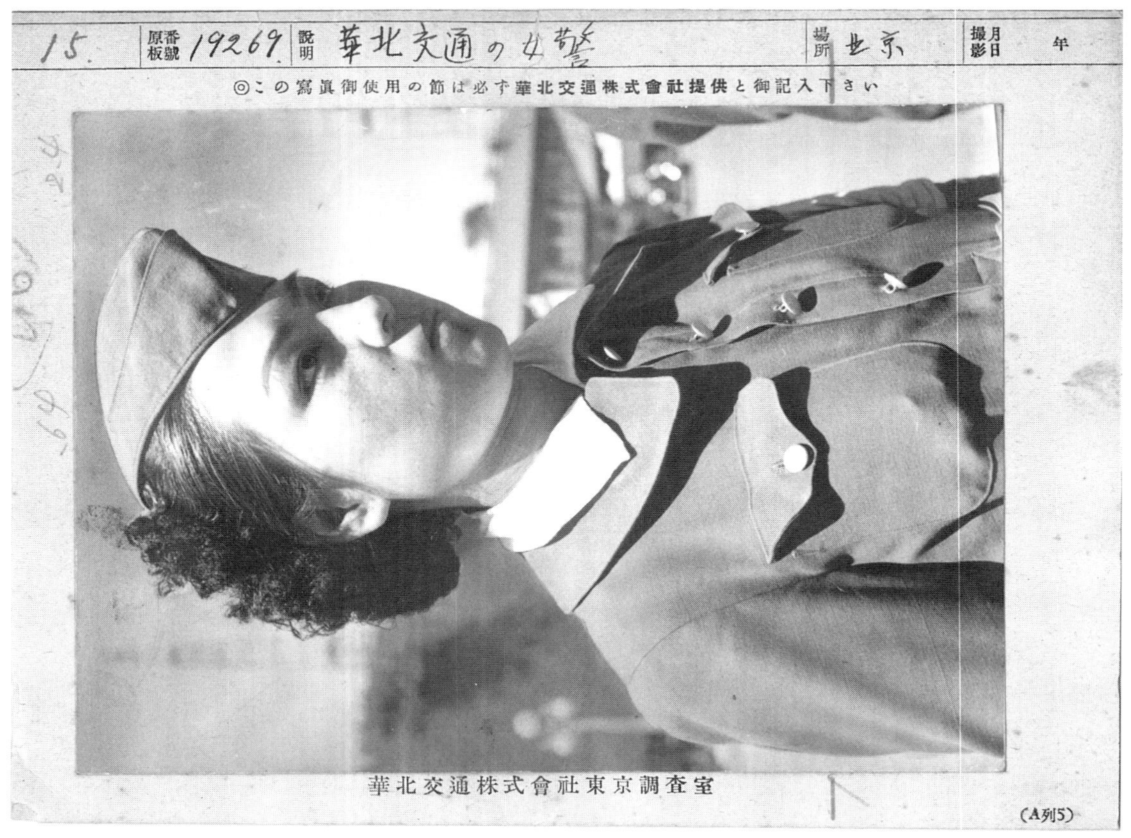
15.
原番板號 19269
説明 華北交通の女警
場所 北京
撮影月日 年
◎この寫眞御使用の節は必ず華北交通株式會社提供と御記入下さい
華北交通株式會社東京調査室
(A列5)

番號 1−3
原番板號 20915
說明 バス
場所 張家口ー徳化
撮影月日 年
◎この寫眞御使用の節は必ず華北交通株式會社提供と御記入下さい
華北交通株式會社東京調査室

1−8
原番板號 21035
說明 中央鉄路農場
場所
撮影月日 年
◎この寫眞御使用の節は必ず華北交通株式會社提供と御記入下さい
華北交通株式會社東京調査室

−8 原番板號 21050 説明 場所 撮影月日 年

◎この寫眞御使用の節は必ず華北交通株式會社提供と御記入下さい

華北交通株式會社東京調査室

(A列5)

−7 原番板號 22651 説明 愛路少年隊 場所 保定 撮影月日 年

◎この寫眞御使用の節は必ず華北交通株式會社提供と御記入下さい

華北交通株式會社東京調査室

(A列5)

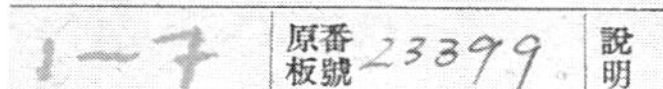

原番板號 23399	說明	場所	撮影月日 年

◎この寫眞御使用の節は必ず華北交通株式會社提供と御記入下さい

華北交通株式會社東京調查室

1—7	原番板號 23423	說明	場所	撮影月日 年

◎この寫眞御使用の節は必ず華北交通株式會社提供と御記入下さい

華北交通株式會社東京調查室

(A列5)

1—7 原番板號 23452 説明 場所 撮影月日 年

◎この寫眞御使用の節は必ず華北交通株式會社提供と御記入下さい

華北交通株式會社東京調査室

1—7 原番板號 23471 説明 場所 撮影月日 年

◎この寫眞御使用の節は必ず華北交通株式會社提供と御記入下さい

1-7

華北交通株式會社東京調査室

110
原番板號 24292
説明
場所
撮影月日
年
◎この寫眞御使用の節は必ず華北交通株式會社提供と御記入下さい
華北交通社員會事務局
華北交通株式會社東京調査室
(A列5)

原番板號 24.628
説明
場所
◎この寫眞御使用の節は必ず華北交通株式會社提供と御記入下さい
華北交通株式會社東京調査室

-4
原番板號 27163
説明 家興鎮碼頭
場所 蘇北運河
撮影月日 年
1-4
◎この寫眞御使用の節は必ず華北交通株式會社提供と御記入下さい
華北交通株式會社東京調査室

16
原番板號 28124
説明 愛路列車に集った村民たち
場所
撮影月日 年
◎この寫眞御使用の節は必ず華北交通株式會社提供と御記入下さい
列
華北交通株式會社東京調査室

番號 13 原番板號 29093 說明 場所 撮影月日 年

◎この寫眞御使用の節は必ず華北交通株式會社提供と御記入下さい

華北交通株式會社東京調査室

番號	16	原番板號	29203	説明	愛路列車	場所	隴海線	撮影月日	年

◎この寫眞御使用の節は必ず華北交通株式會社提供と御記入下さい

華北交通株式會社東京調査室

番號	1—6	原番板號	29.204	説明	厚生列車のポスターと老人	場所	隴海線	撮影月日	年

◎この寫眞御使用の節は必ず華北交通株式會社提供と御記入下さい

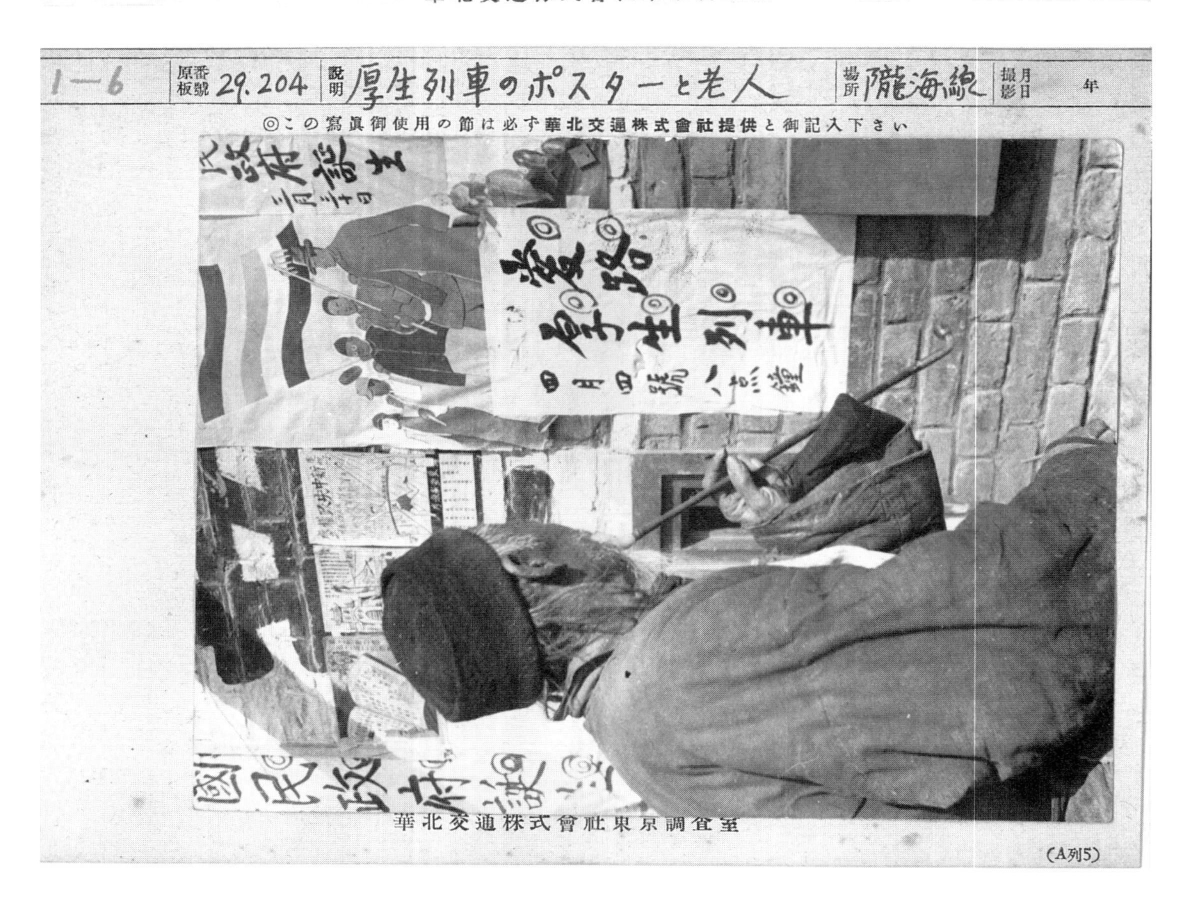

華北交通株式會社東京調査室

(A列5)

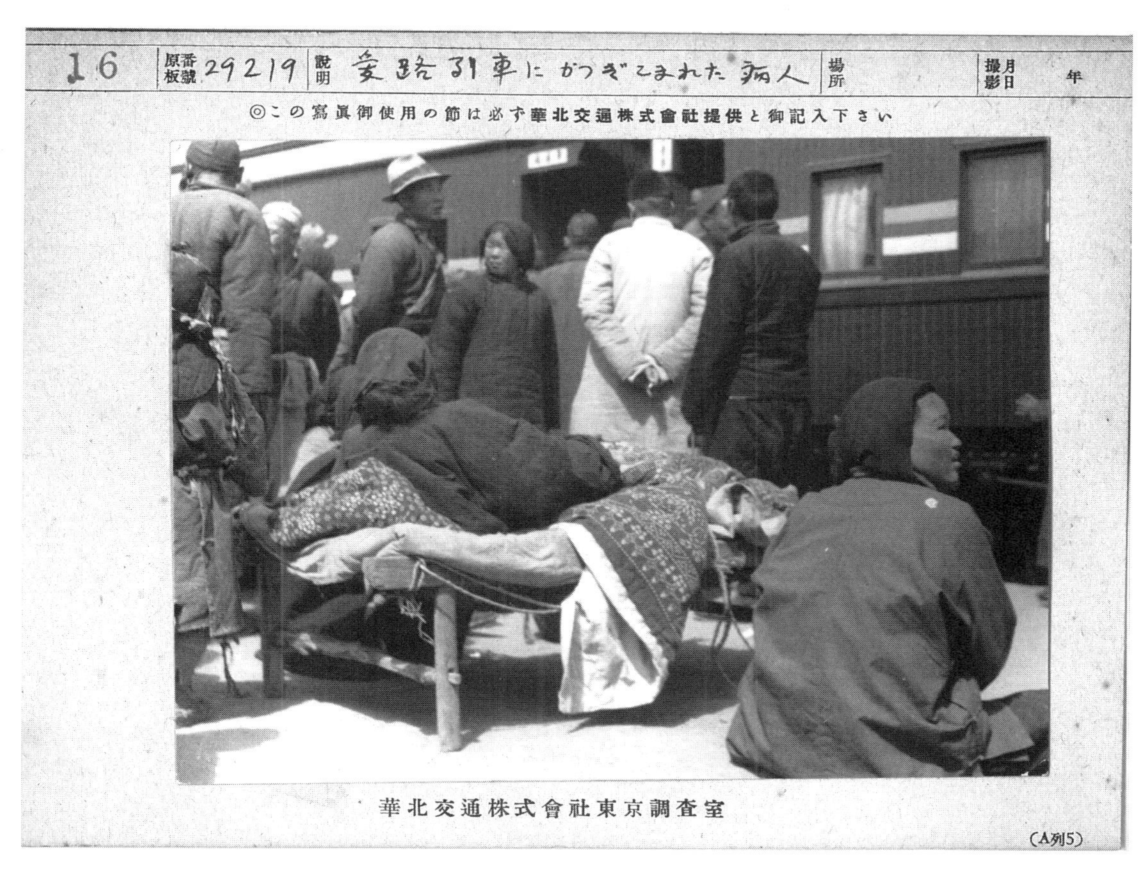

16 原番板號 29219 說明 愛路列車にかつぎこまれた病人 場所 撮影月日 年

◎この寫眞御使用の節は必ず華北交通株式會社提供と御記入下さい

華北交通株式會社東京調査室

(A列5)

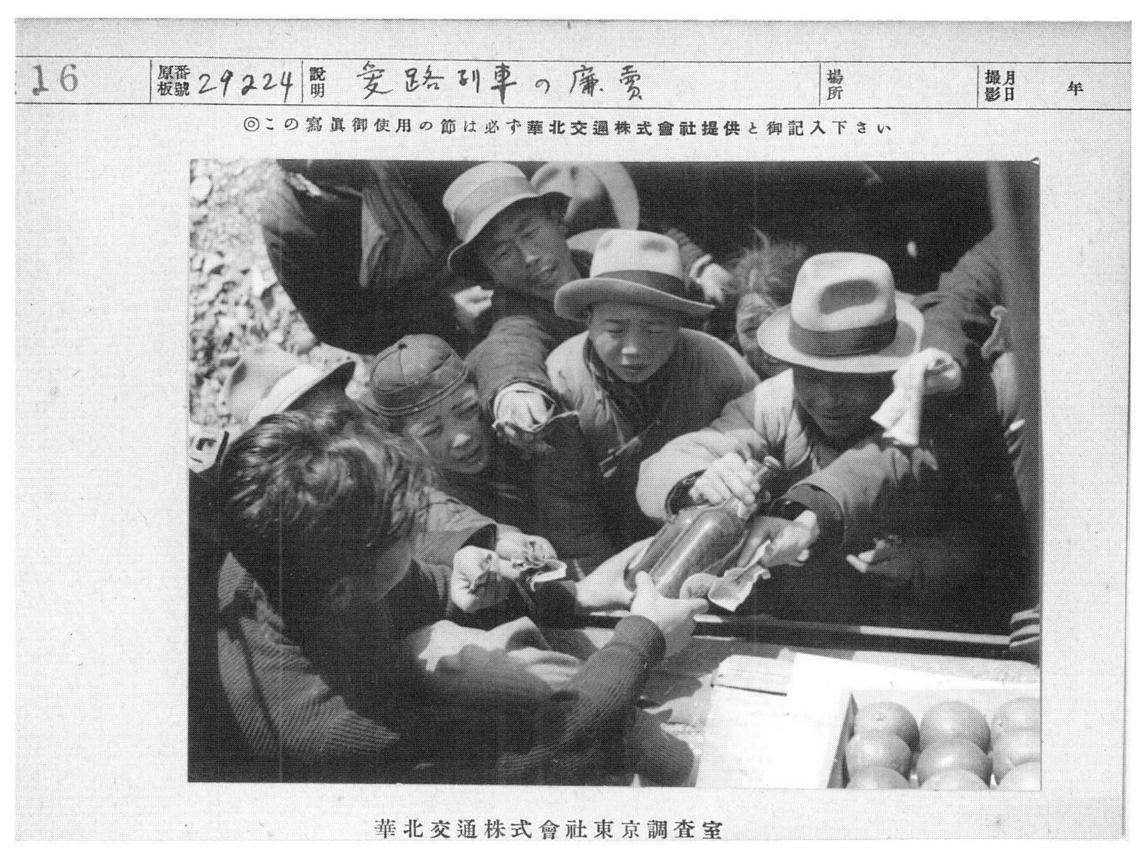

16 原番板號 29224 說明 愛路列車の廉賣 場所 撮影月日 年

◎この寫眞御使用の節は必ず華北交通株式會社提供と御記入下さい

華北交通株式會社東京調査室

番號 1—6
原番板號 29229
説明 愛路列車を迎へる村民
場所
撮影 月日 年
◎この寫眞御使用の節は必ず華北交通株式會社提供と御記入下さい
華北交通株式會社東京調査室

17
原番板號 30002
説明 扶輪学校 朝礼
場所 北京
撮影 月日 年
(A列5)

-7
原番板號 30008
説明 扶輪学校
場所 北京
撮影月日 年
◎この寫眞御使用の節は必ず華北交通株式會社提供と御記入下さい
ノリモノ
キシャ
ジドオシャ
バシャ
華北交通株式會社東京調査室
(A列5)

16.
原番板號 31524
説明 地雷埋没箇所探査訓練
場所
撮影月日 年
◎この寫眞御使用の節は必ず華北交通株式會社提供と御記入下さい
(A列5)

1-10 原番板號 3160 説明 場所 撮影 年 月 日

◎この寫眞御使用の節は必ず華北交通株式會社提供と御記入下さい

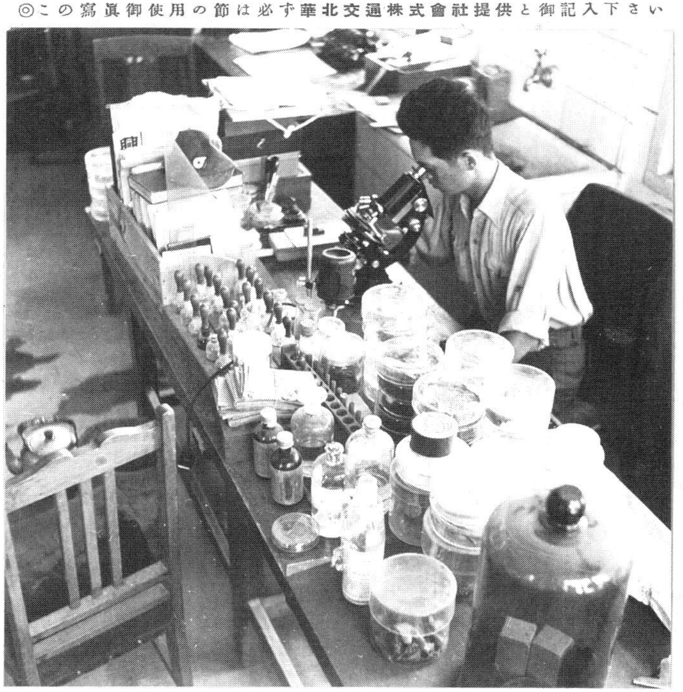

華北交通株式會社東京調査室

18	原番板號 31617	說明 華北交通中央鉄路農場	場所 通州	撮影月日 年

◎この寫眞御使用の節は必ず華北交通株式會社提供と御記入下さい

華北交通株式會社東京調査室

1—10	原番板號 3911	說明 交通の人柱に花を捧ぐ愛生引車員	場所	撮影月日 年

◎この寫眞御使用の節は必ず華北交通株式會社提供と御記入下さい

同僚の墓碑に額く婦人社員

21年

華北交通株式會社東京調査室

分類番號 Cイ
14
原板番號 32857
說明 船團
場所 小清河
撮影月日 年
◎この寫眞御使用の節は必ず華北交通株式會社提供と御記入下さい
華北交通株式會社東京調查室

1—9
原板番號 33514
說明 保健科学研究所
場所
撮影月日 年
◎この寫眞御使用の節は必ず華北交通株式會社提供と御記入下さい
華北交通株式會社東京調查室

分類番號 1-4
原板番號 38558
説明
場所
撮影月日 年
◎この寫眞御使用の節は必ず華北交通株式會社提供と御記入下さい
華北交通株式會社東京調査室

-9
原板番號 38697
説明 西郊、華北交通社宅、朝の出勤
場所 北京
撮影月日 年
◎この寫眞御使用の節は必ず華北交通株式會社提供と御記入下さい
華北交通株式會社東京調査室

-10 原番板號 38704 説明 華北交通会社の社宅 場所 北京西郊 撮影月日 年

◎この寫眞御使用の節は必ず華北交通株式會社提供と御記入下さい

華北交通株式會社東京調査室

番號 1-1 原番板號 38901 説明 場所 撮影月日 年

◎この寫眞御使用の節は必ず華北交通株式會社提供と御記入下さい

華北交通株式會社東京調査室

(A列5)

番號	1—6	原番板號	38956	說明	農民に施薬　愛護村厚生列車	場所		撮影月日	年

◎この寫眞御使用の節は必ず華北交通株式會社提供と御記入下さい

華北交通株式會社東京調査室

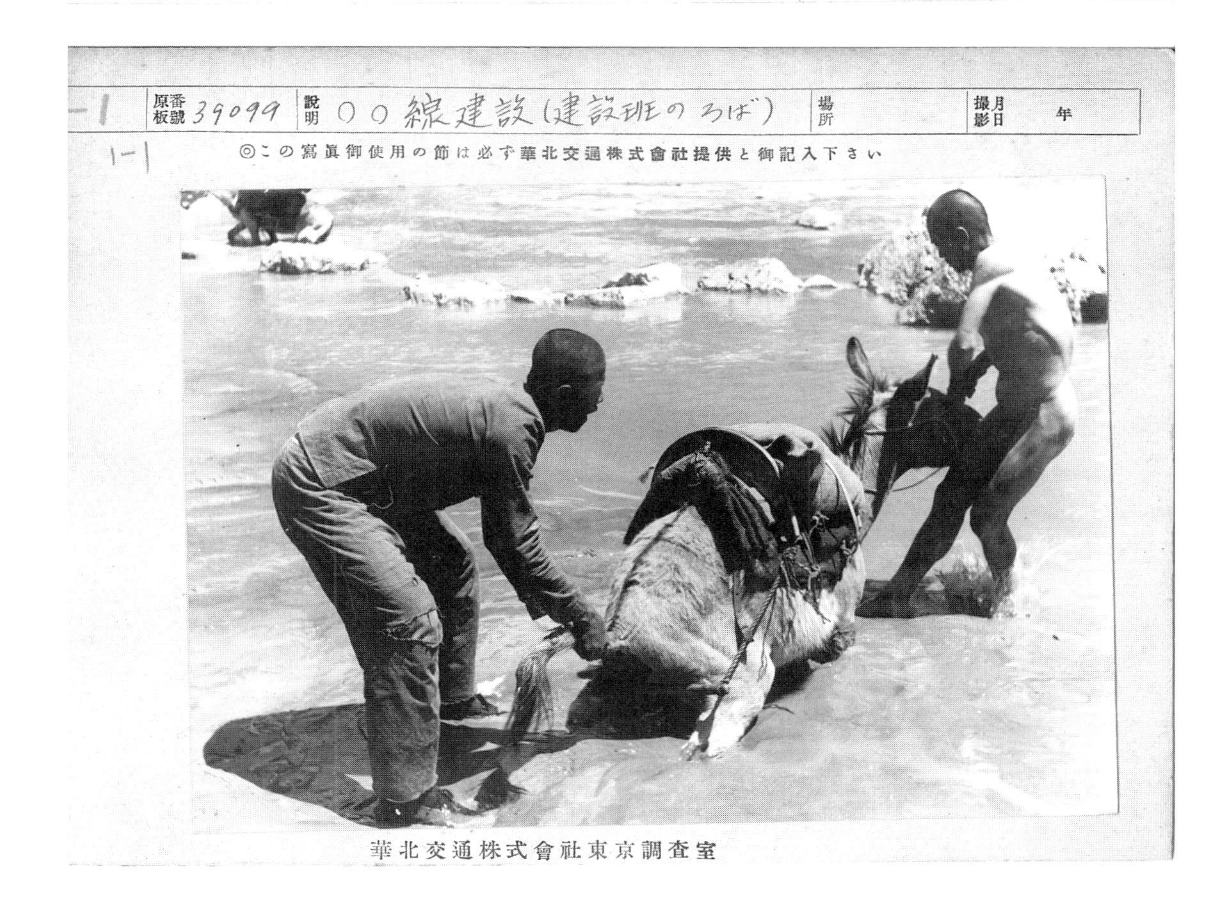

	1—1	原番板號	39099	說明	○○線建設（建設班のろば）	場所		撮影月日	年

◎この寫眞御使用の節は必ず華北交通株式會社提供と御記入下さい

華北交通株式會社東京調査室

分類番號 16
原板番號 39383
說明
場所
撮影月日 年
◎この寫眞御使用の節は必ず華北交通株式會社提供と御記入下さい
華北交通株式會社東京調査室
(A列5)

111
原板番號 40094
說明 張家口鉄路局
場所
撮影月日 年
◎この寫眞御使用の節は必ず華北交通株式會社提供と御記入下さい
華北交通株式會社東京調査室

分類番號 1—1
原板番號 40,246
說明 道路建設
場所
撮影月日
◎この寫眞御使用の節は必ず華北交通株式會社提供と御記入下さい
華北交通株式會社東京調査室

番號 1—7
原板番號 40494
說明
場所
撮影月日 年
◎この寫眞御使用の節は必ず華北交通株式會社提供と御記入下さい
華北交通株式會社東京調査室
(A列5)

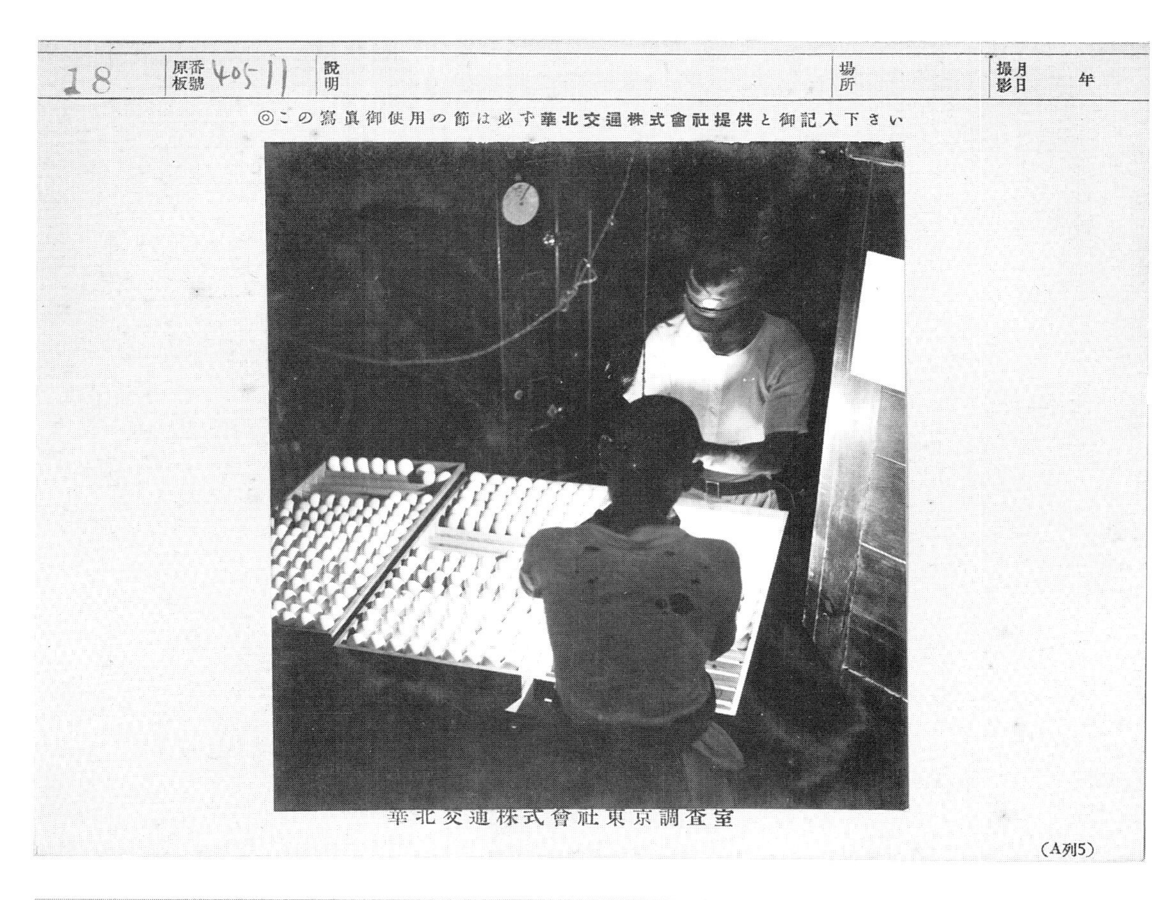

18 原番板號 40511 說明 場所 撮影月日 年

◎この寫眞御使用の節は必ず華北交通株式會社提供と御記入下さい

華北交通株式會社東京調査室

（A列5）

分類番號 12 原番板號 41133 說明 場所 撮影月日 年

◎この寫眞御使用の節は必ず華北交通株式會社提供と御記入下さい

華北交通株式會社東京調査室

番號 1—6　原番板號 41420　説明　場所　撮影月日　年

◎この寫眞御使用の節は必ず華北交通株式會社提供と御記入下さい

華北交通株式會社東京調査室

番號 1—6　原番板號 41500　説明　場所　撮影月日　年

◎この寫眞御使用の節は必ず華北交通株式會社提供と御記入下さい

華北交通株式會社東京調査室

1-8 | 原番板號 50.479 | 說明 | 場所 | 撮影月日 年

◎この寫眞御使用の節は必ず華北交通株式會社提供と御記入下さい

華北交通株式會社東京調査室

分番類號 1-2 | 原番板號 50612 | 說明 戰時輸送强化 | 場所 | 撮影月日 年

◎この寫眞御使用の節は必ず華北交通株式會社提供と御記入下さい

華北交通株式會社東京調査室

110 原板番號 51551 說明 社員行進 場所 北京 撮影年月日 年

◎この寫眞御使用の節は必ず華北交通株式會社提供と御記入下さい

華北交通株式會社東京調査室

110 原番板號 51553 説明 社員の体操 場所 北京 撮影月日 年

◎この寫眞御使用の節は必ず華北交通株式會社提供と御記入下さい

華北交通株式會社東京調査室

110 原番板號 51557 説明 華北交通婦人社員の雪中行軍 場所 撮影月日 年

◎この寫眞御使用の節は必ず華北交通株式會社提供と御記入下さい

華北交通株式會社東京調査室

18 原番板號 S1574 說明 愛路村の養雞を指導する華北交通社員 場所 撮影月日 年

◎この寫眞御使用の節は必ず華北交通株式會社提供と御記入下さい

華北交通株式會社東京調査室

16 原番板號 S1591 說明 愛路少年隊の鉄道巡佈 場所 撮影月日 年

◎この寫眞御使用の節は必ず華北交通株式會社提供と御記入下さい

華北交通株式會社東京調査室

16	原番板號 51592	説明 愛路少年隊の警備	場所	撮影月日 年

◎この寫眞御使用の節は必ず華北交通株式會社提供と御記入下さい

華北交通株式會社東京調査室

16	原番板號 51594	説明 愛路少年隊の鉄道警備	場所	撮影月日 年

◎この寫眞御使用の節は必ず華北交通株式會社提供と御記入下さい

華北交通株式會社東京調査室

番號	16	原番板號	51596	說明	愛路少年隊の警備	場所		撮影月日	年

◎この寫眞御使用の節は必ず華北交通株式會社提供と御記入下さい

華北交通株式會社東京調査室

番號	12	原番板號	51618	說明	夕暮の列車	場所	北京	撮影月日	年

◎この寫眞御使用の節は必ず華北交通株式會社提供と御記入下さい

華北交通株式會社東京調査室

16 原番板號 51675 說明 愛路茶館 場所 撮影月日 年

◎この寫眞御使用の節は必ず華北交通株式會社提供と御記入下さい

華北交通株式會社東京調査室

16 原番板號 51945 說明 愛路少年隊 紙芝居 場所 撮影月日 年

◎この寫眞御使用の節は必ず華北交通株式會社提供と御記入下さい

華北交通株式會社東京調査室

番號	16	原番板號	51948	説明	愛路少年隊　学校	場所		撮影月日	年

◎この寫眞御使用の節は必ず華北交通株式會社提供と御記入下さい

華北交通株式會社東京調査室

番號	16	原番板號	51973	説明		場所		撮影月日	年

◎この寫眞御使用の節は必ず華北交通株式會社提供と御記入下さい

華北交通株式會社東京調査室

華北交通株式會社東京調査室

原番板號 4A1－36
14
説明
場所
撮影年月日 年
◎この寫眞御使用の節は必ず華北交通株式會社提供と御記入下さい
華北交通株式會社東京調査室

原番板號 4A1－68
説明
場所
撮影年月日 年
◎この寫眞御使用の節は必ず華北交通株式會社提供と御記入下さい
華北交通株式會社東京調査室

13
原板番號 4A2-112
說明 自動車に積み込む
場所
撮影 年月日
◎この寫眞御使用の節は必ず華北交通株式會社提供と御記入下さい
華北交通株式會社東京調査室

1-2
原板番號 4A5-1
說明 石太線
場所 娘子関
撮影 年月日
◎この寫眞御使用の節は必ず華北交通株式會社提供と御記入下さい
華北交通株式會社東京調査室

番號 1—1
原番板號 4A10—11
說明
場所
撮影 年 月 日
◎この寫眞御使用の節は必ず華北交通株式會社提供と御記入下さい
華北交通株式會社東京調查室

1—1
原番板號 4A10—12
說明 冬の建設工事（京包線？）
場所
撮影 年 月 日
◎この寫眞御使用の節は必ず華北交通株式會社提供と御記入下さい
華北交通株式會社東京調查室

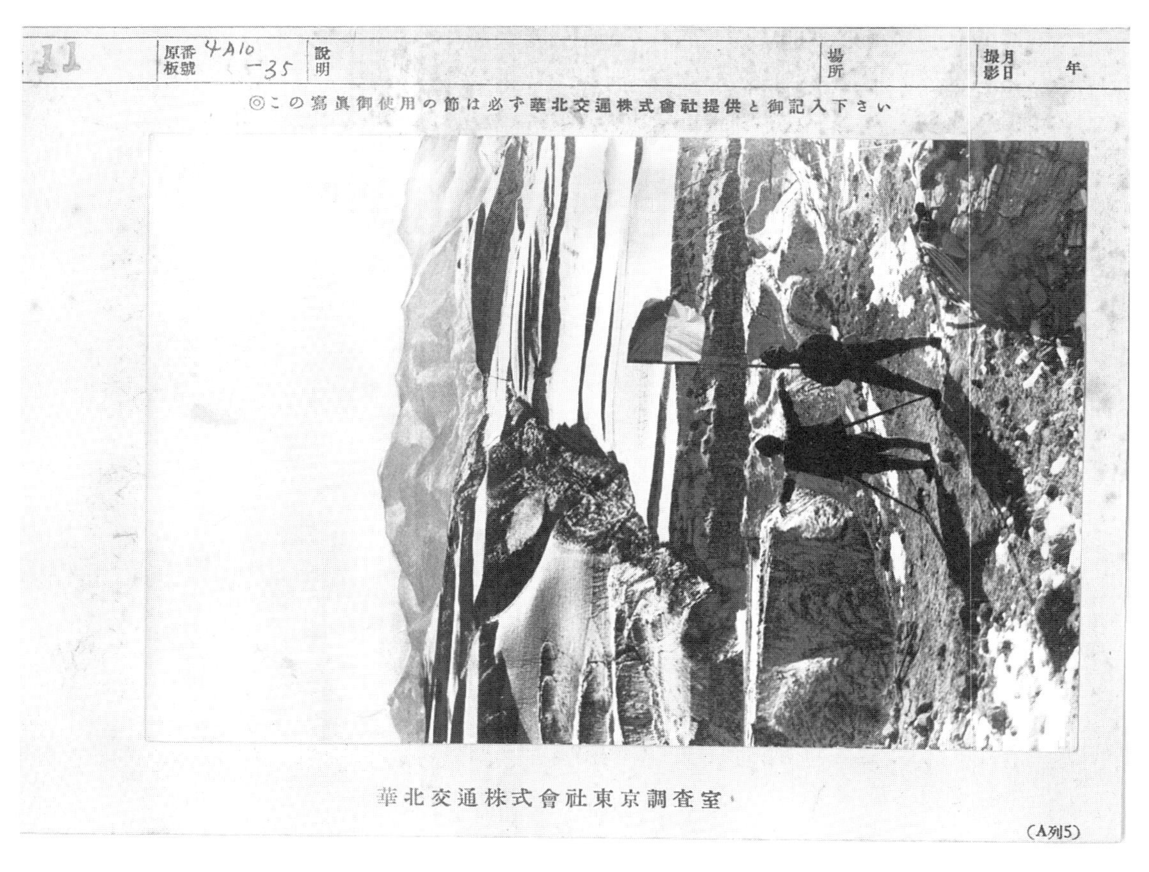
原番板號 4A10-35
說明
場所
撮影月日 年
◎この寫眞御使用の節は必ず華北交通株式會社提供と御記入下さい
華北交通株式會社東京調査室
(A列5)

原番板號 B476-24
說明
場所
撮影月日 年
◎この寫眞御使用の節は必ず華北交通株式會社提供と御記入下さい
華北交通株式會社東京調査室

原番板號 B476-31	說明	場所	撮影月日 年

◎この寫眞御使用の節は必ず華北交通株式會社提供と御記入下さい

華北交通株式會社東京調査室

原番板號	說明 新線建設	場所 同蒲線 王平村－安家莊	撮影月日 年

◎この寫眞御使用の節は必ず華北交通株式會社提供と御記入下さい

華北交通株式會社東京調査室

（A列5）

110 原番板號 說明 華北交通社員乘馬隊 場所 撮影月日 年

◎この寫眞御使用の節は必ず華北交通株式會社提供と御記入下さい

華北交通株式會社東京調査室

(A列5)

1―10 原番板號 說明 水害時子供を避難させる社員 場所 撮影月日 年

◎この寫眞御使用の節は必ず華北交通株式會社提供と御記入下さい

華北交通株式會社東京調査室

1—10
原番板號
説明 華北交通経営 東海ホテル
場所 青島
撮影月日 年
◎この寫眞御使用の節は必ず華北交通株式會社提供と御記入下さい
96
97
華北交通株式會社東京調査室

-1
原番板號
説明 假橋を渡る（鉄橋破壊され）
場所 京漢線
撮影月日 年
◎この寫眞御使用の節は必ず華北交通株式會社提供と御記入下さい
1-1
華北交通株式會社東京調査室

番號 1-2
原番板號
說明 石太線
場所
撮影年月日 年
◎この寫眞御使用の節は必ず華北交通株式會社提供と御記入下さい
華北交通株式會社東京調査室

番號 1-2
原番板號
說明 お座敷列車 車内
場所
撮影年月日 年
◎この寫眞御使用の節は必ず華北交通株式會社提供と御記入下さい
華北交通株式會社東京調査室

番號 14
原番板號
說明 厚生船を迎へる群集
場所
撮影年月日 年
◎この寫眞御使用の節は必ず華北交通株式會社提供と御記入下さい
華北交通株式會社東京調査室
(A列5)

-6
原番板號
說明 愛路厚生船ヲ歡迎スル
場所
撮影年月日 年
◎この寫眞御使用の節は必ず華北交通株式會社提供と御記入下さい
1-6
華北交通株式會社東京調査室

17
原番號
説明 扶輪學校の日本語勉强
場所
撮影月日 年
◎この寫眞御使用の節は必ず華北交通株式會社提供と御記入下さい
ノリモノ
キシャ
ジドオシャ
バシャ
ヒコオ
華北交通株式會社東京調査室
（A列5）

19
原番號
説明 華北交通社宅
場所
撮影月日 年
◎この寫眞御使用の節は必ず華北交通株式會社提供と御記入下さい
46
華北交通株式會社東京調査室

19
原番板號
說明 中央生計所
場所
撮影月日 年
◎この寫眞御使用の節は必ず華北交通株式會社提供と御記入下さい
中央生計所北京配給所
49
華北交通株式會社東京調査室

二、資源

23
原番板號 640
說明 アルカリの山積
場所 塘沽
撮影月日 年
◎この寫眞御使用の節は必ず華北交通株式會社提供と御記入下さい
華北交通株式會社東京調査室

4
原番板號 1327
說明 野積
場所 天津
撮影月日 年
◎この寫眞御使用の節は必ず華北交通株式會社提供と御記入下さい
華北交通株式會社東京調査室
(A列5)

4　原番板號 2534　説明 白河の運輸　場所 天津　撮影月日 年

◎この寫眞御使用の節は必ず華北交通株式會社提供と御記入下さい

華北交通株式會社東京調査室

24　原番板號 2541　説明 棉花の積荷　場所 天津　撮影月日 年

◎この寫眞御使用の節は必ず華北交通株式會社提供と御記入下さい

華北交通株式會社東京調査室

23　原番板號 2546　説明 風車（塩田）　場所 塘沽　撮影月日　年

◎この寫眞御使用の節は必ず華北交通株式會社提供と御記入下さい

華北交通株式會社東京調査室

（A列5）

23　原番板號 2586　説明 精塩工場　場所 塘沽　撮影月日　年

◎この寫眞御使用の節は必ず華北交通株式會社提供と御記入下さい

華北交通株式會社東京調査室

1	原番板號 3113	說明 開灤炭輸出	場所 秦皇島	撮影月日 年

◎この寫眞御使用の節は必ず華北交通株式會社提供と御記入下さい

華北交通株式會社東京調査室

21	原番板號 3717	說明 大同炭砿の露頭	場所 大同	撮影月日 年

◎この寫眞御使用の節は必ず華北交通株式會社提供と御記入下さい

華北交通株式會社東京調査室

4	原番板號 5.7687	説明 中央鐵路農場に於ける棉花天日乾燥 通州	撮影月日 年

(A列5)

4	原番板號 6.615	説明 商品檢驗局に於ける棉花の野積	場所 天津	撮影月日 年

◎この寫眞御使用の節は必ず華北交通株式會社提供と御記入下さい

華北交通株式會社東京調査室

(A列5)

1 原番板號 9108 説明 陽泉炭砿 場所 陽泉 撮影月日 年

◎この寫眞御使用の節は必ず華北交通株式會社提供と御記入下さい

華北交通株式會社東京調査室

22 原番板號 20591 説明 龍烟鉄鉱工人 場所 宣化 撮影月日 年

◎この寫眞御使用の節は必ず華北交通株式會社提供と御記入下さい

華北交通株式會社東京調査室

番號	24	原番板號	21048	說明	棉花の蚜虫駆除	場所	中央鉄路農場	撮影月日	年

◎この寫眞御使用の節は必ず華北交通株式會社提供と御記入下さい

華北交通株式會社東京調査室

番號	24	原番板號	21051	說明	駆虫剤撒布（棉花畑）	場所	通州	撮影月日	年

◎この寫眞御使用の節は必ず華北交通株式會社提供と御記入下さい

華北交通株式會社東京調査室

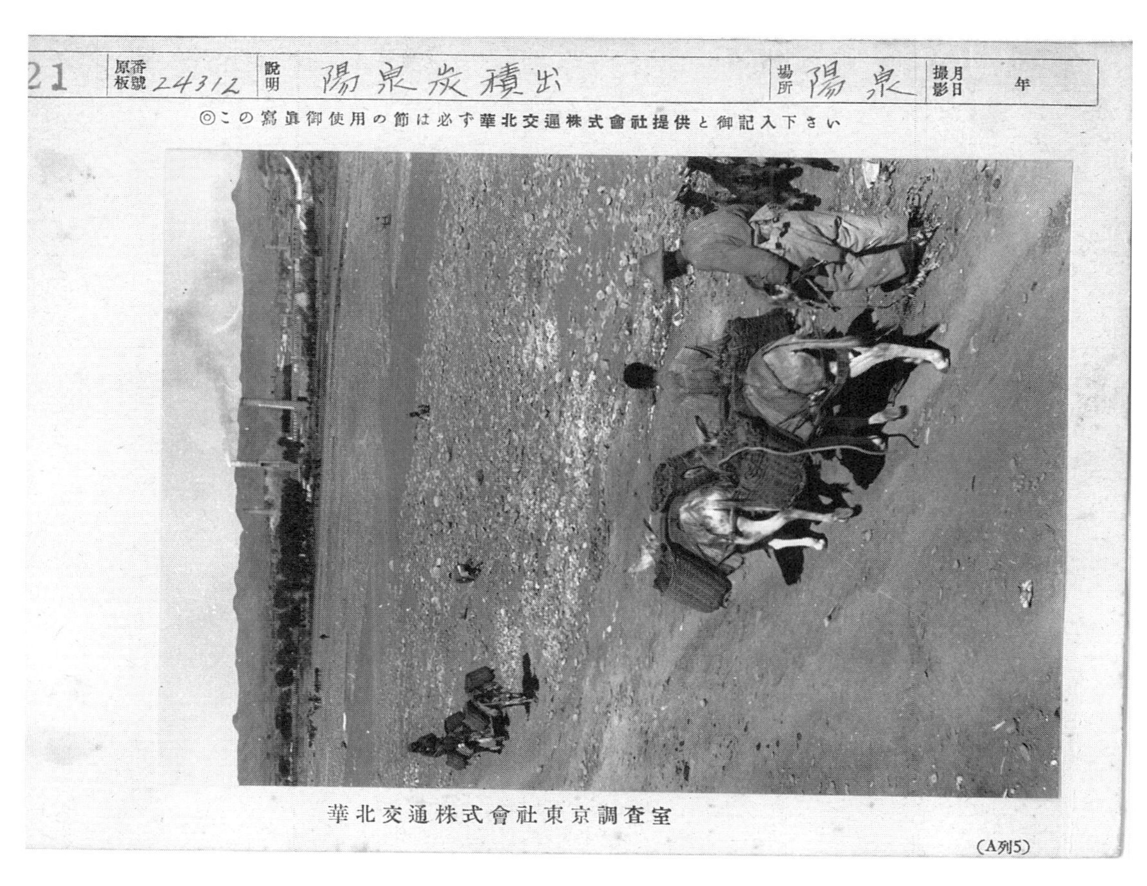
21
原番板號 24312
說明 陽泉炭積出
場所 陽泉
撮影月日 年
◎この寫眞御使用の節は必ず華北交通株式會社提供と御記入下さい
華北交通株式會社東京調査室
(A列5)

21
原番板號 30.404
說明 コールシユートによる貨車積込み
場所 大同永定莊炭坑貯炭場
撮影月日 年
◎この寫眞御使用の節は必ず華北交通株式會社提供と御記入下さい
華北交通株式會社東京調査室

4
原番板號 31.044
説明 大清河の棉花輸送
場所 東安附近
撮影月日 年
◎この寫眞御使用の節は必ず華北交通株式會社提供と御記入下さい
華北交通株式會社東京調査室
(A列5)

223
原番板號 38.586
説明
場所
撮影月日 年
◎この寫眞御使用の節は必ず華北交通株式會社提供と御記入下さい
華北交通株式會社東京調査室

21 原板番號 40808 説明 露天の土法採炭 場所 磁縣 撮影月日 年

◎この寫眞御使用の節は必ず華北交通株式會社提供と御記入下さい

華北交通株式會社東京調査室

21 原番板號 40.855 說明 場所 撮影月日 年

◎この寫眞御使用の節は必ず華北交通株式會社提供と御記入下さい

華北交通株式會社東京調査室

(A列5)

22 原番板號 40931 說明 陽泉鉄廠 場所 撮影月日 年

◎この寫眞御使用の節は必ず華北交通株式會社提供と御記入下さい

華北交通株式會社東京調査室

(A列5)

24
原番板號 41175
說明
場所
撮影年月日
◎この寫眞御使用の節は必ず華北交通株式會社提供と御記入下さい
華北交通株式會社東京調査室

原番板號 4A2-2
說明
場所
撮影年月日
◎この寫眞御使用の節は必ず華北交通株式會社提供と御記入下さい
華北交通株式會社東京調査室

番號 24	原番板號 4A2—10	說明 棉[illegible]	場所	撮影年月日 年

◎この寫眞御使用の節は必ず華北交通株式會社提供と御記入下さい

華北交通株式會社東京調査室

番號 [illegible]4	原番板號 4A2-12	說明 棉市へ搬出	場所	撮影年月日 年

◎この寫眞御使用の節は必ず華北交通株式會社提供と御記入下さい

華北交通株式會社東京調査室

原番板號 4A2-15
説明
場所
撮影月日 年
◎この寫眞御使用の節は必ず華北交通株式會社提供と御記入下さい
華北交通株式會社東京調査室

原番板號 4A2-16
説明
場所
撮影月日 年
◎この寫眞御使用の節は必ず華北交通株式會社提供と御記入下さい
華北交通株式會社東京調査室
(A列5)

24	原番板號 4A2−44	說明 花店に於ける秤量風景	場所	撮影 月日 年

◎この寫眞御使用の節は必ず華北交通株式會社提供と御記入下さい

華北交通株式會社東京調査室

4	原番板號 4A2−48	說明 棉花の農村に於ける荷造	場所	撮影 月日 年

◎この寫眞御使用の節は必ず華北交通株式會社提供と御記入下さい

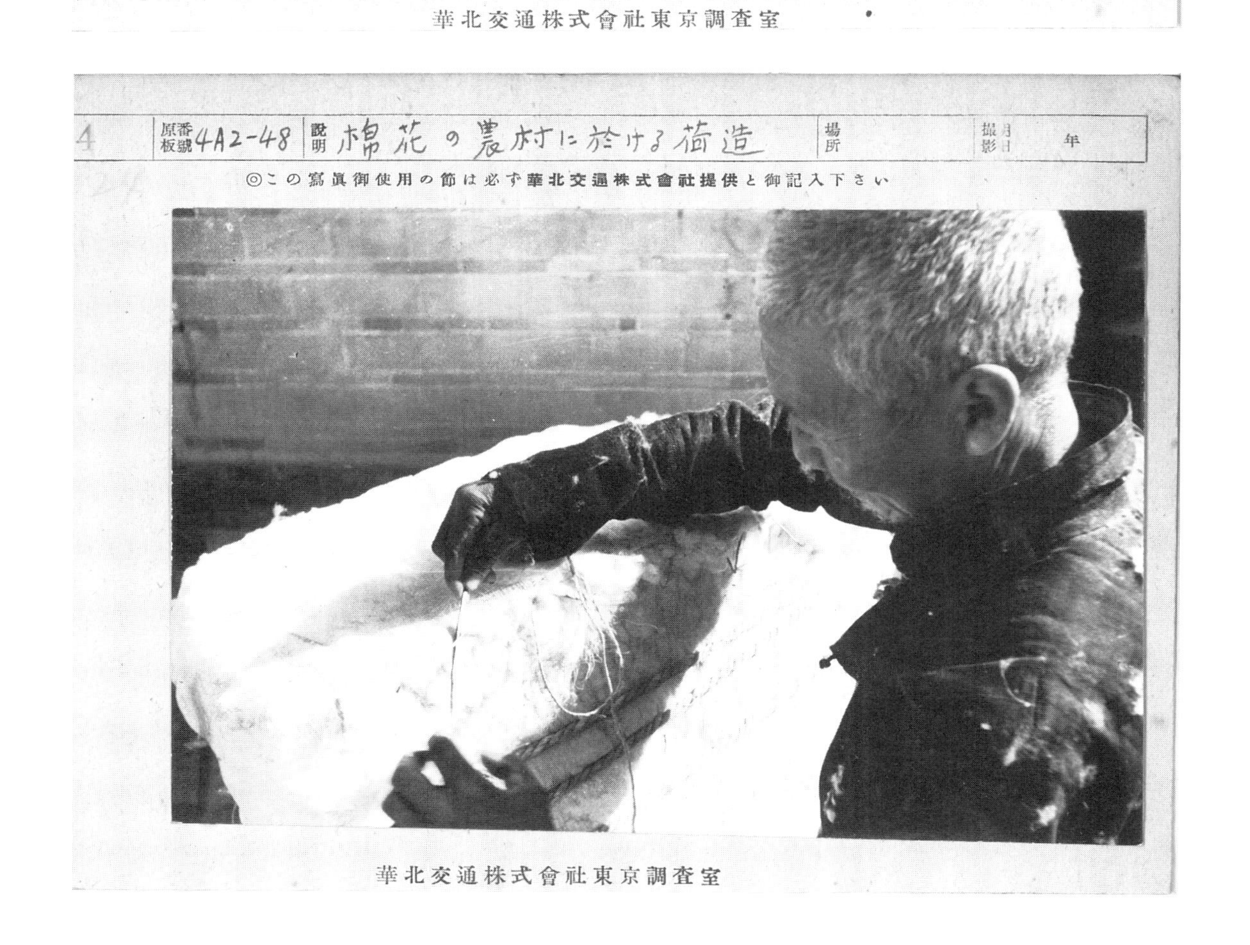

華北交通株式會社東京調査室

4 | 原番板號 4A2−51 | 説明 棉花の荷造　綿機にかける | 場所 | 撮影月日　年

◎この寫眞御使用の節は必ず華北交通株式會社提供と御記入下さい

華北交通株式會社東京調査室

4 | 原番板號 4A2−72 | 説明 棉繰り | 場所 | 撮影月日　年

◎この寫眞御使用の節は必ず華北交通株式會社提供と御記入下さい

華北交通株式會社東京調査室

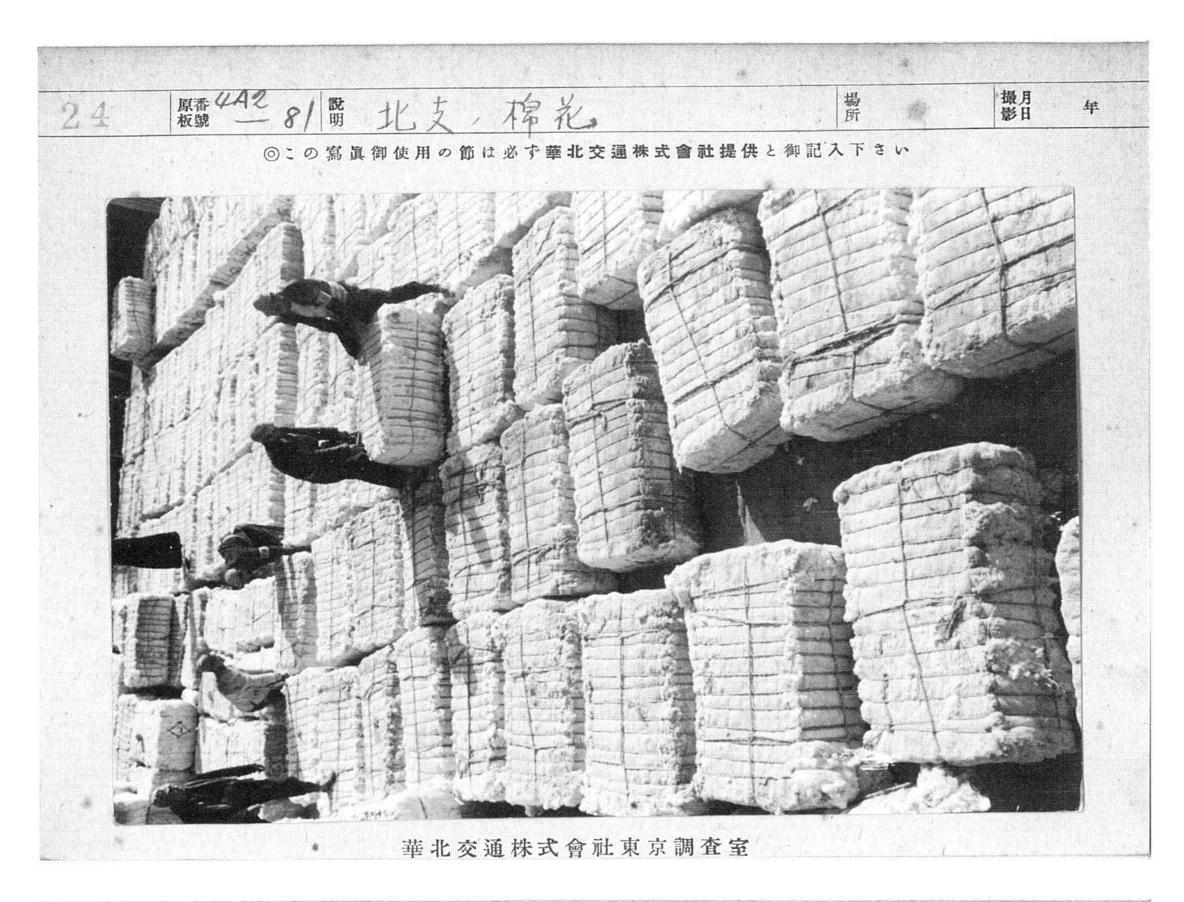
24
原番板號 4A2—81
説明 北支、棉花
場所
撮影月日
年
◎この寫眞御使用の節は必ず華北交通株式會社提供と御記入下さい
華北交通株式會社東京調査室

24
原番板號 4A2−88
説明 北支の棉花
場所
撮影月日
年
◎この寫眞御使用の節は必ず華北交通株式會社提供と御記入下さい
集積された棉花の山
華北交通株式會社東京調査室

24 原番號 4A2-95 說明 棉花増産立看板 場所 撮影月日 年

◎この寫眞御使用の節は必ず華北交通株式會社提供と御記入下さい

「米棉ノ産額ハ一畝平均百二十斤
支那棉ハ一畝平均八十斤
農村ノ友達ヨ改良米棉ヲ植エヨウ

華北交通株式會社東京調査室

（A列5）

24 原番號 4A2-97 說明 北支ノ棉花 場所 撮影月日 年

◎この寫眞御使用の節は必ず華北交通株式會社提供と御記入下さい

華北交通株式會社東京調査室

（A列5）

24	原番板號 4A2-110	說明 北支の棉花	場所	撮影月日 年

◎この寫眞御使用の節は必ず華北交通株式會社提供と御記入下さい

棉花ヲ自動車ニ積ミ込ム

華北交通株式會社東京調査室

1	原番板號 4A3-5	說明 軒崗に於ける石炭の搬出	場所 北同蒲線	撮影月日 年

◎この寫眞御使用の節は必ず華北交通株式會社提供と御記入下さい

華北交通株式會社東京調査室

1	原番板號 4A3−18	説明 軒崗に於ける石炭の駄馬による搬出	場所 軒崗	撮影月日 年

◎この寫眞御使用の節は必ず華北交通株式會社提供と御記入下さい

華北交通株式會社東京調査室

21	原番板號 4A3−30	説明 石炭 回轉機で降す	場所 大同	撮影月日 年

◎この寫眞御使用の節は必ず華北交通株式會社提供と御記入下さい

華北交通株式會社東京調査室

原番板號 4A3-31	説明 大同炭砿の採掘	場所	撮影月日	年

◎この寫眞御使用の節は必ず華北交通株式會社提供と御記入下さい

華北交通株式會社東京調査室

原番板號 4A3-32	説明 大同炭砿 之内	場所	撮影月日	年

◎この寫眞御使用の節は必ず華北交通株式會社提供と御記入下さい

華北交通株式會社東京調査室

1 原板番號 4A3-34 說明 坑内に於ける運炭作業 場所 大同 撮影年月日 年

◎この寫眞御使用の節は必ず華北交通株式會社提供と御記入下さい

華北交通株式會社東京調査室

2	原番板號 4A4－3	說明 採掘（鉄鉱）	場所 龍煙	撮影月日	年

◎この寫眞御使用の節は必ず華北交通株式會社提供と御記入下さい

華北交通株式會社東京調査室

2	原番板號 4A4－69	說明	場所	撮影月日	年

◎この寫眞御使用の節は必ず華北交通株式會社提供と御記入下さい

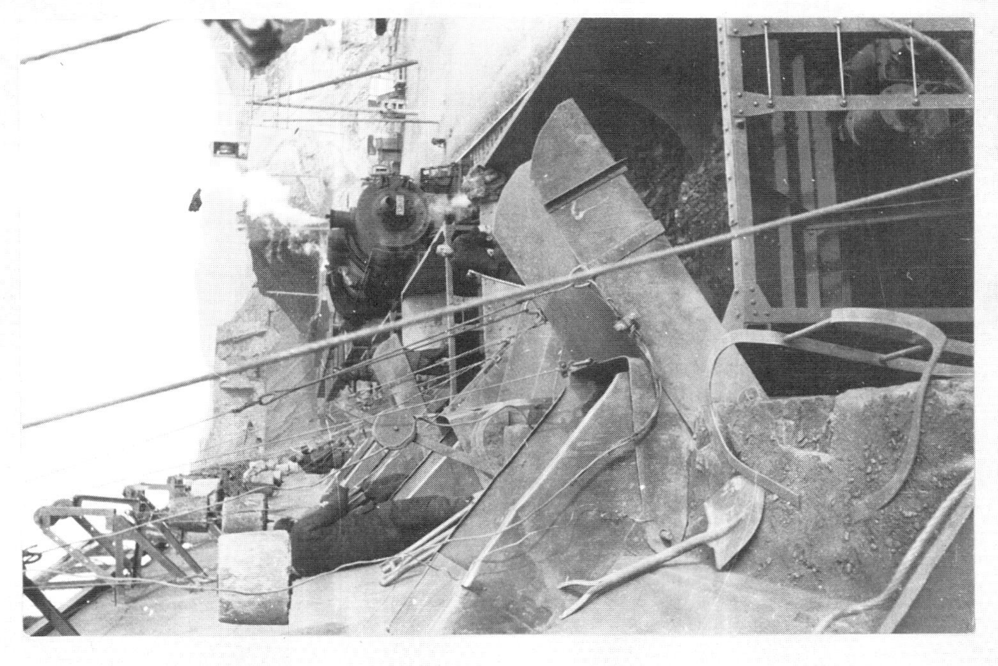

華北交通株式會社東京調査室

1	原番板號 4AL-84	說明 太原鉄廠 鉱石粉砕	場所	撮影月日 年

◎この寫眞御使用の節は必ず華北交通株式會社提供と御記入下さい

華北交通株式會社東京調査室

4	原番板號 B469-6	說明	場所	撮影月日 年

◎この寫眞御使用の節は必ず華北交通株式會社提供と御記入下さい

華北交通株式會社東京調査室

番號 24 原板番號 B469-12 說明 場所 撮影月日 年

◎この寫眞御使用の節は必ず華北交通株式會社提供と御記入下さい

華北交通株式會社東京調査室

22 原板番號 B470-3 說明 北支の鉄 場所 龍烟 撮影月日 年

◎この寫眞御使用の節は必ず華北交通株式會社提供と御記入下さい

採鉱場

華北交通株式會社東京調査室

2 原番板號 B470 −13 說明 龍烟鉄鉱 場所 撮影月日 年

◎この寫眞御使用の節は必ず華北交通株式會社提供と御記入下さい

華北交通株式會社東京調査室

番號 22 原番板號 B470−16 說明 北支の鉄 場所 龍烟 撮影月日 年

◎この寫眞御使用の節は必ず華北交通株式會社提供と御記入下さい

貨車へ鉱石ヲ積込ム

華北交通株式會社東京調査室

B470-21
原番板號 22
說明 龍烟鐵鑛貨車積込
場所
撮影月日 年
◎この寫眞御使用の節は必ず華北交通株式會社提供と御記入下さい
コイ50
コ50124
華北交通株式會社東京調査室

22
原番板號 B470-30
說明 北支の鐵
場所 太原
撮影月日 年
◎この寫眞御使用の節は必ず華北交通株式會社提供と御記入下さい
華北交通株式會社東京調査室

番號 24
原番板號
說明 華北交通中央鉄路農場
場所 通洲
撮影月日 年
◎この寫眞御使用の節は必ず華北交通株式會社提供と御記入下さい
（A列5）

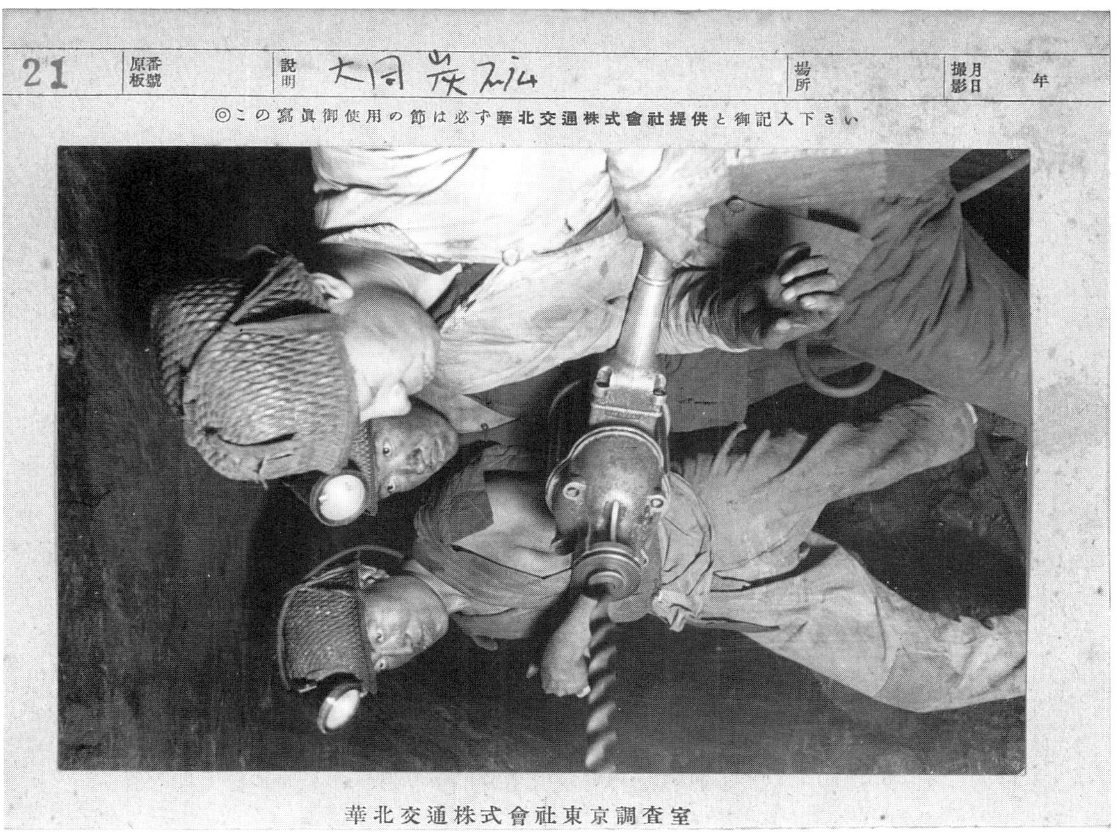
21
原番板號
說明 大同炭砿
場所
撮影月日 年
◎この寫眞御使用の節は必ず華北交通株式會社提供と御記入下さい
華北交通株式會社東京調査室

21
原番板號
說明 大同炭砿
場所
撮影月日 年
◎この寫眞御使用の節は必ず華北交通株式會社提供と御記入下さい
華北交通株式會社東京調査室

21
原番板號
說明 大同炭砿
場所
撮影月日 年
◎この寫眞御使用の節は必ず華北交通株式會社提供と御記入下さい
華北交通株式會社東京調査室

21　原番板號　説明　大同炭砿　場所　撮影年月日　年

◎この寫眞御使用の節は必ず華北交通株式會社提供と御記入下さい

華北交通株式會社東京調査室

（A列5）

22　原番板號　説明　龍烟鉄砿　場所　撮影年月日　年

◎この寫眞御使用の節は必ず華北交通株式會社提供と御記入下さい

華北交通株式會社東京調査室

三、産業

番號 34
原番板號 560
説明
場所
撮影月日 年
◎この寫眞御使用の節は必ず華北交通株式會社提供と御記入下さい
坂本万七氏撮影
華北交通株式會社東京調査室

6
原番板號 18268
説明 羊皮製造
場所 18268
撮影月日 年
◎この寫眞御使用の節は必ず華北交通株式會社提供と御記入下さい
華北交通株式會社東京調査室

番號 38 | 原番板號 33301 | 說明 物資交易場 | 場所 徳縣 | 撮影月日 年

◎この寫眞御使用の節は必ず華北交通株式會社提供と御記入下さい

華北交通株式會社東京調査室

原番板號 33303 | 說明 枡（上ハ20斤・下ハ100斤） | 場所 | 撮影月日 年

◎この寫眞御使用の節は必ず華北交通株式會社提供と御記入下さい

華北交通株式會社東京調査室

原板番號 34534
説明 牛皮製造
場所 順徳
撮影月日 年
◎この寫眞御使用の節は必ず華北交通株式會社提供と御記入下さい
華北交通株式會社東京調査室

分類番號 39
38
原板番號 38125
説明 羊皮筏
場所 包頭
撮影月日
◎この寫眞御使用の節は必ず華北交通株式會社提供と御記入下さい
華北交通株式會社東京調査室

原番板號	4A1—21	說明	水運への集貨	場所		撮影月日	年

◎この寫眞御使用の節は必ず華北交通株式會社提供と御記入下さい

華北交通株式會社東京調査室

原番板號	4A1-30	說明	内河水運（雜穀）	場所	新鎮	撮影月日	年

◎この寫眞御使用の節は必ず華北交通株式會社提供と御記入下さい

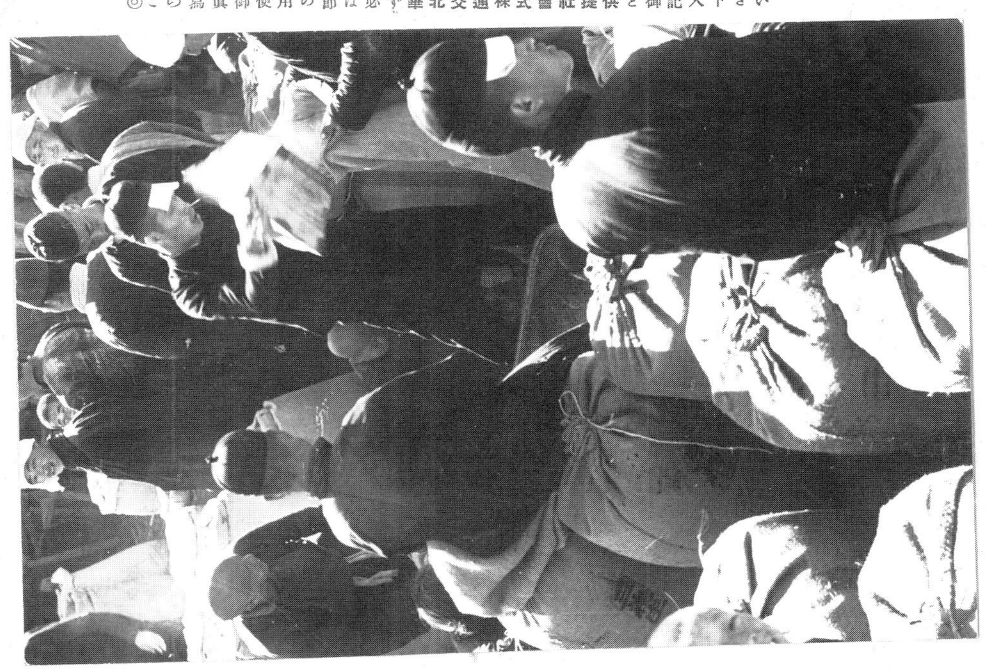

華北交通株式會社東京調査室

原番板號 4A1-31	説明 新鎭に於ける雜穀の取引	場所	撮影月日 年

◎この寫眞御使用の節は必ず華北交通株式會社提供と御記入下さい

華北交通株式會社東京調査室

番號 31	原番板號 4A4-73	説明 北支の鉄	場所 太原	撮影月日 年

◎この寫眞御使用の節は必ず華北交通株式會社提供と御記入下さい

華北交通株式會社東京調査室

原番板號 4A6-10
說明 羊モの集貨（蒙疆）
場所
撮影月日 年
◎この寫眞御使用の節は必ず華北交通株式會社提供と御記入下さい
華北交通株式會社東京調查室

36
原番板號 B472-7
說明 牧畜
場所 ケヤハル
撮影月日 年
◎この寫眞御使用の節は必ず華北交通株式會社提供と御記入下さい
華北交通株式會社東京調查室

四、生活・文化

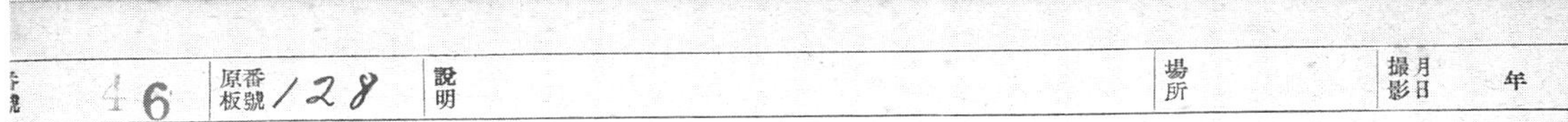

46 原番板號 128 説明 場所 撮影月日 年

◎この寫眞御使用の節は必ず華北交通株式會社提供と御記入下さい

坂本万七氏撮影

華北交通株式會社東京調査室

42 原番板號 176 説明 場所 撮影月日 年

◎この寫眞御使用の節は必ず華北交通株式會社提供と御記入下さい

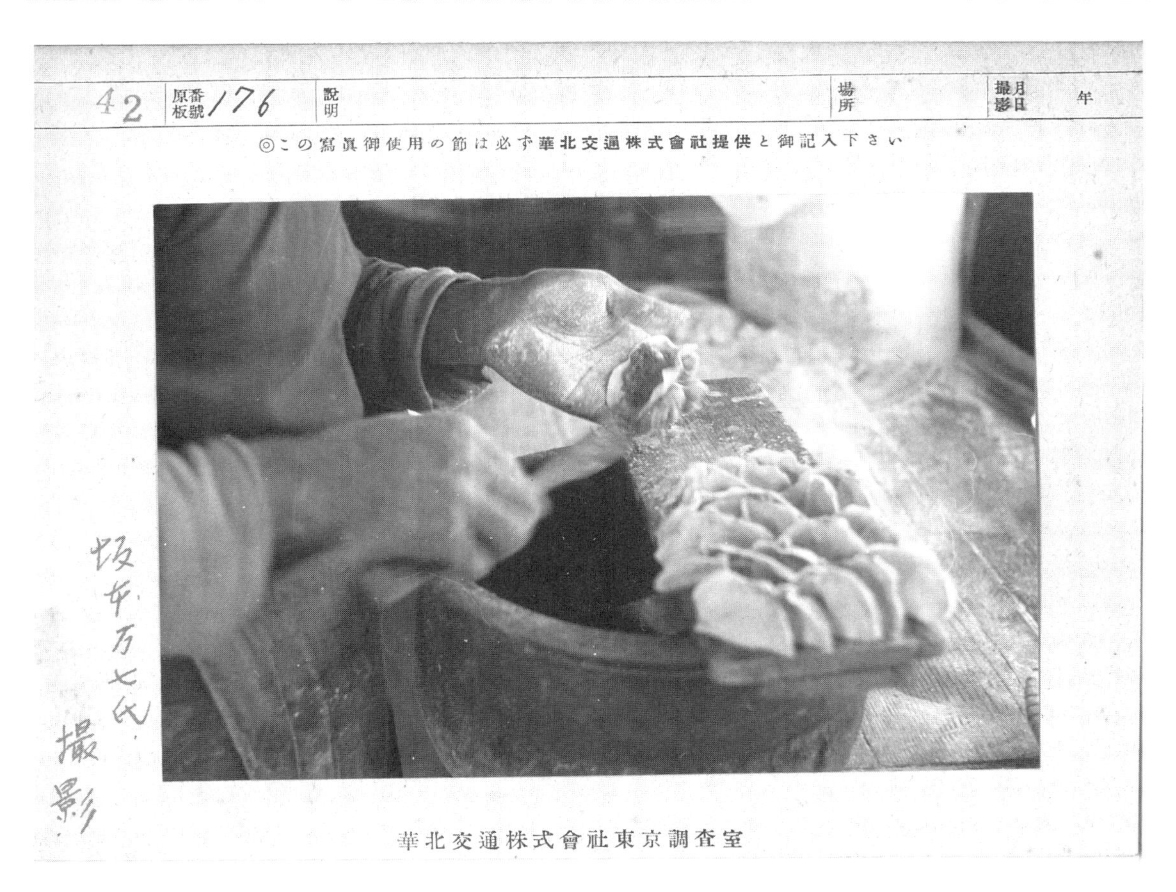

坂本万七氏撮影

華北交通株式會社東京調査室

46 | 原番板號 188 | 說明 街頭雑藝 | 場所 | 撮影月日 年

◎この寫眞御使用の節は必ず華北交通株式會社提供と御記入下さい

坂本万七氏撮影

華北交通株式會社東京調査室

46 | 原番板號 189 | 說明 | 場所 | 撮影月日 年

◎この寫眞御使用の節は必ず華北交通株式會社提供と御記入下さい

坂本万七氏撮影

華北交通株式會社東京調査室

43 | 原番板號 303 | 說明 | 場所 | 撮影年月日 年

◎この寫眞御使用の節は必ず華北交通株式會社提供と御記入下さい

華北交通株式會社東京調查室

（A列5）

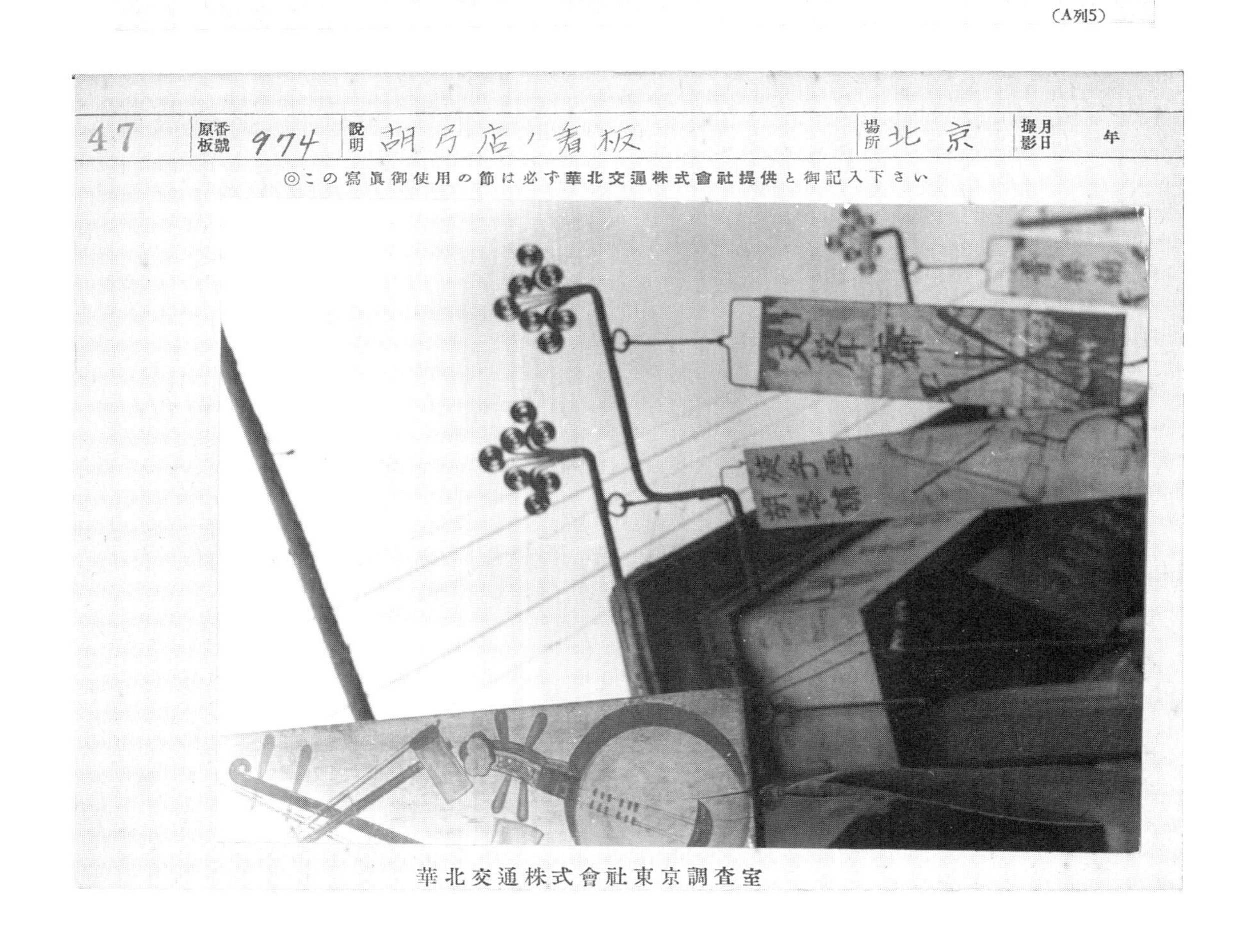

47 | 原番板號 974 | 說明 胡弓店ノ看板 | 場所 北京 | 撮影年月日 年

◎この寫眞御使用の節は必ず華北交通株式會社提供と御記入下さい

華北交通株式會社東京調查室

47 原番板號 1235 說明 招牌（刄物屋） 場所 天津 撮影月日 年

◎この寫眞御使用の節は必ず**華北交通株式會社提供**と御記入下さい

華北交通株式會社東京調査室

46 原番板號 1338 說明 ノゾキカラクリ 天橋 場所 北京 撮影月日 年

◎この寫眞御使用の節は必ず**華北交通株式會社提供**と御記入下さい

華北交通株式會社東京調査室

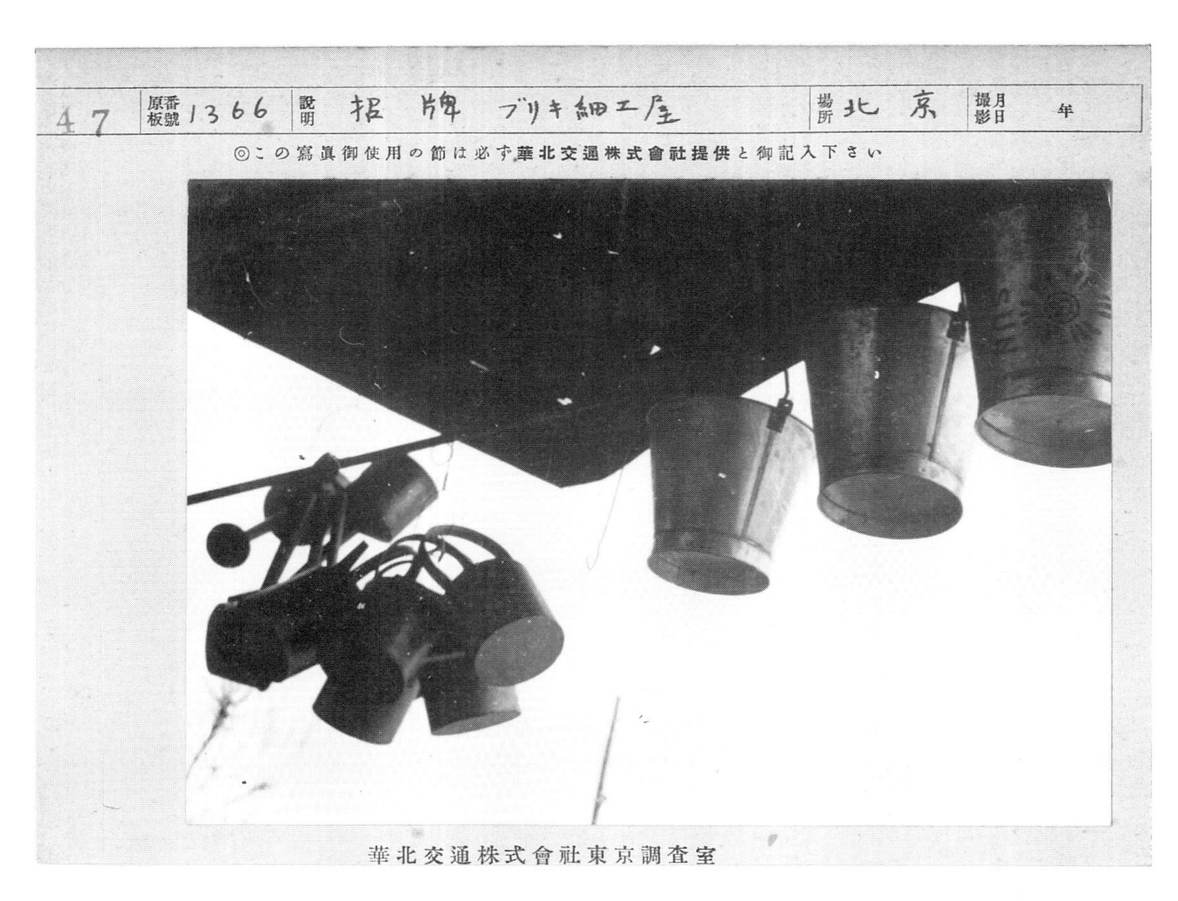
47
原番板號 1366
説明 招牌 ブリキ細工屋
場所 北京
撮影月日 年
◎この寫眞御使用の節は必ず華北交通株式會社提供と御記入下さい
華北交通株式會社東京調査室

410
原番板號 2162
説明
場所
撮影月日 年
◎この寫眞御使用の節は必ず華北交通株式會社提供と御記入下さい
SLOW
危險
慢走
華北交通株式會社東京調査室

46 原番板號 2219 說明 洋　車 場所 北京 撮影月日 年

◎この寫眞御使用の節は必ず華北交通株式會社提供と御記入下さい

華北交通株式會社東京調査室

411 原番板號 2304 說明 邦人生活 場所 北京 撮影月日 年

◎この寫眞御使用の節は必ず華北交通株式會社提供と御記入下さい

華北交通株式會社東京調査室

（A列5）

42
原番板號 2682
說明 支那料理
場所 北京
撮影 年月日
◎この寫眞御使用の節は必ず華北交通株式會社提供と御記入下さい
華北交通株式會社東京調査室

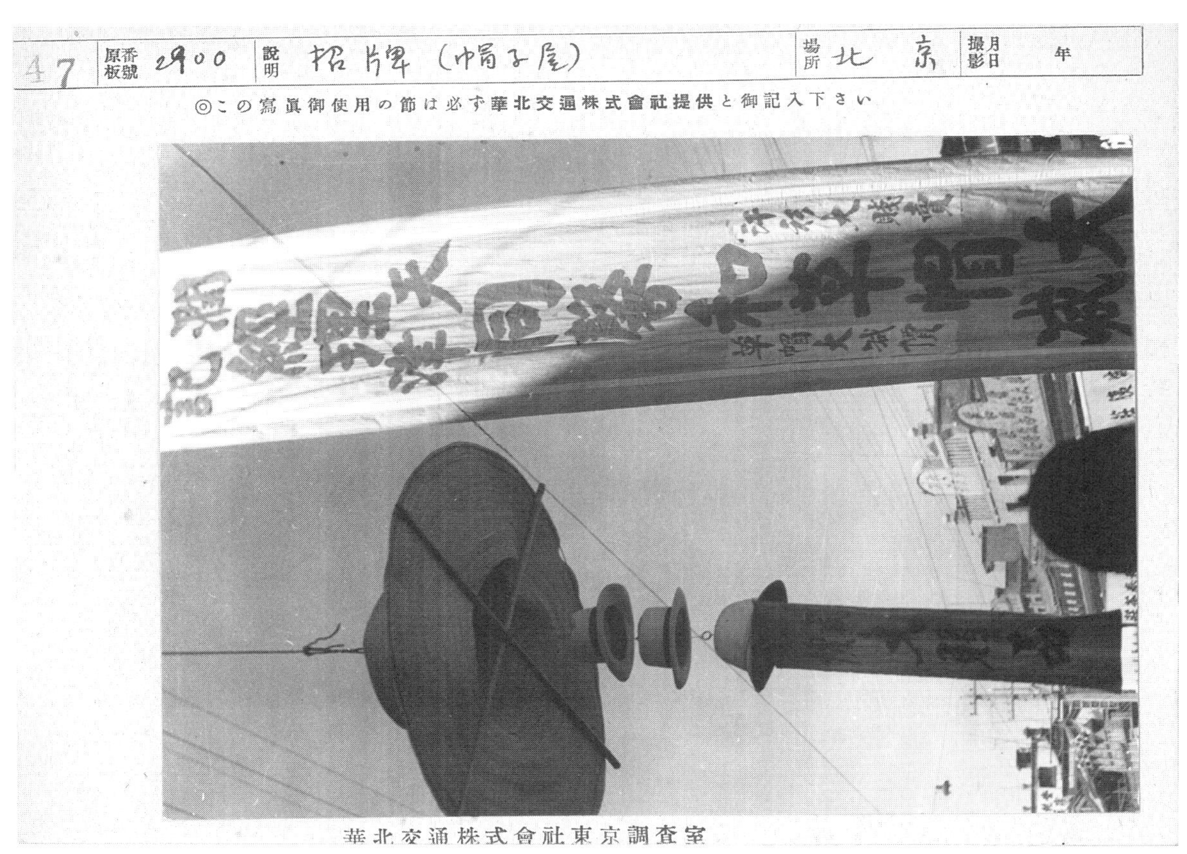
47
原番板號 2900
說明 招牌（帽子屋）
場所 北京
撮影 年月日
◎この寫眞御使用の節は必ず華北交通株式會社提供と御記入下さい
華北交通株式會社東京調査室

46	原番板號 2981	說明 东安市場	場所	撮影年月日

◎この寫眞御使用の節は必ず華北交通株式會社提供と御記入下さい

華北交通株式會社東京調査室

47	原番板號 3421	說明 絨氈屋ノ看板	場所 張家口	撮影年月日

◎この寫眞御使用の節は必ず華北交通株式會社提供と御記入下さい

華北交通株式會社東京調査室

48 原番板號 3554 說明 場所 包頭 撮影月日 年

◎この寫眞御使用の節は必ず華北交通株式會社提供と御記入下さい

華北交通株式會社東京調査室

(A列5)

12 原番板號 3646 說明 汽車と駱駝 場所 居庸關 撮影月日 年

◎この寫眞御使用の節は必ず華北交通株式會社提供と御記入下さい

華北交通株式會社東京調査室

43
原番板號 3718
說明 穴居（大同炭砿坑夫ノ住居）
場所 大同
撮影月日 年
◎この寫眞御使用の節は必ず華北交通株式會社提供と御記入下さい
華北交通株式會社東京調査室

47
原番板號 3844
說明 蒙古の看板 荒物屋
場所 張家口
撮影月日 年
◎この寫眞御使用の節は必ず華北交通株式會社提供と御記入下さい
華北交通株式會社東京調査室

47	原番板號 3847	說明 招牌 煙管屋ノ看板	場所 大同	撮影月日 年

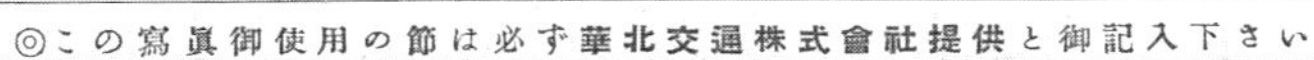

◎この寫眞御使用の節は必ず華北交通株式會社提供と御記入下さい

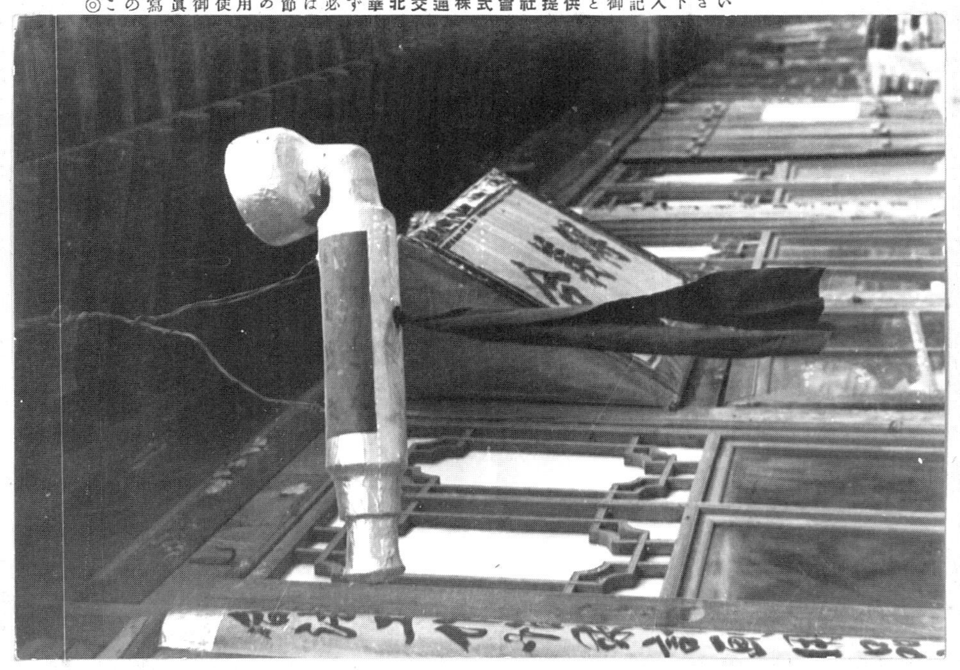

華北交通株式會社東京調査室

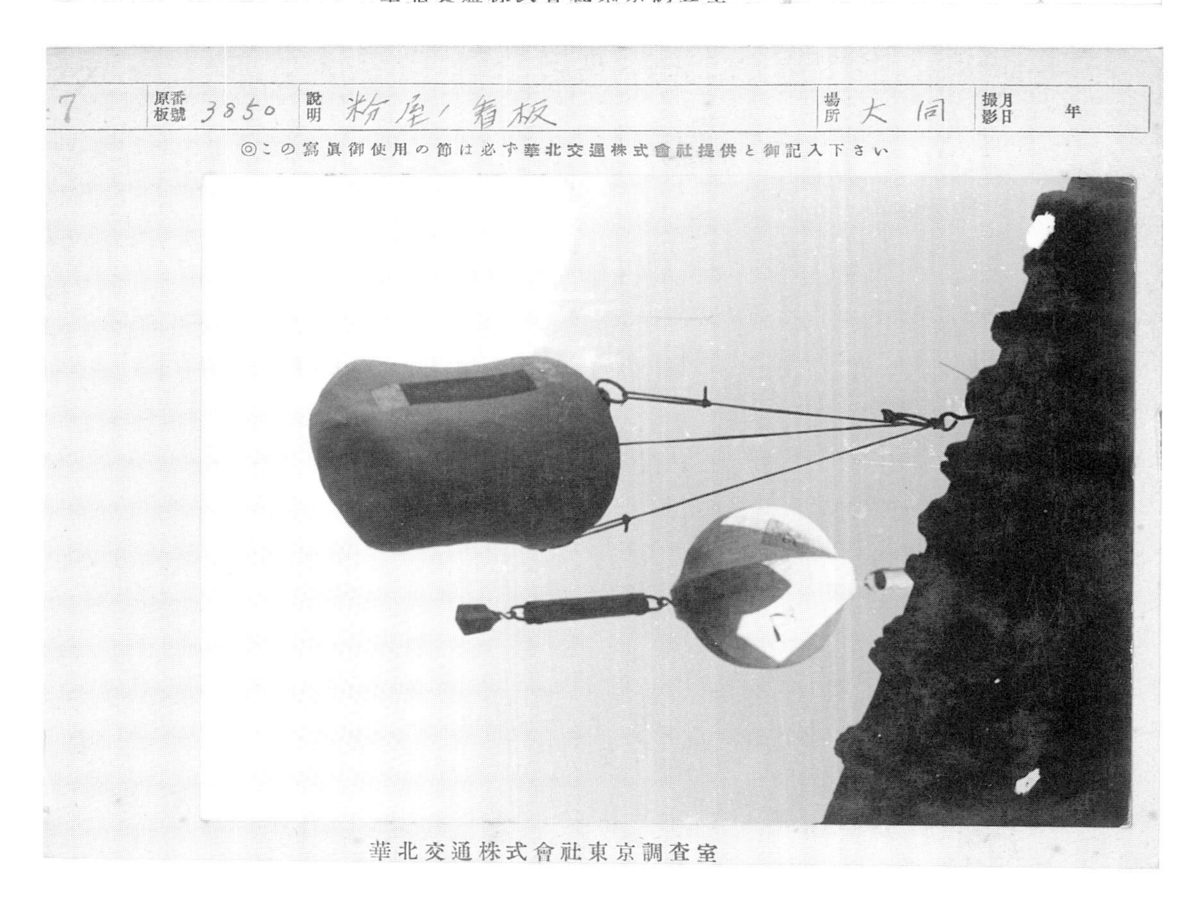

7	原番板號 3850	說明 粉屋ノ看板	場所 大同	撮影月日 年

◎この寫眞御使用の節は必ず華北交通株式會社提供と御記入下さい

華北交通株式會社東京調査室

46	原番板號 4457	說明 洋車	場所	撮影月日 年

◎この寫眞御使用の節は必ず華北交通株式會社提供と御記入下さい

華北交通株式會社東京調査室

411	原番板號 4624	說明 青島海水浴場	場所 膠濟線	撮影月日 年

◎この寫眞御使用の節は必ず華北交通株式會社提供と御記入下さい

華北交通株式會社東京調査室

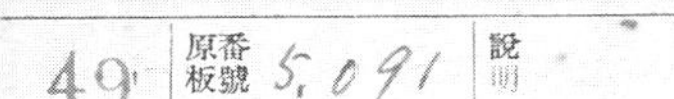

49	原番板號 5.091	說明	場所	撮影年月日 年

◎この寫眞御使用の節は必ず華北交通株式會社提供と御記入下さい

華北交通株式會社東京調査室

（A列5）

48	原番板號 5206	說明 支那風呂	場所 北京	撮影年月日 年

◎この寫眞御使用の節は必ず華北交通株式會社提供と御記入下さい

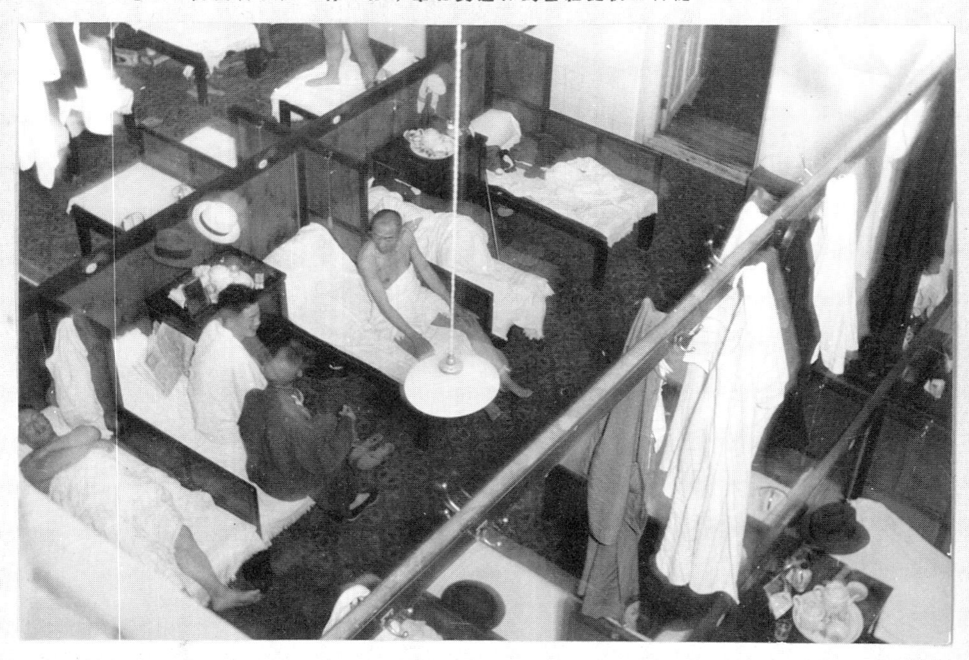

華北交通株式會社東京調査室

42
原板番號 5783
説明 路傍ノ茶店
場所
撮影年月日 年
◎この寫眞御使用の節は必ず華北交通株式會社提供と御記入下さい
華北交通株式會社東京調査室

25
原板番號 6599
説明 葬列
場所 北京
撮影年月日 年
◎この寫眞御使用の節は必ず華北交通株式會社提供と御記入下さい
華北交通株式會社東京調査室

46 原板番號 6809 説明 街頭理髪師 場所 北京 撮影年月日 年

◎この寫眞御使用の節は必ず華北交通株式會社提供と御記入下さい

華北交通株式會社東京調査室

分類番號 46 原板番號 6811 説明 自轉車にのる姑娘 場所 撮影月日

◎この寫眞御使用の節は必ず華北交通株式會社提供と御記入下さい

華北交通株式會社東京調査室

42	原番板號 7309	說明 隆福寺廟会	場所 北京	撮影 年 月 日

◎この寫眞御使用の節は必ず**華北交通株式會社提供**と御記入下さい

華北交通株式會社東京調査室

46	原番板號 7328	說明 蠟筒蓄音機　隆福寺廟会	場所 北京	撮影 年 月 日

◎この寫眞御使用の節は必ず**華北交通株式會社提供**と御記入下さい

華北交通株式會社東京調査室

48
46 原番板號 7354 說明 小鳥と支那人 場所 北京 7354 撮影月日 年

◎この寫眞御使用の節は必ず華北交通株式會社提供と御記入下さい

華北交通株式會社東京調査室

分番類號 46 原番板號 7373 說明 隆福寺 廟市 場所 北京 撮影月日 年

◎この寫眞御使用の節は必ず華北交通株式會社提供と御記入下さい

華北交通株式會社東京調査室

42	原番板號 7377	説明 廟會ノ鵝鳥賣り（隆福寺）	場所 北京	撮影月日 年

◎この寫眞御使用の節は必ず華北交通株式會社提供と御記入下さい

華北交通株式會社東京調査室

47	原番板號 7400	説明 畜醫者の看板	場所	撮影月日 年

◎この寫眞御使用の節は必ず華北交通株式會社提供と御記入下さい

華北交通株式會社東京調査室

42	原番板號 7575	說明 隆福寺廟会	場所 北京	撮影 年月日 年

◎この寫眞御使用の節は必ず華北交通株式會社提供と御記入下さい

華北交通株式會社東京調査室

46	原番板號 8343	說明 支那 華化 ヲリ	場所	撮影 年月日 年

◎この寫眞御使用の節は必ず華北交通株式會社提供と御記入下さい

華北交通株式會社東京調査室

番號 44 原番板號 9494 說明 臘八（十二月八日）施粥 場所 北京、 撮影月日 年

◎この寫眞御使用の節は必ず華北交通株式會社提供と御記入下さい

華北交通株式會社東京調查室

48
原番板號 9705
説明 小鳥籠
場所
撮影月日 年
◎この寫眞御使用の節は必ず華北交通株式會社提供と御記入下さい
華北交通株式會社東京調査室
(A列5)

46
原番板號 9740
説明 花兒市
場所 北京
撮影月日 年
◎この寫眞御使用の節は必ず華北交通株式會社提供と御記入下さい
華北交通株式會社東京調査室

46 原番板號 9741 説明 春聯書キ 場所 北京 撮影月日 年

◎この寫眞御使用の節は必ず華北交通株式會社提供と御記入下さい

華北交通株式會社東京調査室

4 原番板號 9817 説明 支那正月風景 竈の神様 場所 撮影月日 年

◎この寫眞御使用の節は必ず華北交通株式會社提供と御記入下さい

華北交通株式會社東京調査室

44　原番板號 10000　說明 正月風景　場所　撮影 月日

◎この寫眞御使用の節は必ず華北交通株式會社提供と御記入下さい

華北交通株式會社東京調査室

411　原番板號 10990　說明 天壇祈年殿　華北交通社員　場所 北京　撮影 月日 年

◎この寫眞御使用の節は必ず華北交通株式會社提供と御記入下さい

華北交通株式會社東京調査室

46
原番板號 9741
説明 春聯書キ
場所 北京
撮影月日 年
◎この寫眞御使用の節は必ず華北交通株式會社提供と御記入下さい
價廉
華北交通株式會社東京調査室

4
原番板號 9817
説明 支那正月風景 竈の神様
場所
撮影月日 年
◎この寫眞御使用の節は必ず華北交通株式會社提供と御記入下さい
華北交通株式會社東京調査室

番號 44	原番板號 10000	説明 正月風景	場所	撮影 月日

◎この寫眞御使用の節は必ず華北交通株式會社提供と御記入下さい

華北交通株式會社東京調査室

411	原番板號 10990	説明 天壇祈年殿 華北交通社京	場所 北京,	撮影 月日 年

◎この寫眞御使用の節は必ず華北交通株式會社提供と御記入下さい

華北交通株式會社東京調査室

分類番號	44	原板番號	13077	説明	雜沓の琉璃廠の初市	場所	北京	撮影月日	

◎この寫眞御使用の節は必ず華北交通株式會社提供と御記入下さい

華北交通株式會社東京調査室

44	原板番號	13276	説明	東嶽廟々会	場所	北京	撮影月日	年

◎この寫眞御使用の節は必ず華北交通株式會社提供と御記入下さい

華北交通株式會社東京調査室

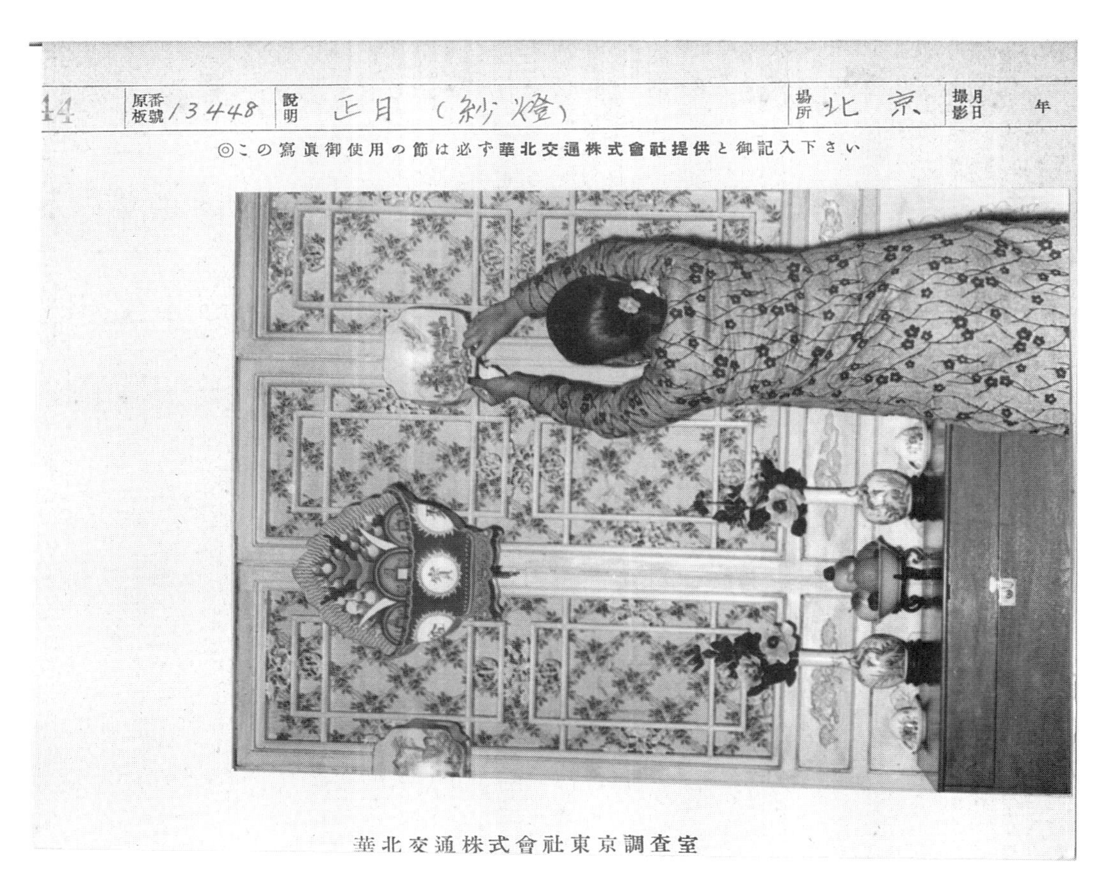
44
原番板號 13448
說明 正月（紗燈）
場所 北京
撮影月日 年
◎この寫眞御使用の節は必ず華北交通株式會社提供と御記入下さい
華北交通株式會社東京調查室

41
原番板號 13520
說明 働ク姑娘（喫茶店）
場所 北京
撮影月日 年
◎この寫眞御使用の節は必ず華北交通株式會社提供と御記入下さい
華北交通株式會社東京調查室

5 原番板號 13523 説明 結婚式（嫁入道具ノ運搬） 場所 北京 撮影月日 年

◎この寫眞御使用の節は必ず華北交通株式會社提供と御記入下さい

華北交通株式會社東京調査室

44 原番板號 13716 説明 元宵團子 場所 北京 撮影月日 年

◎この寫眞御使用の節は必ず華北交通株式會社提供と御記入下さい

華北交通株式會社東京調査室

番號	44	原番板號	13717	說明	正月　元宵團子	場所	北京	撮影月日	

◎この寫眞御使用の節は必ず華北交通株式會社提供と御記入下さい

華北交通株式會社東京調査室

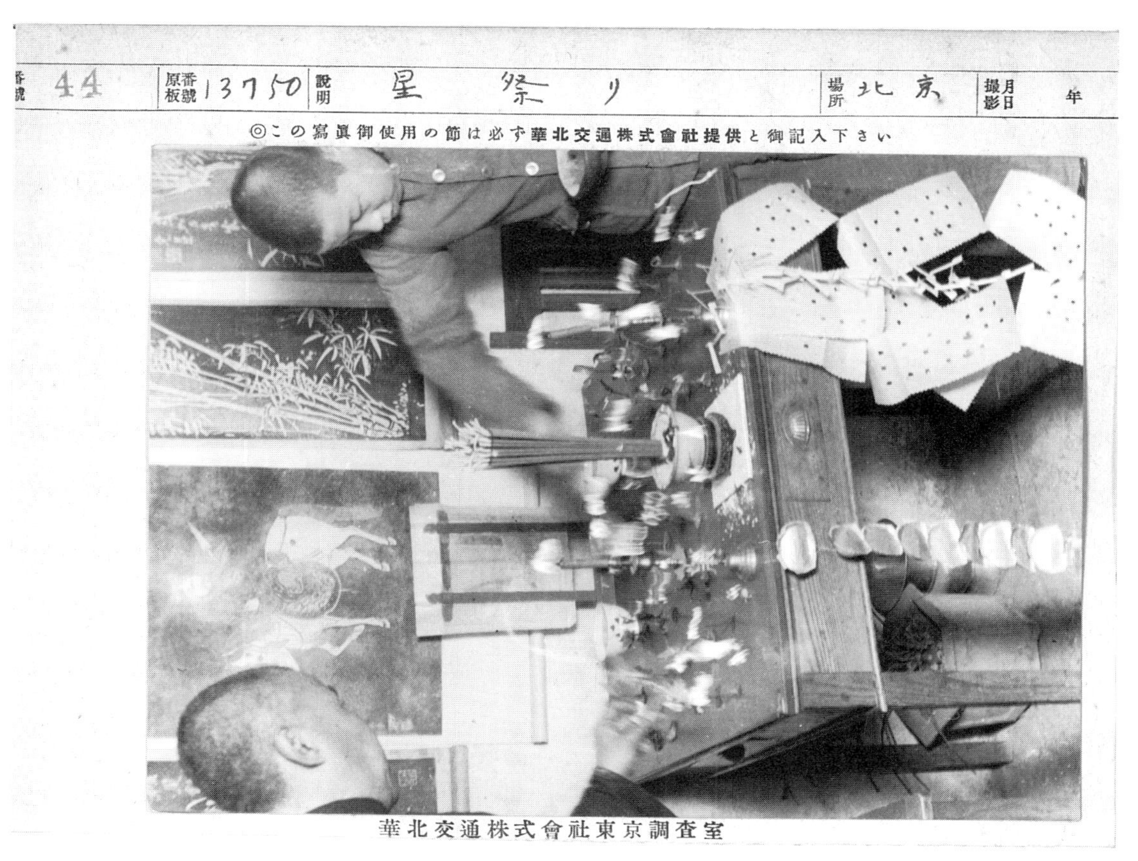
番號 44
原板番號 13750
説明 星祭り
場所 北京
撮影月日 年
◎この寫眞御使用の節は必ず華北交通株式會社提供と御記入下さい
華北交通株式會社東京調査室

分類番號 44
原板番號 13.780
説明
場所
撮影月日
◎この寫眞御使用の節は必ず華北交通株式會社提供と御記入下さい
華北交通株式會社東京調査室

43.
原番板號 13817
說明
場所
撮影月日 年
◎この寫眞御使用の節は必ず華北交通株式會社提供と御記入下さい
華北交通株式會社東京調査室

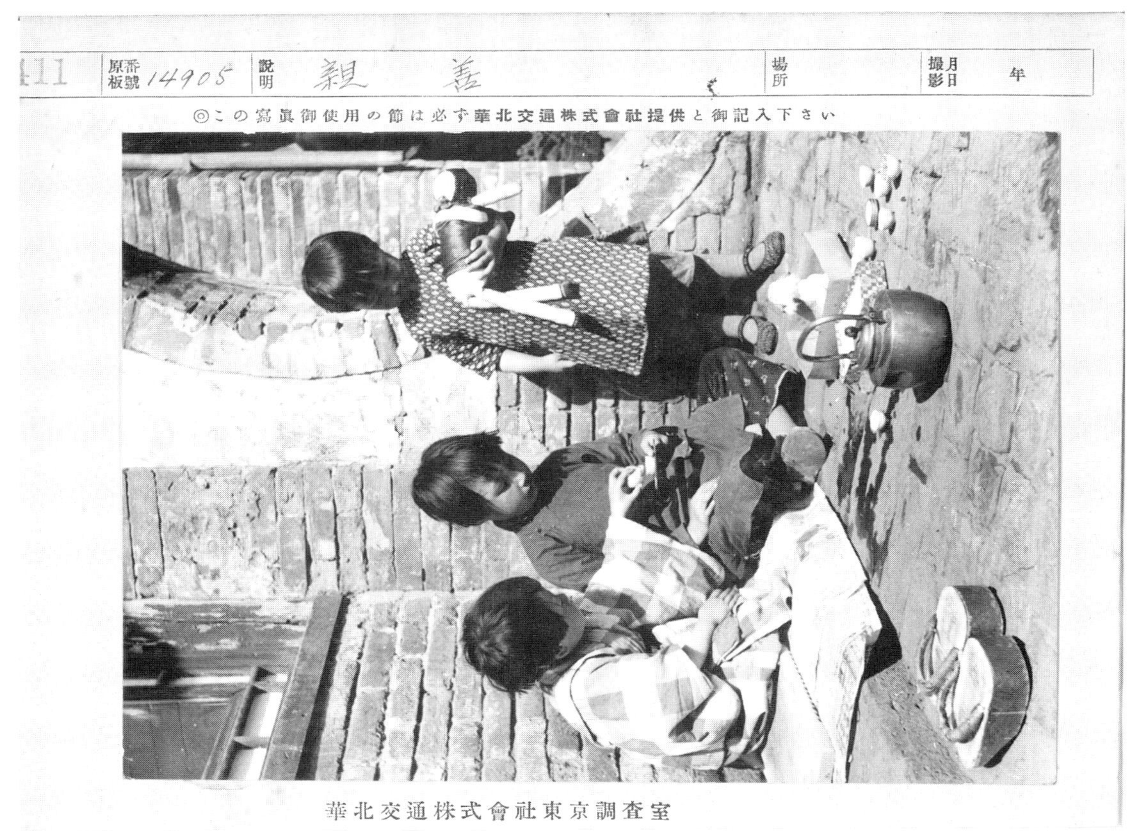
411
原番板號 14905
說明 親善
場所
撮影月日 年
◎この寫眞御使用の節は必ず華北交通株式會社提供と御記入下さい
華北交通株式會社東京調査室

412 原番板號 15658 説明 場所 撮影月日 年

◎この寫眞御使用の節は必ず華北交通株式會社提供と御記入下さい

華北交通株式會社東京調査室

411 原番板號 16114 説明 支那家屋に翻へる鯉のぼり 場所 北京 撮影月日 年

◎この寫眞御使用の節は必ず華北交通株式會社提供と御記入下さい

華北交通株式會社東京調査室

46	原板番號 16192	說明 路傍ノ散髮屋	場所 北京	撮影月日	年

◎この寫眞御使用の節は必ず華北交通株式會社提供と御記入下さい

華北交通株式會社東京調査室

46	原板番號 16195	說明 床屋の七つ道具	場所 北京	撮影月日	年

◎この寫眞御使用の節は必ず華北交通株式會社提供と御記入下さい

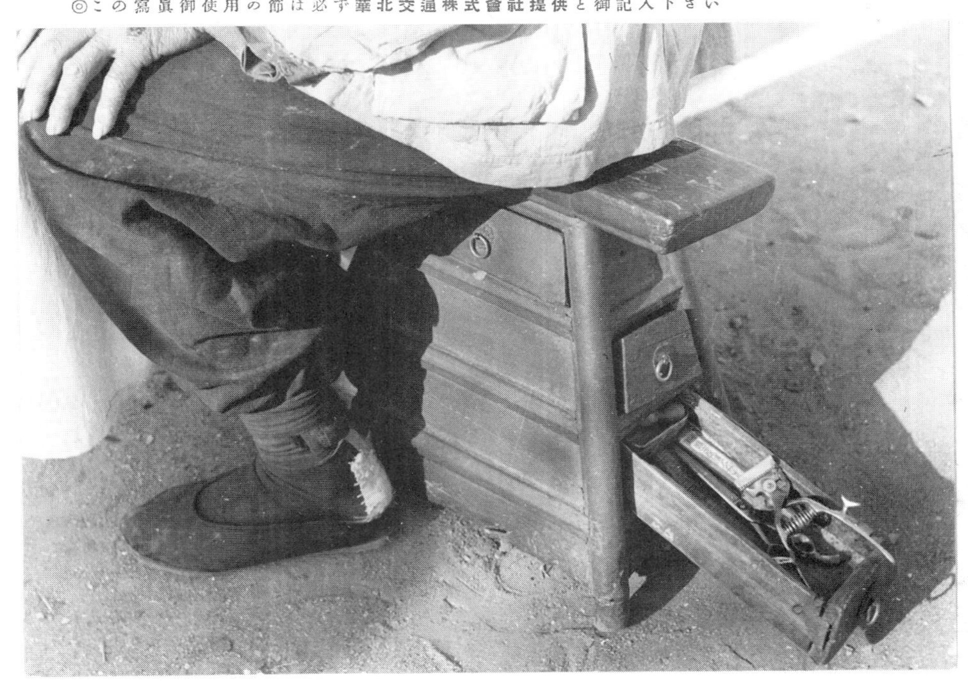

華北交通株式會社東京調査室

412	原番板號 16515	說明 駱駝の輸送隊	場所 張家口	撮影月日 年

◎この寫眞御使用の節は必ず華北交通株式會社提供と御記入下さい

華北交通株式會社東京調査室

413	原番板號 16980	說明 臥佛寺ノ沙羅双樹	場所 北京	撮影月日 年

◎この寫眞御使用の節は必ず華北交通株式會社提供と御記入下さい

華北交通株式會社東京調査室

(A列5)

分類番號	46	原板番號	17288	說明	子供	場所	北京	撮影月日	年

◎この寫眞御使用の節は必ず華北交通株式會社提供と御記入下さい

華北交通株式會社東京調査室

原板番號	17194	說明	苦力（行先身分調べ）	場所	天津	撮影月日	年

◎この寫眞御使用の節は必ず華北交通株式會社提供と御記入下さい

華北交通株式會社東京調査室

分類番號 44
原板番號 17.785
說明
場所
撮影月日
◎この寫眞御使用の節は必ず華北交通株式會社提供と御記入下さい
華北交通株式會社東京調査室

分類番號 44
原板番號 17.801
說明
場所
撮影月日
◎この寫眞御使用の節は必ず華北交通株式會社提供と御記入下さい
華北交通株式會社東京調査室

分類番號 原板番號 17803 説明 場所 撮影月日

◎この寫眞御使用の節は必ず華北交通株式會社提供と御記入下さい

華北交通株式會社東京調査室

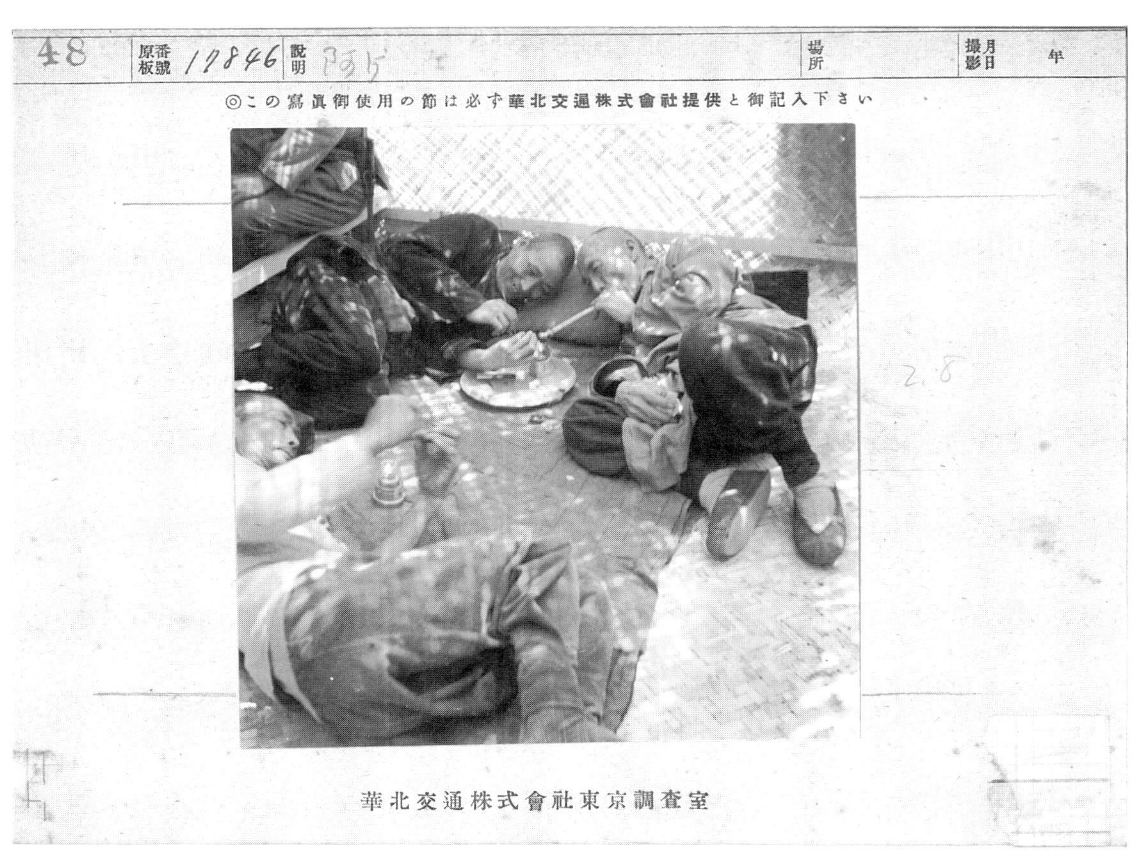
48 原板番號 12846 説明 場所 撮影月日 年

◎この寫眞御使用の節は必ず華北交通株式會社提供と御記入下さい

華北交通株式會社東京調査室

3 原番板號 17892 説明 穴居生活 場所 臨汾城外 撮影月日 年

◎この寫眞御使用の節は必ず華北交通株式會社提供と御記入下さい

華北交通株式會社東京調査室

3 原番板號 17894 説明 穴居 場所 臨汾 撮影月日 年

◎この寫眞御使用の節は必ず華北交通株式會社提供と御記入下さい

華北交通株式會社東京調査室

49	原番板號 17897	説明 穴居生活	場所 臨汾城外	撮影月日	年

◎この寫眞御使用の節は必ず華北交通株式會社提供と御記入下さい

華北交通株式會社東京調査室

番號 43	原番板號 17898	説明	場所	撮影月日

◎この寫眞御使用の節は必ず華北交通株式會社提供と御記入下さい

華北交通株式會社東京調査室

2	原番板號 18211	説明 適送 豚兒 捕はれる	場所 北京	撮影年月日 年

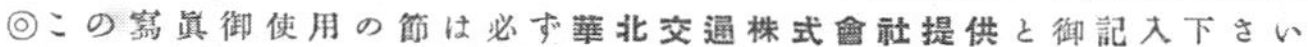

◎この寫眞御使用の節は必ず華北交通株式會社提供と御記入下さい

華北交通株式會社東京調査室

4 10	原番板號 18214	説明	場所	撮影年月日 年

◎この寫眞御使用の節は必ず華北交通株式會社提供と御記入下さい

華北交通株式會社東京調査室

(A列5)

46 原番板號 18464 說明 街の散髪屋 場所 新郷 撮影年月日 年

◎この寫眞御使用の節は必ず華北交通株式會社提供と御記入下さい

華北交通株式會社東京調査室

46 原番板號 19.079 說明 永定門外の黄昏風景 場所 北京 撮影年月日 年

◎この寫眞御使用の節は必ず華北交通株式會社提供と御記入下さい

華北交通株式會社東京調査室

(A列5)

412 原番板號 19226 說明 場所 撮影月日 年
◎この寫眞御使用の節は必ず華北交通株式會社提供と御記入下さい
華北交通株式會社東京調查室

5 原番板號 19338 說明 花嫁の轎 場所 天津 撮影月日 年
◎この寫眞御使用の節は必ず華北交通株式會社提供と御記入下さい
華北交通株式會社東京調查室

47
原番板號 19358
說明 看板（扇子屋）
場所 北京
撮影月日 年
◎この寫眞御使用の節は必ず華北交通株式會社提供と御記入下さい
華北交通株式會社東京調査室

6
42
原番板號 19516
說明 胡同の水うり
場所 北京
撮影月日 年
◎この寫眞御使用の節は必ず華北交通株式會社提供と御記入下さい
華北交通株式會社東京調査室

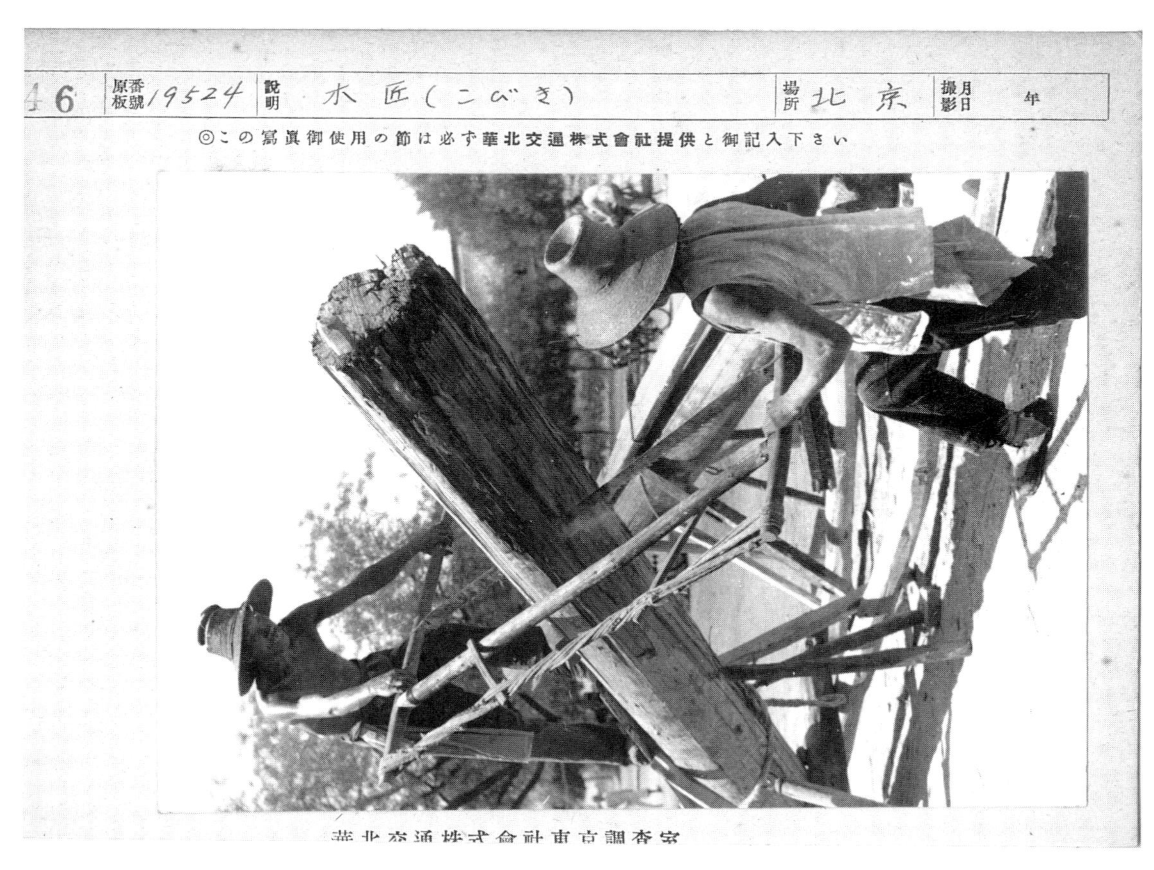
46 原板番號 19524 説明 木匠（こびき） 場所 北京 撮影月日 年
◎この寫眞御使用の節は必ず華北交通株式會社提供と御記入下さい
華北交通株式會社東京調査室

分類番號 46 原板番號 19575 説明 水賣リ 場所 北京 撮影月日 年
◎この寫眞御使用の節は必ず華北交通株式會社提供と御記入下さい
華北交通株式會社東京調査室

46 原番板號 19.779 説明 瓜賣り 場所 北京 撮影月日 年

◎この寫眞御使用の節は必ず華北交通株式會社提供と御記入下さい

華北交通株式會社東京調査室

46 原番板號 19874 説明 書店の内部（文奎堂） 場所 北京 撮影月日 年

◎この寫眞御使用の節は必ず華北交通株式會社提供と御記入下さい

華北交通株式會社東京調査室

43 原番板號 20602 說明 穴居ト少年坑夫 場所 大同 撮影年月日

◎この寫眞御使用の節は必ず華北交通株式會社提供と御記入下さい

華北交通株式會社東京調查室

43 原番板號 20603 說明 坑夫ノ穴居（大同炭砿） 場所 大同 撮影年月日 年

◎この寫眞御使用の節は必ず華北交通株式會社提供と御記入下さい

華北交通株式會社東京調查室

46 原番板號 20988 說明 蜻蛉賣り 場所 北京 撮影 年月日 年

◎この寫眞御使用の節は必ず華北交通株式會社提供と御記入下さい

華北交通株式會社東京調査室

410 原番板號 21245 說明 露支混血人 アルバジン村民 場所 北京 撮影 年月日 年

◎この寫眞御使用の節は必ず華北交通株式會社提供と御記入下さい

華北交通株式會社東京調査室

49	原板番號 21614	說明 ブリヤードの弓技	場所	撮影年月日 年

◎この寫眞御使用の節は必ず華北交通株式會社提供と御記入下さい

華北交通株式會社東京調査室

49	原板番號 21644	說明 裁縫する蒙婦人	場所 ブリヤード	撮影年月日 年

◎この寫眞御使用の節は必ず華北交通株式會社提供と御記入下さい

華北交通株式會社東京調査室

(A列5)

49	原番板號 21655	說明	場所	撮影月日	年

◎この寫眞御使用の節は必ず華北交通株式會社提供と御記入下さい

華北交通株式會社東京調査室

（A列5）

49	原番板號 21749	說明 ラマ僧	場所 ダブスノール	撮影月日	年

◎この寫眞御使用の節は必ず華北交通株式會社提供と御記入下さい

華北交通株式會社東京調査室

（A列5）

番號 46
原板番號 22097
說明 姑娘(自転車)
場所 北京
撮影年月日 年
◎この寫眞御使用の節は必ず華北交通株式會社提供と御記入下さい
華北交通株式會社東京調査室

49
原板番號 22227
說明 德王の令息 トガルスルン—
場所
撮影年月日 年
◎この寫眞御使用の節は必ず華北交通株式會社提供と御記入下さい
華北交通株式會社東京調査室

49	原番板號 22245	說明 繍刺する女	場所 西スニット	撮影月日 年

◎この寫眞御使用の節は必ず華北交通株式會社提供と御記入下さい

華北交通株式會社東京調査室

分類番號 49	原板番號 22252	說明	場所	撮影月日 年

◎この寫眞御使用の節は必ず華北交通株式會社提供と御記入下さい

華北交通株式會社東京調査室

（A列5）

番號 49 原番板號 22327 說明 蒙古の小学校 場所 西スニット 撮影月日 年

◎この寫眞御使用の節は必ず華北交通株式會社提供と御記入下さい

華北交通株式會社東京調査室

分類番號 45	原板番號 22676	説明 花燈　中元節	場所 北京	撮影月日 年

◎この寫眞御使用の節は必ず華北交通株式會社提供と御記入下さい

華北交通株式會社東京調査室

46	原板番號 23594	説明 街頭の本屋	場所 北京	撮影月日 年

◎この寫眞御使用の節は必ず華北交通株式會社提供と御記入下さい

華北交通株式會社東京調査室

12	原板番號 23718	説明 傳書鳩	場所 北京	撮影月日 年

◎この寫眞御使用の節は必ず華北交通株式會社提供と御記入下さい

華北交通株式會社東京調査室

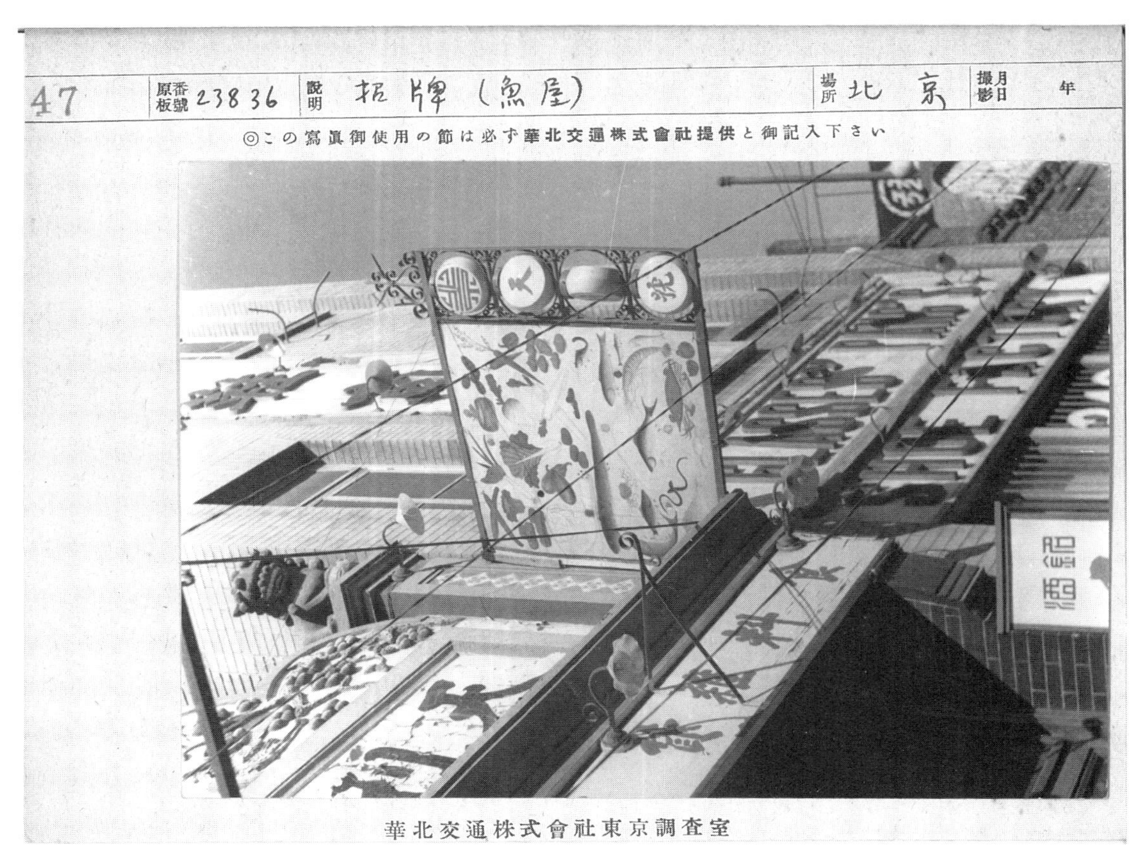
47
原番板號 23836
說明 招牌(魚屋)
場所 北京
撮影月日 年
◎この寫眞御使用の節は必ず華北交通株式會社提供と御記入下さい
華北交通株式會社東京調査室

47
原番板號 23854
說明 招牌 (かもじや)
場所 北京
撮影月日 年
◎この寫眞御使用の節は必ず華北交通株式會社提供と御記入下さい
華北交通株式會社東京調査室

47
原番板號 23857
說明 招牌（眼鏡铺）
場所 北京
撮影年月日 年
◎この寫眞御使用の節は必ず華北交通株式會社提供と御記入下さい
華北交通株式會社東京調査室

47
原番板號 23872
說明 招牌（紙屋）
場所 北京
撮影年月日 年
◎この寫眞御使用の節は必ず華北交通株式會社提供と御記入下さい
華北交通株式會社東京調査室

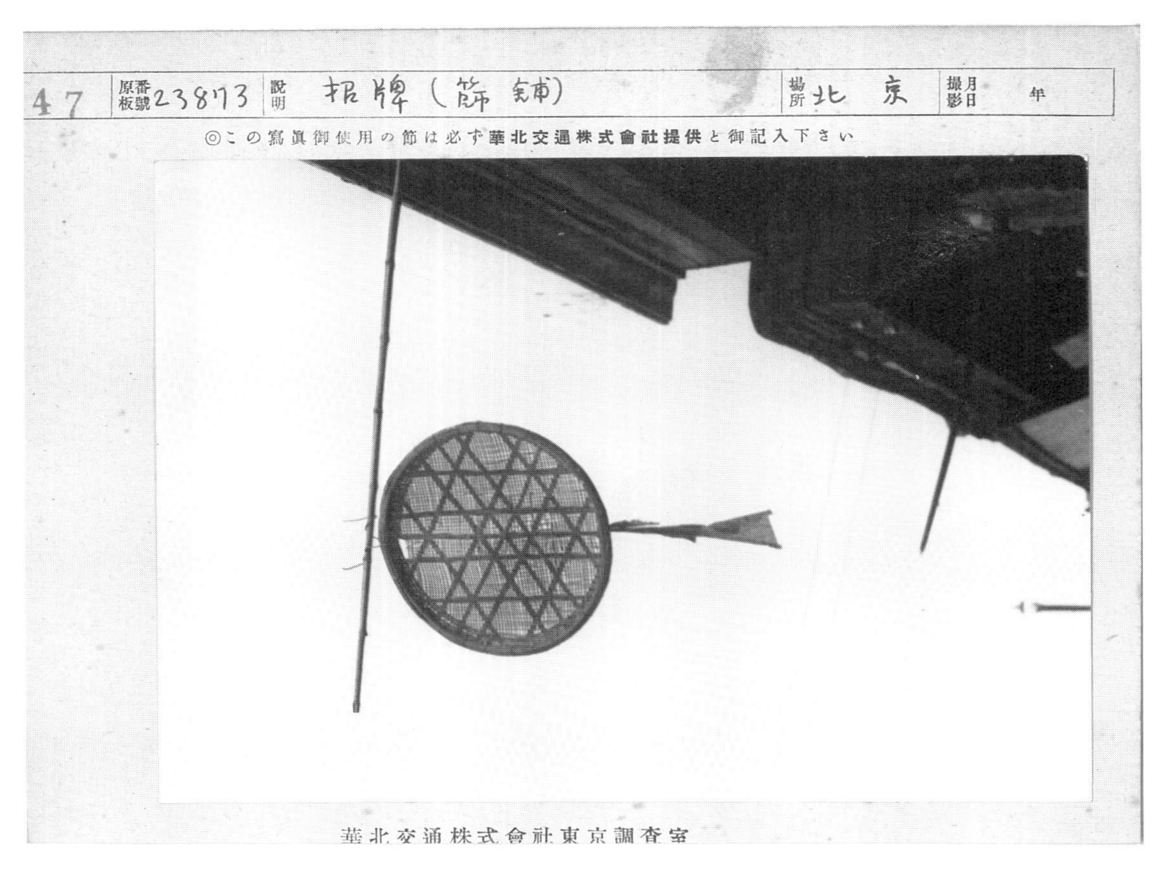
47
原番板號 23873
說明 招牌（篩鋪）
場所 北京
撮影月日 年
◎この寫眞御使用の節は必ず華北交通株式會社提供と御記入下さい
華北交通株式會社東京調査室

47
原番板號 23899
說明 看板（酒屋）
場所 北京
撮影月日 年
◎この寫眞御使用の節は必ず華北交通株式會社提供と御記入下さい
華北交通株式會社東京調査室

47
原番板號 23857
説明 招牌（眼鏡鋪）
場所 北京
撮影月日 年
◎この寫眞御使用の節は必ず華北交通株式會社提供と御記入下さい
華北交通株式會社東京調査室

47
原番板號 23872
説明 招牌（紙屋）
場所 北京
撮影月日 年
◎この寫眞御使用の節は必ず華北交通株式會社提供と御記入下さい
華北交通株式會社東京調査室

47
原板番號 23873
說明 招牌（篩鋪）
場所 北京
撮影年月日
◎この寫眞御使用の節は必ず華北交通株式會社提供と御記入下さい
華北交通株式會社東京調査室

47
原板番號 23899
說明 看板（酒屋）
場所 北京
撮影年月日
◎この寫眞御使用の節は必ず華北交通株式會社提供と御記入下さい
華北交通株式會社東京調査室

47	原番板號 23906	說明 招牌（提灯舖）	場所 北京	撮影月日 年

◎この寫眞御使用の節は必ず華北交通株式會社提供と御記入下さい

華北交通株式會社東京調査室

分類番號 44	原板番號 23978	說明 仲秋節	場所	撮影月日

◎この寫眞御使用の節は必ず華北交通株式會社提供と御記入下さい

華北交通株式會社東京調査室

44	原番板號 24131	説明 中秋月餅（大柵欄の菓子屋）	場所 北京	撮影月日	年

◎この寫眞御使用の節は必ず華北交通株式會社提供と御記入下さい

華北交通株式會社東京調査室

44	原番板號 24144	説明 中秋節（月光馬ト果物ノ店）	場所 北京	撮影月日	年

◎この寫眞御使用の節は必ず華北交通株式會社提供と御記入下さい

刻字處

華北交通株式會社東京調査室

148 原番板號 24231 說明 古蘭經（回教） 場所 北京 撮影月日 年

◎この寫眞御使用の節は必ず華北交通株式會社提供と御記入下さい

華北交通株式會社東京調査室

（A列5）

42 原番板號 24274 說明 回教徒飲食店 場所 北京 撮影月日 年

◎この寫眞御使用の節は必ず華北交通株式會社提供と御記入下さい

華北交通株式會社東京調査室

42	原番板號 25094	說明 露店食物（豚ノ内臓）	場所 北京	撮影 年月日

◎この寫眞御使用の節は必ず華北交通株式會社提供と御記入下さい

華北交通株式會社東京調査室

42	原番板號 25107	說明 豚の舌.足.腸、ハム.ソーセヂ.ベーコン	場所 北京	撮影 年月日

◎この寫眞御使用の節は必ず華北交通株式會社提供と御記入下さい

華北交通株式會社東京調査室

5 原番板號 25112 說明 葬式 寓人 場所 北京 撮影月日 年

◎この寫眞御使用の節は必ず華北交通株式會社提供と御記入下さい

華北交通株式會社東京調查室

49 原番板號 25484 說明 蒙古相撲 場所 多倫 撮影月日 年

◎この寫眞御使用の節は必ず華北交通株式會社提供と御記入下さい

華北交通株式會社東京調查室

49
原番板號 25523
說明 蒙古角力
場所
撮影月日 年
◎この寫眞御使用の節は必ず華北交通株式會社提供と御記入下さい
華北交通株式會社東京調査室

5
原番板號 25709
說明 結婚式，轎
場所 北京
撮影月日 年
◎この寫眞御使用の節は必ず華北交通株式會社提供と御記入下さい
45
華北交通株式會社東京調査室

42
原板番號 26066
說明 糖葫蘆賣り
場所 張家口
撮影月日 年
◎この寫眞御使用の節は必ず華北交通株式會社提供と御記入下さい
華北交通株式會社東京調査室

分類番號 49
原板番號 26.117
說明
場所
撮影月日
◎この寫眞御使用の節は必ず華北交通株式會社提供と御記入下さい
華北交通株式會社東京調査室

5	原番板號 26172	説明 結婚式場（漢民族）	場所 厚和	撮影月日	年

◎この寫眞御使用の節は必ず華北交通株式會社提供と御記入下さい

華北交通株式會社東京調査室

4 25	原番板號 26181	説明	場所	撮影月日

◎この寫眞御使用の節は必ず華北交通株式會社提供と御記入下さい

華北交通株式會社東京調査室

45 原番板號 26182 説明 婚礼 場所 厚和 撮影月日 年

◎この寫眞御使用の節は必ず華北交通株式會社提供と御記入下さい

華北交通株式會社東京調査室

42 原番板號 26,462 説明 落花生賣り 場所 撮影年月日 年

◎この寫眞御使用の節は必ず華北交通株式會社提供と御記入下さい

華北交通株式會社東京調査室

11 原番板號 26467 説明 日華親善 場所 臨汾 撮影年月日 年

◎この寫眞御使用の節は必ず華北交通株式會社提供と御記入下さい

華北交通株式會社東京調査室

43 原板番號 26530 説明 場所 撮影月日

◎この寫眞御使用の節は必ず華北交通株式會社提供と御記入下さい

華北交通株式會社東京調査室

43 原板番號 26531 説明 場所 撮影月日 年

◎この寫眞御使用の節は必ず華北交通株式會社提供と御記入下さい

華北交通株式會社東京調査室

(A列5)

番號	原番板號	説明	場所	撮影月日
43	26536	穴居生活	同蒲了線	

◎この寫眞御使用の節は必ず華北交通株式會社提供と御記入下さい

華北交通株式會社東京調査室

番號	原番板號	説明	場所	撮影年月日
	26995	胡麻稈燒き	北京	年

◎この寫眞御使用の節は必ず華北交通株式會社提供と御記入下さい

華北交通株式會社東京調査室

411 原板番號 27058 說明 場所 撮影年月日 年

◎この寫眞御使用の節は必ず華北交通株式會社提供と御記入下さい

華北交通株式會社東京調査室

4 原板番號 27250 說明 正月风景 場所 済南 撮影年月日 年

◎この寫眞御使用の節は必ず華北交通株式會社提供と御記入下さい

華北交通株式會社東京調査室

番號	44	原番板號	27295	説明	胡麻稈賣り	場所	北京	撮影月日	

◎この寫眞御使用の節は必ず華北交通株式會社提供と御記入下さい

華北交通株式會社東京調査室

(A

分類番號	43	原番板號	27.350	説明	木賃宿	場所		撮影月日	

◎この寫眞御使用の節は必ず華北交通株式會社提供と御記入下さい

華北交通株式會社東京調査室

分類番號 4 85 原板番號 27361 說明 場所 撮影月日

◎この寫眞御使用の節は必ず華北交通株式會社提供と御記入下さい

華北交通株式會社東京調査室

4 原板番號 27577 說明 元宵節 夜の賑ひ（燈節） 場所 北京 撮影月日 年

◎この寫眞御使用の節は必ず華北交通株式會社提供と御記入下さい

華北交通株式會社東京調査室

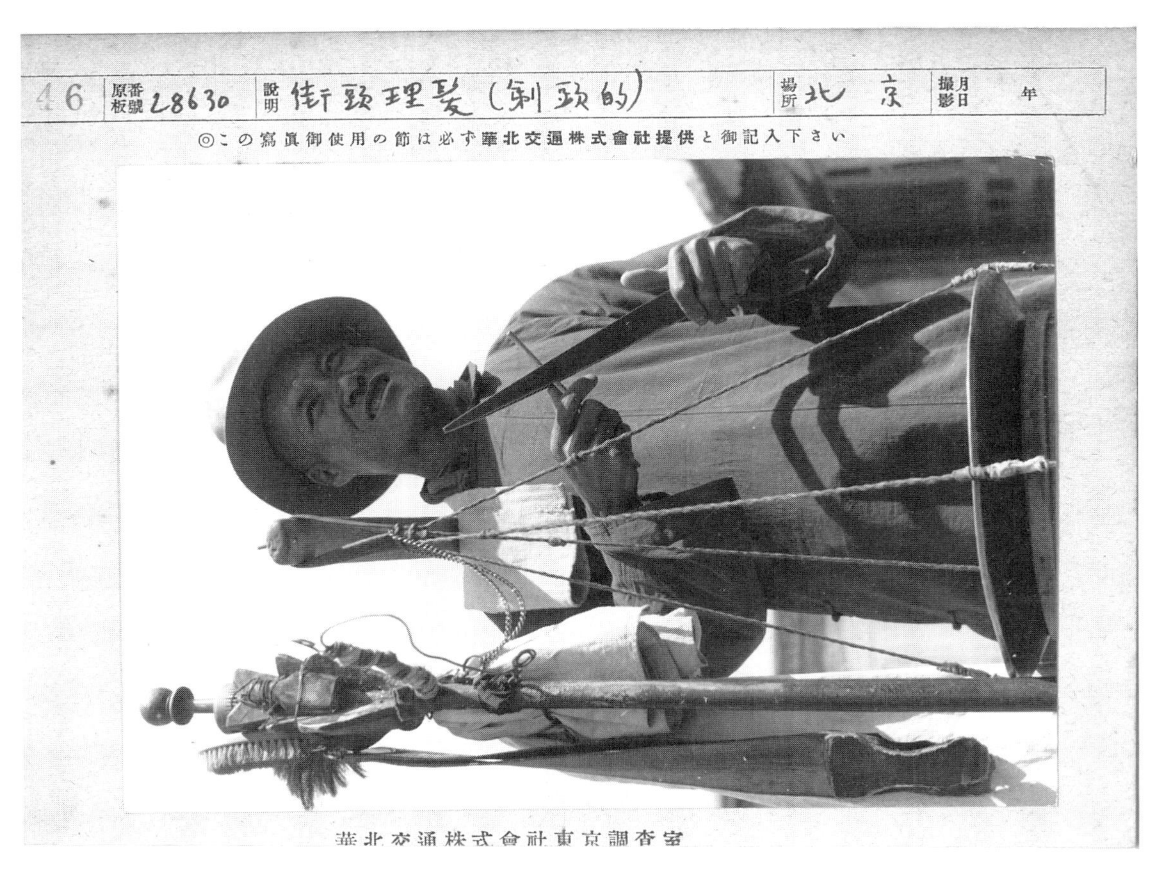
46
原番板號 28630
說明 街頭理髪(剃頭的)
撮影所 北京
撮影月日 年
◎この寫眞御使用の節は必ず華北交通株式會社提供と御記入下さい
華北交通株式會社東京調査室

410
原番板號 28813
說明 ユダの末裔
撮影所 開封
撮影月日 年
◎この寫眞御使用の節は必ず華北交通株式會社提供と御記入下さい
華北交通株式會社東京調査室

413	原番板號 28887	說明 海棠	場所 北京	撮影年月日 年

◎この寫眞御使用の節は必ず華北交通株式會社提供と御記入下さい

華北交通株式會社東京調査室

46	原番板號 29766	說明 街頭遊芸	場所 北京	撮影年月日 年

◎この寫眞御使用の節は必ず華北交通株式會社提供と御記入下さい

華北交通株式會社東京調査室

41	原板番號 30581	說明 小姐	場所 北京	撮影月日 年

◎この寫眞御使用の節は必ず華北交通株式會社提供と御記入下さい

華北交通株式會社東京調査室

分類番號 46	原板番號 31956	說明 虫売り	場所 北京	撮影月日

◎この寫眞御使用の節は必ず華北交通株式會社提供と御記入下さい

華北交通株式會社東京調査室

43 原板番號 31969 説明 場所 撮影月日
◎この寫眞御使用の節は必ず華北交通株式會社提供と御記入下さい
華北交通株式會社東京調査室

42 原板番號 33043 説明 喜棚筵宴 場所 北京 撮影月日 年
◎この寫眞御使用の節は必ず華北交通株式會社提供と御記入下さい
華北交通株式會社東京調査室

43
原番板號 33188
説明
場所
撮影月日
年
◎この寫眞御使用の節は必ず華北交通株式會社提供と御記入下さい
華北交通株式會社東京調查室

分類番號 46
原番板號 36081
説明 年畫賣
場所 大同
撮影月日
◎この寫眞御使用の節は必ず華北交通株式會社提供と御記入下さい
華北交通株式會社東京調查室

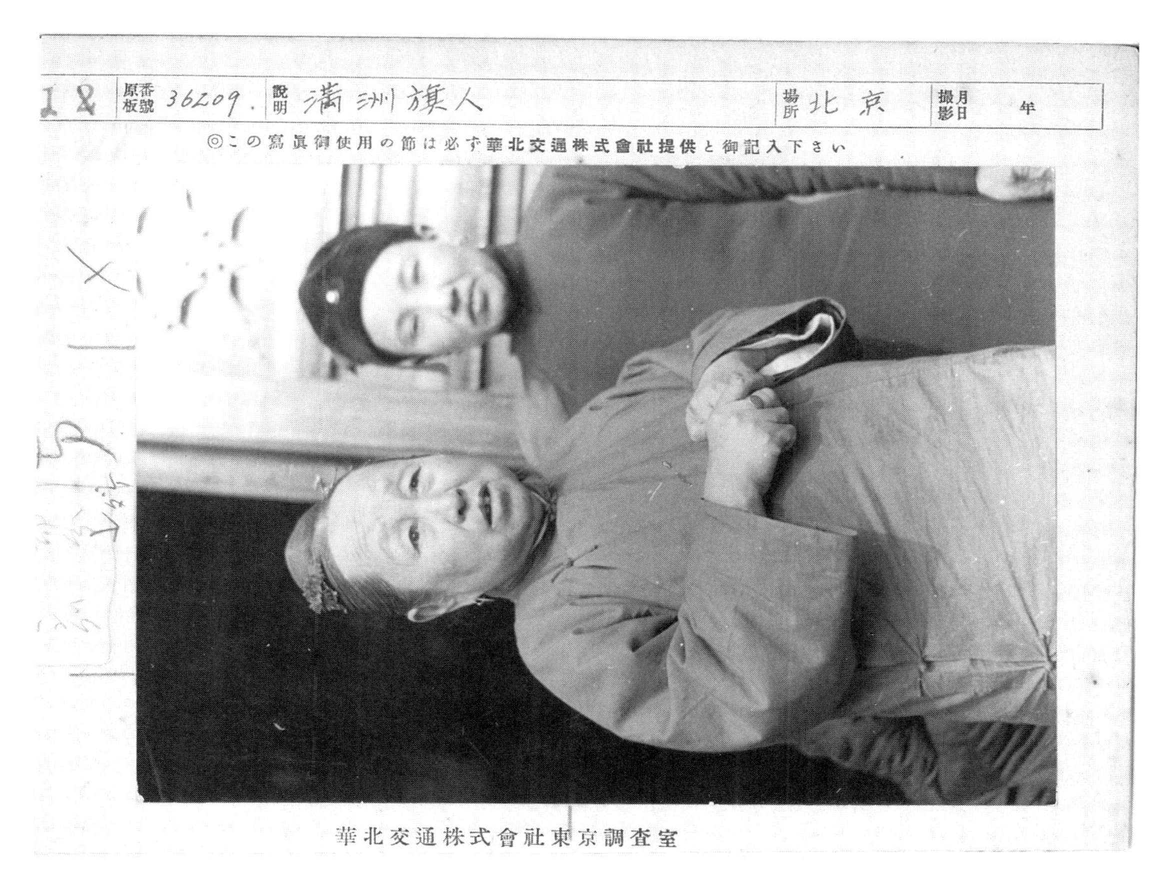
18
原番板號 36209.
説明 満洲旗人
場所 北京
撮影年月日 年
◎この寫眞御使用の節は必ず華北交通株式會社提供と御記入下さい
華北交通株式會社東京調査室

46
原番板號 36.935
説明 鼠の皮賣り
場所 高郵
撮影年月日 年
◎この寫眞御使用の節は必ず華北交通株式會社提供と御記入下さい
華北交通株式會社東京調査室

分類番號	44	原板番號	38794	説明	雨乞ひ	場所	隴海線	撮影月日	

◎この寫眞御使用の節は必ず華北交通株式會社提供と御記入下さい

華北交通株式會社東京調査室

分類番號	46	原板番號	38809	説明	什刹海	場所		撮影月日	

◎この寫眞御使用の節は必ず華北交通株式會社提供と御記入下さい

華北交通株式會社東京調査室

分類番號 44
原板番號 40484
說明 盂蘭盆燈籠流し（北海）
場所
撮影月日
◎この寫眞御使用の節は必ず華北交通株式會社提供と御記入下さい
華北交通株式會社東京調査室

分類番號 46
原板番號 41408
說明
場所
撮影月日
◎この寫眞御使用の節は必ず華北交通株式會社提供と御記入下さい
華北交通株式會社東京調査室

410
原番板號 41711
說明
場所
撮影月日
年
◎この寫眞御使用の節は必ず華北交通株式會社提供と御記入下さい
華北交通株式會社東京調査室

43
原番板號 50.223
說明
場所
撮影月日
◎この寫眞御使用の節は必ず華北交通株式會社提供と御記入下さい
華北交通株式會社東京調査室

番號	43	原番板號	50604	說明		場所		撮影月日	

◎この寫眞御使用の節は必ず華北交通株式會社提供と御記入下さい

華北交通株式會社東京調查室

43	原番板號	50609	說明		場所		撮影月日	年

◎この寫眞御使用の節は必ず華北交通株式會社提供と御記入下さい

華北交通株式會社東京調查室

43	原番板號 50878	說明 穴居生活内部	場所	撮影月日

◎この寫眞御使用の節は必ず華北交通株式會社提供と御記入下さい

華北交通株式會社東京調査室

分類番號 425	原番板號 50.911	說明	場所	撮影

◎この寫眞御使用の節は必ず華北交通株式會社提供と御記入下さい

華北交通株式會社東京調査室

原板番號 50913
說明
場所
撮影月日
◎この寫眞御使用の節は必ず華北交通株式會社提供と御記入下さい
華北交通株式會社東京調査室

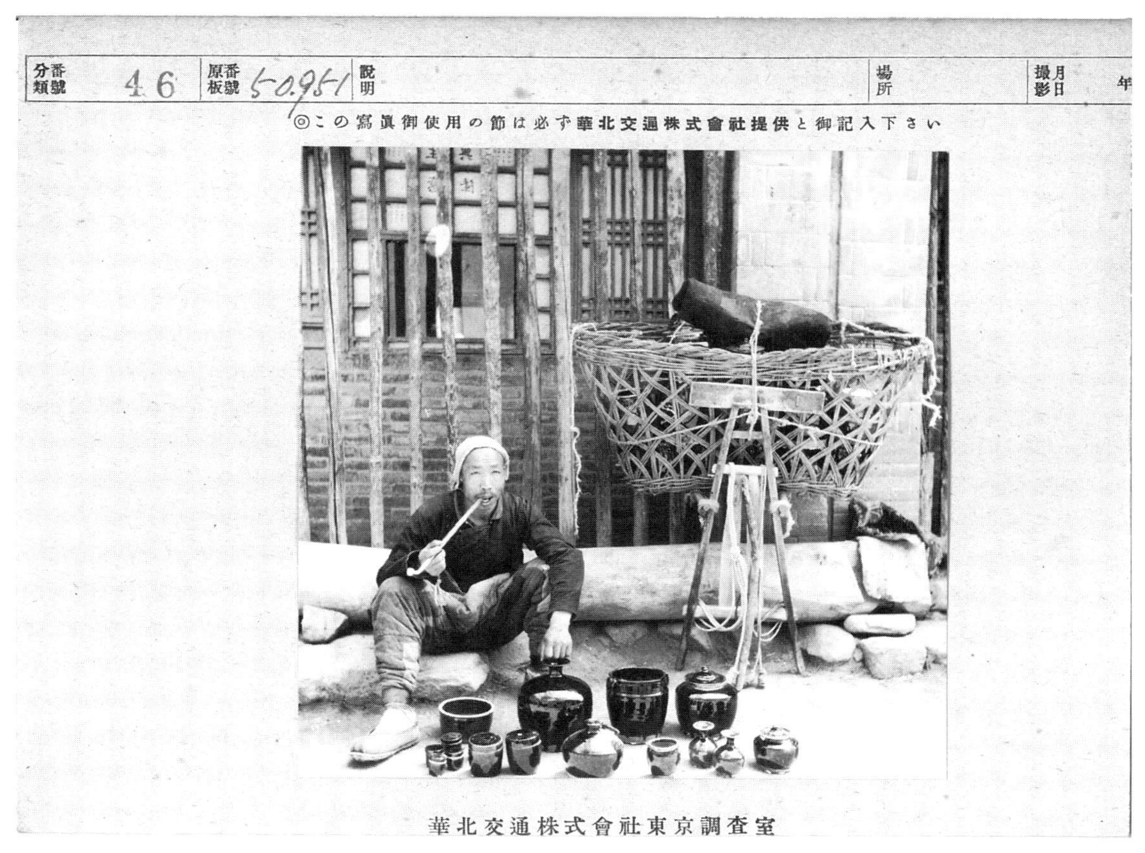
分類番號 46
原板番號 50951
說明
場所
撮影年月日
◎この寫眞御使用の節は必ず華北交通株式會社提供と御記入下さい
華北交通株式會社東京調査室

44
原番板號 51613
說明 氷割り
場所 北京
撮影月日
◎この寫眞御使用の節は必ず華北交通株式會社提供と御記入下さい
華北交通株式會社東京調査室

46
原番板號 51666
說明 賭博
場所 大同
撮影月日 年
◎この寫眞御使用の節は必ず華北交通株式會社提供と御記入下さい
華北交通株式會社東京調査室

411 原板番號 52173 說明 場所 撮影年月日 年

◎この寫眞御使用の節は必ず**華北交通株式會社提供**と御記入下さい

華北交通株式會社東京調査室

番號 44 原板番號 說明 正月街頭風景 場所 北京 撮影月日

◎この寫眞御使用の節は必ず**華北交通株式會社提供**と御記入下さい

華北交通株式會社東京調査室

412 原番板號
說明 婦人と驢馬
場所 山西省 六家溝
撮影月日 年
◎この寫眞御使用の節は必ず華北交通株式會社提供と御記入下さい
華北交通株式會社東京調查室

43 原番板號
說明 蒙人の集團部落、家内に於ける食事
場所
撮影月日
◎この寫眞御使用の節は必ず華北交通株式會社提供と御記入下さい
華北交通株式會社東京調查室

番號 44
原番板號
説明 中秋節
場所
撮影月日 年
◎この寫眞御使用の節は必ず華北交通株式會社提供と御記入下さい
華北交通株式會社東京調査室

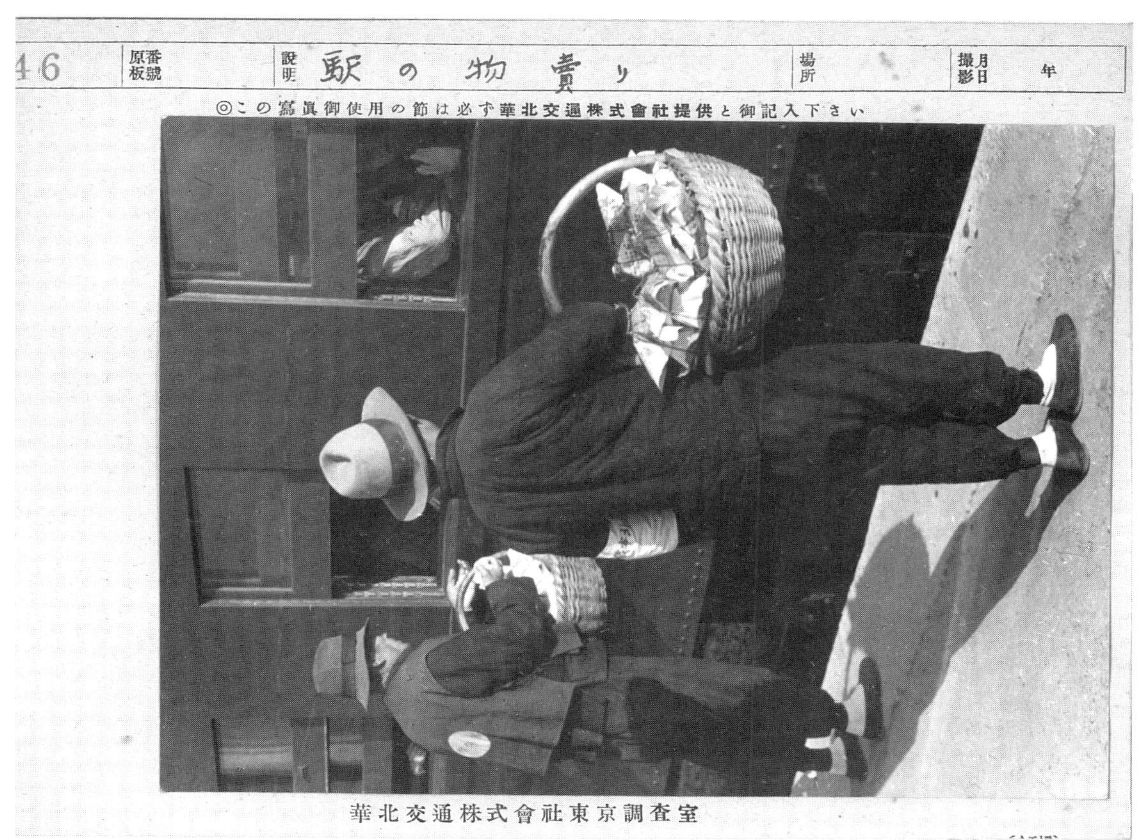
46
原番板號
説明 駅の物賣り
場所
撮影月日 年
◎この寫眞御使用の節は必ず華北交通株式會社提供と御記入下さい
華北交通株式會社東京調査室

五、各路線

分類番號	56	原板番號	110	說明	大境门外	場所	張家口	撮影年月日	年

◎この寫眞御使用の節は必ず華北交通株式會社提供と御記入下さい

京包線

坂本万七氏撮影

華北交通株式會社東京調査室

分類番號	56	原板番號	111	說明	大境门外	場所	張家口	撮影年月日	年

◎この寫眞御使用の節は必ず華北交通株式會社提供と御記入下さい

京包線

坂本万七氏撮影

華北交通株式會社東京調査室

分類番號 56
原板番號 114
説明
場所
撮影月日
◎この寫眞御使用の節は必ず華北交通株式會社提供と御記入下さい
京包線
坂本万七氏撮影
華北交通株式會社東京調査室

分類番號 56
原板番號 115
説明
場所 張家口
撮影月日 年
◎この寫眞御使用の節は必ず華北交通株式會社提供と御記入下さい
京包線
坂本万七氏撮影
華北交通株式會社東京調査室

分類番號 56
原板番號 119
説明
場所
撮影 年 月 日
◎この寫眞御使用の節は必ず華北交通株式會社提供と御記入下さい
京包線
華北交通株式會社東京調査室

分類番號 56
原板番號 120
説明 関帝廟
場所 張家口
撮影 月 日
◎この寫眞御使用の節は必ず華北交通株式會社提供と御記入下さい
京包線
坂本万七氏撮影
華北交通株式會社東京調査室

分類番號 56
原板番號 121
說明
場所
撮影月日 年
◎この寫眞御使用の節は必ず華北交通株式會社提供と御記入下さい
京包線
坂本万七氏撮影
華北交通株式會社東京調査室
(A列5)

分類番號 51
原板番號 164
說明
場所
撮影月日
◎この寫眞御使用の節は必ず華北交通株式會社提供と御記入下さい
京山線
森記稲香村
華北交通株式會社東京調査室

分類番號 51
原板番號 460
說明 日本租界
場所 天津
撮影月日
◎この寫眞御使用の節は必ず華北交通株式會社提供と御記入下さい
華北交通株式會社東京調査室

分類番號 51
原板番號 2686
說明 萬國橋
場所 天津
撮影月日
◎この寫眞御使用の節は必ず華北交通株式會社提供と御記入下さい
京山線
華北交通株式會社東京調査室

56
原番板號 2812
說明 鼓樓街
場所 大同
撮影月日 年
◎この寫眞御使用の節は必ず華北交通株式會社提供と御記入下さい
華北交通株式會社東京調査室

51
原番板號 3095
說明 白河
場所 天津
撮影月日 年
◎この寫眞御使用の節は必ず華北交通株式會社提供と御記入下さい
華北交通株式會社東京調査室

(A列5)

56 原番板號 3738 說明 厚和市街 場所 撮影月日 年

◎この寫眞御使用の節は必ず華北交通株式會社提供と御記入下さい

京包線

華北交通株式會社東京調査室

53 原番板號 4001 說明 孔子誕生地 場所 津浦線 撮影月日 年

◎この寫眞御使用の節は必ず華北交通株式會社提供と御記入下さい

鄒縣

華北交通株式會社東京調査室

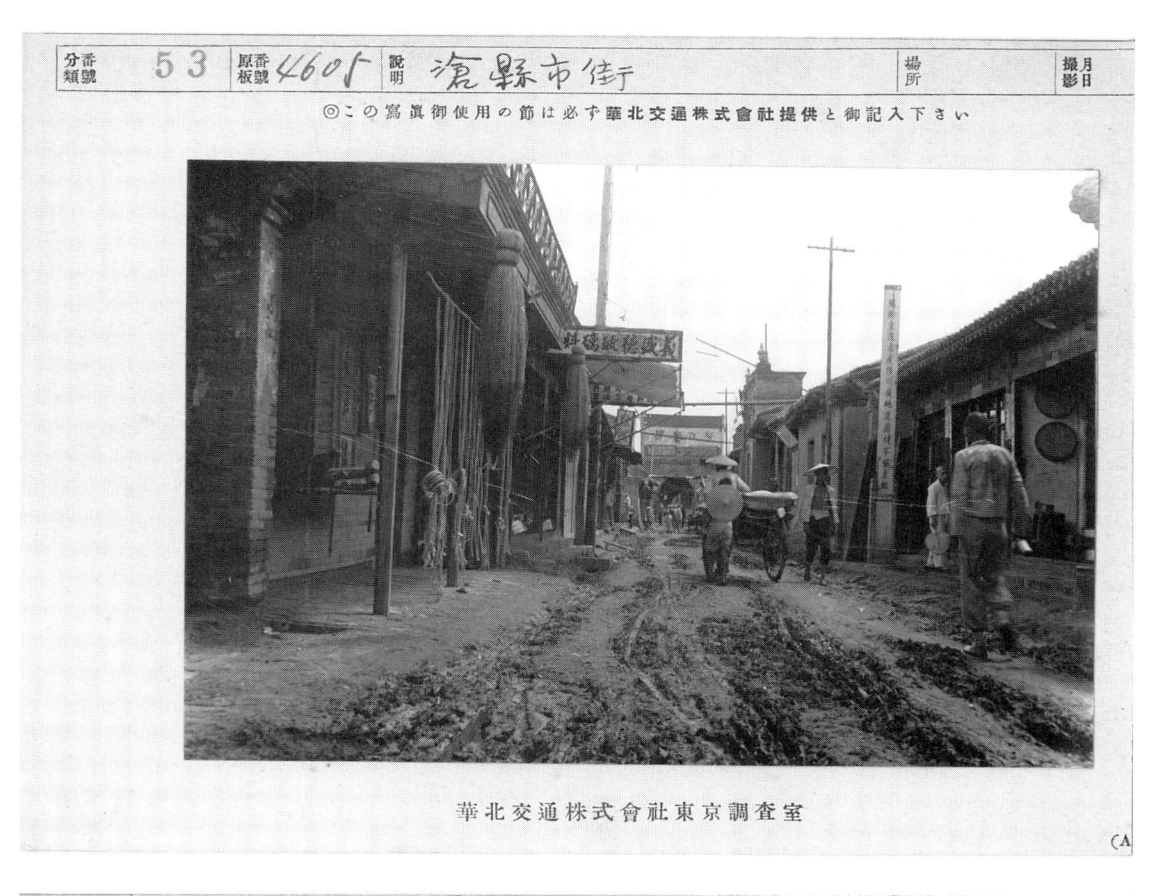

分類番號	53	原板番號	4605	説明	滄縣市街	場所		撮影月日	

◎この寫眞御使用の節は必ず華北交通株式會社提供と御記入下さい

華北交通株式會社東京調査室

3 53	原板番號	4749	説明	徐州市街	場所		撮影月日	年

◎この寫眞御使用の節は必ず華北交通株式會社提供と御記入下さい

津浦線

華北交通株式會社東京調査室

分類番號	52	原板番號	5007	說明	盧溝橋	場所		撮影月日	

◎この寫眞御使用の節は必ず華北交通株式會社提供と御記入下さい

華北交通株式會社東京調査室

54	原板番號	6560	說明	駅前通り	場所	新郷	撮影月日	年

◎この寫眞御使用の節は必ず華北交通株式會社提供と御記入下さい

京漢線

華北交通株式會社東京調査室

2 原番板號 6916 說明 通州城内 場所 通州 撮影月日 年

◎この寫眞御使用の節は必ず華北交通株式會社提供と御記入下さい

華北交通株式會社東京調査室

56 原番板號 8120 說明 王昭君の墓 場所 厚和郊外 撮影月日 年

◎この寫眞御使用の節は必ず華北交通株式會社提供と御記入下さい

華北交通株式會社東京調査室

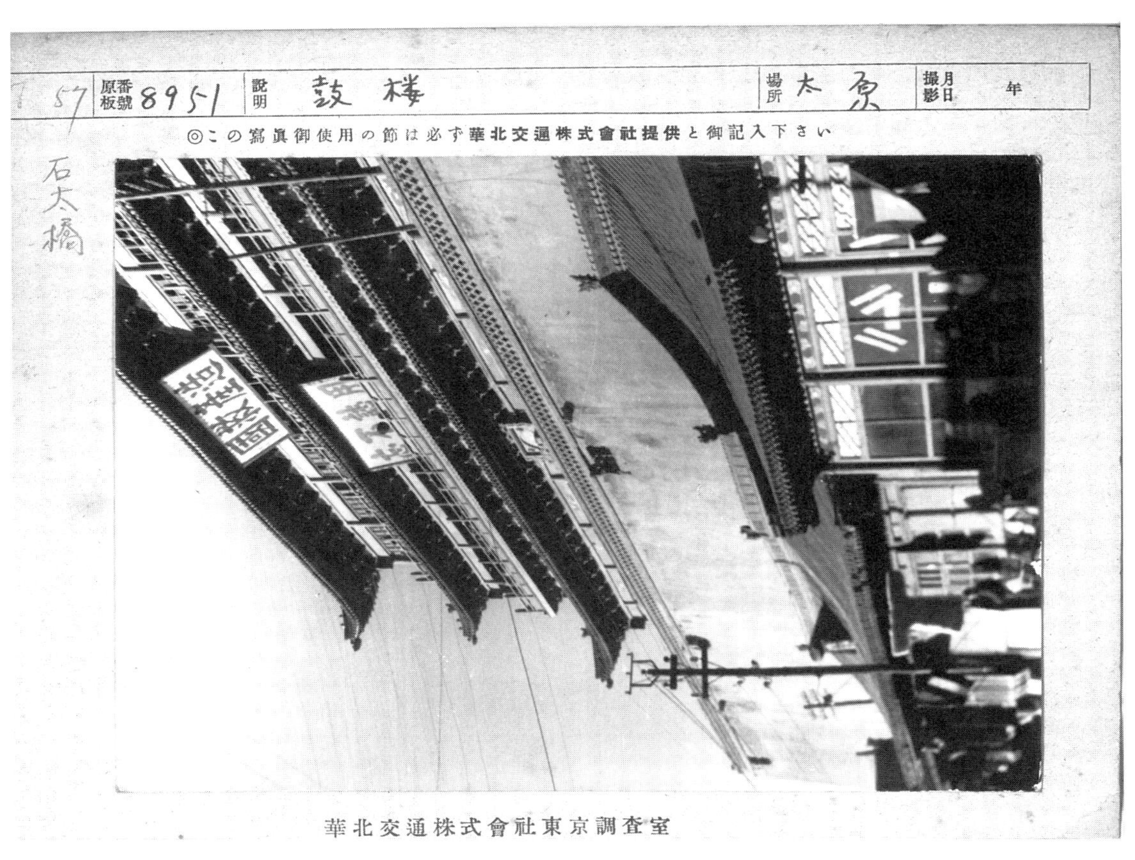
57
原板番號 8951
說明 鼓楼
場所 太原
撮影 年月日
◎この寫眞御使用の節は必ず華北交通株式會社提供と御記入下さい
石太橋
華北交通株式會社東京調査室

分類番號 57
原板番號 9134
說明 石太線风景
場所
撮影月日
◎この寫眞御使用の節は必ず華北交通株式會社提供と御記入下さい
華北交通株式會社東京調査室

分類番號 53　原板番號 1568　説明　場所 徐州　撮影年月日 年

◎この寫眞御使用の節は必ず華北交通株式會社提供と御記入下さい

津浦線

華北交通株式會社東京調査室

分類番號 54　原板番號 18279　説明 府前大街　清風樓ヨリ　場所 順德　撮影年月日 年

◎この寫眞御使用の節は必ず華北交通株式會社提供と御記入下さい

華北交通株式會社東京調査室

(A列5)

分類番號	54	原板番號	18281	說明	城内南门	場所	順徳	撮影月日	

◎この寫眞御使用の節は必ず華北交通株式會社提供と御記入下さい

華北交通株式會社東京調査室

54	原板番號	18372	說明	二席橋ヨリ大寺塔ヲ望ム	場所	彰徳	撮影月日	年

◎この寫眞御使用の節は必ず華北交通株式會社提供と御記入下さい

京漢線

華北交通株式會社東京調査室

分類番號 54
原板番號 18379
說明 順德市街
撮影場所 順德
撮影月日
◎この寫眞御使用の節は必ず華北交通株式會社提供と御記入下さい
京漢線
同陞和
鞋帽店
華北交通株式會社東京調査室

51
原板番號 19385
說明 灤縣城
撮影場所
撮影月日 年
◎この寫眞御使用の節は必ず華北交通株式會社提供と御記入下さい
華北交通株式會社東京調査室

分類番號 53 | 原板番號 20324 | 説明 城内所見 | 場所 濟南 | 撮影月日

◎この寫眞御使用の節は必ず華北交通株式會社提供と御記入下さい

華北交通株式會社東京調査室

45K | 原板番號 21866 | 説明 夢枕 | 場所 邯鄲 | 撮影月日 年

◎この寫眞御使用の節は必ず華北交通株式會社提供と御記入下さい

京漢線

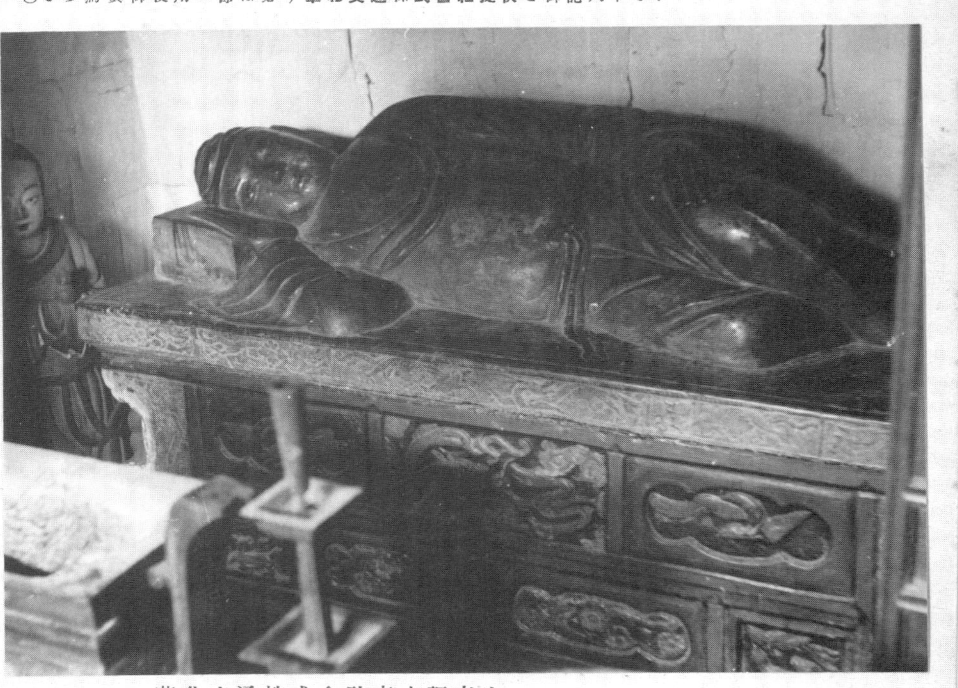

華北交通株式會社東京調査室

(A列5)

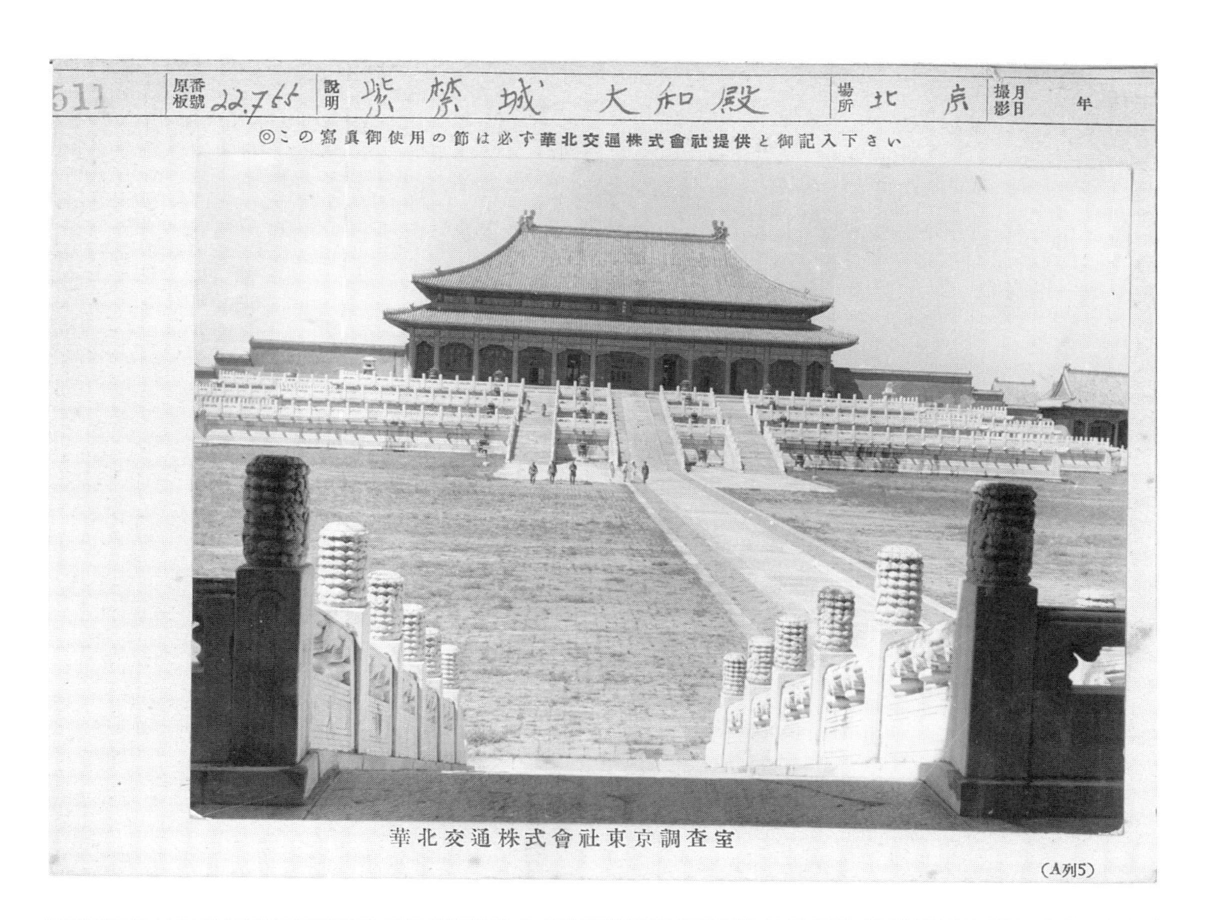
511 | 原番板號 22765 | 說明 紫禁城 大和殿 | 場所 北京 | 撮影月日 年
◎この寫眞御使用の節は必ず華北交通株式會社提供と御記入下さい
華北交通株式會社東京調査室
(A列5)

1 | 原番板號 22862 | 說明 北海 五龍亭より白塔を望む | 場所 北京 | 撮影月日 年
◎この寫眞御使用の節は必ず華北交通株式會社提供と御記入下さい
華北交通株式會社東京調査室

54
原番板號 23258
說明 盧溝橋
場所
撮影月日 年
◎この寫眞御使用の節は必ず華北交通株式會社提供と御記入下さい
華北交通株式會社東京調査室

分類番號 53
原番板號 23311
說明 雲明山
場所 徐州
撮影月日 年
◎この寫眞御使用の節は必ず華北交通株式會社提供と御記入下さい
華北交通株式會社東京調査室

分類番號 53 | 原板番號 23315 | 說明 徐州市街 | 場所 徐州 | 撮影年月日 年

津浦線

◎この寫眞御使用の節は必ず華北交通株式會社提供と御記入下さい

華北交通株式會社東京調査室

(A列5)

分類番號 53 | 原板番號 23356 | 說明 孔子廟 | 場所 [illegible]曲阜 | 撮影年月日

◎この寫眞御使用の節は必ず華北交通株式會社提供と御記入下さい

華北交通株式會社東京調査室

56 原番板號 25697 説明 張北街道 場所 張家口 撮影年月日 年

◎この寫眞御使用の節は必ず華北交通株式會社提供と御記入下さい

京包線

華北交通株式會社東京調査室

原番板號 25925 説明 萬里長城 親子望楼 場所 古北口 撮影年月日 年

◎この寫眞御使用の節は必ず華北交通株式會社提供と御記入下さい

華北交通株式會社東京調査室

分類番號 52
原板番號 25949
説明 市街
場所 口北六
撮影月日
◎この寫眞御使用の節は必ず華北交通株式會社提供と御記入下さい
華北交通株式會社東京調査室

56
原板番號 26086
説明 張北南門外門
場所 蒙古-張北
撮影月日 年
◎この寫眞御使用の節は必ず華北交通株式會社提供と御記入下さい
華北交通株式會社東京調査室

分類番號	56	原板番號	26131	說明	永鎮門下堡東入口	場所	張家口	撮影月日	

◎この寫眞御使用の節は必ず華北交通株式會社提供と御記入下さい

華北交通株式會社東京調査室

分類番號	56	原板番號	26207	說明	大召	場所	厚和	撮影月日	

◎この寫眞御使用の節は必ず華北交通株式會社提供と御記入下さい

華北交通株式會社東京調査室

(A)

分番類號 56
原番板號 26265
說明 河ノ蛇行
場所 京包線 十八台
撮影 年月日
◎この寫眞御使用の節は必ず華北交通株式會社提供と御記入下さい
京包線
華北交通株式會社東京調査室
(A列5)

分番類號 55
原番板號 26540
說明
場所
撮影 年月日
◎この寫眞御使用の節は必ず華北交通株式會社提供と御記入下さい
同蒲線
華北交通株式會社東京調査室

分類番號 55
原板番號 26545
説明 穴居部落
場所
撮影月日 年
◎この寫眞御使用の節は必ず華北交通株式會社提供と御記入下さい
華北交通株式會社東京調查室

53
原板番號 28.439
説明 水郷 洗濯風景
場所 濟南
撮影月日 年
◎この寫眞御使用の節は必ず華北交通株式會社提供と御記入下さい
津浦線
華北交通株式會社東京調查室
(A列5)

分類番號 53
原板番號 29944
説明 泰山
場所
撮影月日
◎この寫眞御使用の節は必ず華北交通株式會社提供と御記入下さい
華北交通株式會社東京調査室

原板番號 30799
説明 山道にある道しるべ
場所 五台山
撮影月日 年
◎この寫眞御使用の節は必ず華北交通株式會社提供と御記入下さい
同蒲線
華北交通株式會社東京調査室
*(A列5)

55 原番板號 30812 說明 五台山の墓 場所 撮影月日 年
◎この寫眞御使用の節は必ず華北交通株式會社提供と御記入下さい
同蒲線
華北交通株式會社東京調査室
(A列5)

55 原番板號 30821 說明 五台山 台懐鎮 顕通寺 場所 撮影月日 年
◎この寫眞御使用の節は必ず華北交通株式會社提供と御記入下さい
同蒲線
華北交通株式會社東京調査室

55
原番板號 32126
說明 殊像寺の天王
場所 五台山
撮影 年月日
◎この寫眞御使用の節は必ず華北交通株式會社提供と御記入下さい
同蒲線
華北交通株式會社東京調査室

54
原番板號 32438
說明 易縣城內
場所 易縣
撮影 年月日
◎この寫眞御使用の節は必ず華北交通株式會社提供と御記入下さい
華北交通株式會社東京調査室

開元寺

番號	54	原板番號	33203	説明	料敵塔（開元寺）	場所	定県	撮影月日	年

◎この寫眞御使用の節は必ず華北交通株式會社提供と御記入下さい

華北交通株式會社東京調査室

華北交通株式會社東京調査室

51 原番板號 35113 説明 天津市街 場所 撮影月日 年
◎この寫眞御使用の節は必ず華北交通株式會社提供と御記入下さい
華北交通株式會社東京調査室

54 原番板號 37249 説明 塔 場所 易縣 撮影月日 年
◎この寫眞御使用の節は必ず華北交通株式會社提供と御記入下さい
京漢線
華北交通株式會社東京調査室
(A列5)

分類番號 51　原板番號 37427　說明 萬里長城　場所 山海關　撮影月日

◎この寫眞御使用の節は必ず華北交通株式會社提供と御記入下さい

華北交通株式會社東京調査室

分類番號 51　原板番號 37454　說明 山海關市街　場所　撮影月日

◎この寫眞御使用の節は必ず華北交通株式會社提供と御記入下さい

華北交通株式會社東京調査室

分類番號 51
原板番號 37455
說明 山海関市街
場所
撮影月日
◎この寫眞御使用の節は必ず華北交通株式會社提供と御記入下さい
華北交通株式會社東京調査室

分類番號 51
原板番號 37457
說明 山海関市街
場所
撮影月日
◎この寫眞御使用の節は必ず華北交通株式會社提供と御記入下さい
華北交通株式會社東京調査室

分類番號	51	原板番號	37465	説明		場所	山海関	撮影月日	

◎この寫眞御使用の節は必ず華北交通株式會社提供と御記入下さい

華北交通株式會社東京調査室

分類番號	51	原板番號	37466	説明	山海関 天下第一関近く	場所		撮影月日	

◎この寫眞御使用の節は必ず華北交通株式會社提供と御記入下さい

華北交通株式會社東京調査室

分類番號 51
原板番號 37.478
説明 城壁の外
場所
撮影月日
◎この寫眞御使用の節は必ず華北交通株式會社提供と御記入下さい
京山線
華北交通株式會社東京調査室

分類番號 51
原板番號 37568
説明 天津市街
場所
撮影月日
◎この寫眞御使用の節は必ず華北交通株式會社提供と御記入下さい
S.J.VORDONI & CO.
WINE & SPIRIT MERCHANTS
SPIRIT MERCHANTS
TEL. 30373
華北交通株式會社東京調査室

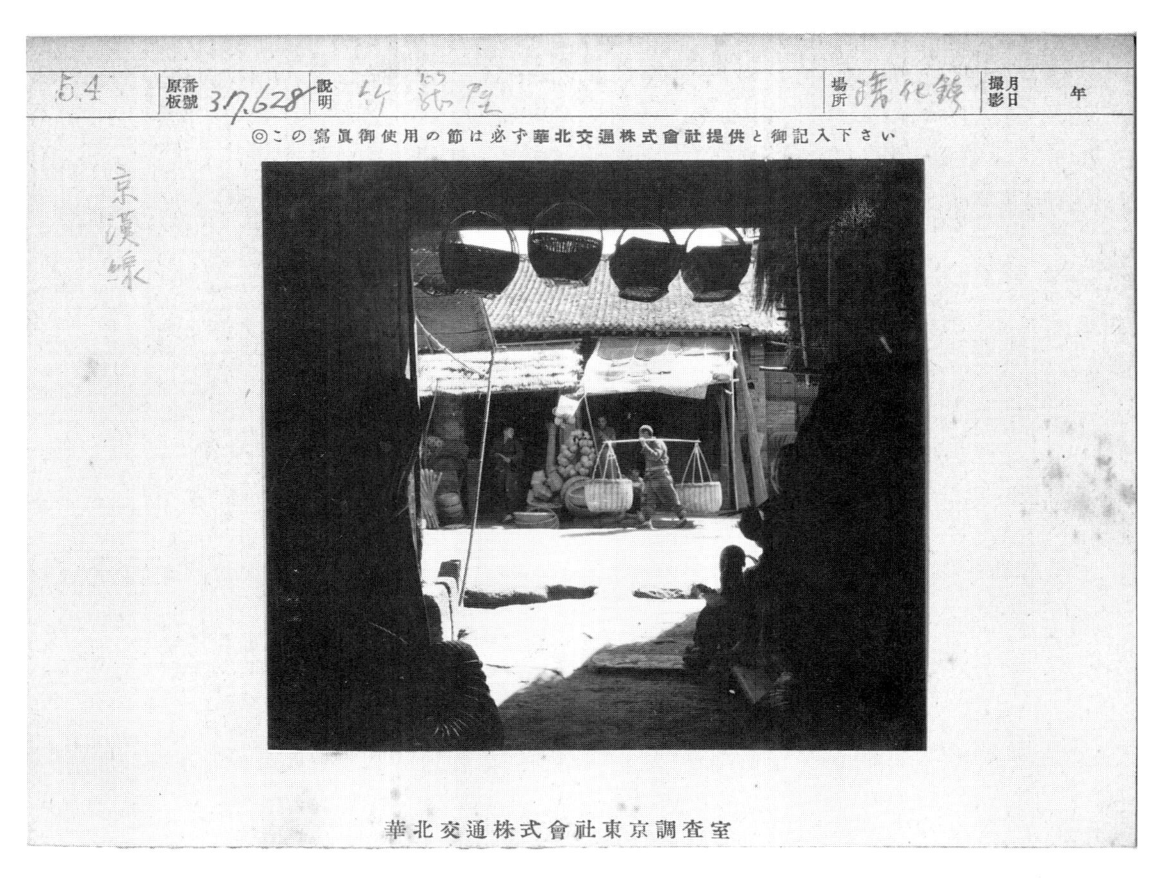
54
原番板號 317,628
說明
場所
撮影月日 年
◎この寫眞御使用の節は必ず華北交通株式會社提供と御記入下さい
京漢線
華北交通株式會社東京調查室

55
原番板號 37716
說明
場所
撮影月日 年
◎この寫眞御使用の節は必ず華北交通株式會社提供と御記入下さい
華北交通株式會社東京調查室

1
原番板號 38339
說明 秦皇島碼頭
場所
撮影月日 年
◎この寫眞御使用の節は必ず華北交通株式會社提供と御記入下さい
華北交通株式會社東京調査室

分類番號 55
原番板號 38750
說明
場所
撮影月日 年
◎この寫眞御使用の節は必ず華北交通株式會社提供と御記入下さい
華北交通株式會社東京調査室

番號 53
原板番號 39500
說明
場所 濟南
撮影月日 年
◎この寫眞御使用の節は必ず華北交通株式會社提供と御記入下さい
華北交通株式會社東京調査室

分類番號 56
原板番號 39893
說明 厚和市街
場所 厚和
撮影月日
◎この寫眞御使用の節は必ず華北交通株式會社提供と御記入下さい
華北交通株式會社東京調査室

分類番號	51	原板番號	40262	説明	山海關市街	場所		撮影月日	

◎この寫眞御使用の節は必ず華北交通株式會社提供と御記入下さい

華北交通株式會社東京調査室

分類番號	51	原板番號	40264	説明	山海關	場所		撮影月日	

◎この寫眞御使用の節は必ず華北交通株式會社提供と御記入下さい

華北交通株式會社東京調査室

分類番號 53
原板番號 40744
説明 部落风景
場所 獨流
撮影月日
◎この寫眞御使用の節は必ず華北交通株式會社提供と御記入下さい
華北交通株式會社東京調査室

番號 54
原板番號 41683
説明 シナントロプス ペキネンセス 発掘の跡
場所 周口店
撮影月日 年
◎この寫眞御使用の節は必ず華北交通株式會社提供と御記入下さい
華北交通株式會社東京調査室

55	原番板號 50752	說明 東城壁より中央望楼を望む	場所 蒲州	撮影月日 年

◎この寫眞御使用の節は必ず華北交通株式會社提供と御記入下さい

華北交通株式會社東京調査室

分類番號 55	原板番號 50809	說明	場所 〃	撮影月日 年

◎この寫眞御使用の節は必ず華北交通株式會社提供と御記入下さい

同蒲線

華北交通株式會社東京調査室

分類番號 55　原板番號 50810　說明　場所　撮影月日　年

◎この寫眞御使用の節は必ず華北交通株式會社提供と御記入下さい

同蒲線

華北交通株式會社東京調査室

（A列5）

分類番號 55　原板番號 50811　說明 村の祠　場所　撮影月日　年

◎この寫眞御使用の節は必ず華北交通株式會社提供と御記入下さい

同蒲線

華北交通株式會社東京調査室

（A列5）

分類番號 57
原板番號 50.888
說明
場所 石太
撮影月日
◎この寫眞御使用の節は必ず華北交通株式會社提供と御記入下さい
石太線
華北交通株式會社東京調査室

分類番號 55
原板番號 50904
說明
場所
撮影月日 年
◎この寫眞御使用の節は必ず華北交通株式會社提供と御記入下さい
同蒲線
華北交通株式會社東京調査室

55
原番板號 51025
説明 初級学校
場所 山西省
撮影年月日 年
◎この寫眞御使用の節は必ず華北交通株式會社提供と御記入下さい
華北交通株式會社東京調査室

56
原番板號 51643
説明 街頭風景
場所 平地泉
撮影年月日 年
◎この寫眞御使用の節は必ず華北交通株式會社提供と御記入下さい
華北交通株式會社東京調査室
(A列5)

56
原番板號 51647
說明 麻をうる店
場所 豊鎮
撮影月日 年
◎この寫眞御使用の節は必ず華北交通株式會社提供と御記入下さい
華北交通株式會社東京調査室
(A列5)

56
原番板號 51649
說明 丘に上に建てる萬靈塔
場所 豊鎮
撮影月日 年
◎この寫眞御使用の節は必ず華北交通株式會社提供と御記入下さい
佛
華北交通株式會社東京調査室
(A列5)

原板番號	説明	場所	撮影年月日
56	歸化城	厚和	年

◎この寫眞御使用の節は必ず華北交通株式會社提供と御記入下さい

京包線

華北交通株式會社東京調査室

（A列5）

原板番號	説明	場所	撮影年月日
2	萬里の長城	古北口	年

◎この寫眞御使用の節は必ず華北交通株式會社提供と御記入下さい

華北交通

（A列5）

分類番號 51
原板番號
說明 天津 Victoria 道路
場所
撮影月日
◎この寫眞御使用の節は必ず華北交通株式會社提供と御記入下さい
華北交通株式會社東京調査室

53
原板番號
說明 濟南市街
場所
撮影月日 年
◎この寫眞御使用の節は必ず華北交通株式會社提供と御記入下さい
華北交通株式會社東京調査室
(A列5)

六、その他（分類番号なし）

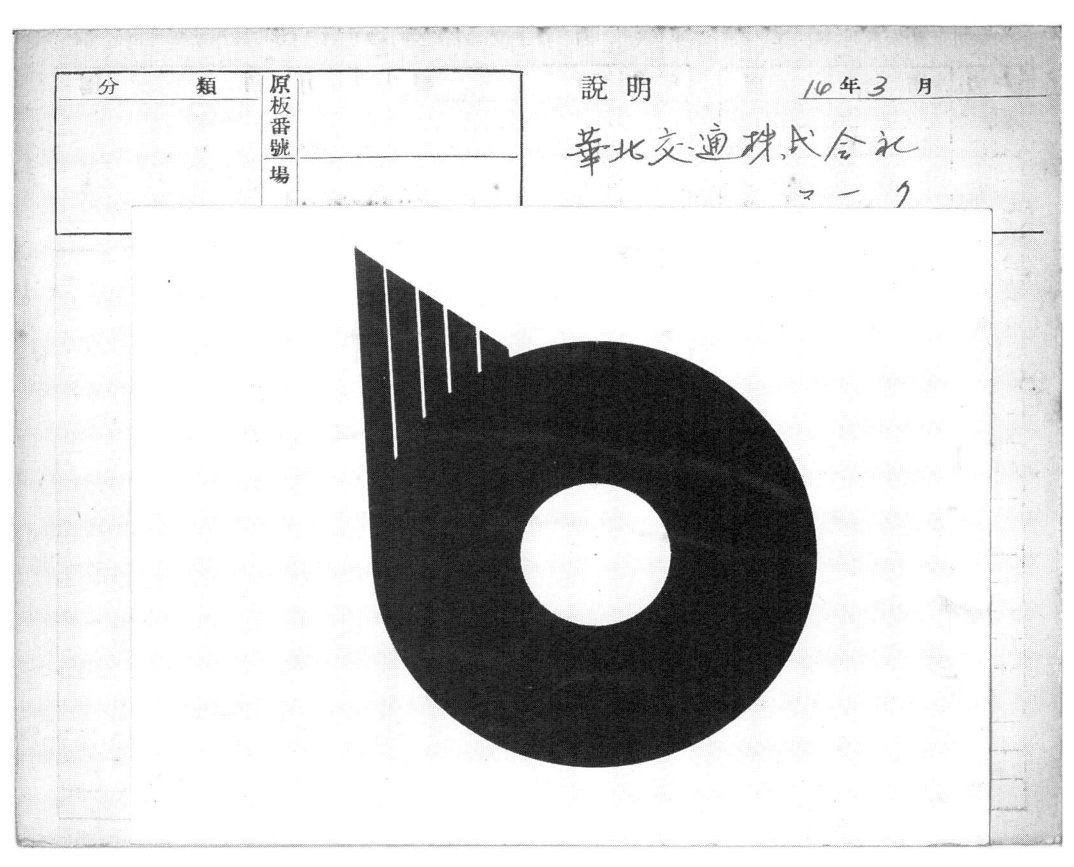
分類
原板番號
場
說明 16年3月
華北交通株式会社
マーク

原番板號 8
說明 新採用社員入社式 新入社員
場所 内保訓練所
撮影月日 19年4月15日
◎この寫眞御使用の節は必ず華北交通株式會社提供と御記入下さい
華北交通株式會社東京調査室
(A列5)

原番板號	9	說明	新採用社員入社式　代表宣誓	場所	内原訓練所	撮影月日	19年4月15日

◎この寫眞御使用の節は必ず華北交通株式會社提供と御記入下さい

華北交通株式會社東京調査室

（A列5）

原番板號	12.	說明	新採用社員内原訓練所入所式　教育勅語奉読	場所	内原訓練所	撮影月日	19年4月15日

◎この寫眞御使用の節は必ず華北交通株式會社提供と御記入下さい

華北交通株式會社東京調査室

（A列5）

原板番號
No. 3.420
場所
厚和
説明 カーペット製造
撮影
13年6月
荒木
自用 4月1日 大朝大東亜建設博

沐浴
俗
原板番號
No. 3.443
場所
張家口
説明 回教徒礼拝前情況
撮影
13年6月
荒木

分番類號
原番板號 3446
説明 回教の学校
場所 張家口
時期
ネガ欠
◎この寫眞御使用の節は必ず華北交通株式會社提供と御記入下さい
華北交通株式會社東京事務所

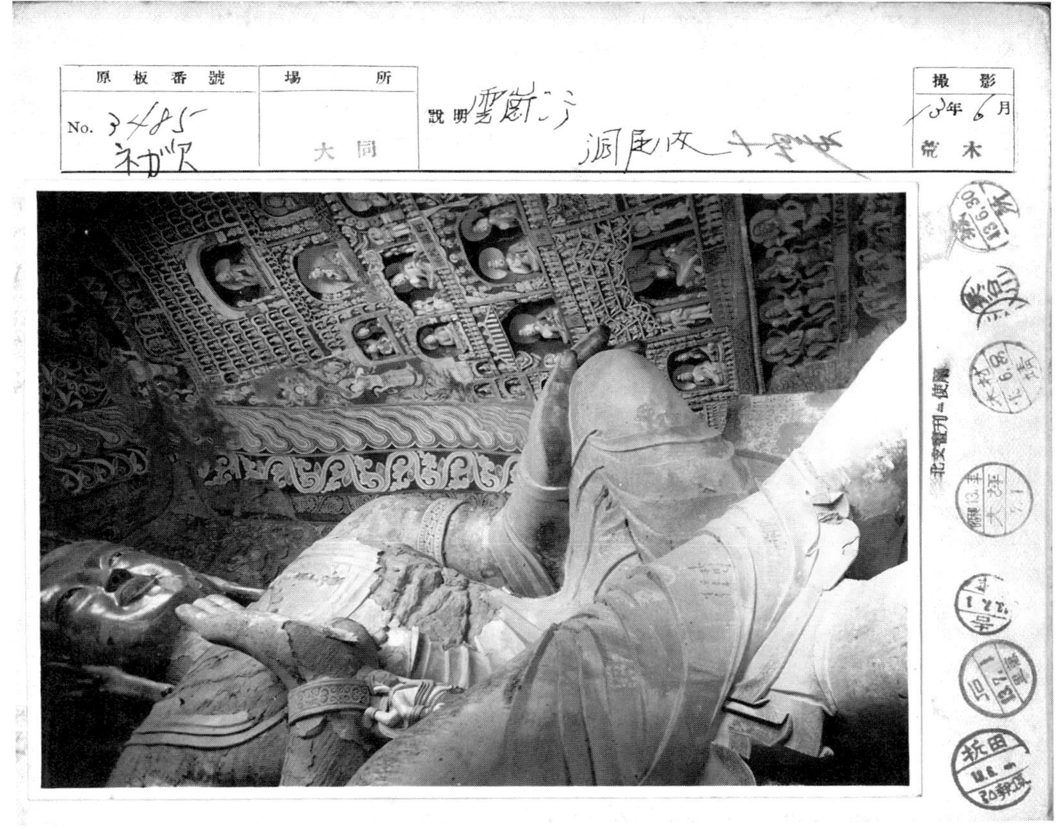
原板番號
No. 3485
ネガ欠
場所
大同
説明
撮影
13年6月
荒木

原板番號
場所
說明
撮影
年 月
荒木
No. 3493 ネガ欠

原板番號
場所
大同
說明
撮影
年 月
荒木
No. 3497ネガ欠

原板番號
場所
No. 3502
大同
說明
撮影
年
月
荒木

分番類號
原番板號 7781
說明 紡績工場
場所 太原
時期
◎この寫眞御使用の節は必ず華北交通株式會社提供と御記入下さい
BROOKS &
(1920)
LIMITED
5
MANCHES
1931

分類番號	ネガ欠	原板番號	8706	説明	乳を搾る女	場所	チャハル	時期	

◎この寫眞御使用の節は必ず華北交通株式會社提供と御記入下さい

華北交通株式會社東京事務所

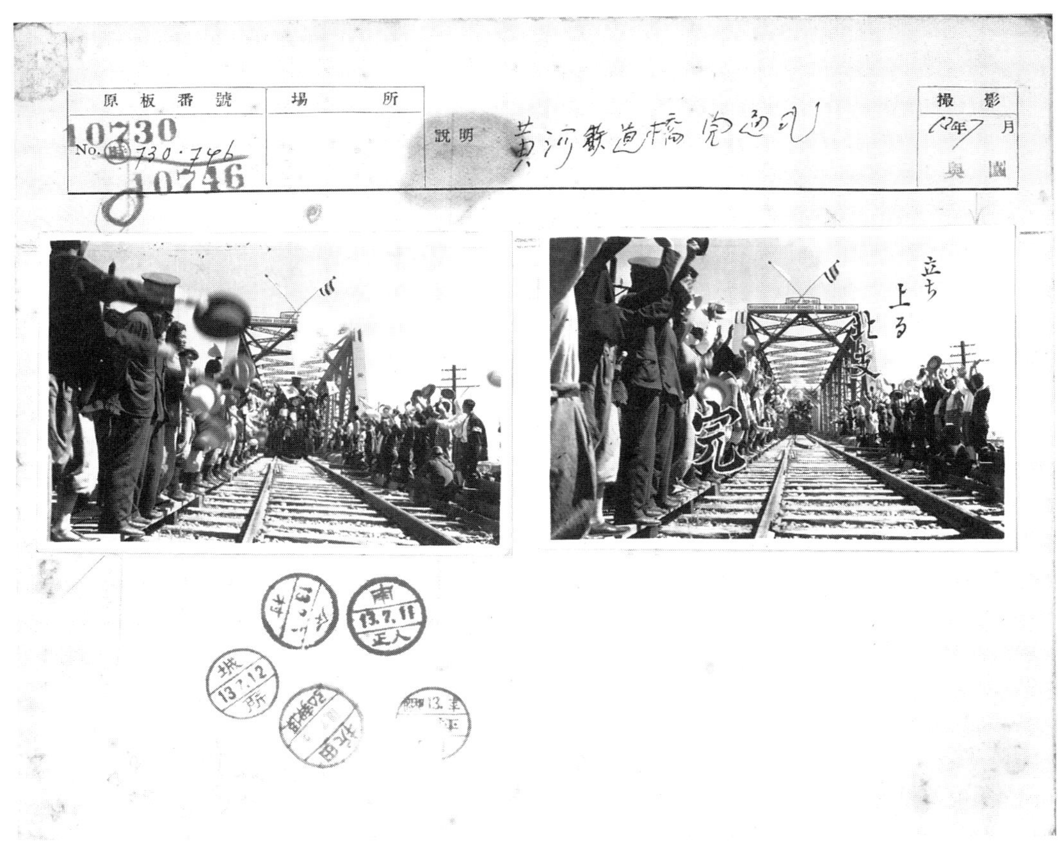
原板番號	場所	説明	撮影
No. 10730 730・746 10746		黄河鉄道橋完通式	12年7月 與國

分番類號
原番板號 14902
説明 公寓内にて仲よく遊ぶ子供達
場所 北京
時期
①
◎この寫眞御使用の節は必ず華北交通株式會社提供と御記入下さい
華北交通株式會社東京事務所

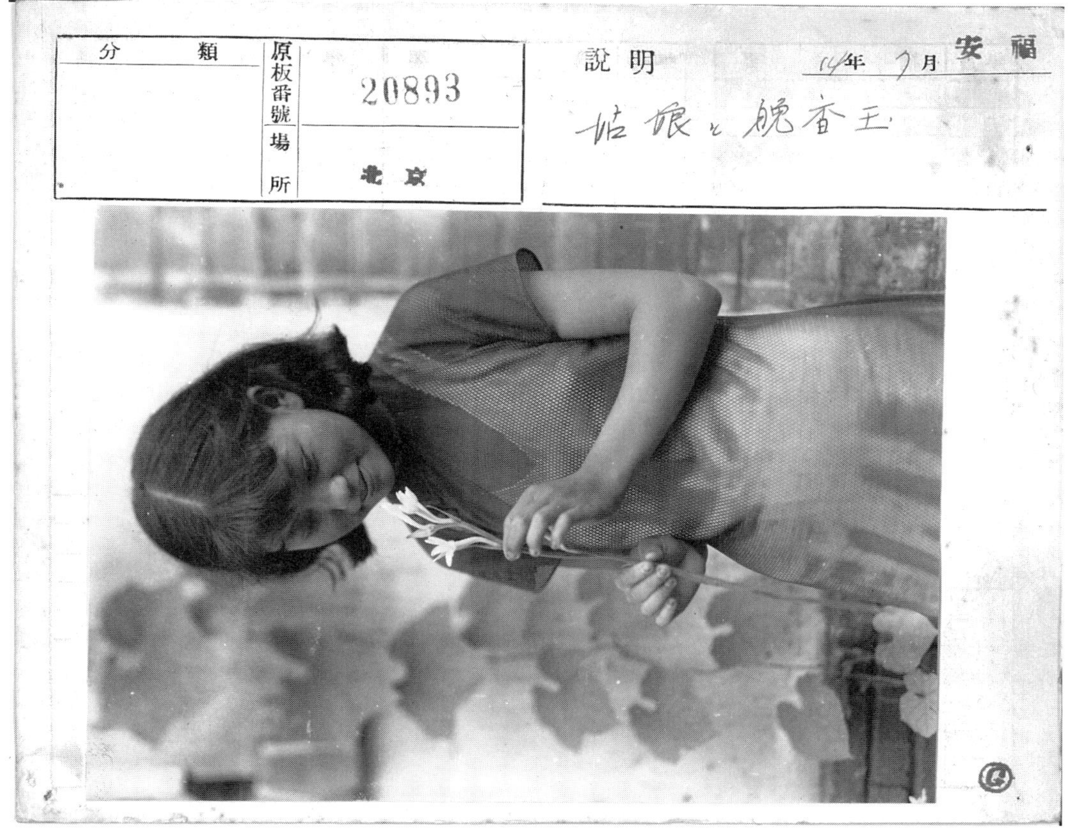
分類
原板番號 20893
場所 北京
説明
14年 7月 安福
姑娘と晩香玉

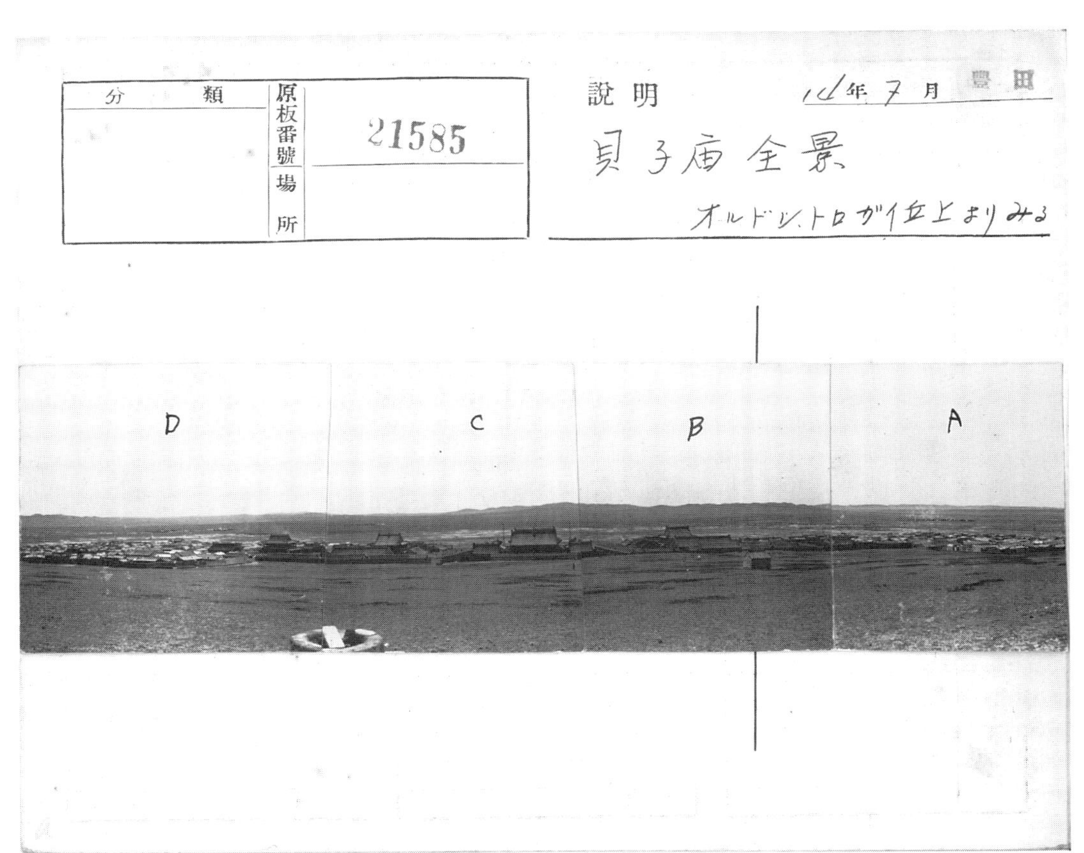
分類
原板番號
21585
場所
説明
14年7月
豊田
貝子廟全景
オルドンシトロガイ丘上よりみる
D
C
B
A

分類番號
原板番號 21664
説明 包
場所 ブリヤード
時期
◎この寫眞御使用の節は必ず華北交通株式會社提供と御記入下さい
華北交通株式會社東京事務所

分類
原板番號 ネガ又 23791
場所 北京
説明 華北交通本社々屋
14年9月

原板番號 25418
説明 海州の民家
場所 海州
撮影月日 年
◎この寫眞御使用の節は必ず華北交通株式會社提供と御記入下さい
華北交通株式會社東京調査室

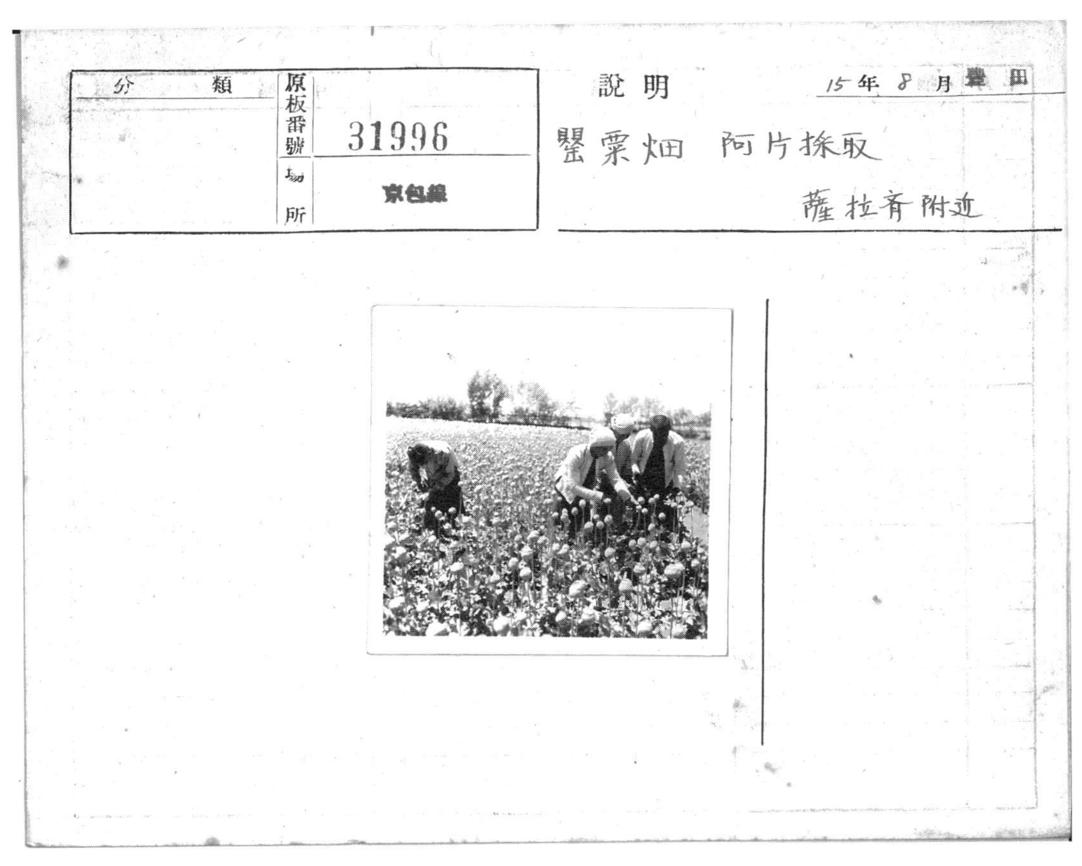
分類
原板番號
31996
場所
京包線
説明
15年8月 豊田
罌粟畑 阿片採取
薩拉斉附近

分類
原板
37501
地名
山海関
京山線
16年4月 橋爪
山海関廻廊の俯瞰

原番板號 38246
說明 萬里長城
場所 山海關
撮影月日 年
◎この寫眞御使用の節は必ず華北交通株式會社提供と御記入下さい
華北交通株式會社東京調査室

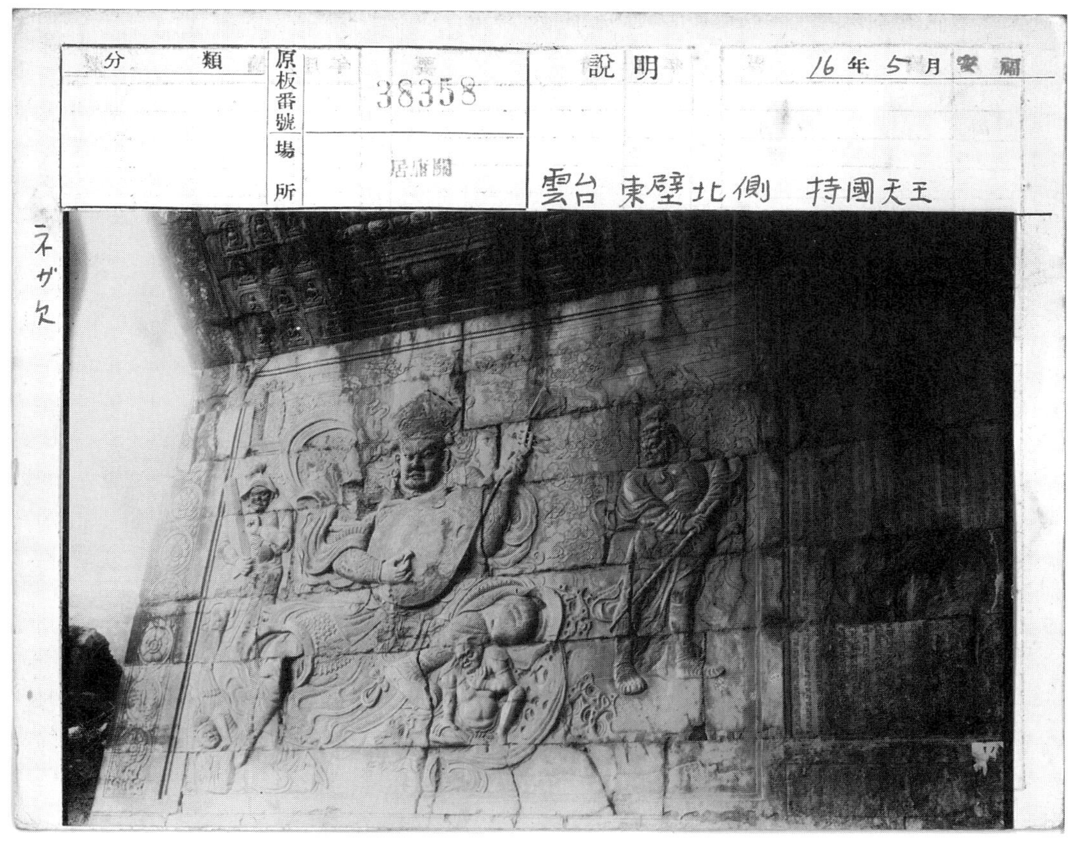

分類
原板番號 38358
場所 居庸關
說明
16年5月
雲台 東壁北側 持國天王

第1部　写真リスト

1．華北交通

原板番号	場所	説明	撮影年月	撮影者	その他	備考
154	—	—	—	—	［坂本万七氏撮影］	※
2917	北京	東園駅匪襲ニ於ケル負傷者　安間末吉	1938年6月	—	—	
4220	芝罘	果実売	1938年8月	豊田	ネガ欠	
4890	［徳県］	［難行スルバス］	—	—	—	*
4915	［津浦線］	［桑梓店　銃痕］	—	—	—	*
6134	［北京］	［警備犬育成所］	—	—		*
10395	朗坊	宣撫工作・農民に種子配布	1938年3月	奥園	昭和13年9月20日頒布 婦女界	
14751	［楡林］	［七里河橋］	—	—	—	*
14761	［同蒲線］	［建設］	—	—	—	*
19269	［北京］	［華北交通の女警］	—	—	—	*
20915	［張家口一住化］	［バス］	—	—	—	※
21035	通州	棉花畑　農事試験場	1939年7月	吉田	—	
21050	通州	撒布車の活動　於農事試験場	1939年7月	吉田	ネガ欠	
22651	［保定］	［愛路少年隊］	—	—	—	*
23399	長辛店	驢馬と隊員　愛路少年隊	1939年9月	吉田	—	
23423	長辛店	新民体操　扶輪小学校	1939年9月	吉田	—	
23452	長辛店	機関車．車両の見学　扶輪小学校	1939年9月	吉田	—	
23471	長辛店	鉄路工廠内の実習　扶輪小学校	1939年9月	吉田	自家用	
24292	北京	銃後応援強化週間慰問日　集ツタ慰問品ト婦人社員	1939年10月6日	竹島	—	
24628	北京	読方指導の先生　東城扶輪学校　初級生	1939年9月	吉田	—	
27163	—	衆興鎮碼頭	1940年1月	加島	—	
28124	［同蒲線］	［愛路列車に集った村民たち］	—	—	—	*

原板番号	場所	説明	撮影年月	撮影者	その他	備考
28958	［北京］	［鉄路医院］	—	—	—	*
29093	天津	苦力輸送	1940年4月	奥園	—	
29203	［隴海線］〔新安鎮〕	［愛路厚生列車］	［1940年4月］	［加島］		*
29204	［隴海線］	［愛路厚生列車のポスター］	［1940年4月］	［加島］		*
29219	［隴海線］	［愛路列車にかつぎこまれた病人］	［1940年4月］	［加島］		*
29224	［隴海線］	［愛路列車の廉売］	［1940年4月］	［加島］		*
29229	〔隴海線　新安鎮〕	［愛路列車を迎へる村民］	［1940年4月］	［加島］		*
30002	北京	朝会　日華国旗の掲揚　東城扶輪学校	1940年5月	吉田	—	
30008	北京	高級一年生の教室　日本語の時間　東城扶輪学校	1940年5月	吉田	—	
31524	—	［地雷埋没箇所深査訓練］	—	—	—	*
31577	京包線	京包線　改修工事　弾琴峡附近	1940年7月	豊田	—	
31601	通州	病虫試験室　通州農事試験場	1940年8月	安福	—	
31617	通州	耐旱性抵抗力検定試験　林産係　通州農事試験場	1940年8月	安福	—	
31911	—	［交通の人柱に花を捧ぐ厚生列車員］	—	—	［同僚の墓碑に額く婦人社員］	*
32857	［小清河］	［船団］	—	—	—	※
33514	—	［保健科学研究所］	—	—	—	※
38558	小清河	半角溝附近	1940年9月	—	—	
38697	北京	朝の出勤（列んでバスを待つ）　西郊社宅	1941年6月	西森	—	
38704	北京	裏庭の空閑地利用の野菜栽培　西郊社宅	1941年6月	西森	—	
38901	開封	放光壆　電気段	1941年6月	加島	—	
38956	保定	薬の飲み方を教はる村民　保定管内愛路特別工作	1941年6月	松本	—	
39099	同塘線	永定河を渡る　泥地へ入り込んだ馬を引きずり出す道路班の移動	1941年6月	山之内	—	
39383	—	訓練地へ行進　愛路少年隊員夏期訓練	1941年7月	松本	—	
40094	［張家口］	［張家口鉄路局？］	—	—	—	*

原板番号	場所	説明	撮影年月	撮影者	その他	備考
40246	豆張荘　京山線	愛護村築堤工事	1941年6月	湯本	—	
40494	通州	作業　警務学院愛路恵民科	1941年9月	安福		
40511	通州	中央鉄路農場　鶏卵場	1941年9月	安福	—	
41133	—	—	—	—	—	※
41490	望都附近 京漢線	愛路厚生自動車の廉売	1941年12月	西森	—	
41500	望都附近 京漢線	愛路厚生自動車施療班の活動	1941年12月	西森	—	
50479	清化県　大辛荘 道清線	水田開拓　代かき	1942年5月	木崎	ネガ欠　作業は恵民訓練所生徒	
50612	北京	戦時輸送強化期間　機関車	1942年4月	松元	—	
51483	［古北口］	［長城と汽車］	—	—	—	※
51551	［北京］	［社員行進］	—	—	—	※
51553	［北京］	［社員の体操］	—	—	—	※
51557	—	［華北交通婦人社員の雪中行軍］	—	—	—	※
51574	—	［愛路村の養鶏を指導する華北交通社員］	—	—	—	※
51591	—	［愛路少年隊の鉄道警備］	—	—	—	※
51592	—	［愛路少年隊の鉄道警備］	—	—	—	※
51594	—	［愛路少年隊の鉄道警備］	—	—	—	※
51596	—	［愛路少年隊の警備］	—	—	—	※
51618	［北京］	［夕暮の列車］	—	—	—	※
51675	—	［愛路茶館］	—	—	—	※
51945	—	［愛路少年隊　紙芝居］	—	—	—	※
51948	—	［愛路少年隊　学校］	—	—	—	※
51973	—	［愛路少年隊］	—	—	—	※
51975	—	［愛路少年隊］	—	—	—	※
4A1-4	［新鎮］	［内河水運］	—	—	—	※

原板番号	場所	説明	撮影年月	撮影者	その他	備考
4A1-36	〔新鎮〕	〔新鎮に於ける雑穀の取引〕	—	—	—	※
4A1-68	—	—	—	—	—	※
4A2-112	—	［自動車に積み込む］	—	—	—	※
4A5-1	［娘子関］	［石太線］	—	—	—	※
4A10-11	—	—	—	—	—	※
4A10-12	—	冬の建設工事（京包線？）	—	—	—	※
4A10-35	—	—	—	—	—	※
B476-24	—	—	—	—	—	※
B476-31	—	—	—	—	—	※
—	［同浦線　王平村-安家荘］	［新線建設］	—	—	—	#
—	—	［華北交通写真乗馬隊］	—	—	—	#
—	—	［水害時子供を避難させる社員］	—	—	—	#
—	［青島］	［華北交通経営　東海ホテル］	—	—	—	#
—	［京漢線］	［仮橋を渡る（鉄橋破壊され）］	—	—	—	#
—	—	［石太線］	—	—	—	#
—	—	［お座敷列車　車内］	—	—	—	#
—	—	［厚生船を迎へる群集］	—	—	—	#
—	—	［愛路厚生船ヲ歓迎スル］	—	—	—	#
—	—	［扶輪学校の日本語勉強］	—	—	—	#
—	—	［華北交通社宅］	—	—	—	#
—	—	［中央生計所］	—	—	—	#

2．資源

原板番号	場所	説明	撮影年月	撮影者	その他	備考
640	塘沽	アルカリ山積	1938年2月	橋爪	北支画刊1号	
1327	天津・西站	棉花山積	1938年4月	橋爪	―	
2534	天津	棉花船積	―	―	―	
2541	天津	棉花の積荷	―	―	―	
2546	塘沽	風車（塩田）	―	―	―	
2586	塘沽	精塩工場	―	―	―	
3113	［秦皇島］	［開灤炭輸出］	―	―	―	*
3717	［大同］	［大同炭鉱の露頭］	―	―	―	※
5767	通州	棉ノ乾燥	1938年10月	湯本	自家用　画刊9号　新東亜経済大観	
6615	天津	商品検験局倉庫	1938年10月	橋爪	―	
9108	［陽泉］	［陽泉炭砿］	―	―	―	*
20591	［大同］	［炭鉱夫］	―	―	―	*
21048	通州	駆除剤撒布車と女人夫　於農事試験場	1939年7月	吉田	蚜虫駆除剤撒布車を曳く女人夫	
21051	通州	蚜虫駆除剤撒布　デリス石鹸剤　於農事試験場	―	吉田	―	
24312	―	［驢馬による運搬］	―	―	―	*
30404	［大同　永定荘炭坑貯炭場］	［コールシコートによる貨車積込み］	―	―	―	*
31044	［東安付近］	［大清河の棉花輸送］	―	―	―	*
38586	小清河	塩の野積場　黄呂楀	1940年9月	―	塩の野積、この山を塩坨といふ　鉄道と水運に地の利を得てゐる	
40233	漢沽	塩垜の形成　塩田	1941年6月	湯本		
40808	磁県　京漢線	露天の土法採炭	1941年10月	西森	大安坑附近　捲上には又両側に惰力を付ける為大きく根を張った木が利用されてゐる	
40855	―	―	―	―	―	※
40931	陽泉　石太線	陽線鉄廠	1941年10月	西森	―	

原板番号	場所	説明	撮影年月	撮影者	その他	備考
41175	—	—	—	—	—	※
4A2-2	—	［棉をつむ］	—	—	—	※
4A2-10	—	［棉をつむ］	—	—	—	※
4A2-12	—	［棉市へ搬出］	—	—	—	※
4A2-15	—	〔人力による棉の運搬〕	—	—	—	※
4A2-16	—	—	—	—	［奥地から一輪車で運ばれる棉花］	※
4A2-44	—	［花店に於ける秤量風景］	—	—	—	※
4A2-48	—	［棉花の農村に於ける荷造］	—	—	—	※
4A2-51	—	［棉花の荷造　締機にかける］	—	—	—	※
4A2-72	—	［棉繰り］	—	—	—	※
4A2-81	—	［北支ノ棉花］	—	—	—	※
4A2-88	—	［北支の棉花］	—	—	［集積された棉花の山］	※
4A2-95	—	［棉花増産立看板］〔華北棉産改進会〕	—	—	［米棉ノ算額ハ一畝平均百二十斤　支那棉ハ一畝平均八十斤　農村ノ友達ヨ　早ク改良米棉ヲ植エヨウ］	※
4A2-97	—	［北支の棉花］	—	—	—	※
4A2-110	—	［北支の棉花］	—	—	［棉花ヲ自動車ニ積ミ込ム］	※
4A3-5	［北同蒲線］〔軒崗〕	［軒崗に於ける石炭の搬出］	—	—	—	※
4A3-18	［軒崗］	［軒崗に於ける石炭の駄馬による搬出］	—	—	—	※
4A3-30	［大同］	［石炭　回転機で降す］	—	—	—	※
4A3-31	［大同］	［大同炭鉱の採掘］	—	—	—	※
4A3-32	〔大同〕	［大同炭鉱々内］	—	—	—	※
4A3-34	［大同］	［坑内に於ける運炭作業］	—	—	—	※
4A3-36	〔大同〕	［大同炭鉱　石炭積込］	—	—	—	※

原板番号	場所	説明	撮影年月	撮影者	その他	備考
4A4-3	[龍煙]	[採掘（鉄鉱）]	—	—	—	※
4A4-69	—	—	—	—	—	※
4A4-84	〔太原〕	[太原鉄廠　鉱石粉砕]	—	—	—	※
B469-6	—	—	—	—	—	※
B469-12	—	—	—	—	—	※
B470-3	[龍煙]	[北支の鉄]	—	—	[採鉱場]	※
B470-13	〔龍煙〕	[龍煙鉄鉱]	—	—	—	※
B470-16	[龍煙]	[北支の鉄]	—	—	[貨車へ鉱石ヲ積込ム]	※
B470-21	〔龍煙〕	[龍煙鉄鉱貨車積込]	—	—	—	※
B470-30	[太原]	北支の鉄	—	—	—	※
—	[通州]	[華北交通中央鉄路農場]	—	—	—	#
—	—	[大同炭坑]	—	—	—	#
—	—	[大同炭坑]	—	—	—	#
—	—	[大同炭坑]	—	—	—	#
—	—	[大同炭坑]	—	—	—	#
—	—	[龍煙鉄鉱]	—	—	—	#

3．産業

原板番号	場所	説明	撮影年月	撮影者	その他	備考
560	—	—	—	—	[坂本万七氏撮影]	※
18268	順徳	羊毛皮製造	1939年5月	田中	—	
33301	[徳県]	[物資交易場]	—	—	—	*
33303	〔徳県〕	[枡（上ハ20斤、下ハ100斤）]	—	—	—	*
34534	順徳　京漢線	手皮製造　順徳	1940年12月	松本	板の上にのせて刃物で毛をとる	

原板番号	場所	説明	撮影年月	撮影者	その他	備考
38125	包頭	羊皮筏　複写	1941年5月	安福	ネガ欠	
4A1-21	—	[水運への集荷]	—	—	—	※
4A1-30	[新鎮]	[内河水運（雑穀）]	—	—	—	※
4A1-31	〔新鎮〕	[新鎮に於ける雑穀の取引]	—	—	—	※
4A4-73	[太原]	[北支の鉄]	—	—	—	※
4A6-10	—	[羊毛の集荷（蒙疆）]	—	—	—	※
B472-7	[チャハル]	[牧畜]	—	—	—	※

4．生活・文化

原板番号	場所	説明	撮影年月	撮影者	その他	備考
128	—	—	—	—	[坂本万七氏撮影]	別
176	—	—	—	—	[坂本万七氏撮影]	※
188	—	[街頭遊芸]	—	—	[坂本万七氏撮影]	※
189	—	—	—	—	[坂本万七氏撮影]	※
303	—	—	—	—	[坂本万七氏撮影]	※
974	[北京]	[胡弓店ノ看板]	—	—	—	※
1235	[天津]	[招牌〔刃物屋)]	—	—	—	*
1338	[北京]	[ノゾキカラクリ　天橋]	—	—	—	*
1366	[北京]	[招牌　ブリキ細工屋]	—	—	—	*
2162	〔北京〕	〔交通警察〕	—	—	—	*
2219	[北京]	[洋車]	—	—	—	*
2304	北京	於北京　日本人ノ生活	1938年5月	—	『北支画刊』ニ使用、ネガ欠	
2682	[北京]	[支那料理]	—	—	—	*
2900	北京	街頭風景・招牌	1938年6月	田中	『北支画刊』ニ使用	

原板番号	場所	説明	撮影年月	撮影者	その他	備考
2981	〔北京〕	［東安市場］	—	—	—	※（別）
3421	［張家口］	［絨毯屋ノ看板］	—	—	—	*
3554	包頭	包頭所見	1938年6月	荒木	—	
3646	［居庸関］	［汽車と駱駝］	—	—	—	*
3718	［大同］	［穴居（大同炭鉱坑夫ノ住居）］	—	—	—	※
3844	［張家口］	［蒙古の看板　荒物屋］	—	—	—	※
3847	［大同］	［招牌　煙管屋ノ看板］	—	—	—	※
3850	［大同］	［粉屋ノ看板］	—	—	—	※
4457	芝罘	洋車群	1938年8月	豊田	—	
4624	膠済線〔青島〕	［青島海水浴場］	—	—	—	*
5091	張北	支那民家	1938年9月	奥園	—	
5206	［北京］	［支那風呂］	—	—	—	*
5783	—	［路傍ノ茶店］	—	—	—	*
6599	［北京］	［葬列］	—	—	—	*
6809	［北京］	［街頭理髪師］	—	—	—	*
6811	〔北京〕	［自転車にのる姑娘］	—	—	—	※
7309	［北京］	［隆福寺廟会］	—	—	—	※
7328	［北京］	［蝋筒蓄音機　隆福寺廟会］	—	—	—	※
7354	自家用	小鳥と支那人（口移しに餌をやる）	1938年12月	田中	『北支画刊』ニ使用	
7373	［北京］	［隆福寺　廟市］	—	—	—	*
7377	［北京］	［廟会ノ鵞鳥売り（隆福寺）］	—	—	—	*
7400	〔北京〕	［歯医者の看板］	—	—	—	*
7575	北京	食事中の婦人　隆福寺	1938年12月	折田	自家用	
8343	張家口　京包線	古グツ屋	1938年12月	豊田	グラフィック	

原板番号	場所	説明	撮影年月	撮影者	その他	備考
9494	［北京］	［臘八（十二月八日） 施粥］	—	—	—	*
9573	北京	カクレンボ（南河沿京華飯店）	1939年1月	安福	社外	
9705	〔北京〕	［小鳥籠］	—	—	—	*
9740	［北京］	花児市　崇文門外	—	湯本	—	
9741	［北京］	春聯代書業（崇文門外花児市）	—	湯本	自家用	
9817	〔北京〕	竈祭り（隆福寺灶温料理店）	1939年2月	竹島	—	
10000	〔北京〕	支那婦人の正月髪（12,3歳前後）	1939年2月	竹島	—	
10990	［北京］	青年大会　於天壇	1938年7月	湯本	—	
13077	［北京］	瑠璃蔽初市の雑踏　海王村公園にて（蔽旬兜）	1939年2月	竹島 橋爪	旧正月　北支1月、裏：14.2　社外	
13276	［北京］	［東嶽廟々会］	—	—	—	*
13448	［北京］	支那正月　紗燈に灯を入れる姑娘（門前外民家）	—	安福	旧正月　北支1月　原板ナシ　自家用	
13520	［北京］	支那婦人の職場　レコード係（北京会館）	1939年3月	湯本	自家用	
13523	［北京］	［結婚式（嫁入道具ノ運搬）］	—	—	—	※
13716	［北京］	街頭ニテ元宵ヲ売ル店　鼓楼附近	1939年3月	湯本	—	
13717	［北京］	［正月　元宵団子］	—	—	—	*
13749	〔北京〕	〔星祭り〕	—	—	—	*
13750	［北京］	［星祭り］	—	—	—	*
13780	—	支那正月　天地の神に供物　一般家庭	1939年2月	岩村	—	
13817	北京	日本人の家屋　支那家屋を改造して東四	1939年3月	田中	—	
14905	〔北京〕	［親善］	—	—	—	*
15658	—	蚌阜牛　蚌阜ニテ	1939年4月	竹島	—	
16114	［北京］	［支那家屋に翻へる鯉のぼり］	—	—	—	*
16192	［北京］	［路傍ノ散髪屋］				*
16195	—	街頭散髪師　景山前	1939年4月	吉田	—	

原板番号	場所	説明	撮影年月	撮影者	その他	備考
16515	［張家口］	［駱駝の輸送隊］	—	—	—	*
16980	北京	天師栗（シナトチノキ）　臥仏寺	1939年5月	吉田	東京支社	
17288	—	王府井にて	1939年5月	安福	—	
17594	［天津］	［苦力（行先身分調べ）］	—	—	—	*
17785	—	尭廟大祭　群衆（その２）	1939年5月	加島	自家用	
17801	—	〔高脚踊り〕	—	—	—	*
17803	—	尭廟大祭　龍踊り	1939年5月	加島	自家用	
17846	—	［阿片］	—	—	—	*
17892	臨汾城外	穴居生活	1939年5月	加島	—	
17894	臨汾城外	穴居生活下級者（扉なく蓆を垂れる）	1939年5月	加島	—	
17897	臨汾城外	穴居生活	1939年5月	加島	自家用	
17898	臨汾城外	穴居生活内部（天井に注意）	1939年5月	加島	自家用	
18211	［北京］	［遁走　豚児　捕はれる］	—	—	—	*
18214	〔北京〕	交民巷外人クラブ　プール	1939年5月	吉田	—	
18464	新郷	駅前広場　床屋	1939年6月	田中	—	
19079	［北京］	［永定門外の黄昏風景］	—	—	—	*
19226	—	八里荘　駱駝と塔	1939年5月	吉田	—	
19338	［天津］	［花嫁の轎］	—	—	—	別
19358	—	朝陽門外大街　扇子の看板　紙屋	1939年1月	—	自家用	
19516	［北京］	［胡同の水うり］	—	—	—	※
19524	北京	地安門大街　木挽	〔1939年〕6月14日	—	自家用	
19575	［北京］	［水売り］	—	—	—	別
19779	［北京］	［瓜売り］	—	—	—	※
19874	北京	隆福寺　支那書店内部	〔1939年〕6月19日	小亀	—	

原板番号	場所	説明	撮影年月	撮影者	その他	備考
20602	［大同］	［穴居ト少年坑夫］	—	—	—	*
20603	大同	坑夫の穴居生活　永定荘坑	1939年	豊田	－	
20988	北京	トンボ売り	1939年7月	安福	－	
21245	［北京］	［露、支　混血人　アルバシン村民］	—	—	—	*
21614	—	［ブリヤードの弓技］	—	—	—	*
21644	－	ブリヤード村民の裁縫	1939年7月	豊田	自家用	
21655	－	総管と包内　ブリヤード村	1939年7月	豊田	自家用	
21749	［ダブススム］	［ラマ僧］	—	—	—	*
22097	北京	自転車に乗る姑娘　北海公園	1939年8月	田中	－	
22227	〔西スニット〕	［徳王の令息　ドガルスルンー］	—	—	—	※
22245	〔西スニット〕	刺繍する蒙古婦人　西スニット	1939年7月	豊田	自家用　裏：満洲日日	
22252	〔西スニット〕	盛装せる蒙古婦人	1939年7月	豊田	－	
22255	〔西スニット〕	蒙古婦人と子供　西スニット	1939年7月	豊田	－	
22327	〔西スニット〕	小学校　雲王府	1939年7月	豊田	－	
22676	北京	盂蘭盆の灯籠売り　東安市場	1939年8月	田中	自家用	
23544	北京	支那の書店　東安市場	1939年9月	加島	－	
23594	北京	街頭書籍店　西四牌楼	1939年9月	加島	－	
23718	［北京］	［伝書鳩］	—	—	—	*
23836	［北京］	［招牌（魚屋）］	—	—	—	*
23854	［北京］	［招牌（かもじや）］	—	—	—	*
23857	［北京］	［招牌（眼鏡舗）］	—	—	—	*
23872	［北京］	［招牌（紙屋）］	—	—	—	※
23873	［北京］	［招牌（篩舗）］	—	—	—	*
23899	北京	酒舗の招牌　朝陽門外	1939年9月	竹島	－	

原板番号	場所	説明	撮影年月	撮影者	その他	備考
23906	北京	提灯舗の招牌　門前外	1939年9月	竹島	―	
23978	〔北京〕	［中秋節］	―	―	―	※
24136	北京	中秋節　月餅を売る菓子屋のウインドウ	1939年9月26日	岩村	前門外大柵欄	
24144	［北京］	［中秋節（月光馬ト果物ノ店）］	―	―	―	*
24231	北京	古蘭経（回教）　広安門内牛街　清真寺	1939年9月	橋爪	―	
24274	［北京］	［回教徒飲食店］	―	―	―	※
25094	［北京］	［露天食物（豚ノ内臓）］	―	―	―	*
25107	〔北京〕	［豚の舌、足、腸、ハム、ソーセヂ、ベーコン］	―	―	―	*
25112	［北京］	［葬式　寓人］	―	―	―	*
25484	多倫	蒙古角力（2）	1939年10月	豊田	歌で送られて取組む場所へ威勢よく乗込むところ	
25523	［多倫］	［蒙古角力］	―	―	―	*
25709	［北京］	［結婚式ノ轎］	―	―	―	*
26066	張家口	糖胡児売りの少女　怡安街裏	1939年10月	吉田	―	
26117	張家口	馬鈴薯を買って帰る蒙古人　大境門外	1939年10月	吉田	駱駝を待ってゐる	
26172	厚和	厚和漢族結婚式場祭壇　帰化城新口大飯荘	1939年11月	吉田	尺(物指）秤（はかり）斗（ます）　新夫婦の構成を望む意、弓・矢・鏡・剪（はさみ）・五穀除邪降魔の意	
26181	〔厚和〕	花嫁、花婿	―	―	花婿は丸い鏡を旨に下げて桃色の布をたすきがけにしてゐる	
26182	［厚和］	［婚礼］	―	―	―	*
26356	大同	露天の小孩子	1939年11月	吉田	―	
26462	臨汾	関帝廟前の影壁と落花生売り	―	吉田	―	
26467	臨汾	日華親善　東大街県公署前	1939年11月	吉田	―	
26530	臨汾	穴居生活　古着のつくらひする老婆　城外	1939年11月	吉田	―	
26531	臨汾	穴居生活　入口　城外	1939年11月	吉田	風箱を押して夕餉の支度をする老婆	

原板番号	場所	説明	撮影年月	撮影者	その他	備考
26536	臨汾	穴居生活　母子　城外	1939年11月	吉田	―	
26995	北京	竈祭　銭焚粮	1940年1月	安福	旧十二月二十三日　竈神を天に送る	
27058	北京	東城日本人小学校	1940年2月	湯本	教師は中国婦人	
27250	済南	旧年末風景	1940年2月	加藤	―	
27295	北京	芝蔴稭売り　和平門外	1940年2月	安福	―	
27350	―	［木賃宿］	―	―	―	*
27361	―	〔棺桶〕	―	―	―	*
27577	北京	燈節夜の賑ひ　前門外	1940年2月	安福	―	
28630	北京	剃頭的（床屋）　南池子	1940年4月	安福	―	
28813	［開封］	［ユダの末裔］	―	―	―	*
28887	北京	海棠と姑娘　南池子	1940年4月	安福	東京支社	
29766	［北京］	［街頭遊芸］	―	―	―	*
30581	北京	姑娘　中南海プール	1940年7月	安福	―	
31956	北京	虫売り　鼓楼	1940年8月	安福	―	
31969	北京	蔴線胡同	1940年8月	安福	―	
33043	［北京］	［喜棚筵宴］	―	―	―	*
33188	〔北京〕	〔遂安伯同中流民家〕	〔1940年11月〕	〔安福〕	―	*
36081	大同　京包線	年画売り　大同南大街	1940年2月	豊田	―	
36209	［北京］	［満洲旗人］	―	―	―	
36935	商邱	鼠の皮売り　城内	1940年3月	加島	―	
38794	小集鎮	雨乞	1941年6月	湯本	―	
38809	北京	什刹海臨時市場	1941年6月	安福	―	
40484	［北京］	［盂蘭盆燈籠流し（北海）］	―	―	―	※
41408	澤州　東潞線	毛糸製造	1941年	竹島	五才から十才迄の子供が手車を押してゐる	

原板番号	場所	説明	撮影年月	撮影者	その他	備考
41711	北京	大東亜戦争勃発当日、イタリー兵営の歩哨	1941年12月8日	山口	交民巷にて	
50223	北京	支那住宅、南房内部　老爺の書斎の机	1942年4月	安福 中島	—	
50604	石太線	富家灘炭坑の坑夫等の穴居	1942年7月	山口	—	
50609	〔石太線〕	〔富家灘炭坑の穴居〕	—	—	—	※
50878	—	[穴居生活内部]	—	—	—	*
50911	—	—	—	—	—	※
50913	—	—	—	—	—	※
50951	—	—	—	—	—	※
51613	[北京]	[氷割り]	—	—	—	※
51666	[大同]	[賭博]	—	—	—	※
52173	—	—	—	—	—	※
—	[北京]	[正月街頭風景]	—	—	—	#
—	[山西省　六家満]	[婦人と驢馬]	—	—	—	#
—	—	[蒙人の集団部落　家内と諂ける食事]	—	—	—	#
—	—	[中秋節]	—	—	—	#
—	—	[駅の物売り]	—	—	—	#

5．各路線

原板番号	場所	説明	撮影年月	撮影者	その他	備考
110	[京包線　張家口]	[大境門外]	—	—	[坂本万七氏撮影]	※
111	[京包線　張家口]	[大境門外]	—	—	[坂本万七氏撮影]	※
114	[京包線　張家口]	—	—	—	[坂本万七氏撮影]	※
115	[京包線　張家口]	—	—	—	[坂本万七氏撮影]	※
119	[京包線　張家口]	〔関帝廟〕	—	—	[坂本万七氏撮影]	※

原板番号	場所	説明	撮影年月	撮影者	その他	備考
120	[京包線　張家口]	[関帝廟]	—	—	[坂本万七氏撮影]	※
121	[京包線　張家口]	—	—	—	[坂本万七氏撮影]	※
164	天津	旧正月風景	1938年1月	湯本	—	別もあり
460	天津	日本租界	1938年2月	湯本	—	
2686	天津	白河	1938年5月	大坪	北支	
2812	大同	鼓楼街	1938年	—	『北支画刊』2号	
3095	[天津]	[白河]	—	—	—	*
3738	〔厚和〕	[厚和市街]	—	—	—	※
4001	津浦線 鄒県	鄒県ニテ　孔子誕生地	1938年6月	橋爪	4月1日　大朝　大東亜建設博、横浜　大陸発展展、佐世保　支那事変展	
4605	滄県	大経街	1938年	奥園	—	
4749	[津浦線　徐州]	[徐州市街]	—	—	—	※
5007	〔北京〕	[盧溝橋]	—	—	—	*
6560	[京漢線　新郷]	[駅前通り]	—	—	—	*
6916	[通州]	[通州城内]	—	—	—	*
8120	[厚和郊外]	[王昭君の墓]	—	—	—	※
8951	同蒲線　太原	太原　鼓楼	—	安福	—	
9134	正太線	娘子関附近	—	安福	同盟通信14.3	
15681	徐州	春のクリーク	1939年4月	竹島	自家用	
18279	順徳	府前大街　清風楼より	1939年5月	田中	—	
18281	順徳	城内　南門	1939年5月	田中	—	
18372	彰徳	城内　二号橋ヨリ大寺塔	1939年5月	田中	—	
18379	彰徳	北門附近　路上スナップ	1939年5月	田中	—	
19385	—	灤県　県城	1939年2月	—	自家用	

原板番号	場所	説明	撮影年月	撮影者	その他	備考
20324	[済南]	[城内所見]	—	—	—	別
21866	京漢線	邯鄲夢枕の似像　王化堡駅	1939年7月20日	橋爪	—	
22755	北京	紫禁城　大和殿	1939年7月	吉田	裏：大陸交通案内所193912、ビュロー194003	
22862	北京	北海　五龍亭より白塔を望む　北海	1939年8月	吉田	—	
23258	〔北京〕	[盧溝橋]	—	—	—	*
23311	徐州	雲龍山	1939年8月	加藤	旌表＝孝義貞節ノ人ニ坊ヲ建テ匾フテ世ニ知ラシムル	
23315	[徐州]	[徐州市街]	—	—	—	*
23356	曲阜	孔子廟大成殿	1939年8月	加藤	—	
25697	[張家口　京包線]	[張北街道]	—	—	—	*
25925	[古北口]	[万里長城　親子望楼]	—	—	—	*
25949	古北口	城内（潮河の南）　雑観	1940年1月	志波	—	
26086	張北	張北南門外門	1939年10月	吉田	—	
26131	張家口	永鎮門　下堡東入口	1939年10月	吉田	—	
26207	厚和	錫拉図召（延寿寺）の牌楼	1939年11月	吉田	—	
26265	[京包線　十八台]	[河ノ蛇行]	—	—	—	*
26540	同蒲線	穴居部落　霍県一南関　車窓	1939年11月	吉田	—	
26545	同蒲線	穴居部落　霊石一両渡　車窓	1939年11月	吉田	雲を入れる	
28439	[済南　津浦線]	[水郷　洗濯風景]	—	—	—	*
29944	津浦線　泰安	泰山　南天門	1940年5月	加藤	ネガ欠	
30799	[五台山　同蒲線]	[山道にある道しるべ]	—	—	—	*
30812	同蒲線	喇嘛の墓　台懐鎮	1940年6月	橋爪	—	
30821	同蒲線	顕通寺　金殿　台懐鎮	1940年7月	橋爪	銅製	
32126	五大山	文殊殿内天王　殊像寺	1940年7月	小野	—	

原板番号	場所	説明	撮影年月	撮影者	その他	備考
32438	易県	易県城内	1940年10月	松本	—	
33203	定県　京漢線	料敵塔（開元寺）	1940年11月	西	建立（北宋、真宗咸平四年）西暦一〇〇一年より一〇五五年マデ五十四年間カカツテ出来上ツタモノ	
35106	天津　京山線	万国橋と仏租界巡警　天津	1940年12月	橋爪	—	
35113	天津　京山線	仏租界の商店街　天津	1940年12月	橋爪	—	
37249	易県	ラマ塔　城外	1941年4月	山口	—	
37427	山海關　京山線	万里の長城　角山腹の敵台	1941年4月	橋爪	—	
37454	山海關　京山線	天下第一関附近の俯瞰	1941年4月	橋爪	—	
37455	山海關　京山線	南関附近の俯瞰	1941年4月	橋爪	—	
37457	山海關　京山線	城壁の町	1941年4月	橋爪	—	
37465	山海關　京山線	胡同の桃水	1941年4月	橋爪	—	
37466	山海關　京山線	南関	1941年4月	橋爪	—	
37478	山海關　京山線	水売り	1941年4月	橋爪	—	
37568	天津	特一区所見	1941年2月	湯本	—	
37628	清化	清化鎮の竹細工　軒をならべた竹細工を売る店	—	西	—	
37716	〔大口村付近〕	〔階段耕地〕	—	—	—	*
38339	［秦皇島］	［秦皇島碼頭］	—	—	—	*
38750	—	—	—	—	—	*
39500	［済南］〔青島〕	—	—	—	—	*
39893	厚和	市街俯瞰	1941年8月	田中	—	
40262	山海關	市街	1941年6月	湯本	—	
40264	山海關	市街	1941年6月	湯本	—	
40744	獨流　津浦線	部落風景	1941年8月	奥園	—	

原板番号	場所	説明	撮影年月	撮影者	その他	備考
41683	周口店　京漢線	シナントロプスペキネンシス発掘跡(深さ約3米)	1942年2月	松本	—	
50752	蒲州　同蒲線	東城壁より中央望楼を望む	1942年5月	西	—	
50809	[同蒲線]	—	—	—	—	*
50810	[同蒲線]	〔胡仙祠〕	—	—	—	*
50811	[同蒲線]	[村の祠]	—	—	—	*
50888	[石太線]	—	—	—	—	*
50904	[同蒲線]	[商店]	—	—	—	※
51025	[山西省]	[初級学校]	—	—	—	※
51643	[平地泉]	[街頭風景]	—	—	—	※
51647	[豊鎮]	[麻をうる店]	—	—	—	※
51649	[豊鎮]	[丘に上に建てる萬霊塔]	—	—	—	※
—	[厚和　京包線]	[帰化城]	—	—	—	#
—	[古北口]	[万里の長城]	—	—	—	#
—	[天津]	[天津 Victoria 道路]	—	—	—	#
—	[済南]	[済南市街]	—	—	—	#

6．その他

原板番号	場所	説明	撮影年月	撮影者	その他	備考
—	—	華北交通株式会社　マーク	1939年3月	—	—	
8	[内原訓練所]	[新採用社員入社式　新入社員]	[1944年4月15日]	—	—	※
9	[内原訓練所]	[新採用社員入社式　代表宣誓]	[1944年4月15日]	—	—	※
12	[内原訓練所]	[新採用社員入社式　入所式　教育勅語奉読]	[1944年4月15日]	—	—	※
3420	厚和	カーペット製造	1938年6月	荒木	自用　4月1日大朝 大東亜建設博	
3443	張家口	回教徒礼拝前ノ情況　沐浴	1938年6月	荒木	『北支画刊』ニ使用、ネガ欠	

原板番号	場所	説明	撮影年月	撮影者	その他	備考
3446	張家口	回教徒子弟ニアラビア文字授業	1938年6月	荒木	『北支画刊』ニ使用、裏：1938年7月頒布欧州事務所外	
3485	大同	雲崗ニテ　洞窟内　十窟	1938年6月	荒木	『北支画刊』ニ使用、ネガ欠	※
3493	大同	雲崗　洞窟内　五窟	1938年6月	荒木	『北支画刊』ニ使用、ネガ欠、裏：1938年7月頒布欧州事務所外	
3497	大同	雲崗ニテ　洞窟内　二十窟	1938年6月	荒木	『北支画刊』ニ使用、ネガ欠、4月1日大朝大東建設博、横浜大陸発展ー、佐世保支那事変展	
3502	大同	雲崗ニテ　第9窟－13窟	1938年6月	荒木	4月1日大朝主催大東建設博覧会使用、ネガ欠	
7781	太原	大原紡績工場	1938年11月	豊田	自家用	
8706	蒙古	徳化ニ於ケル蒙古婦人ノ乳取リ	1942年12月	竹島	ネガ欠、14.4.1大朝主催　大東亜建設博覧会使用、裏：満洲日日	
10746	―	黄河鉄道橋完通式	1938年7月	奥園	〔写真に書き込み有り〕	
14902	北京	日支子供の親善　公寓内	1939年4月	吉田	自家用	
20893	北京	姑娘と晩香玉	1939年7月	安福	―	
21585	〔シリンホト〕	貝子廟全景　オルドン・トロガイ丘上よりみる	1939年7月	豊田	―	
21664	［ブリヤード］	［包］	―	―	―	別
23791	北京	華北交通本社屋	1939年9月	安福	ネガ欠	
25418	海州	民家　裏手に帆柱がみへる	1939年12月	折田	―	
31996	京包線	罌粟畑　阿片採取　薩拉斉附近	1940年8月	豊田	―	
37501	京山線 山海関	山海関廻廊の俯瞰	1941年4月	橋爪	―	
38246	山海関	万里の長城	1941年5月	橋爪	―	
38358	居庸関	雲台　東壁北側　持国天王	1941年5月	安福	ネガ欠	

《第二部》　検閲印つき写真

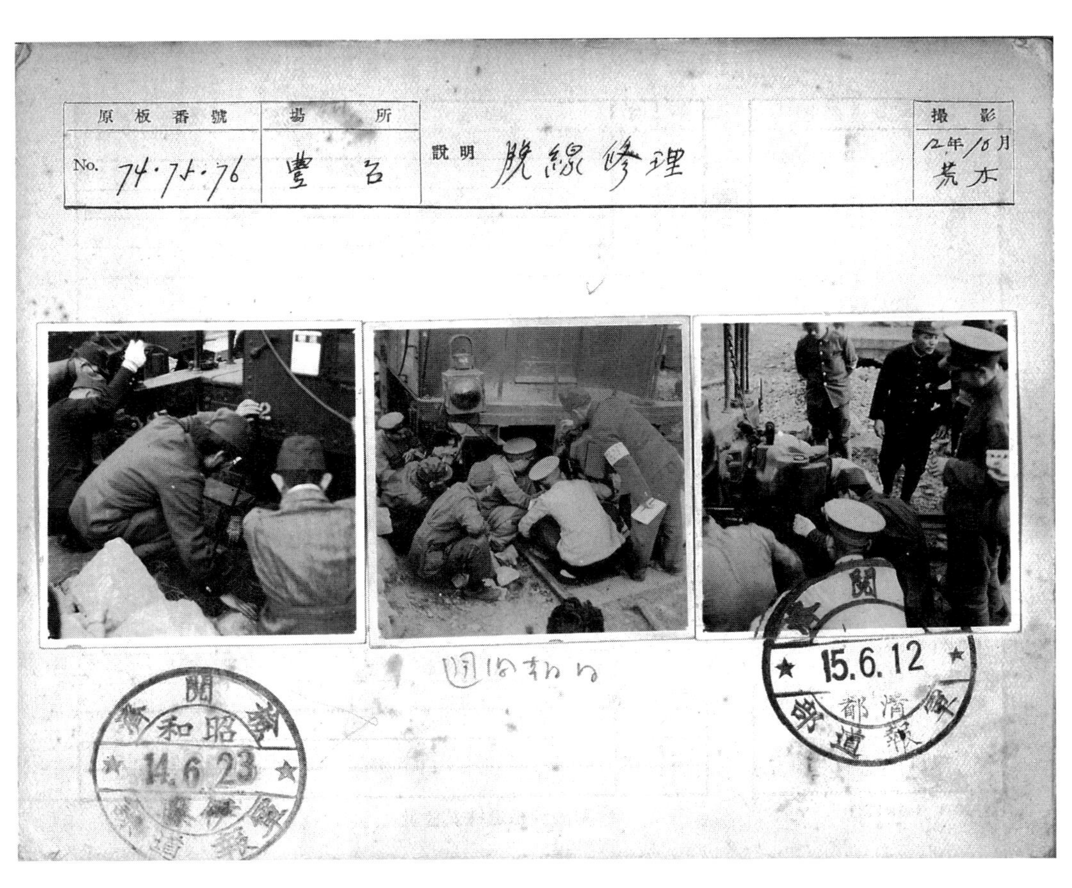

原板番號	場所	説明	撮影
No. 74・75・76	豊台	脱線修理	12年10月 荒木

原板番號	場所	説明	撮影
No. 158	天津	大沽碼頭風景	13年2月 湯本

原板番號	場所	說明	撮影
No. 建165・169・171		黄河橋梁架設・浮舟作業	13年1月 奥田

閲済 昭和 14.6.29 伊藤 軍報道部

閲済 昭和 15.6.12 宮田 軍報道部

原板番號	場所	說明	撮影
No. 308・351	通州	遭難邦人ノ墓	13年3月 奥田

閲済 昭和 14.6.29 伊藤 軍報道部

閲済 昭和 15.6.12 宮田 軍報道部

原板番號	場所	説明	撮影
No. 401·402·403	天津	万國橋ノ開閉	13年二月

原板番號	場所	説明	撮影
No. 454·455·478	天津	ヴィクトリヤロード（英租界）	13年二月

原板番號
場所
撮影
No. 480・483
天津
說明 萬國橋ト佛租界
13年2月
湯本
閲
15.6.12
田宮
報道

原板番號
場所
撮影
No. 623・626・627
山海関
說明 物産山積
年2月
閲
15.6.12
田宮
報道
14.7.25
伊藤
報道
社
鉄
貨物輸送

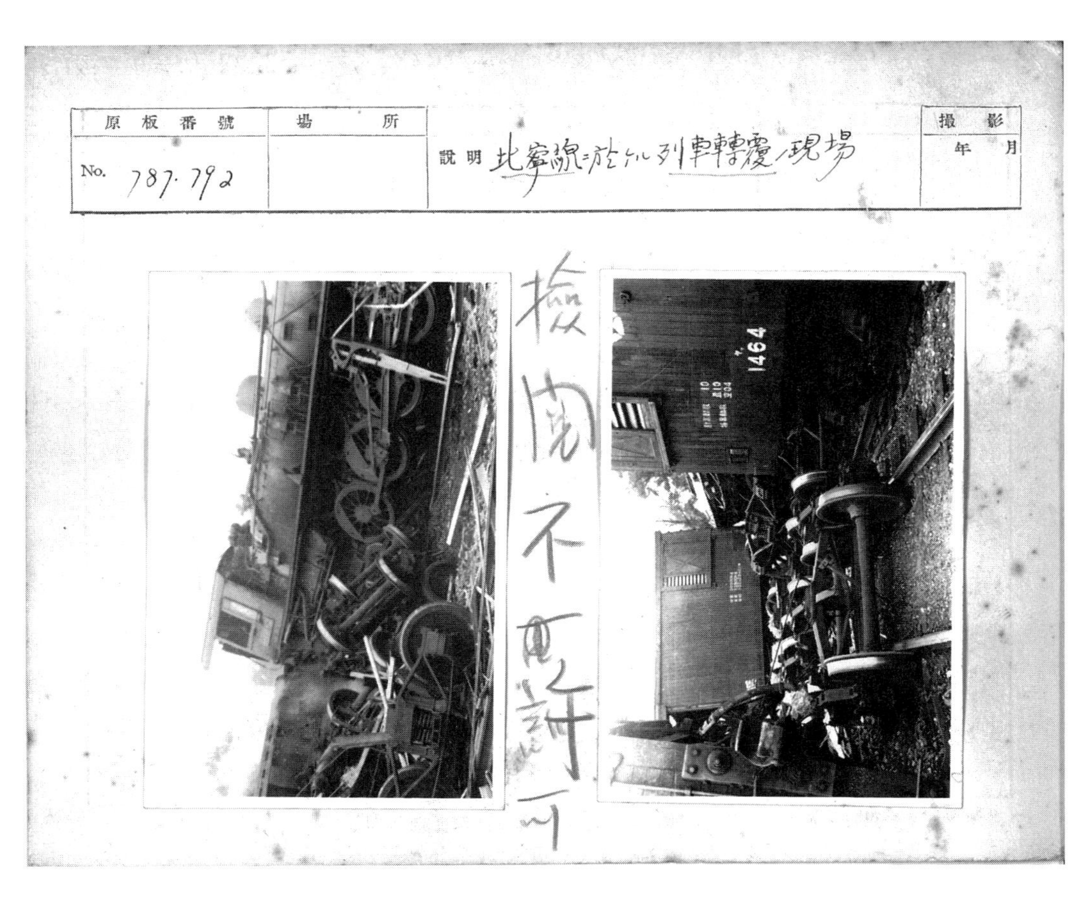
原板番號	場所	説明	撮影
No. 787-792		北寧線ニ於ケル列車轉覆ノ現場	年 月

検閲不許可

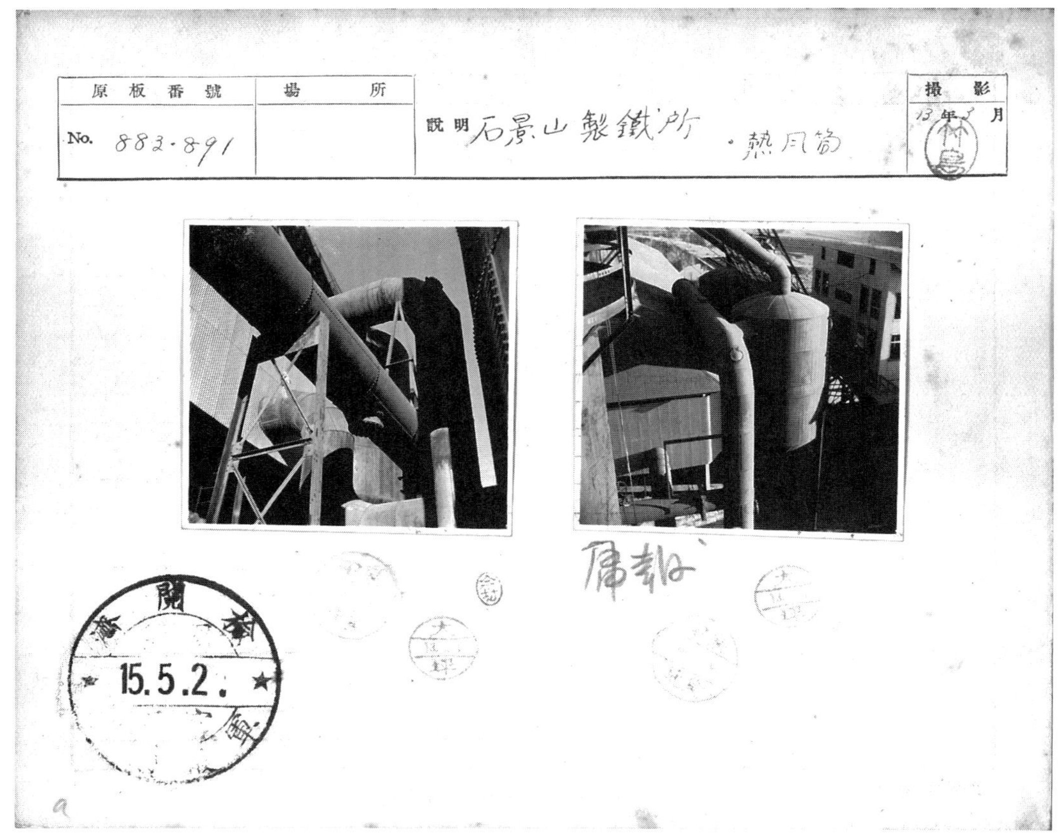
原板番號	場所	説明	撮影
No. 883-891		石景山製鐵所・熱風管	13年3月

15.5.2.

原板番號	場所	説明	撮影
No.1004.1028.1057	済南	城外民景 ・洗濯中ノ住民	12年5月

昭和14.1.7 済南 閲 軍報道部 伊藤

同盟通信 14.3.

ツーリスト屋

Glimpses of the East.

北支画刊2号

15.7.10 済南 閲 軍報道部

原板番號	場所	説明	撮影
No. 1181	郎坊	日本兵ノ墓ニ花ヲ棒ゲル支那少女	13年3月

自用 四月一日

大朝 大東亞建設博

佐世保 支那事變展

今治 〃

昭和14.6.29 閲 軍報道部 伊藤

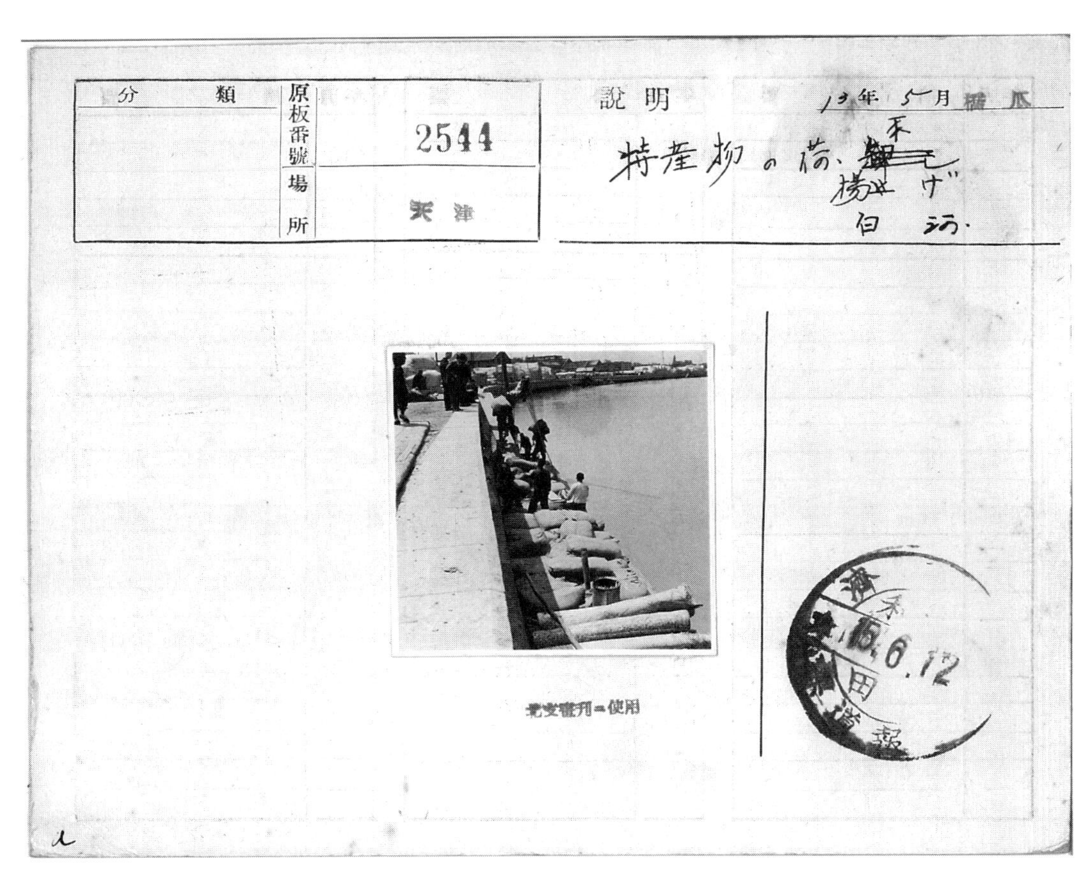

分類	原板番號	2544
	場所	天津

説明　13年5月　橋爪

特産柳の荷、積み揚げ
白河

北支寫刊ニ使用

原板番號	場所	説明	撮影
No. 2547・2548	塘沽	塩田	13年5月 橋爪

北支寫刊ニ使用

自用
四月一日
大朝 大東亜建設博
横濱 大陸發展展

子板紛失

原板番號	場所	說明	撮影
No.2550·2571·2572	塘沽	長蘆塩	13年5月

北支畫刊=使用

東京大德代 10

15.6.14

北支畫刊=使用

原板番號	場所	說明	撮影
No.2551·2552·2553	塘沽	長蘆塩 塩の輸送	13年5月

15.6.5

原板番號	場所	説明	撮影
No. 2564・2565・2566	塘沽	長蘆塩	13年5月 橋爪

北支畫刊ニ使用

13.5.27

13.5.27

自用
四月一日
大朝 大東亞建設博
横濱 大陸發展展
佐世保 支那事變展

15.6.5

原板番號	場所	説明	撮影
No. 2574・2578・2585	塘沽	長蘆塩．内記工場内	13年5月 橋爪

北支畫刊ニ使用

自用
四月一日
大朝 大東亞建設博
横濱 大陸發展展
佐世保 支那事變展

15.6.6

原板番號	場所	説明	撮影
No. 2687・2688・2689	天津	萬國橋	13年5月 大塚

東京工業日日新聞

14.12 大陸交通案内所

原板番號	場所	説明	撮影
No. 2702・2703	天津	北寧鐵路管理局	13年5月 大塚

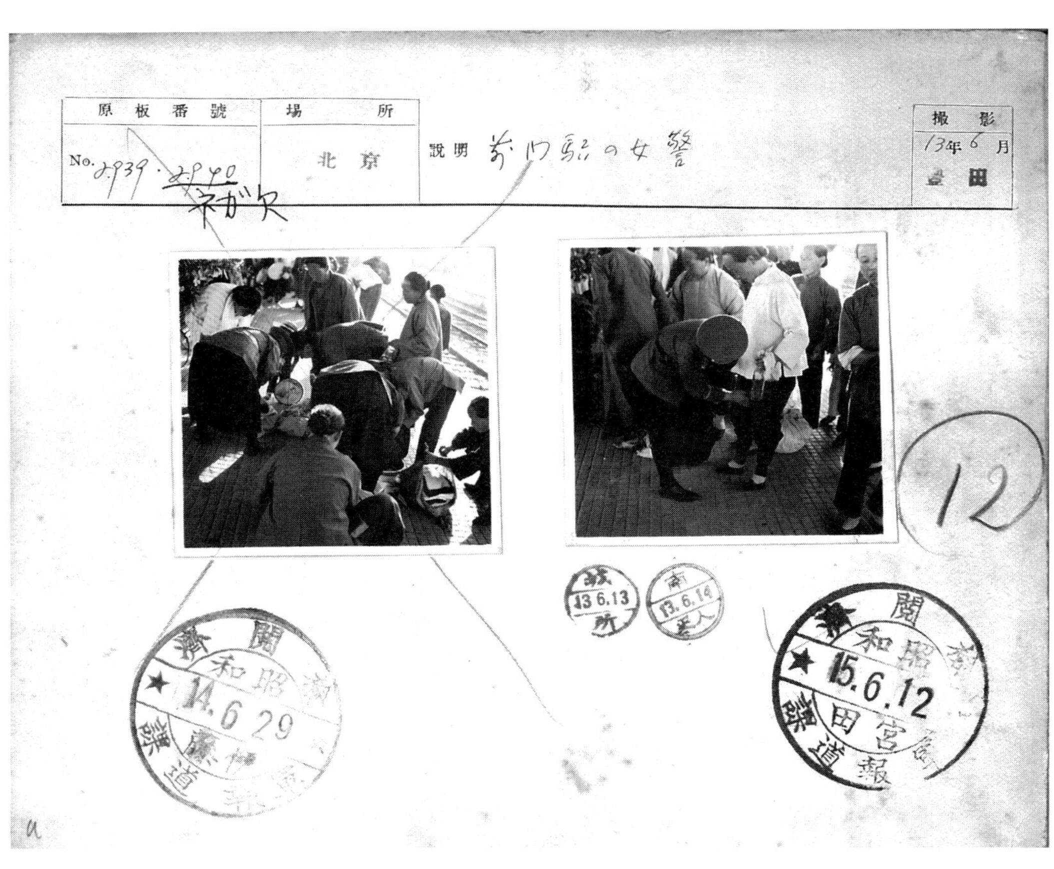

原板番號	場所	説明	撮影
No.2939・2940 ネガ欠	北京	前門駅の女警	13年6月 豊田

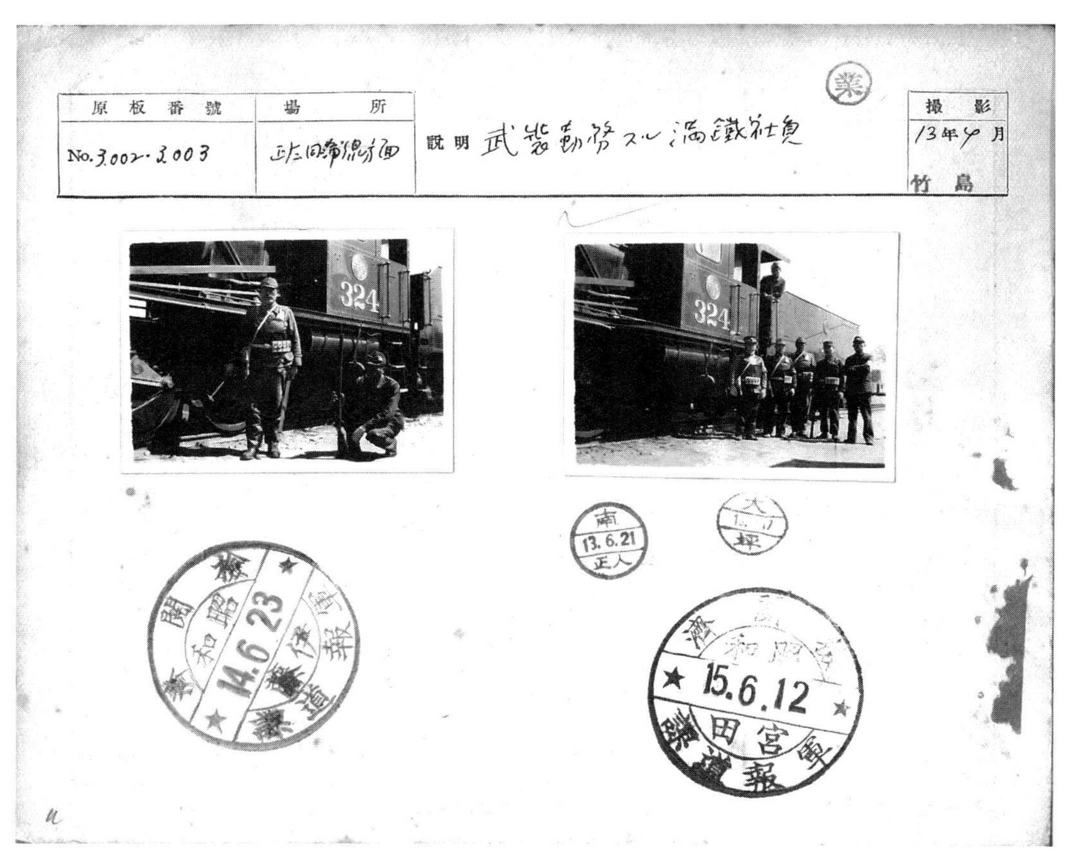

原板番號	場所	説明	撮影
No.3002・3003	正太同蒲線方面	武装勤務スル満鉄社員	13年4月 竹島

原板番號	場所	説明	撮影
No.3.005・3.007	正太・同蒲線	旅客糧秣輸送状況	13年7月 竹島

14.2.7 社員館記念室

原板番號	場所	説明	撮影
No.3.050・3.054	唐山	華新紡績公司	13年6月 奥園

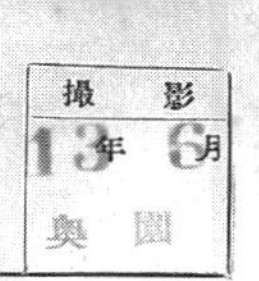

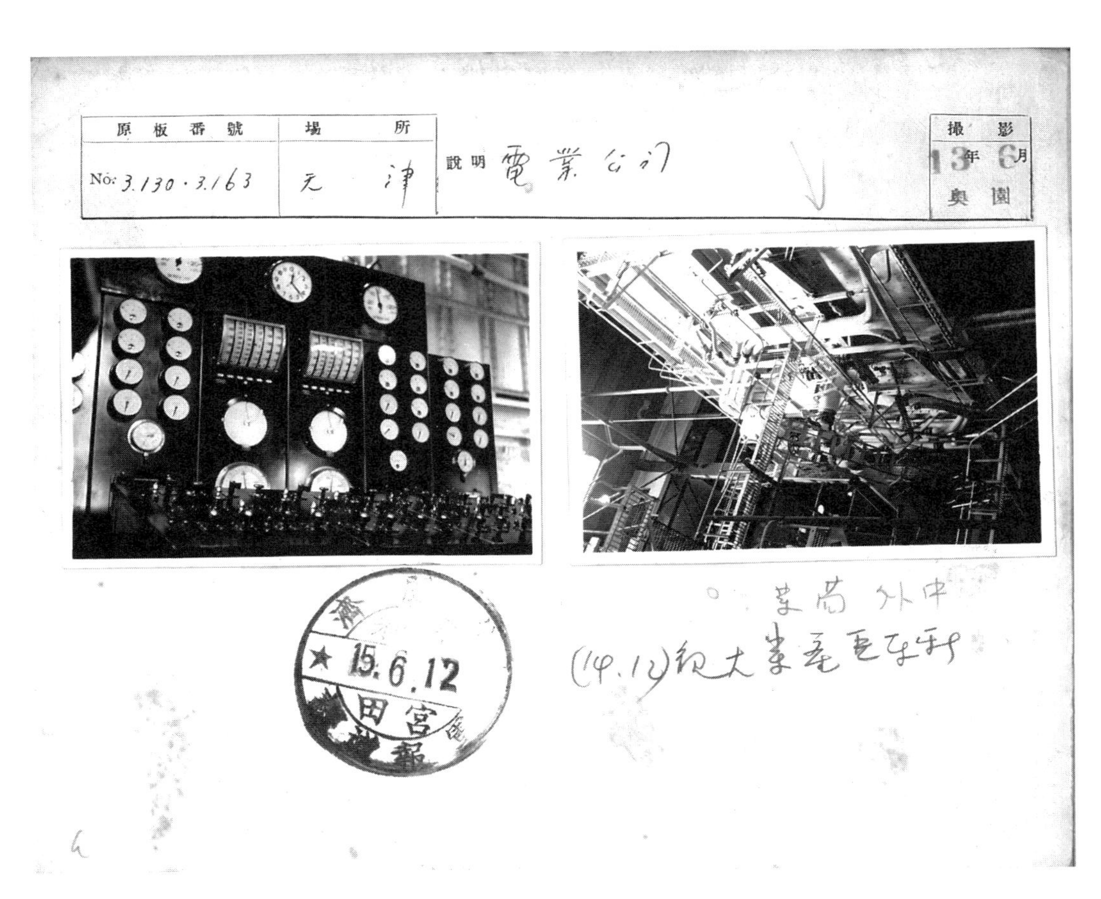

原板番號	場所	説明	撮影
No: 3.130・3.163	天津	電業公司	13年6月 奥園

15.6.12

原板番號	場所	説明	撮影
No. 3.164	天津	佛蘭西租界	13年6月 奥園

景

興亜

原板番號
No. 3.218・3.223
場所
秦皇島
説明 開灤炭輸出風景
撮影
13年6月
奥園

原板番號
No. 3.224・3.237
場所
秦皇島
説明 開灤炭輸出
撮影
13年6月
奥園

原板番號	場所	説明	撮影
No.3274.3275.3276	北京	警官學校	13年6月 豊田

(16)

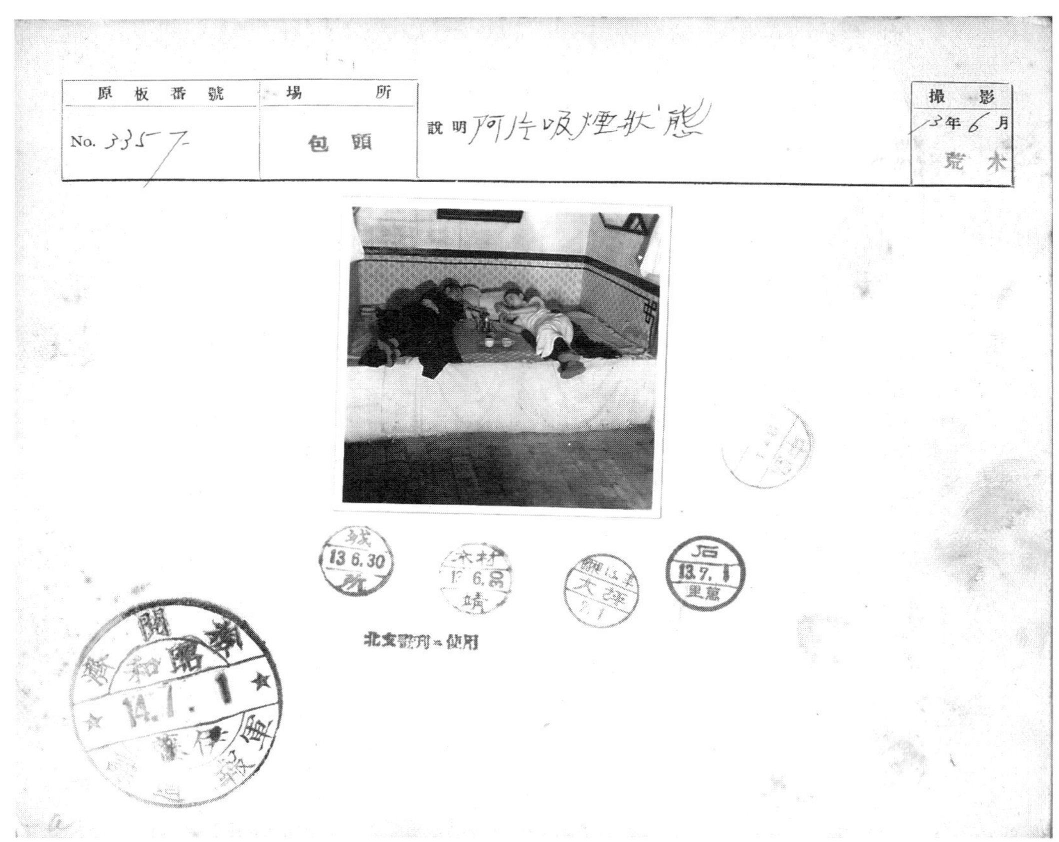

原板番號	場所	説明	撮影
No.3357	包頭	阿片吸煙狀態	13年6月 荒木

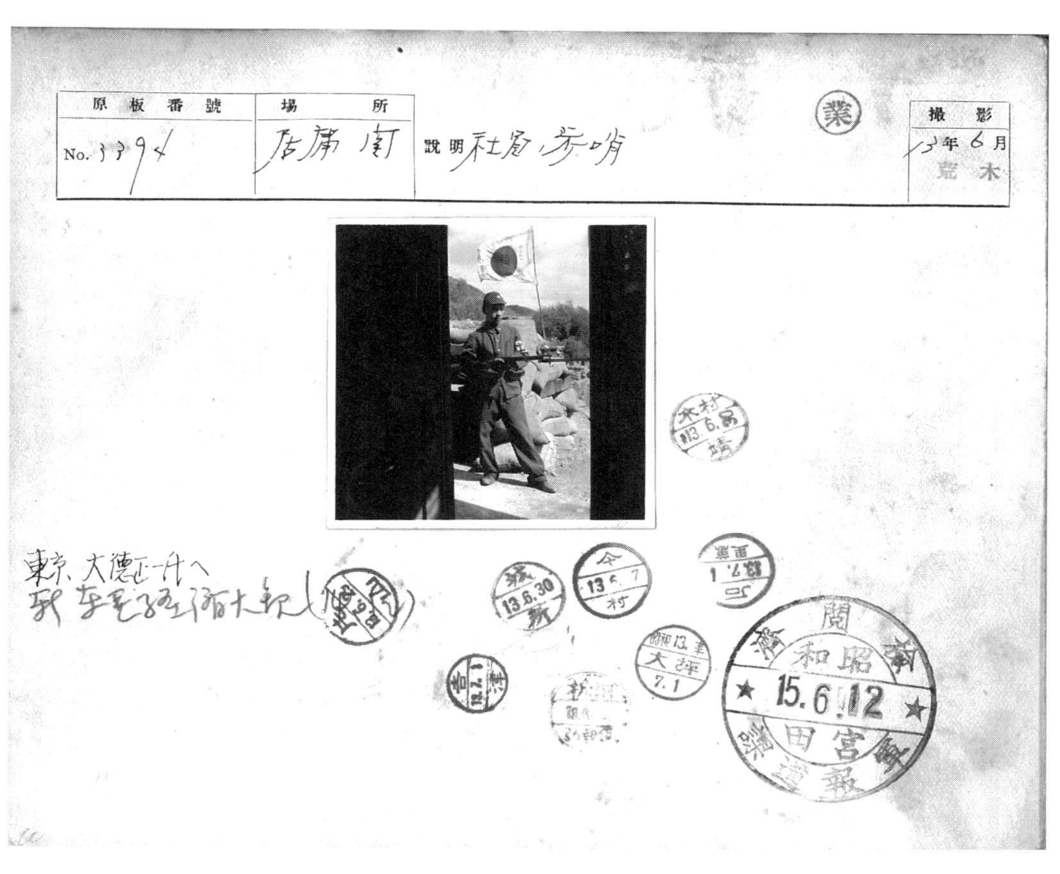

原板番號
場所
No.3394
居庸関
説明 社宅ノ歩哨
業
撮影
13年6月
荒木
15.6.12

原板番號
場所
No.3531・3532・3538
包頭
説明 市街
撮影
13年6月
荒木
14.12.大陸交通案内所
15.1.10
課

原板番號	場所	説明	撮影
No.3719・3720・3721	大同	大同炭礦 盗掘ノ跡ノ現状	17年6月 荒木

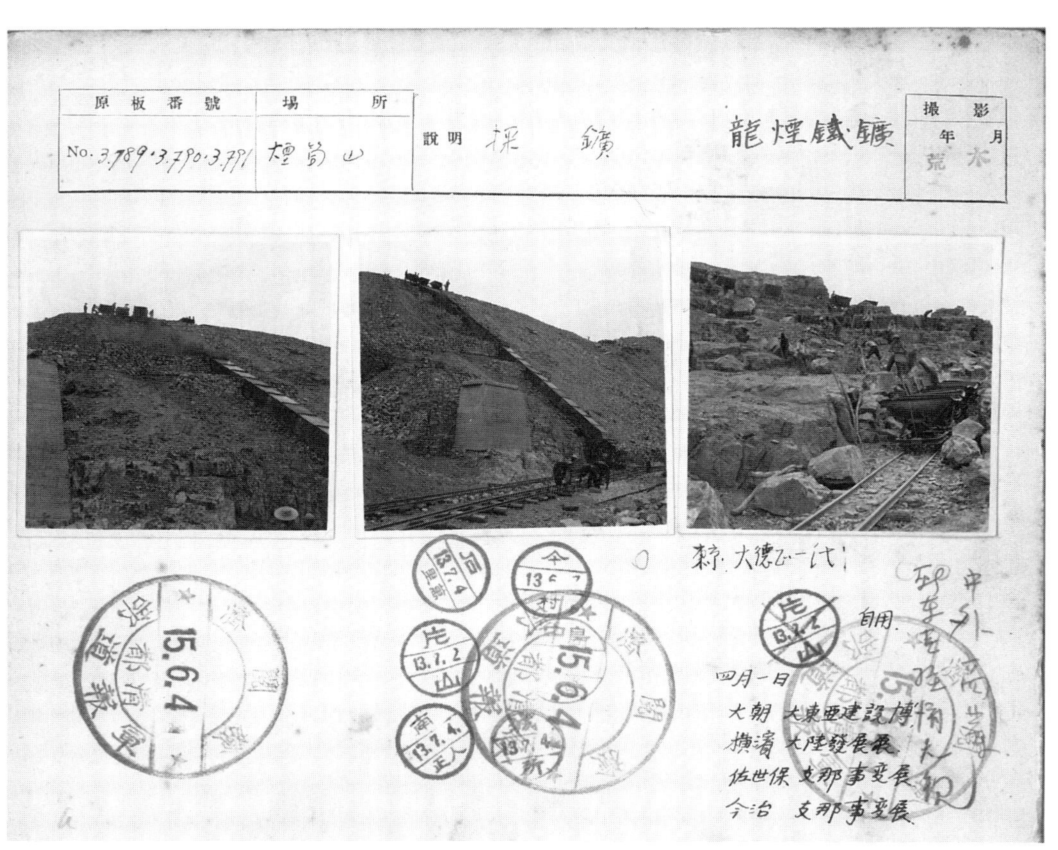

原板番號	場所	説明	撮影
No.3789・3790・3791	煙筒山	採鑛 龍煙鐵鑛	年 月 荒木

四月一日
大朝 大東亜建設博
横濱 大陸發展展
佐世保 支那事変展
今治 支那事変展

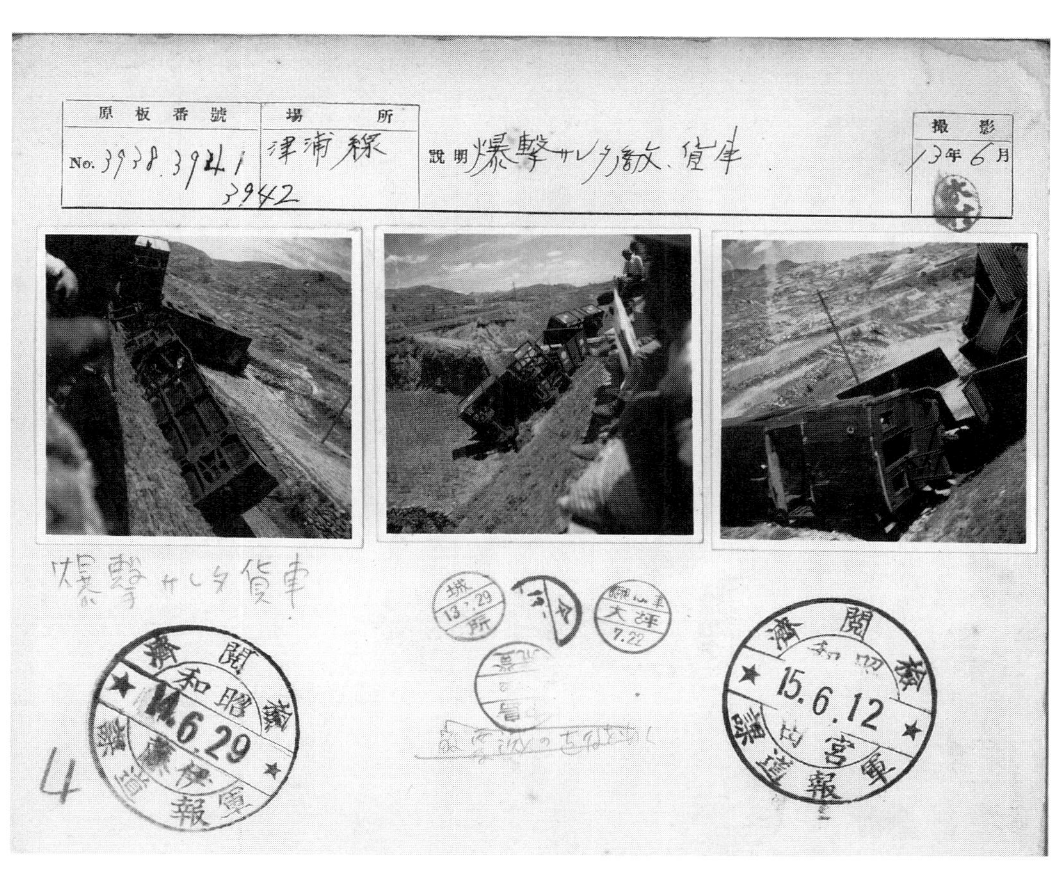

原板番號	場所	説明	撮影
No. 3938.3941 3942	津浦線	爆撃サレタ敵ノ貨車	13年6月

爆撃サレタ貨車

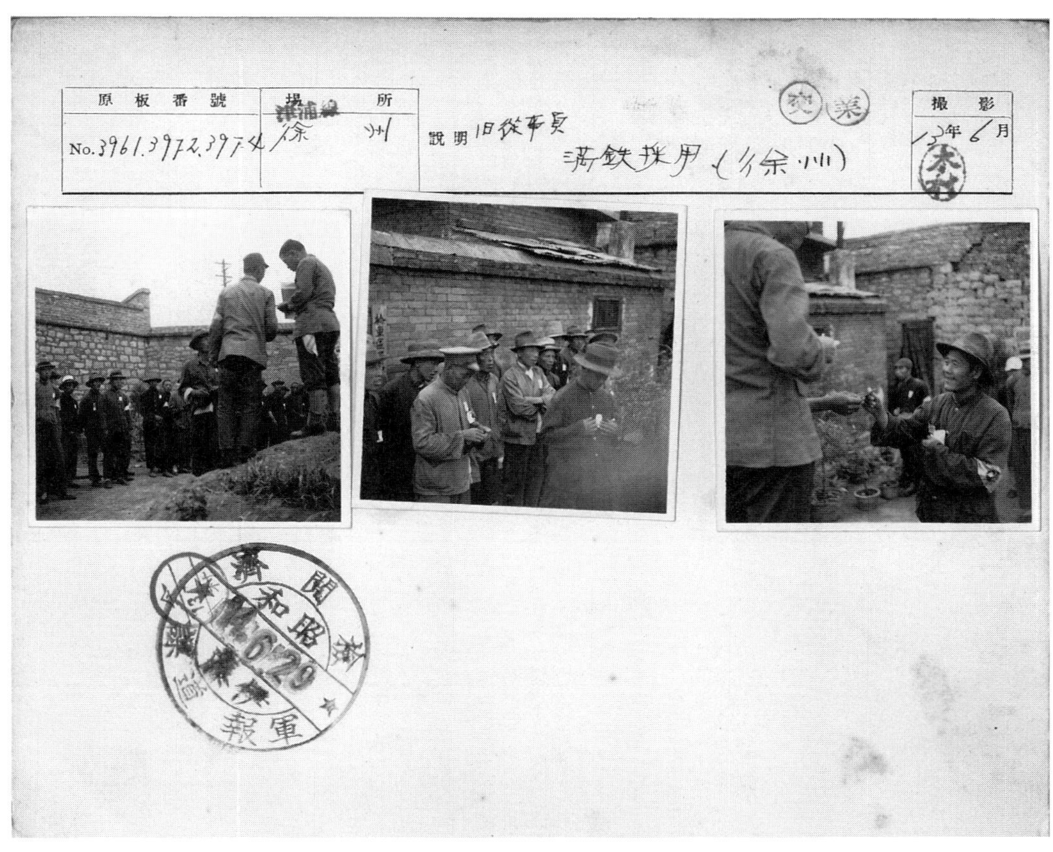

原板番號	場所	説明	撮影
No. 3961.3972.3974	津浦線 徐州	旧従事員 満鉄採用（徐州）	13年6月

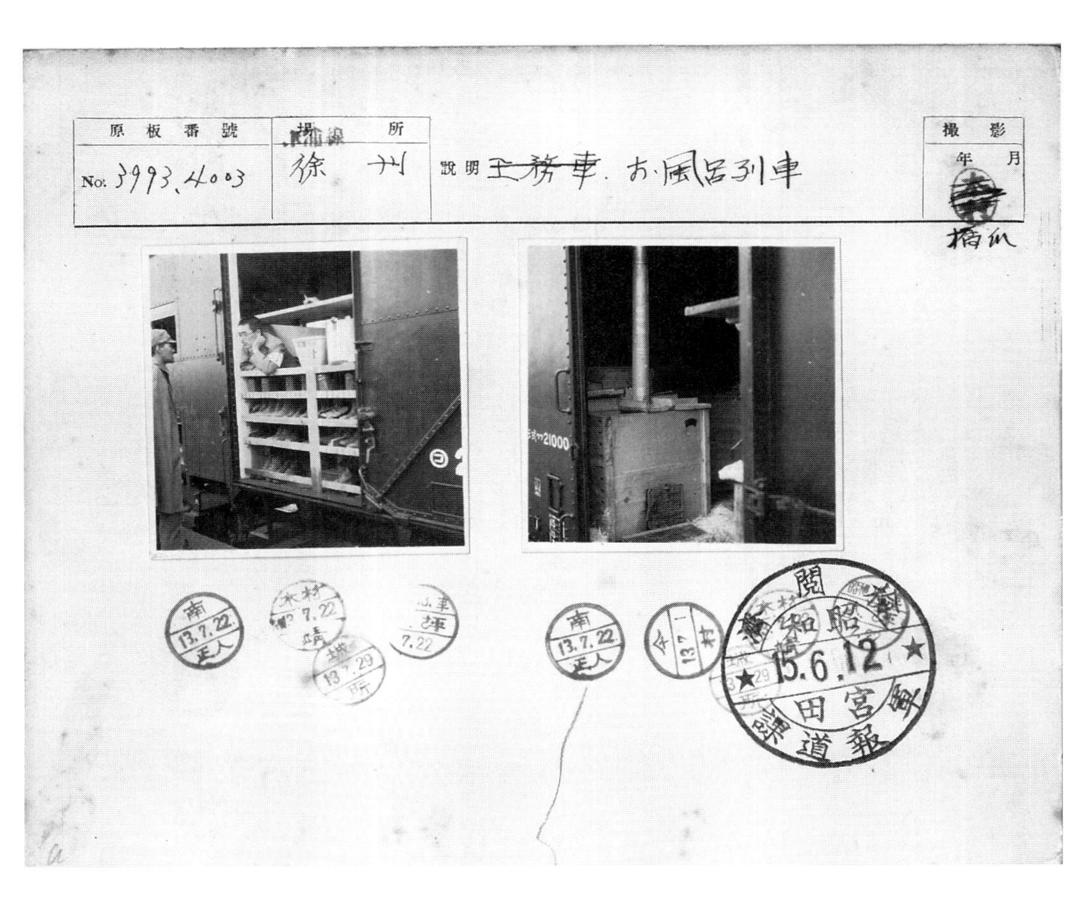

原板番號	場所	説明	撮影
No. 3993、4003	徐州	~~工務車~~. お風呂列車	年 月

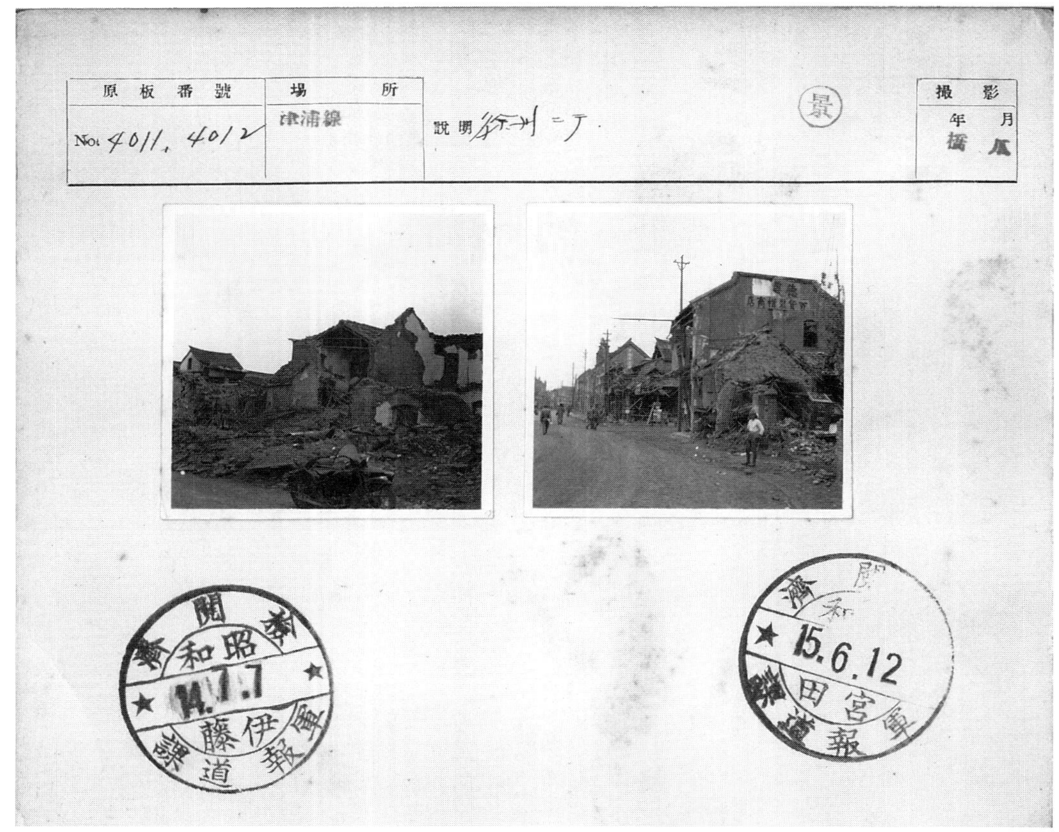

原板番號	場所	説明	撮影
No. 4011、4012	津浦線	徐州ニテ.	年 月

原板番號	場所	説明	撮影
No. 4049.4060	京漢線	焦作へ向フ 修理列車	13年6月

14.6.23

原板番號	場所	説明	撮影
No. 4050.4056		新郷城	13年6月

13.7.29

15.7.10

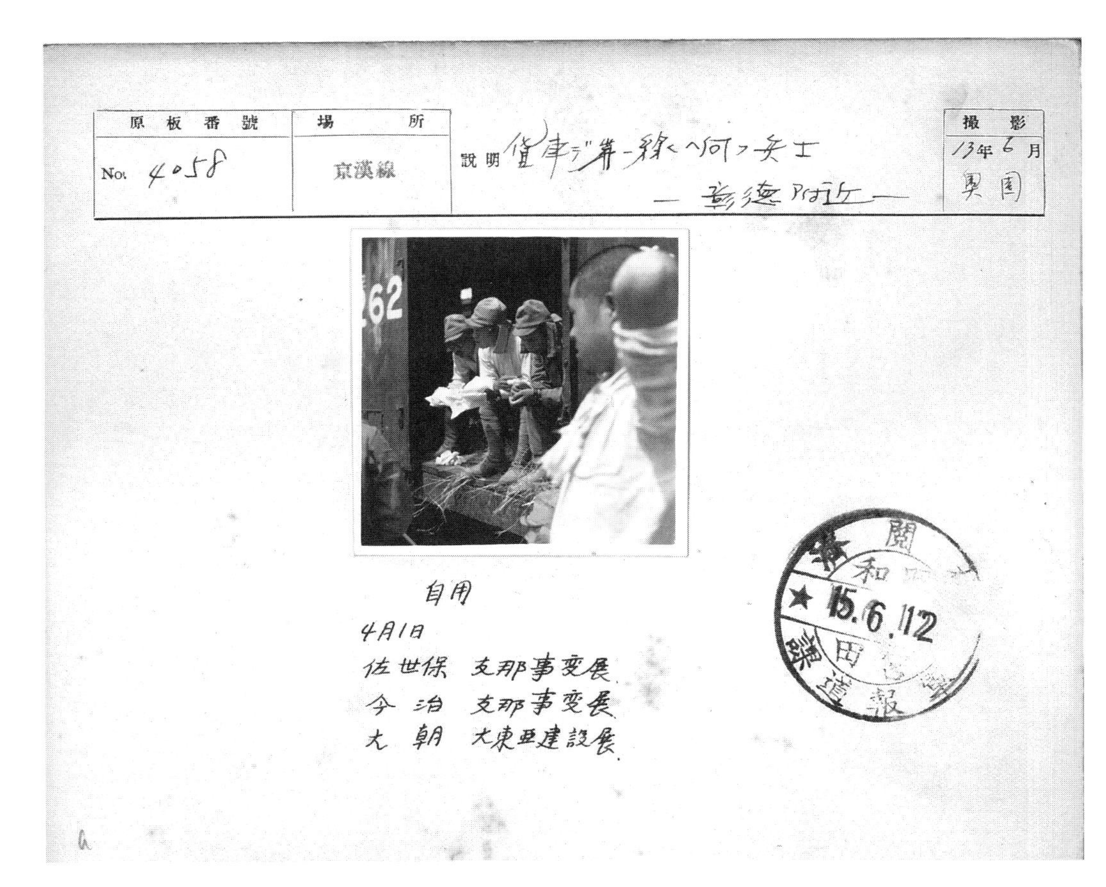

原板番號	場所	說明	撮影
No. 4058	京漢線	貨車デ第一線ヘ向フ兵士 —彰德附近—	13年6月 奥園

自用
4月1日
佐世保　支那事変展
今治　支那事変展
大朝　大東亜建設展

15.6.12

景

原板番號	場所	說明	撮影
No. 4269・4270	芝罘	アメリカ艦隊入港風景	13年8月

15.6.13

14.7.25

14.7.25

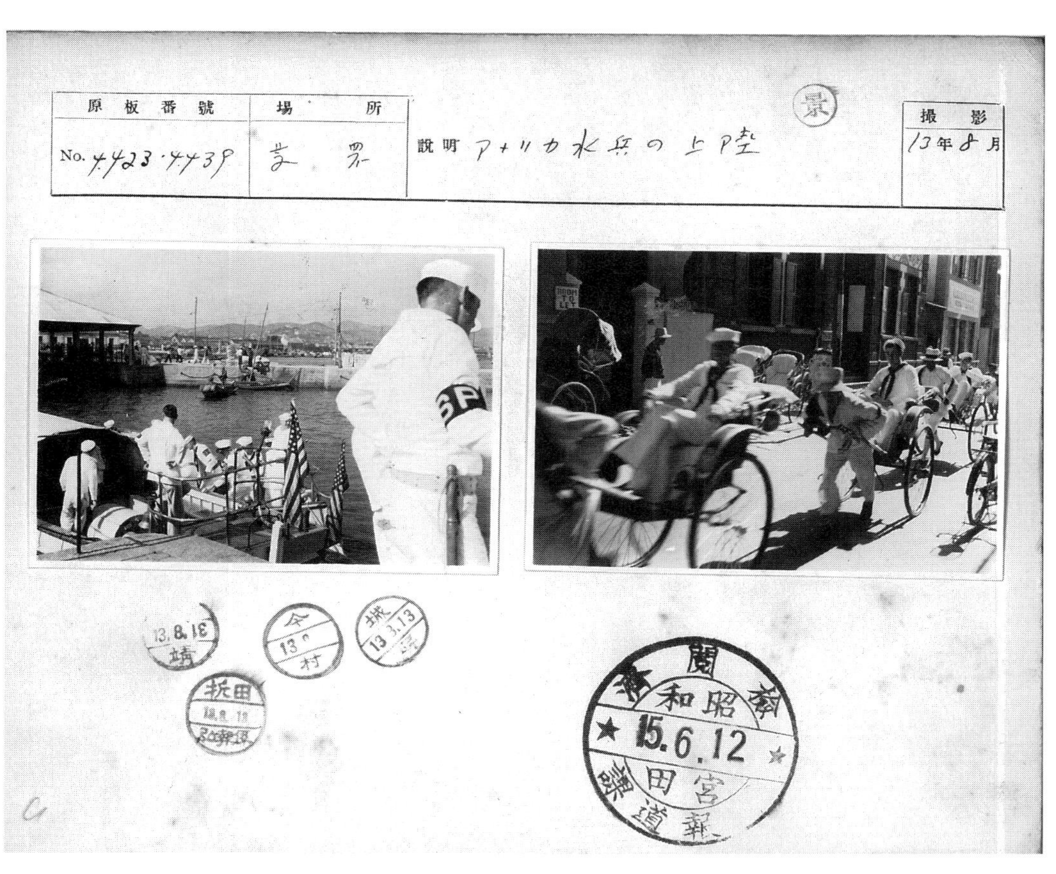
原板番號
場所
No. 4423・4438
芝罘
説明 アメリカ水兵の上陸
景
撮影
13年8月
13.8.13
今
13
村
昭和
15.6.12

原板番號
場所
No. 4456
芝罘
説明 市街所見
景
撮影
13年8月
豊田
WATCH & CLOCK REPAIRS
今
13
村

原板番號
場所
No. 4629. 4830
青島
說明
撮影
奥園
北支畫刊ニ使用
13.8.30

原板番號
場所
No. 4650
德縣
說明 城内より驛方面を望む
撮影
13年8月
奥園
15.7.10

原板番號	場所	説明	撮影
No. 4681.4690	青島	海浜所見	13年8月 奥園

14.4.1 大朝主催
大東亜建設博覧会使用

原板番號	場所	説明	撮影
No. 4693.4694	青島	海浜所見	13年8月 奥園

ツーリスト

原板番號	場所	説明	撮影
No. 4708	淄川	討伐行	年 月 奥園

15.6.12

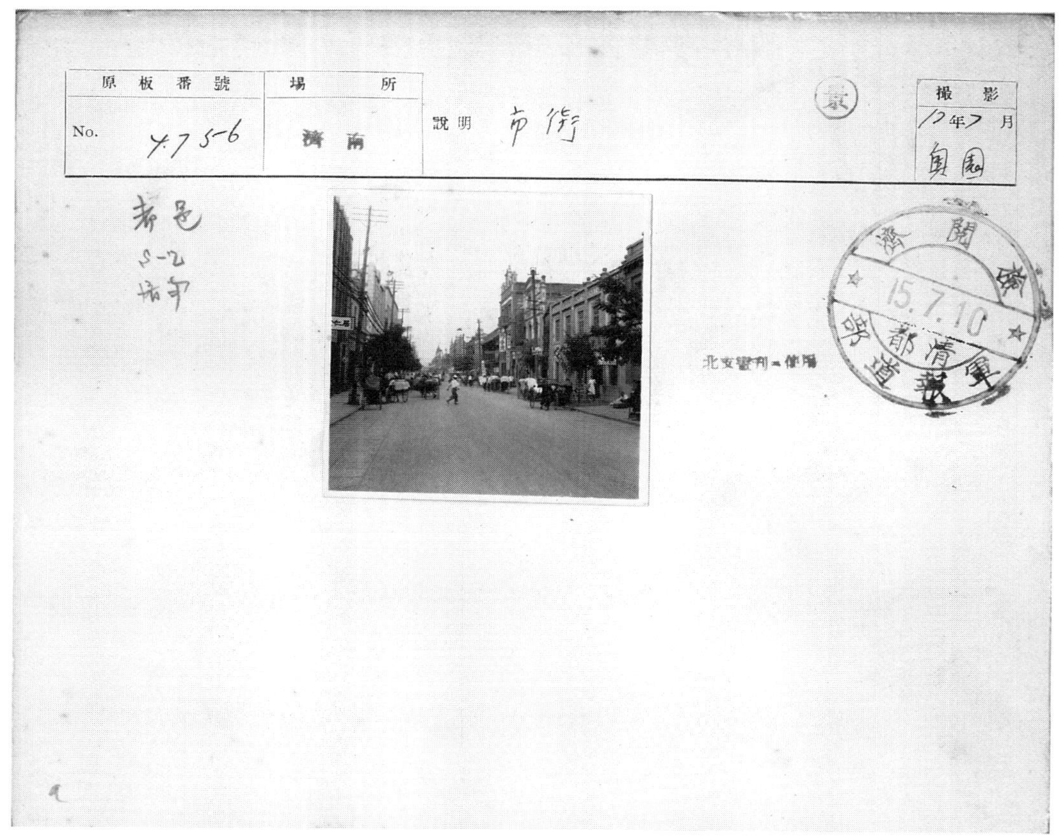

原板番號	場所	説明	撮影
No. 4756	濟南	市街	17年7月 奥園

北支警務局寫眞

15.7.10

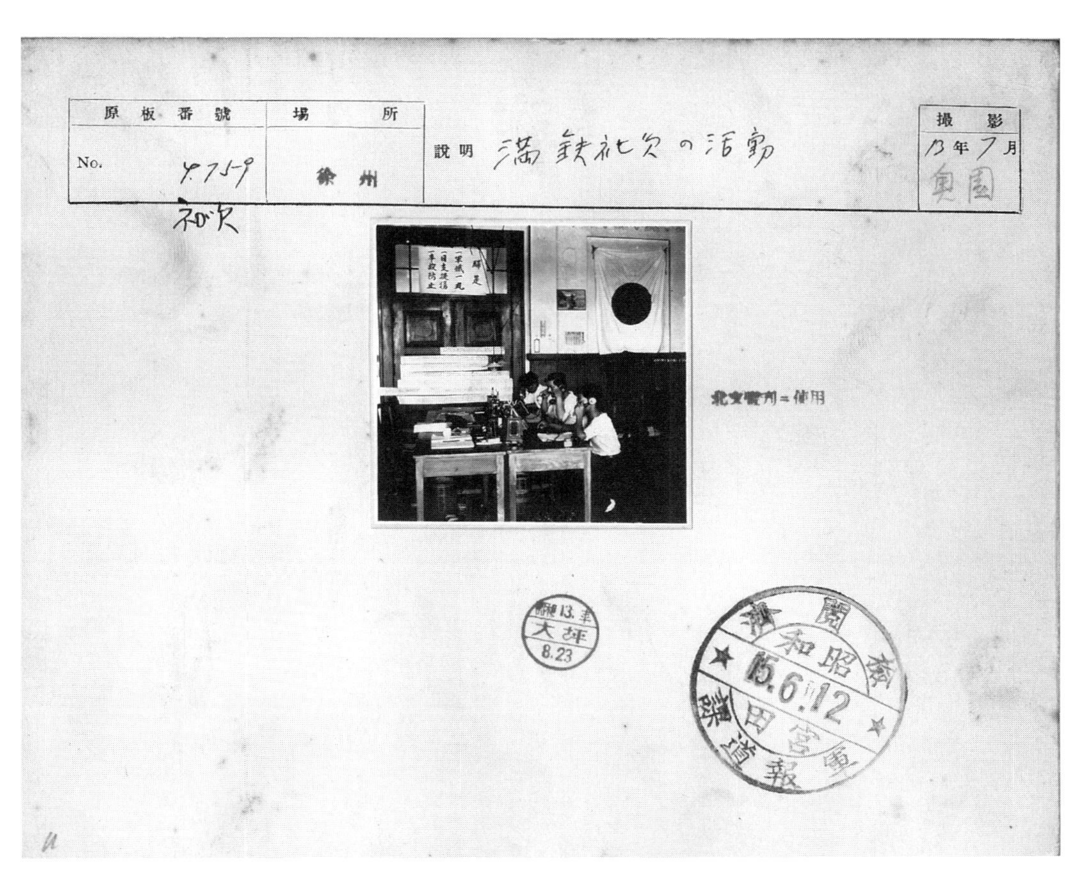
原板番號
場所
No. 4759
徐州
說明 満鉄社員の活動
撮影
13年7月
北支軍司令部

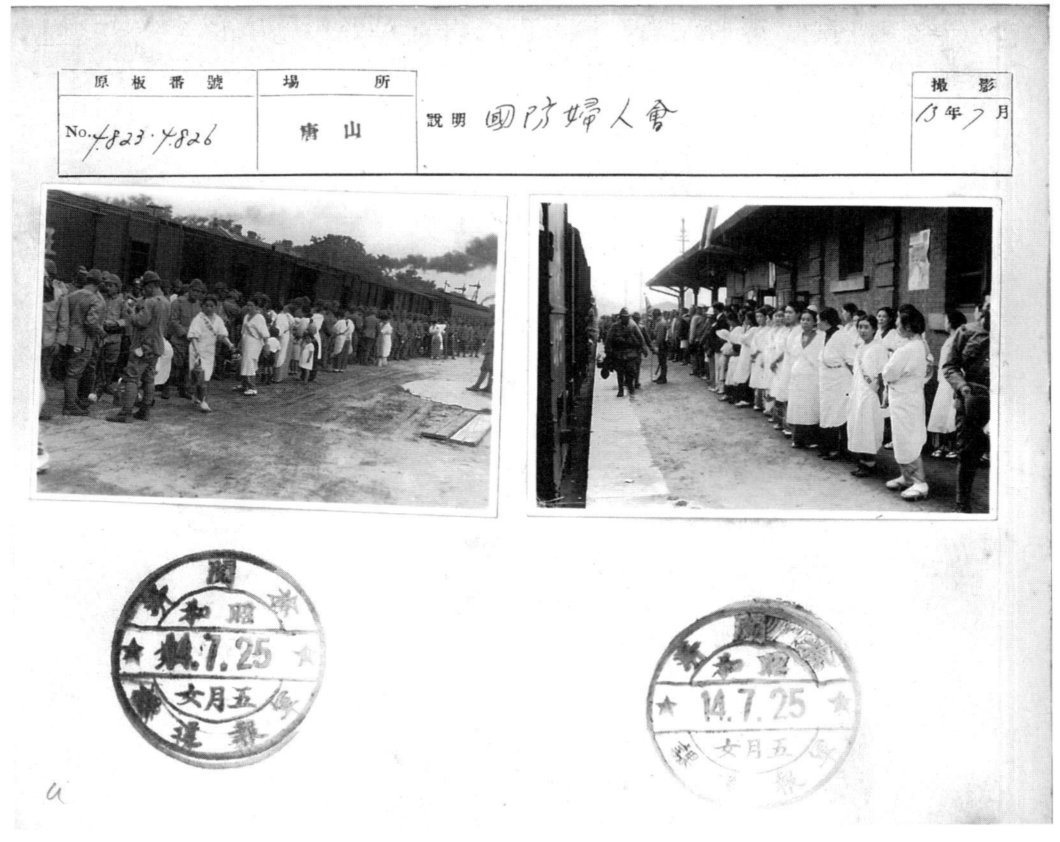
原板番號
場所
No. 4823・4826
唐山
說明 國防婦人會
撮影
13年7月

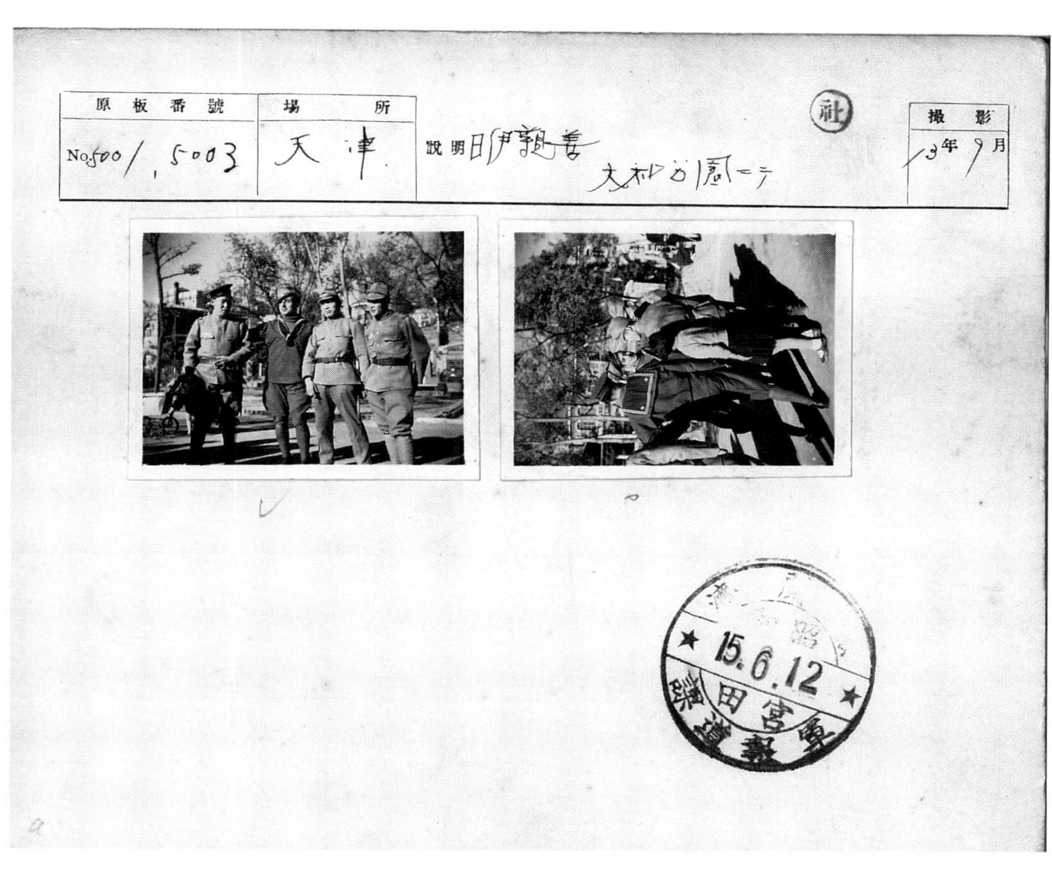

原板番號	場所	説明	撮影
No.5001, 5003	天津	日伊親善 大和公園ニテ	13年9月

社

15.6.12

原板番號	場所	説明	撮影
No.5092, 5106, 5113	張北	満鉄カメラマンノ活躍	13年9月 奥園

業

自家用

自家用

14.6.23

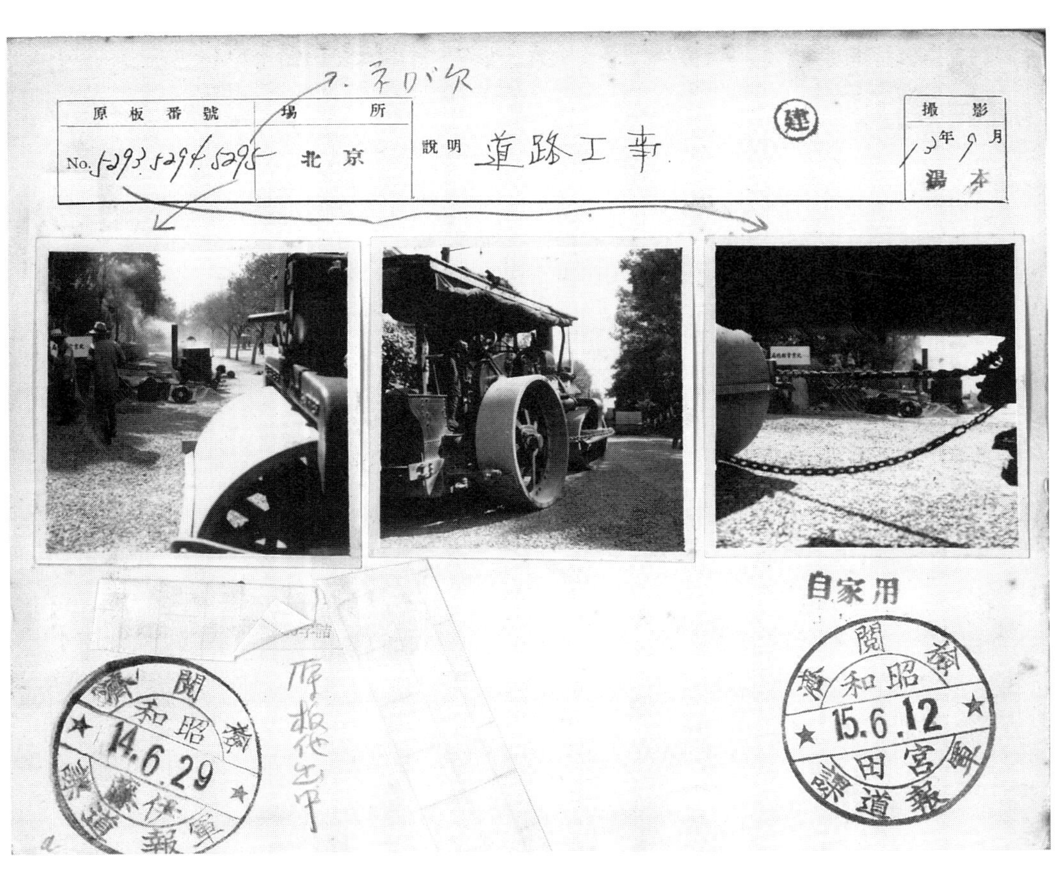

原板番號	場所	説明	撮影
No. 5293.5294.5295	北京	道路工事	13年9月 湯本

建

自家用

検閲 昭和 14.6.29 軍報道部

検閲 昭和 15.6.12 軍報道部 宮田

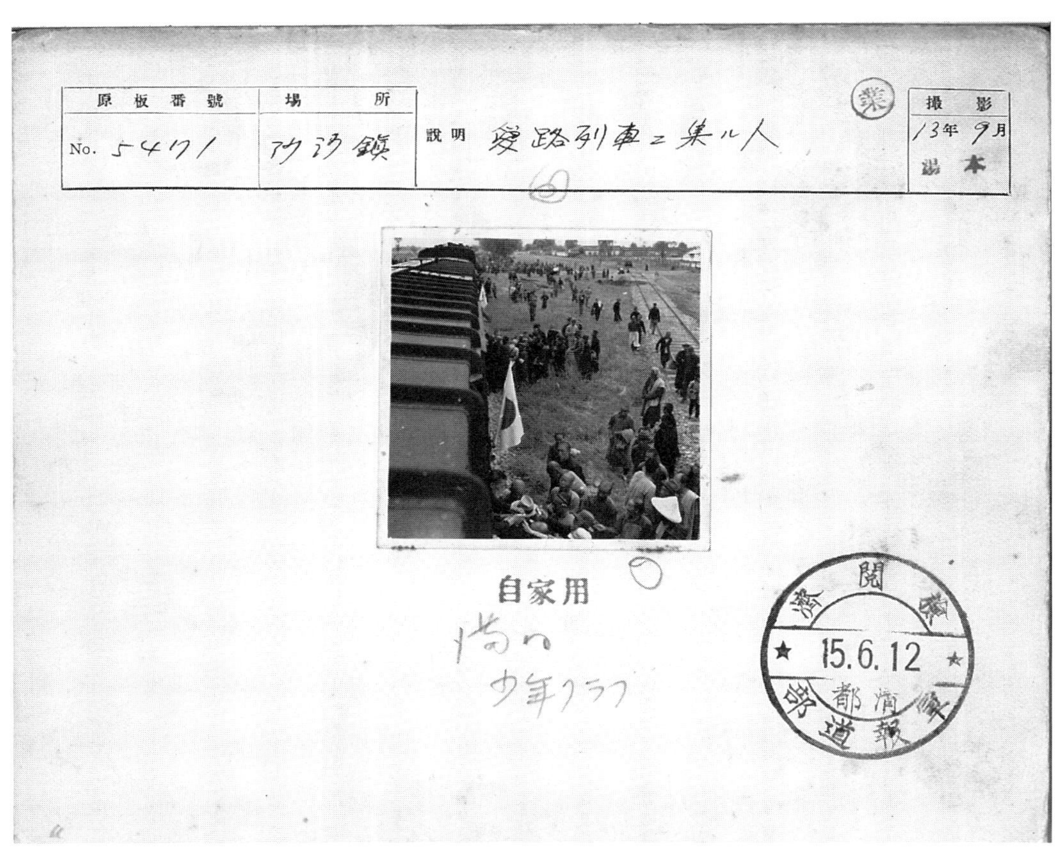

原板番號	場所	説明	撮影
No. 5471	[illegible]	愛路列車ニ集ル人	13年9月 湯本

業

自家用

検閲 15.6.12 軍報道部

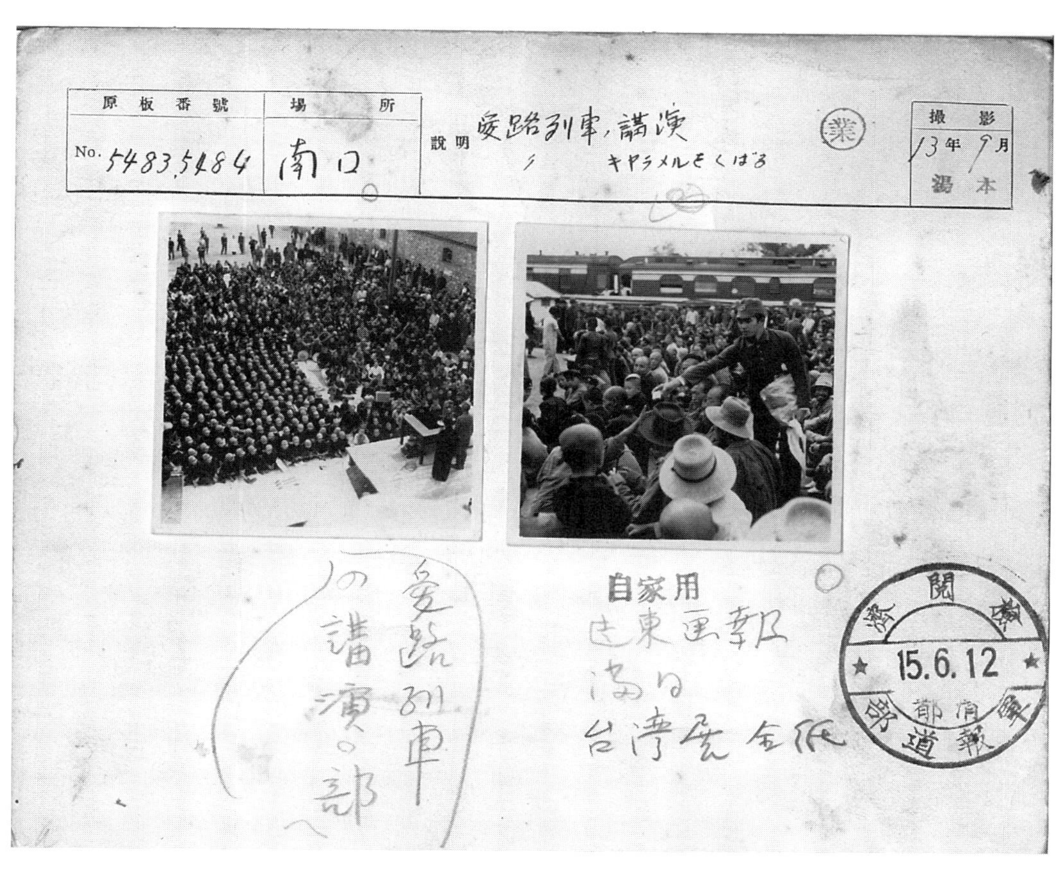

原板番號	場所	説明	撮影
No. 5483,5484	南口	愛路列車、講演 〃　キヤラメルをくばる	13年9月 湯本

自家用

愛路列車の講演の部へ

15.6.12

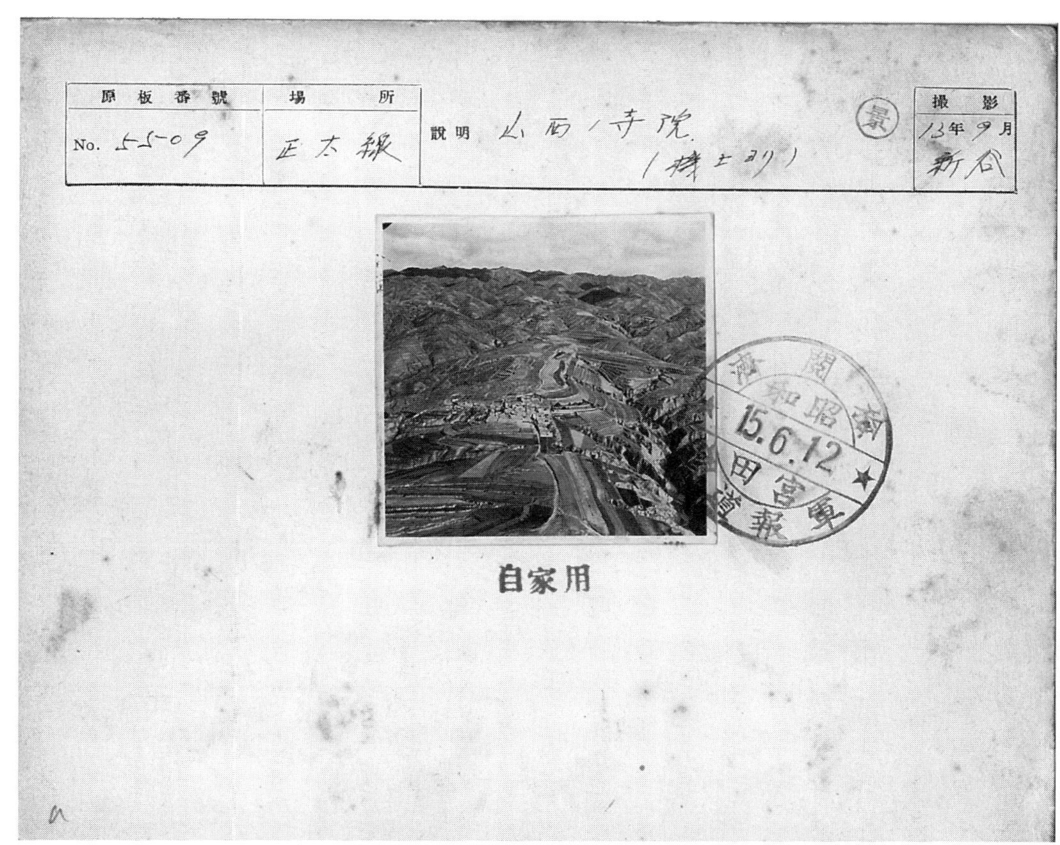

原板番號	場所	説明	撮影
No. 5509	正太線	山西ノ寺院 （機上より）	13年9月

15.6.12

自家用

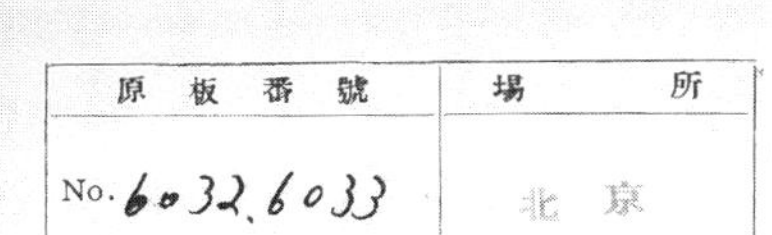

原板番號	場所	説明	撮影
No.6032.6033	北京	鮮満支直通列車	13年10月 奥園

自家用

原板番號	場所	説明	撮影
No.6256.6257	北京	銃剣術教練 (治安部)	13年10月 豊田

社

閲 昭和 14.6.29 伊藤 報道

閲 昭和 15.6.12 宮田 報道

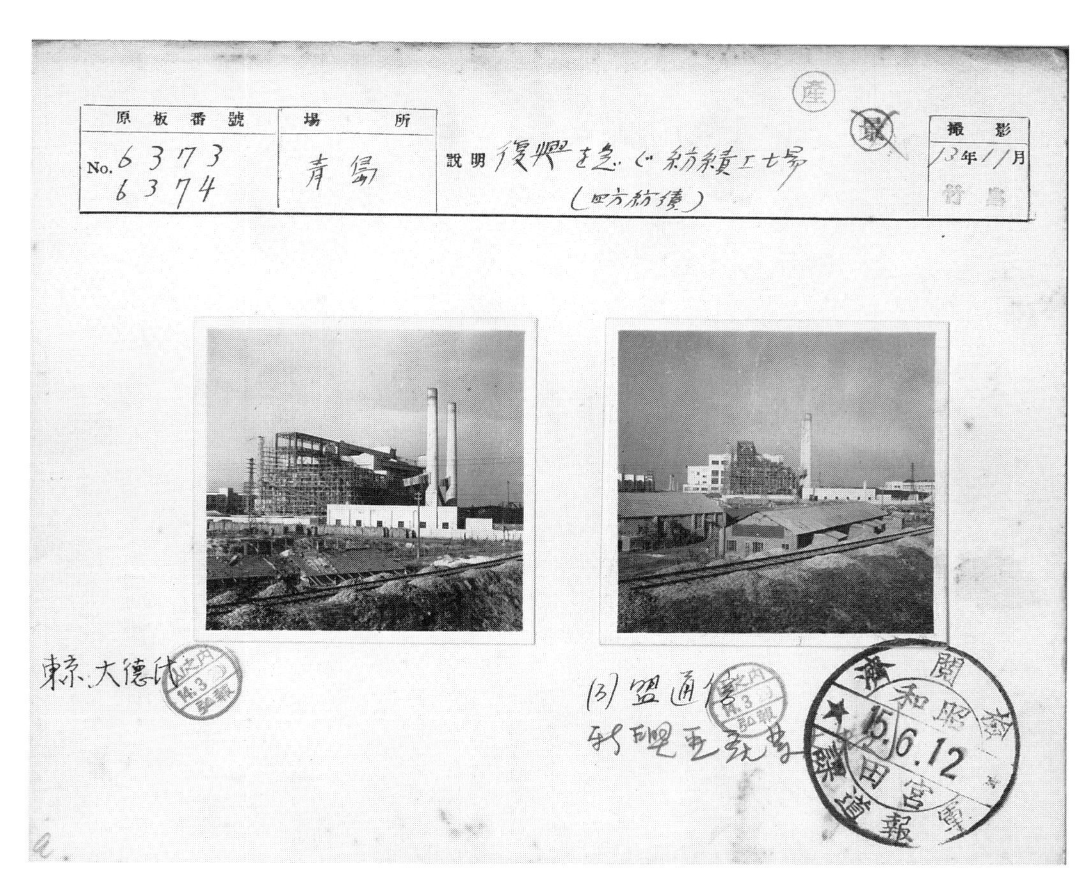
原板番號
No. 6373
6374
場所
青島
說明 復興を急ぐ紡績工場
(四方紡績)
撮影
13年11月
竹島

原板番號
No. 6433
場所
天津
說明 天津白河萬国橋
撮影
13年6月
竹島
15.6.12

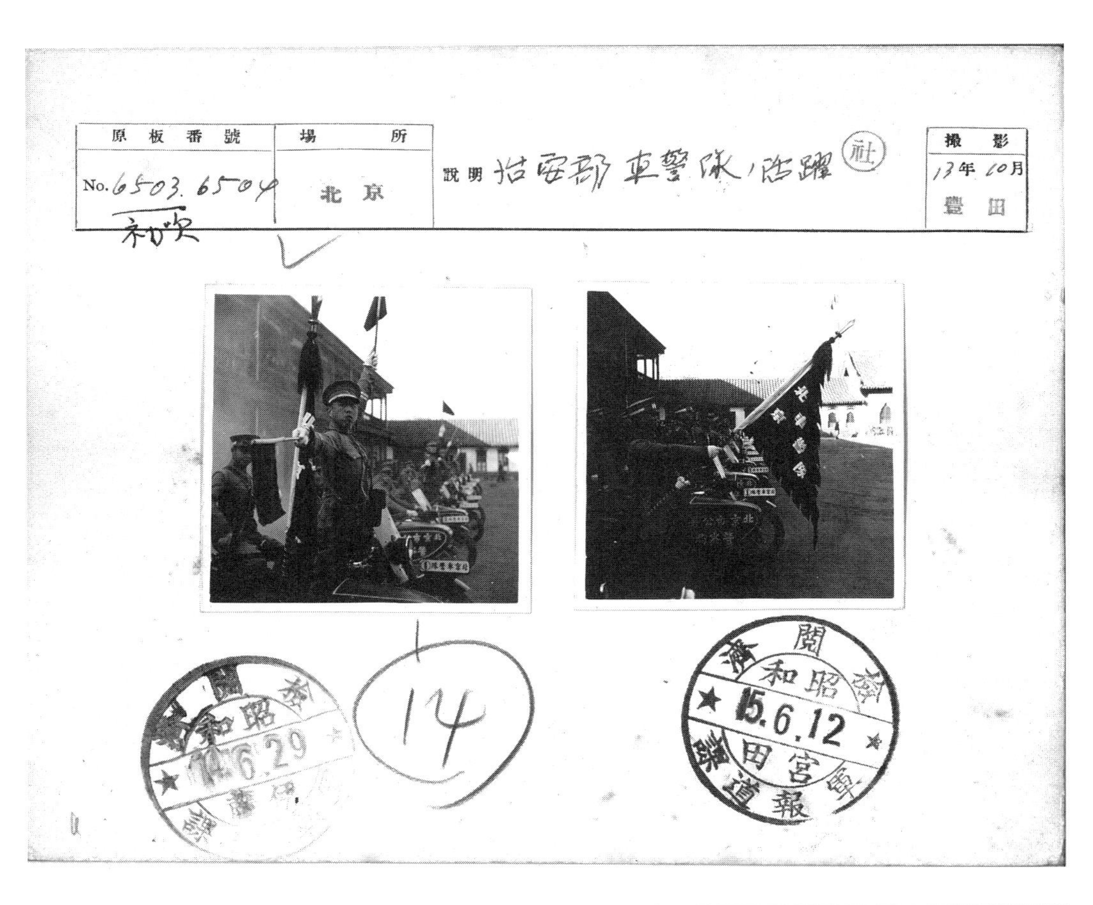

原板番號	場所	說明	撮影
No.6503.6504	北京	治安部車警隊ノ活躍 ㊓	13年10月 豊田

檢閲濟 昭和 14.6.29 報道部

14

檢閲濟 昭和 15.6.12 宮田 軍報道部

原板番號	場所	說明	撮影
No.6513.6514	北京	治安部車警隊ノ活躍 ㊓	13年10月 豊田

檢閲濟 昭和 14.6.29 軍報道部

15

北支軍刊ニ使用

檢閲濟 昭和 15.6.12 宮田 報道

原板番號	場所	説明	撮影
No. 6524, 6525	北京	西單ニ於ケル夜間檢査	13年10月 豊田

閲済 昭和14.6.29 軍報道部

閲済 昭和15.6.12 軍報道部 宮田

原板番號	場所	説明	撮影
No. 6553, 6561	新郷	船越部隊 慰安會場ニテ	13年10月 奥園

閲済 昭和15.6.12 軍報道部 宮田

原板番號	場所	
No. 7173.	北京	説明 石景山製鉄所大×式 勇躍仕事を開始する

産

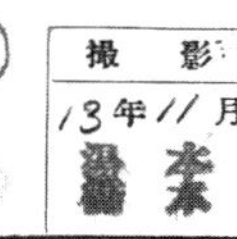
撮影
13年11月
[illegible]

自家用

分類	原板	7368	
5— 2— 2	地名	北京	隆福寺廟会

13年12月 田中

原板在東京

20.3.19

原板番號	場所	説明	撮影
No. 7465	同蒲線	楡次構内軍人及社員ノ墓	13年12月

原板番號	場所	説明	撮影
No. 7696		周鎮蚌埠間 鉄路破壊修復	13年12月

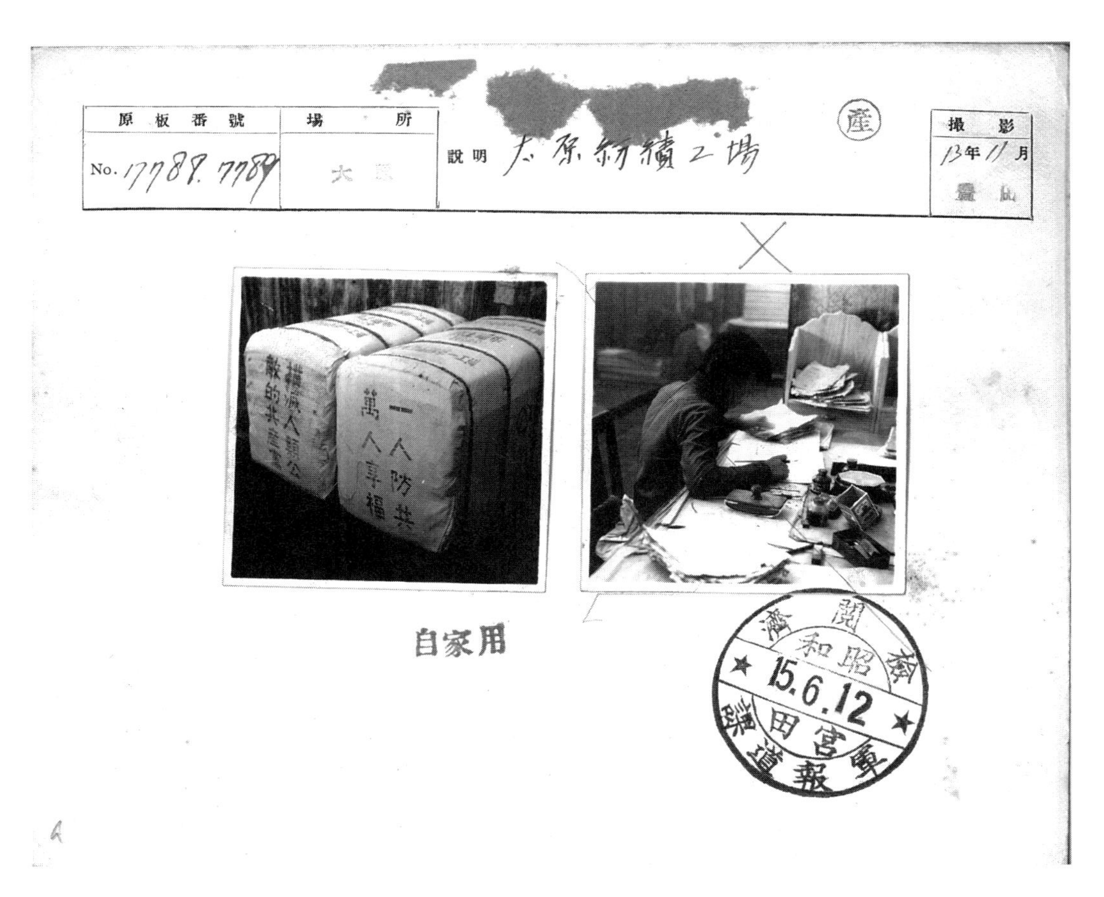

原板番號	場所	説明	撮影
No. 17788. 7789	大[illegible]	太原紡績工場	13年11月

産

自家用

閲済 昭和 15.6.12 軍報道部

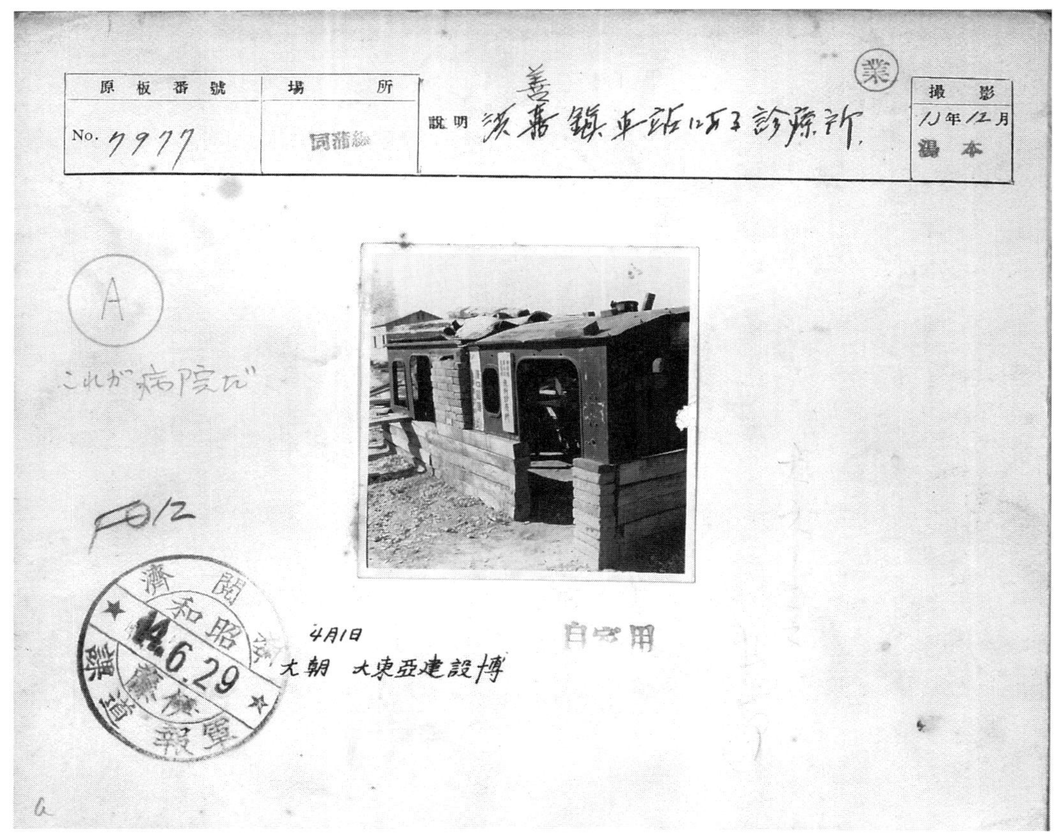

原板番號	場所	説明	撮影
No. 7977	同蒲線	汾善鎮車站にある診療所	13年12月 湯本

業

A

これが病院だ

4月1日
大朝 大東亜建設博

自家用

閲済 昭和 14.6.29 軍報道部

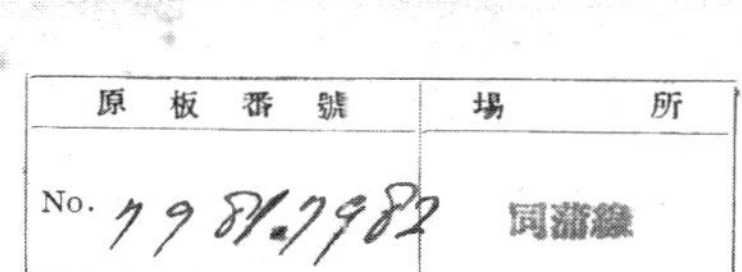

原板番號	場所	說明	撮影
No. 7981・7982	同蒲線	五色旗を持って出迎へる　高林	13年12月 湯本

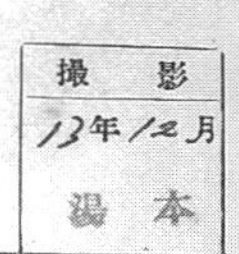

原板番號	場所	說明	撮影
No. 7987	同蒲線	社員の碑	13年12月 湯本

蚌埠

原板番號	場所	説明	撮影
No. 8296	津浦線	蚌埠市内 (景)	17年12月 奥園

原板番號	場所	説明	撮影
No. 8395	京包線	大同駅ノ修理 (業)	13年12月 豊田

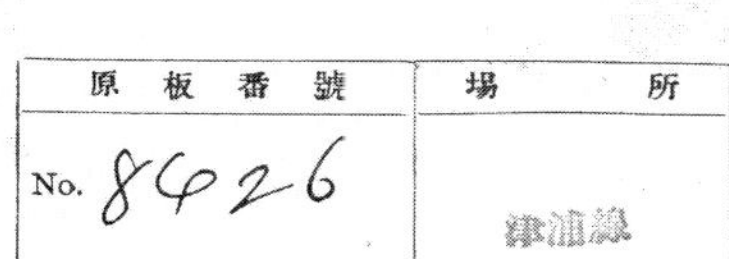

原板番號	場所	説明	撮影
No. 8426	津浦線	匪賊ヲ連れて居る白兵隊 ㊓	17年12月 豊田

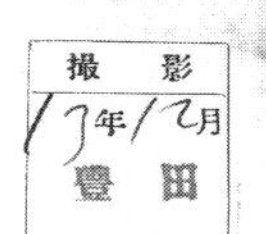

原板番號	場所	説明	撮影
No. 8450	膠濟線	列車ノ轉覆 ㊓	17年12月 豊田

ネガ欠
原板番號
No. 8691
場所
天津
説明
天祥市場附近
景
撮影
13年12月
竹島
美華

原板番號
No. 8800
場所
ネガ欠
京包線
説明
流水状態
景
撮影
17年12月

原板番號	場所	説明	撮影
No. 8996	大原	太原 業 社員の生活	年 月 安福

原板番號	場所	説明	撮影
No. 9118	正太線	岩會站 業 社員の生活	年 月 安福

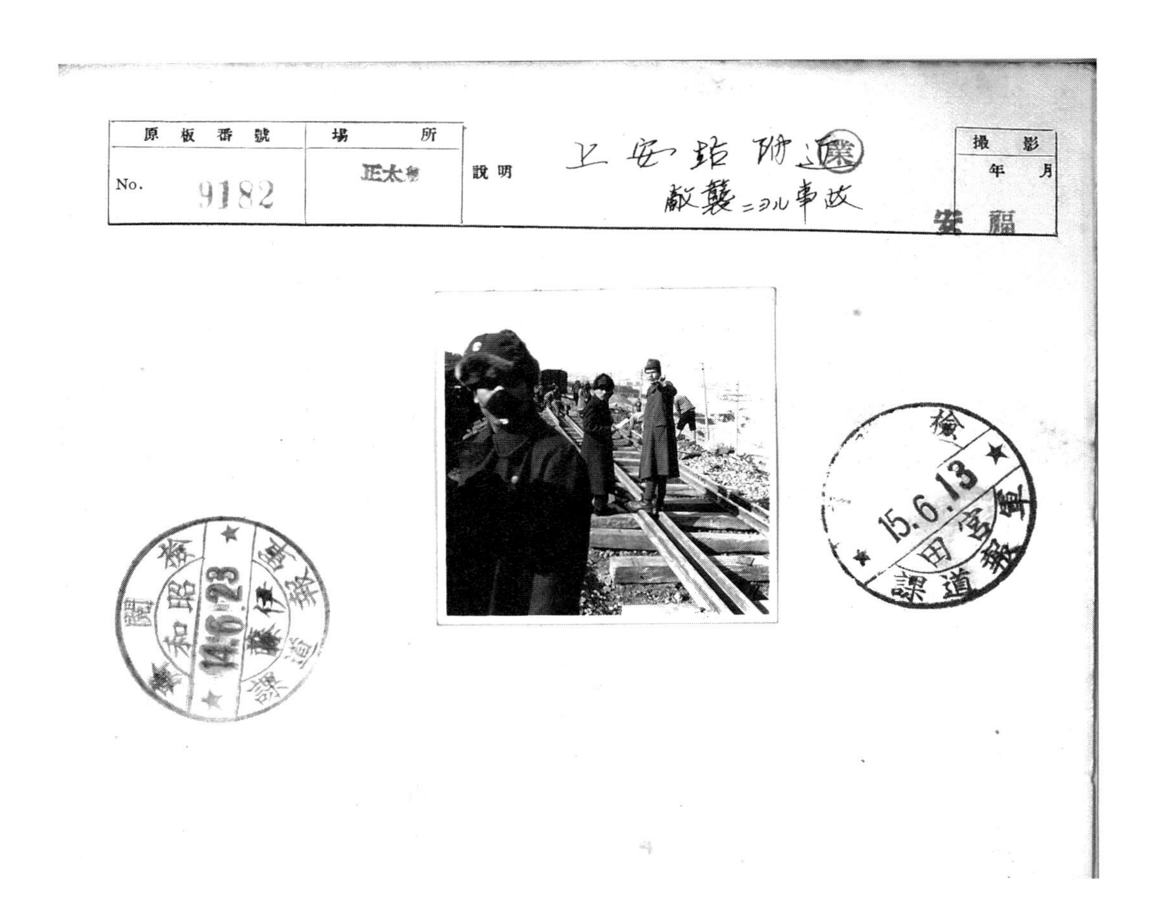
原板番號 No. 9182
場所 正太線
説明 上安站附近 敵襲ニヨル事故
撮影 年 月

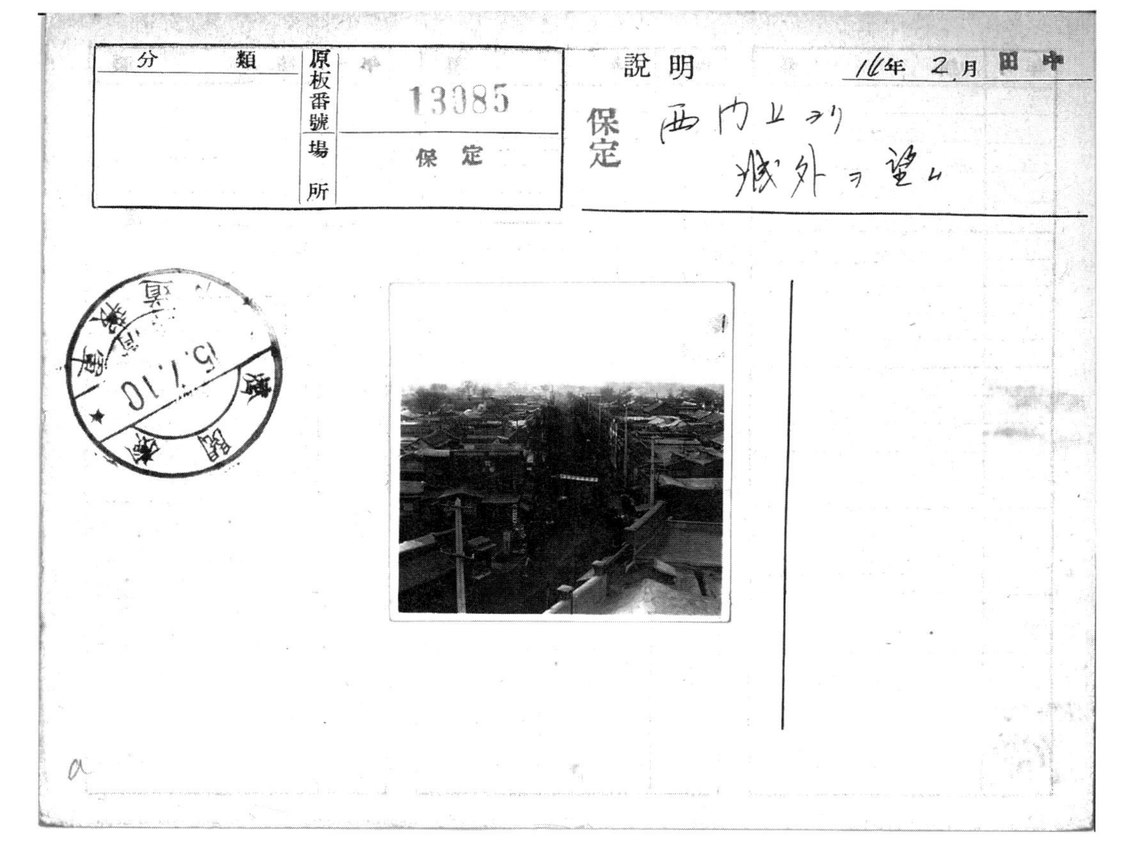
分類
原板番號 13985
場所 保定
説明 16年 2月 田中
保定 西門ヨリ城外ヲ望ム

分類

原板番號 14343

場所

說明 16年

満鉄北支事務局
表玄関

閲 濟 昭和 15.6.14 軍報道部

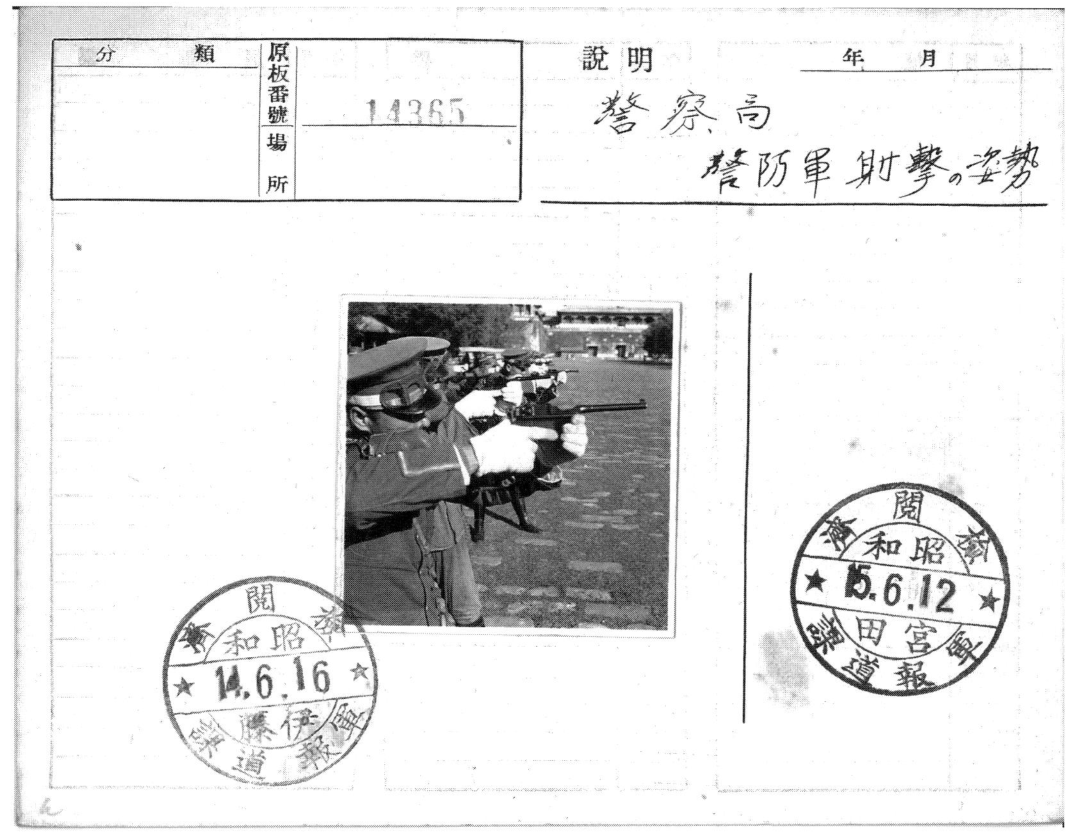

分類

原板番號 14365

場所

說明 年 月

警察局
警防軍射撃の姿勢

閲 濟 昭和 14.6.16 伊藤 軍報道部

閲 濟 昭和 15.6.12 宮田 軍報道部

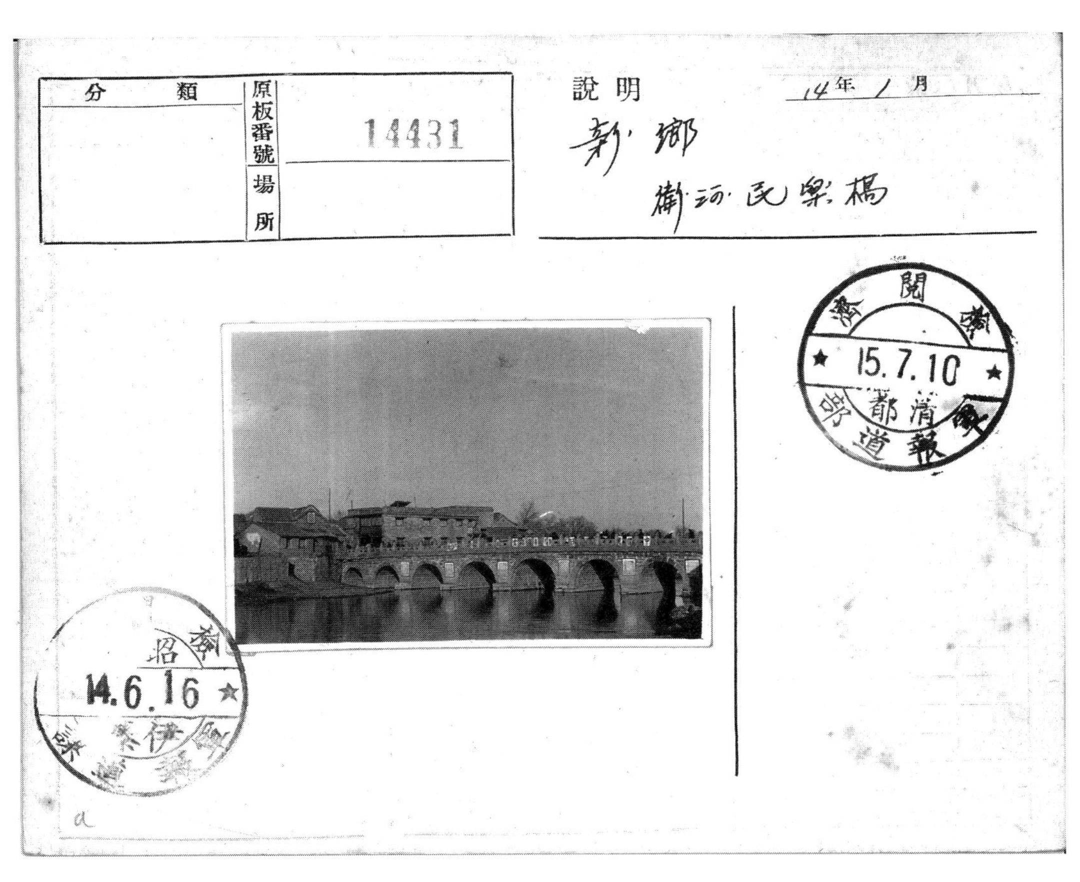

分類

原板番號 14431

場所

說明 14年1月

新鄉
衛河民樂橋

15.7.10

14.6.16

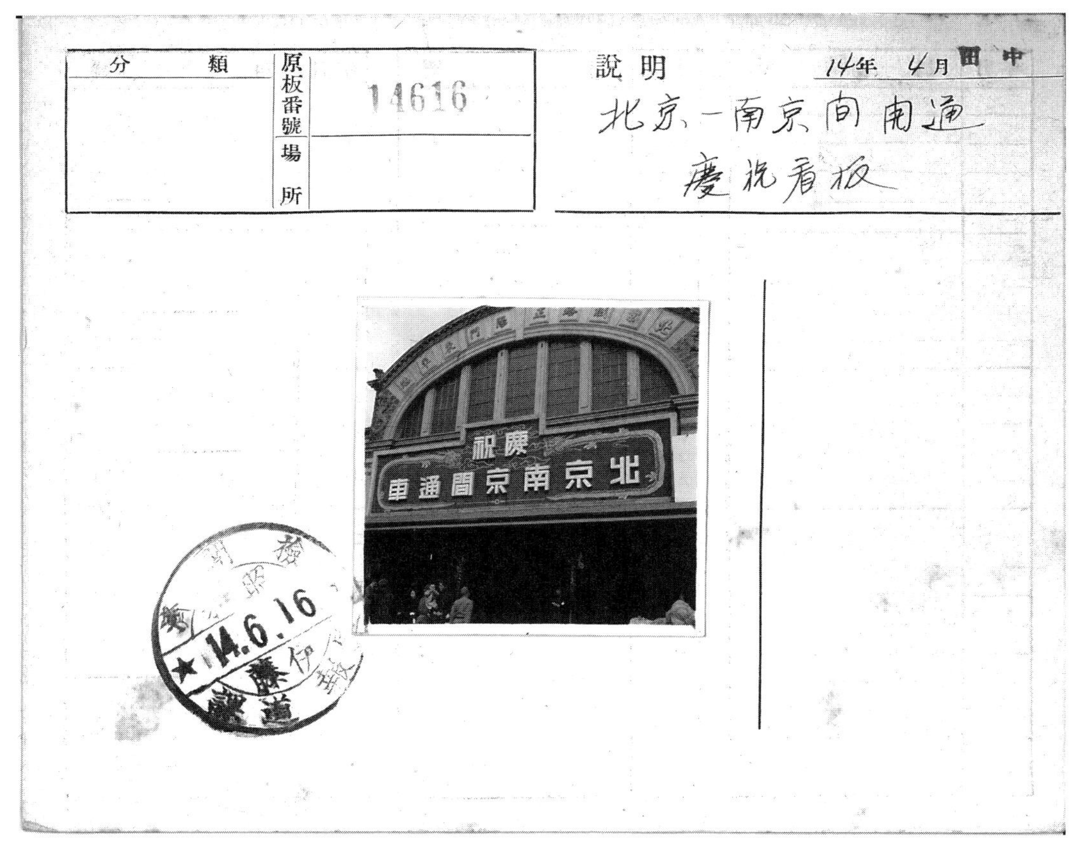

分類

原板番號 14616

場所

說明 14年4月

北京―南京間開通
慶祝看板

14.6.16

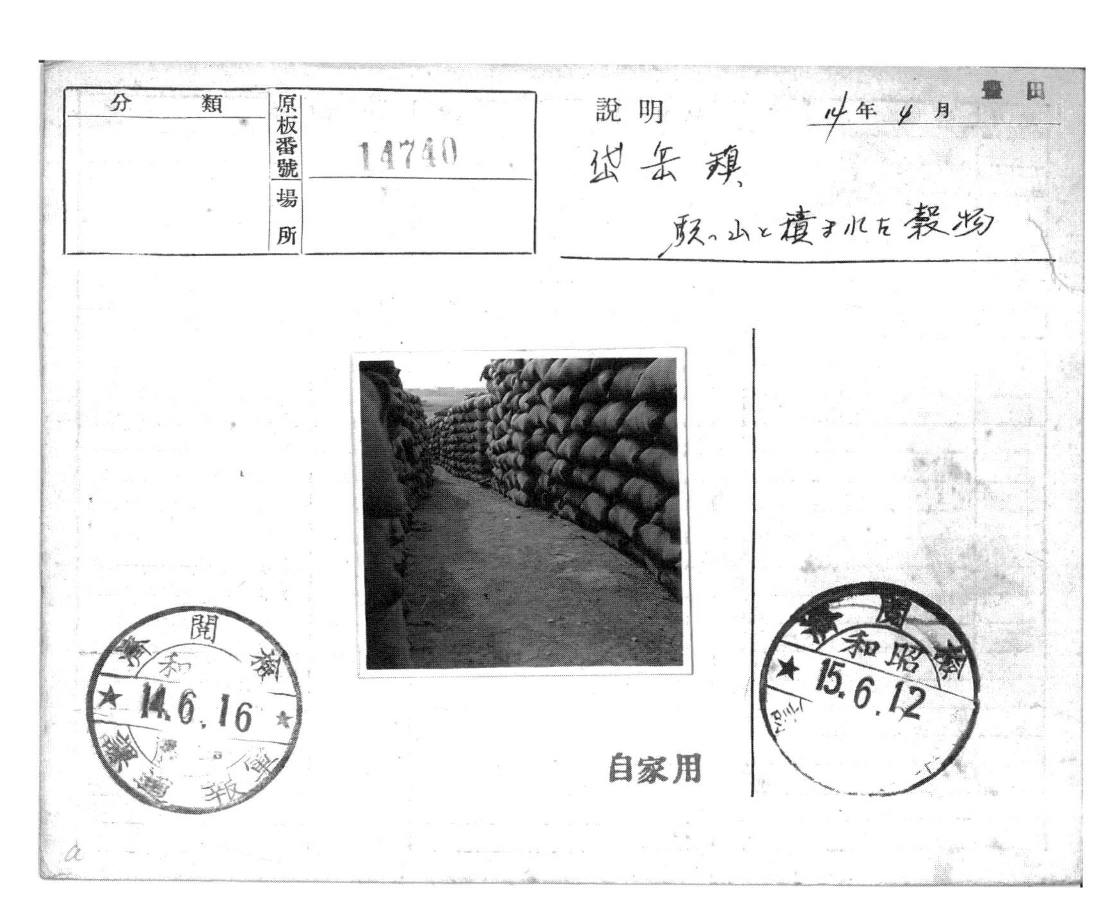

分類

原板番號 14740

場所

説明　14年4月　豊田

出岔鎮

驛の山と積まれた穀物

檢閲　昭和 14.6.16　報道部

檢閲　昭和 15.6.12

自家用

分類

原板番號 1475?8

場所

説明　14年4月　豊田

翔縣站

改軌工事積込作業

檢閲　昭和 14.6.16　伊藤　報道部

檢閲　昭和 15.6.12　宮田　報道部

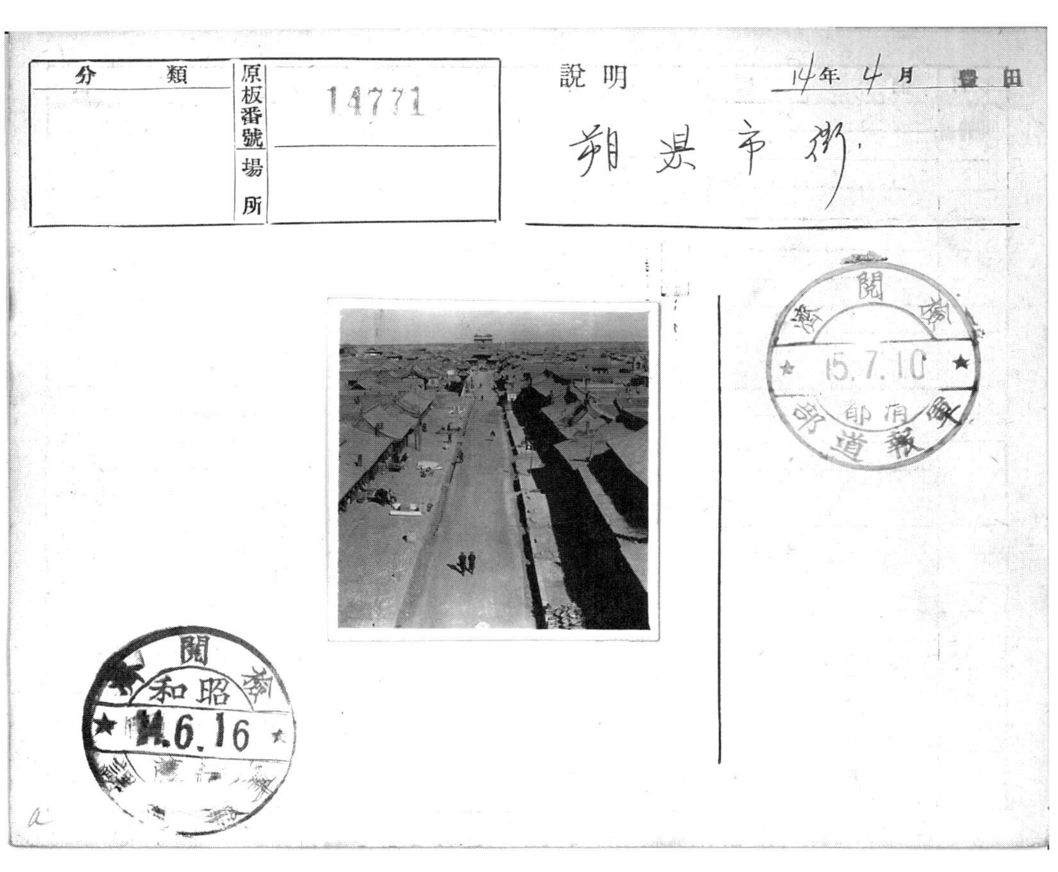

分　類	原板番號	14771
	場所	

說明　14年4月　豊田

朔県市街

閲
15.7.10
報道部

閲
昭和
14.6.16

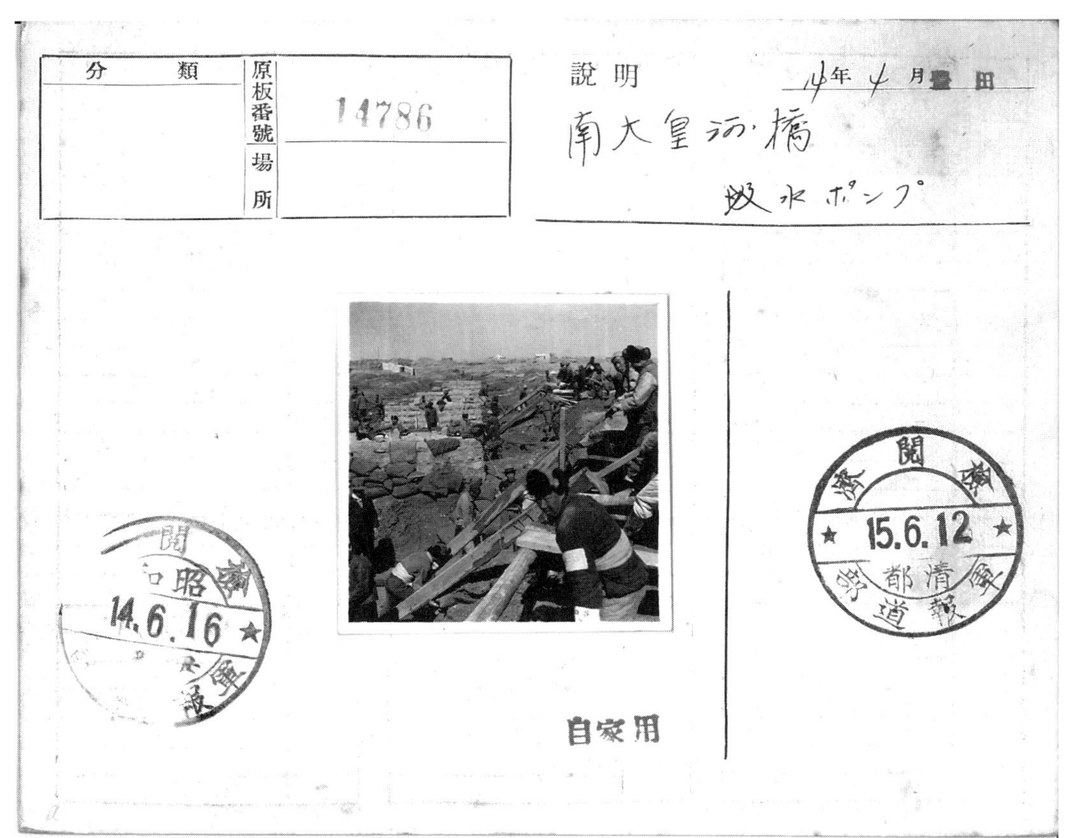

分　類	原板番號	14786
	場所	

說明　14年4月　豊田

南大皇河橋

吸水ポンプ

閲
昭和
14.6.16

閲
15.6.12
報道部

自家用

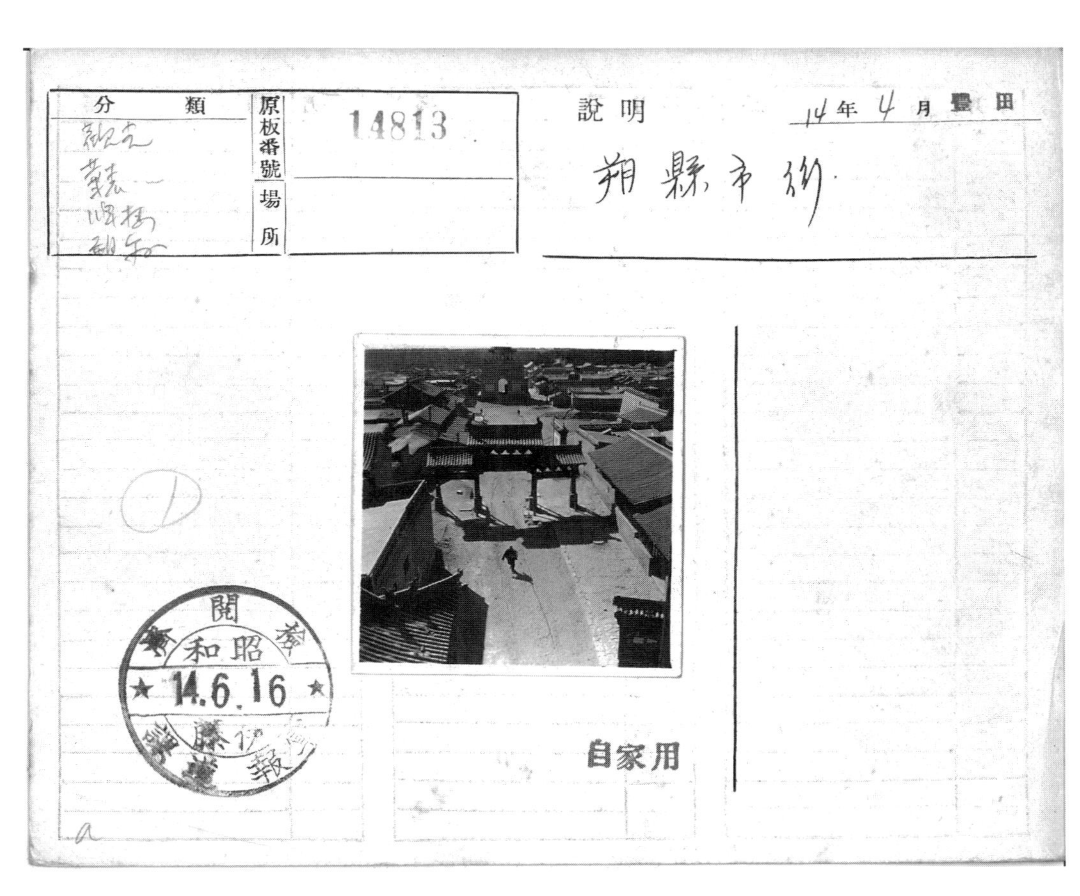

分類	原板番號	14813
	場所	

説明　14年4月　豊田

朔縣市街

閲　参　昭和　14.6.16　軍報道部　伊藤

自家用

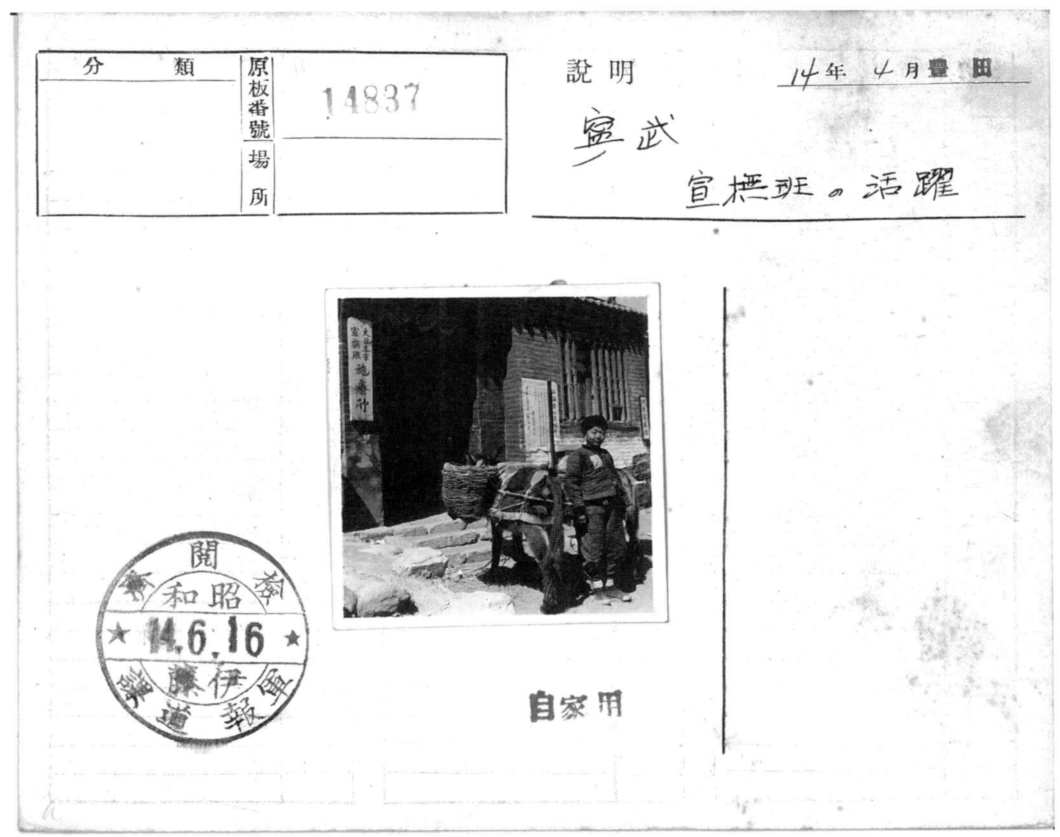

分類	原板番號	14837
	場所	

説明　14年4月　豊田

寧武

宣撫班の活躍

閲　参　昭和　14.6.16　軍報道部　伊藤

自家用

分類	原板番號	14849
	場所	

説明　14年4月　豊田

電線作業
陽高口ー寧武

檢閲　昭和　14.6.16

檢閲　昭和　15.6.12　軍報道部　宮田

自家用

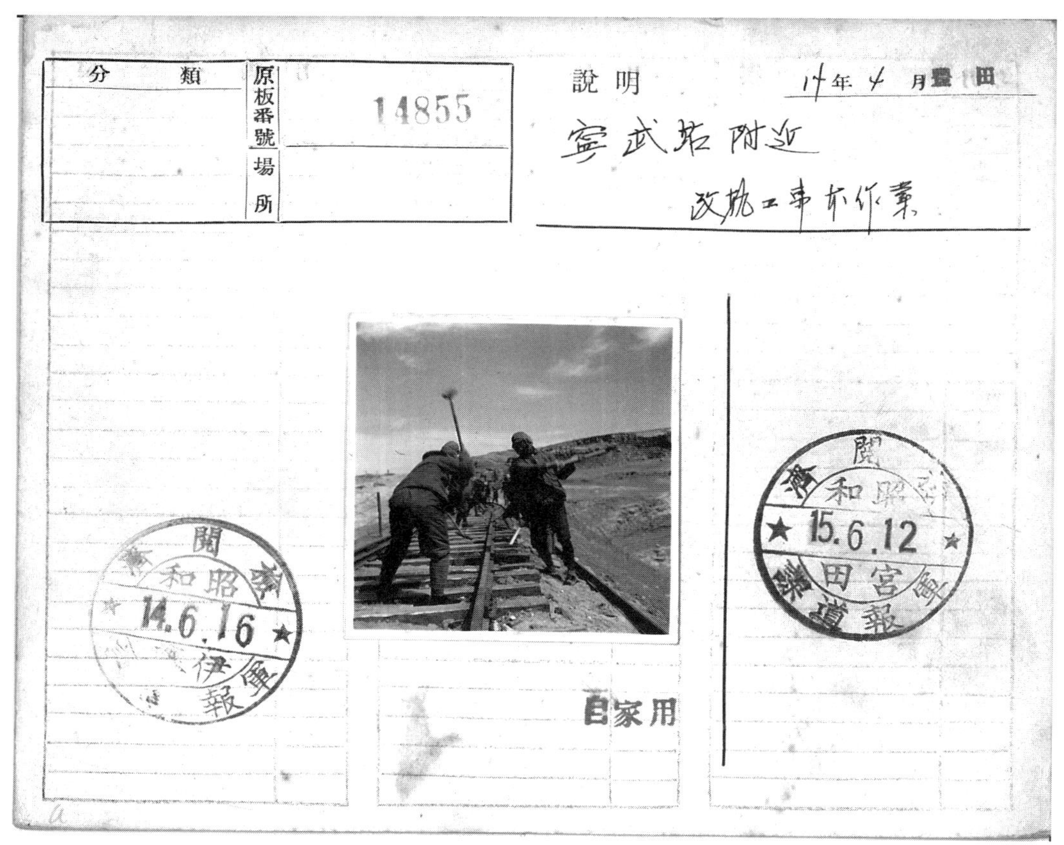

分類	原板番號	14855
	場所	

説明　14年4月　豊田

寧武站附近
改軌工事ノ作業

檢閲　昭和　14.6.16

檢閲　昭和　15.6.12　軍報道部　宮田

自家用

分類	原板番號	説明　14年4月　豊田
建設	14862	寧武站附近
	場所	改軌工事ノ作業

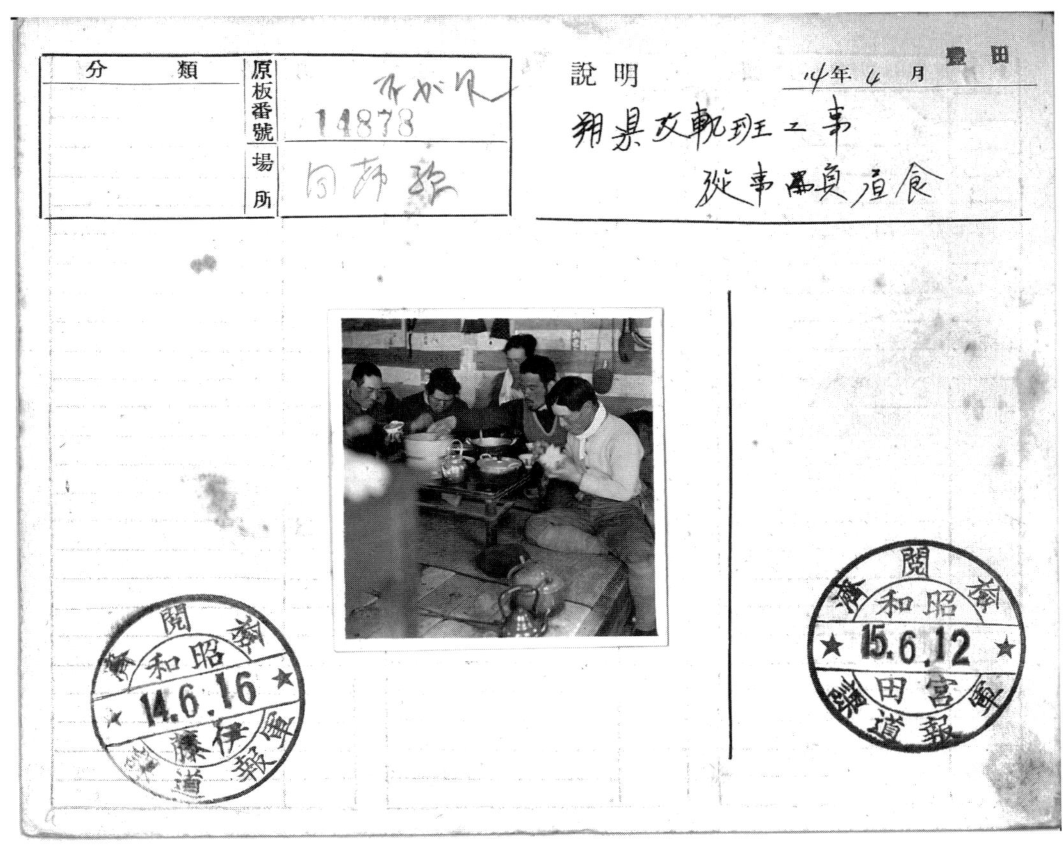

分類	原板番號	説明　14年4月　豊田
	14878　不可	朔県改軌班工事
	場所　同蒲線	従事員ノ昼食

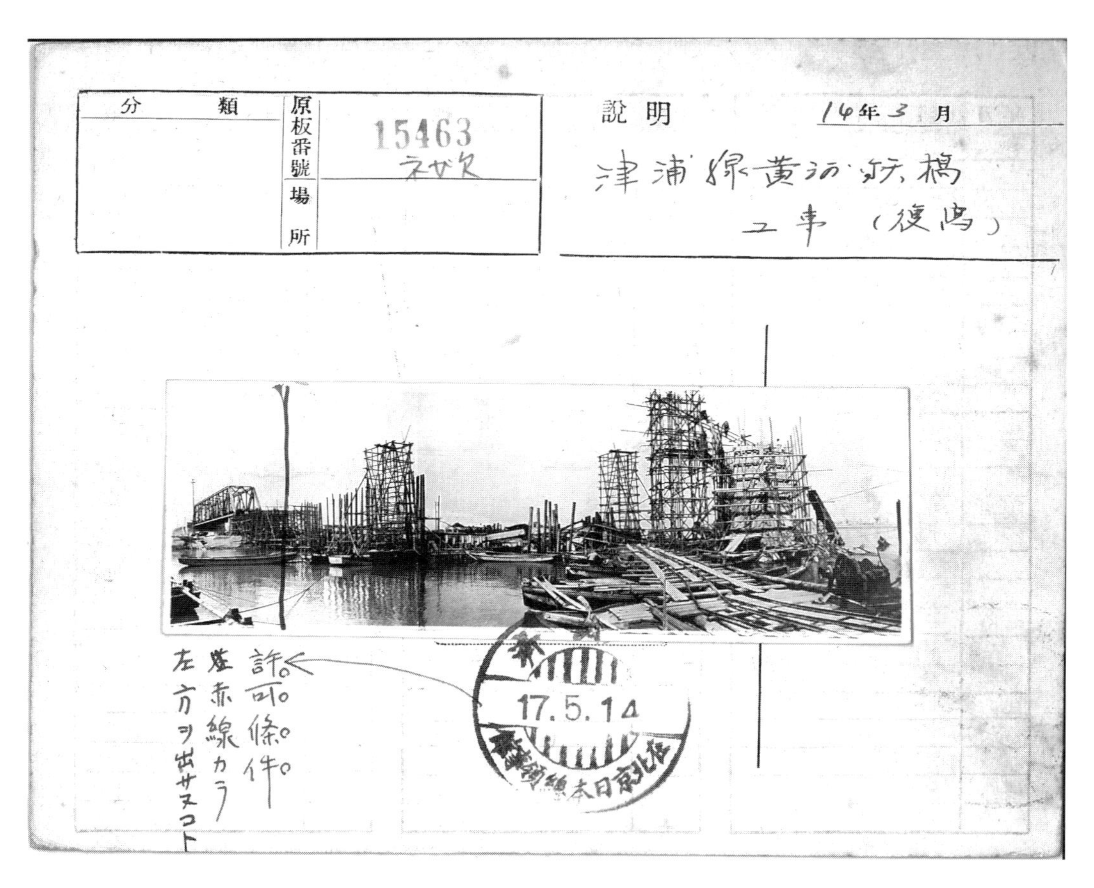

分類	原板番號	15463 ネガ欠
	場所	

説明　14年3月

津浦線黄河鉄橋工事（復旧）

許可條件
赤線カラ左方ヲ出サヌコト

分類	原板番號	16097
	場所	

説明　14年4月　加島

警務段の訓練

分類

原板番號 16464

場所 張家口

説明 14年 月

神社建設奉仕勞働(7) 豊田

閲 檢 昭和 15.6.12 田宮 軍報道課

自家用

分類

原板番號 17125

場所 張家口

説明 14年5月 豊田

神社建設奉祀(4)

閲 檢 昭和 15.6.12 田宮 軍報道課

自家用

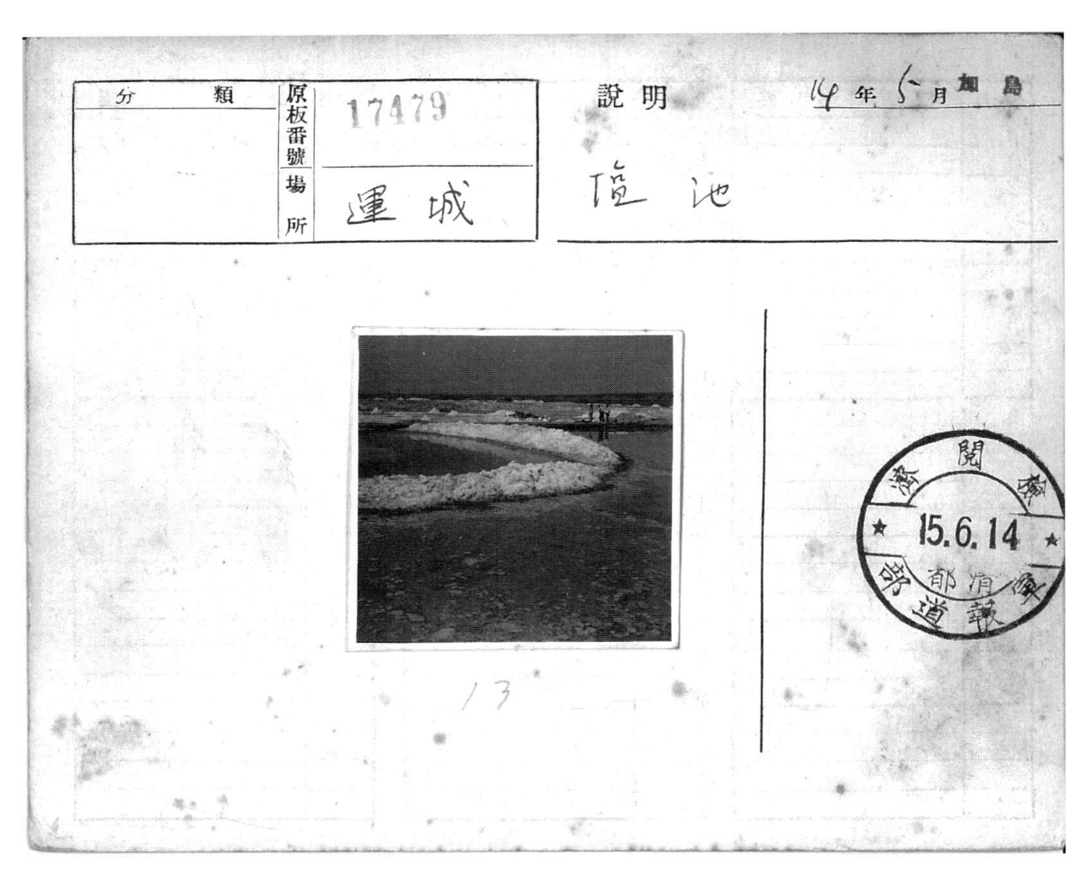
分類
原板番號
17479
場所
運城
說明
14年5月
鹽池
13
檢閲濟
15.6.14
報道部

分類
原板番號
17486
場所
運城
說明
14年5月
塩砂ヲ集メル
岩塩モアリ. 塩砂モアリ.
檢閲濟
15.6.6
報道課

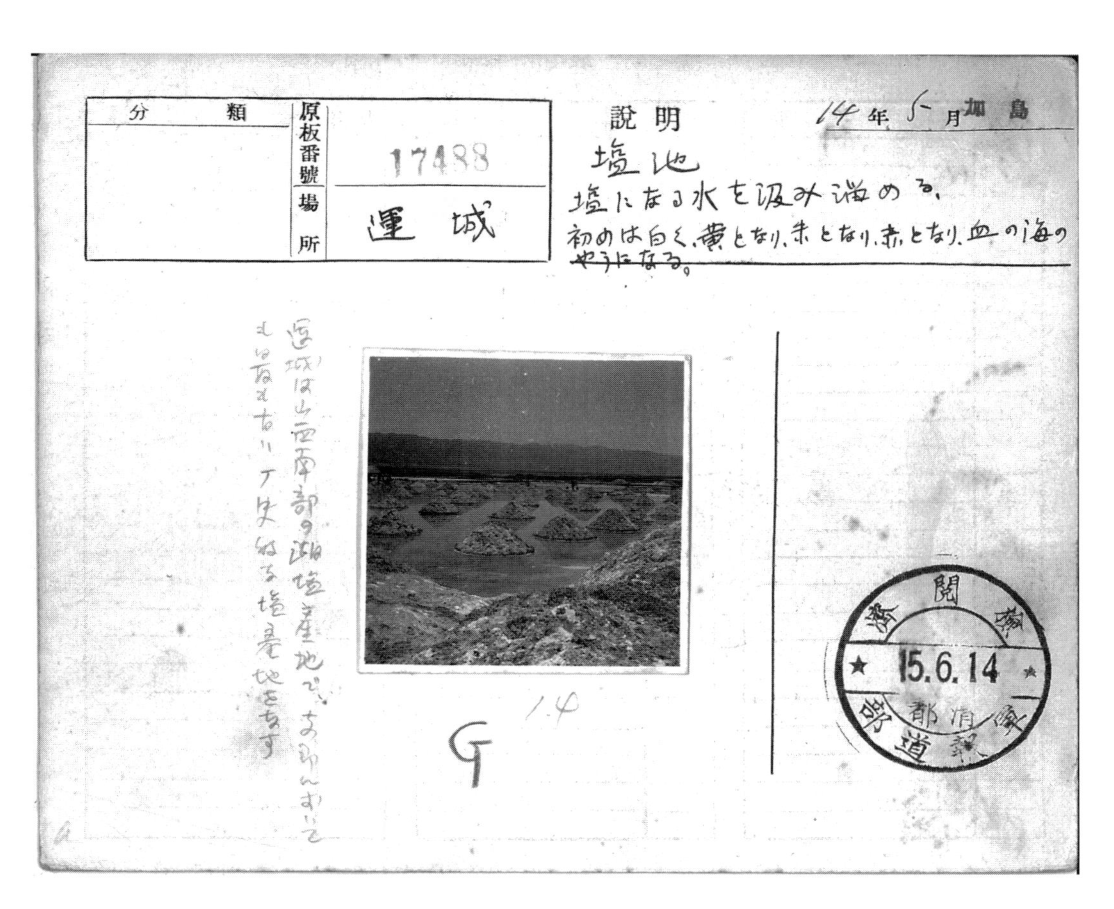

分類	原板番號	17488
	場所	運城

説明　14年5月　加島

塩池
塩になる水を汲み溜める。
初めは白く、黄となり、赤となり、赤となり、血の海のやうになる。

運城は山西南部の湖塩産地で、支那においても最も古い歴史ある塩産地をなす

1.4

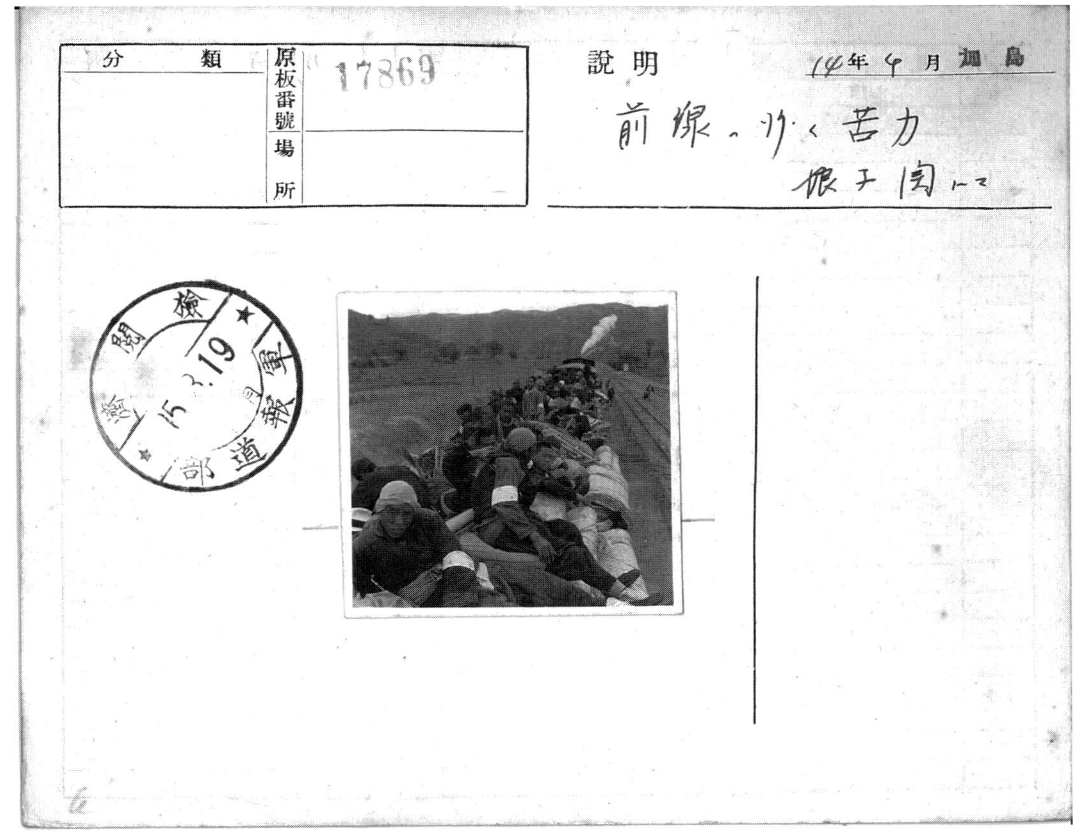

分類	原板番號	17869
	場所	

説明　14年4月　加島

前線へ行く苦力
娘子関にて

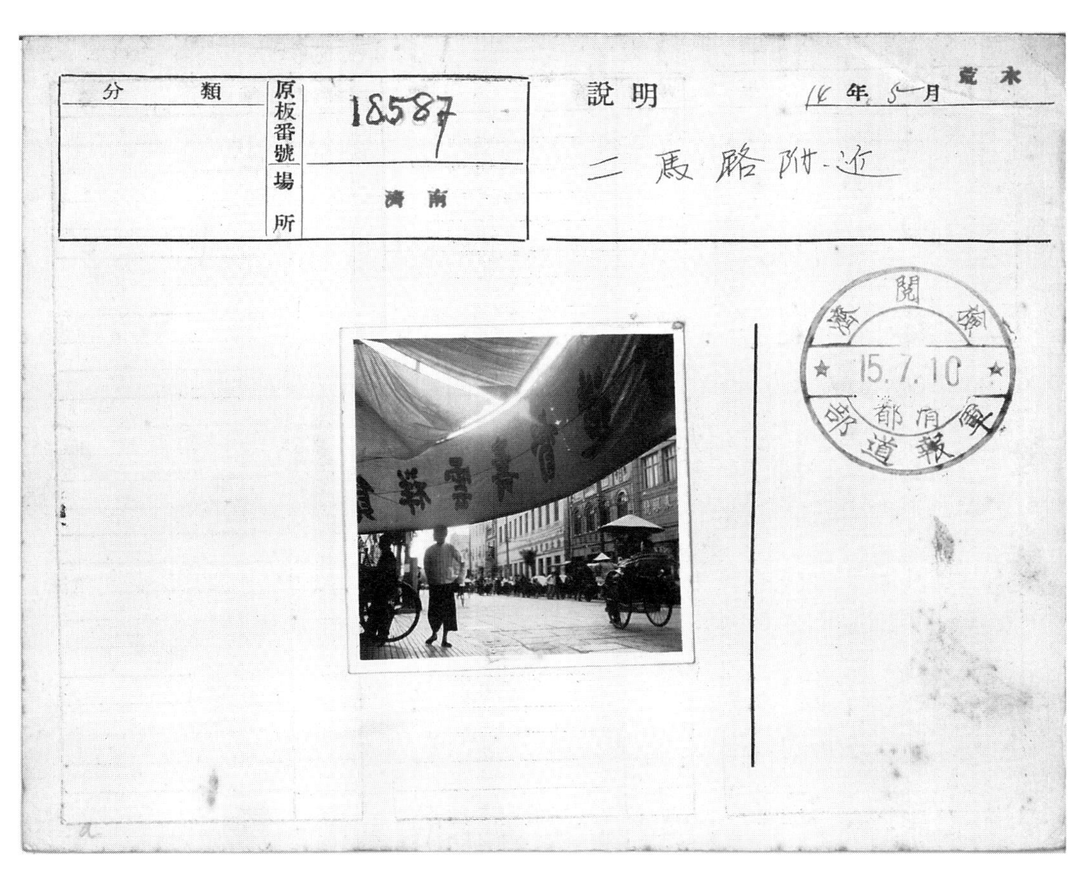
分　類
原板番號 18587
場所 濟南
説明 14年5月 荒木
二馬路附近
閲検 15.7.10 軍報道部

分　類
原板番號 19146
場所
説明 14年5月
大峪小学
少年隊　ブラスバンド指揮者
17.5.14

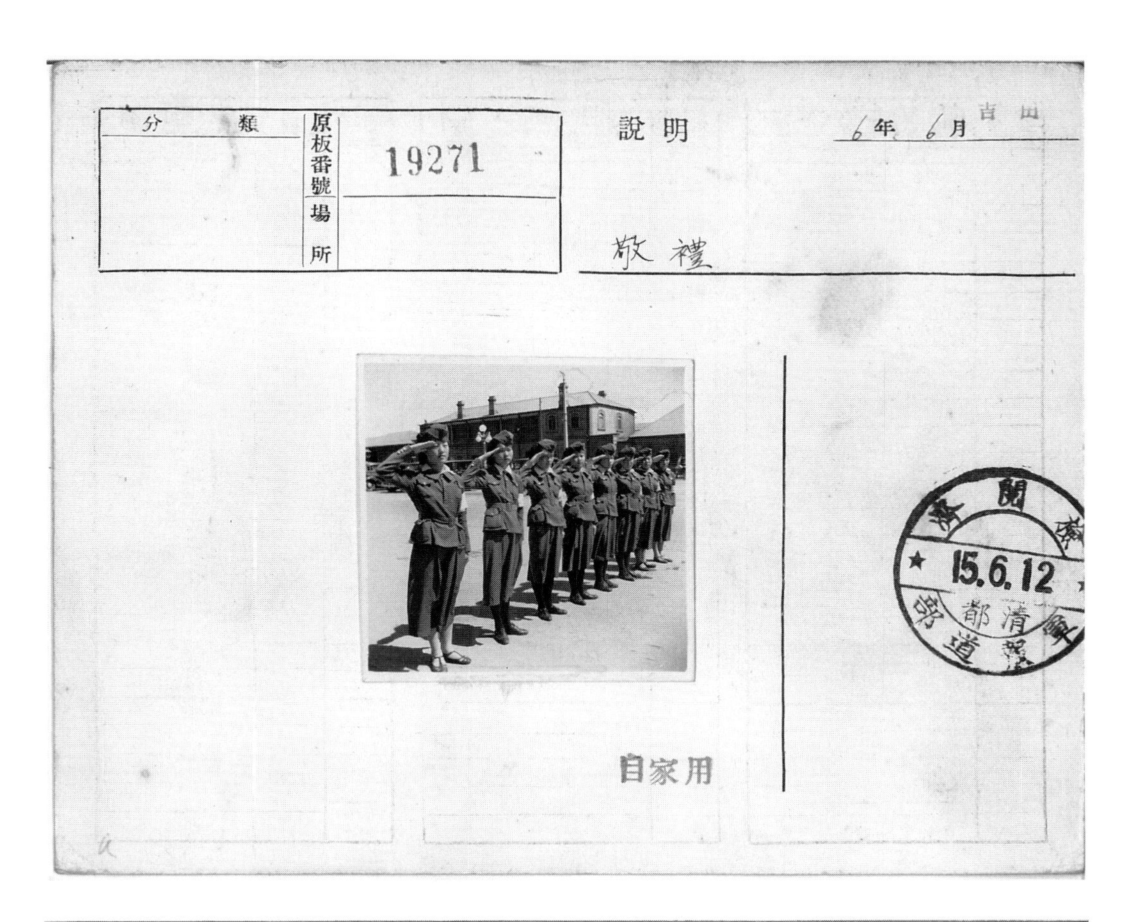

分類	原板番號	19271
	場所	

説明　6年　6月　吉田

敬禮

審閲濟　15.6.12

自家用

分類	原板番號	19272
社業 女警	場所	

説明　6年　6月　吉田

女警務

17.3.3

審閲濟　15.6.12

2寸7分

自家用

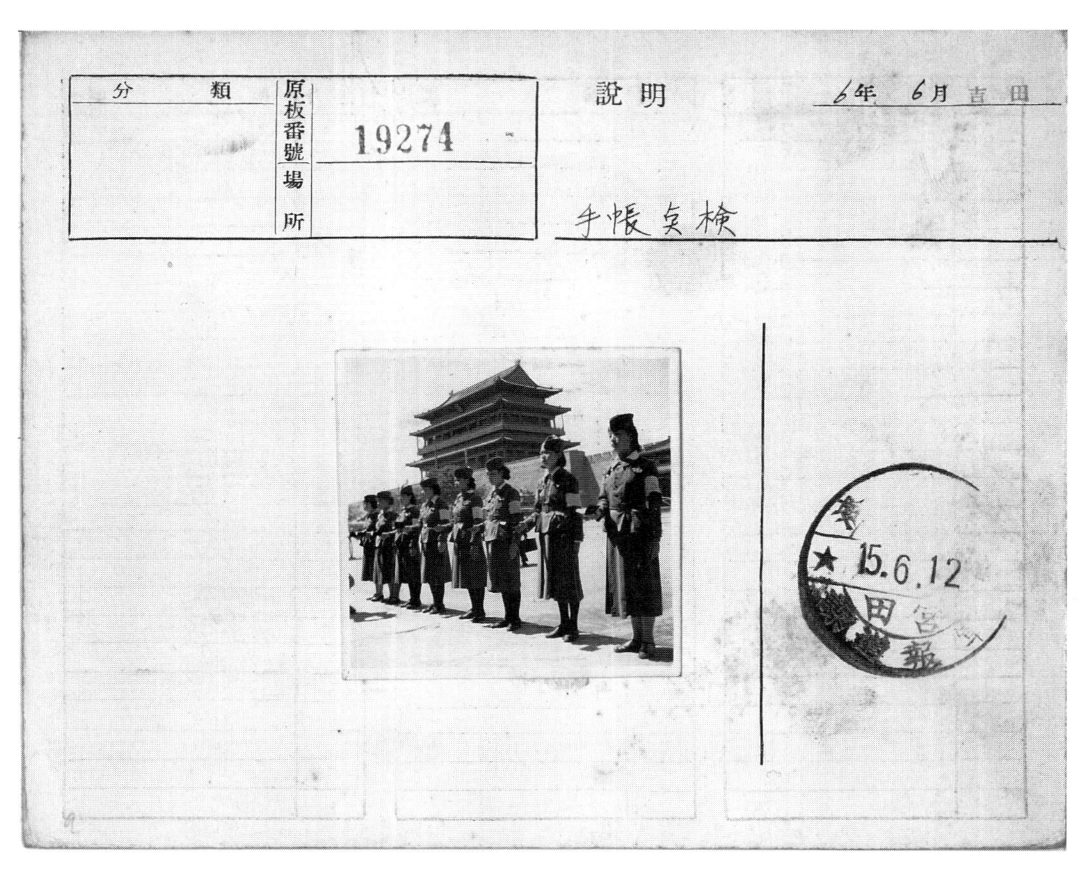

分類	原板番號	19274
	場所	

説明　6年 6月 吉田

手帳点検

★ 15.6.12
田宮
報

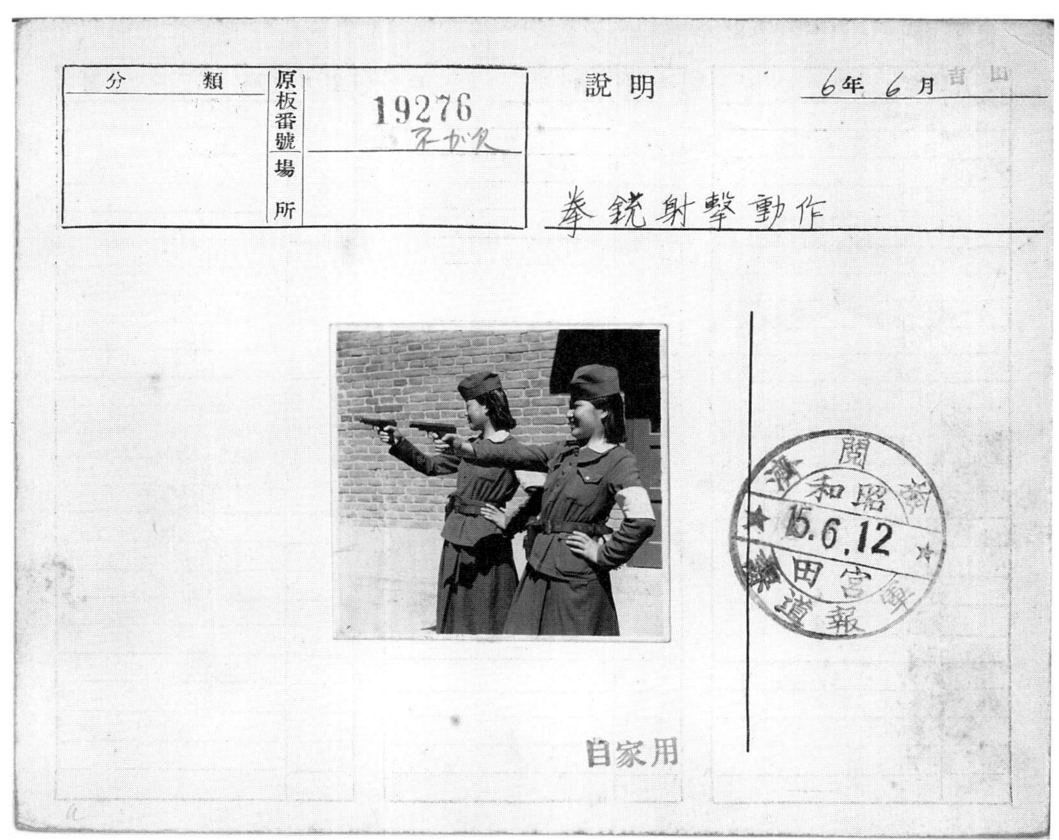

分類	原板番號	19276 不ガ久
	場所	

説明　6年 6月 吉田

拳銃射撃動作

閲
和昭
★ 15.6.12 ★
田宮
道報

自家用

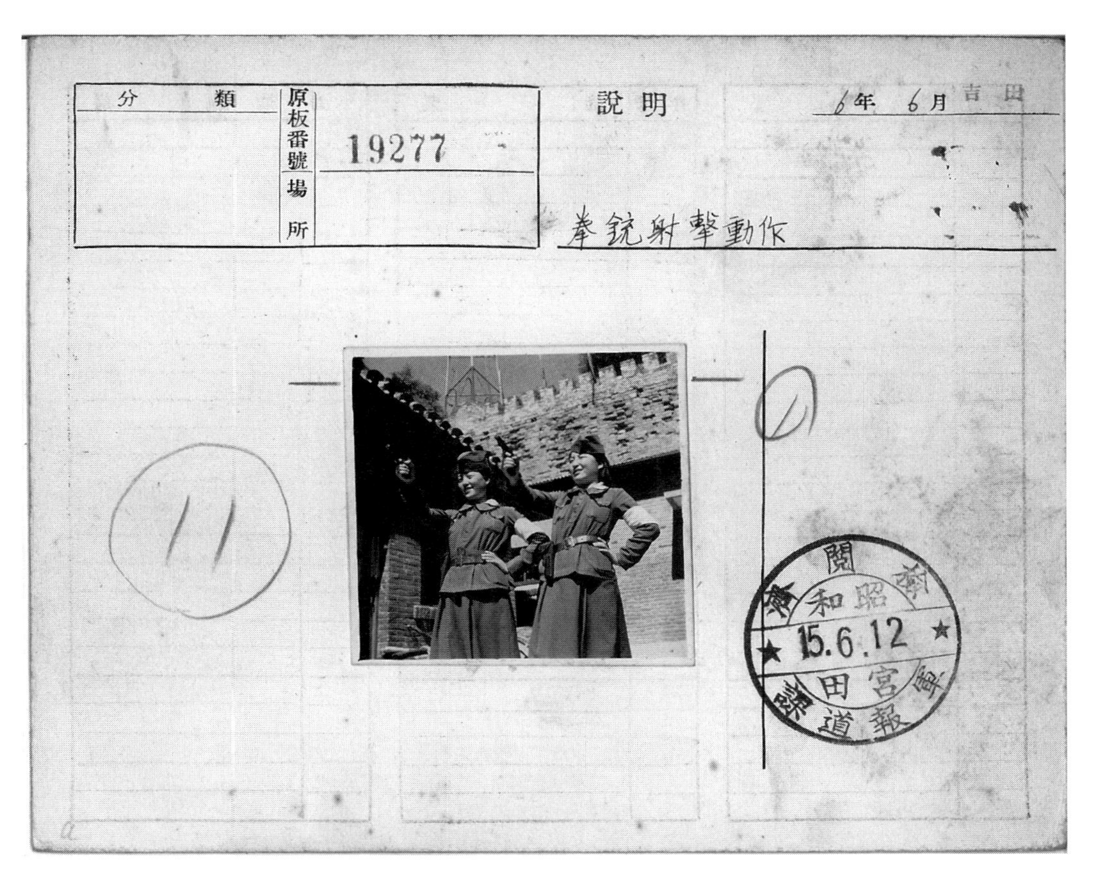

分類	原板番號	19277
	場所	

説明　6年　6月　吉田

拳銃射撃動作

11

檢閲濟　昭和　15.6.12　軍報道部　宮田

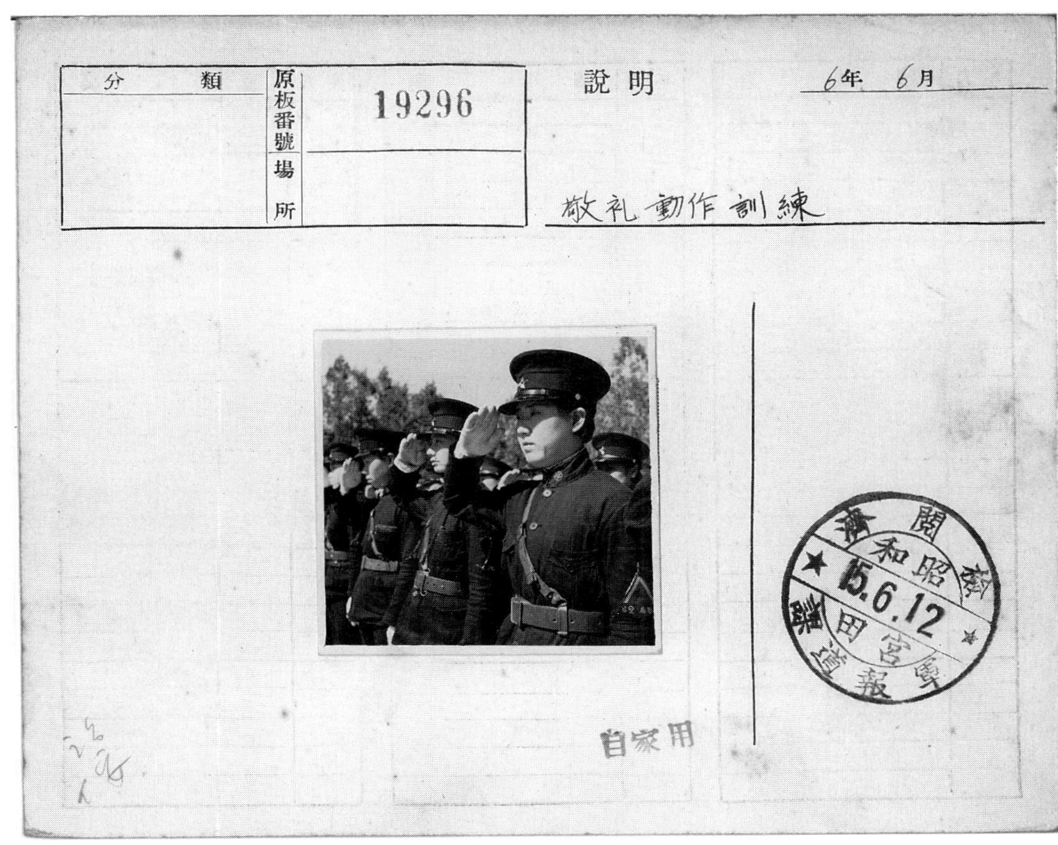

分類	原板番號	19296
	場所	

説明　6年　6月

敬礼動作訓練

檢閲濟　昭和　15.6.12　軍報道部　宮田

自家用

分類	原板番號	19298
	場所	

説明　6年　6月

女警　体操

15.6.12

17

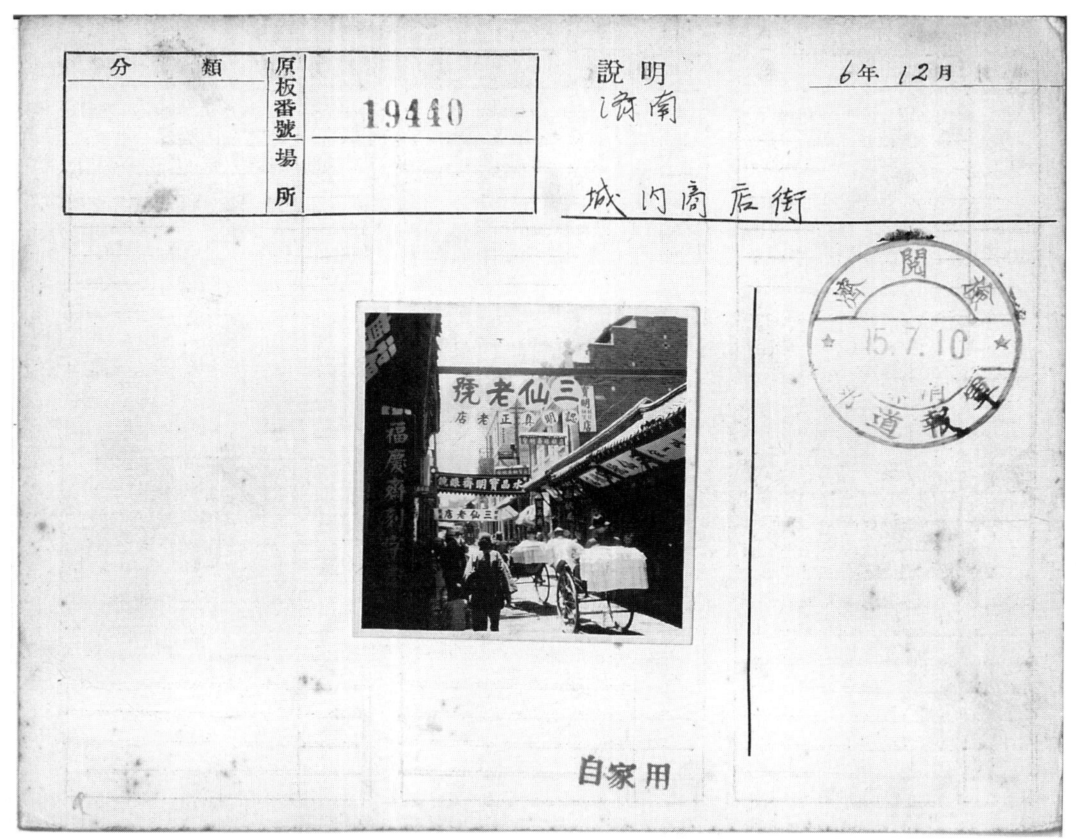

分類	原板番號	19440
	場所	

説明　6年　12月

済南

城内商店街

15.7.10

自家用

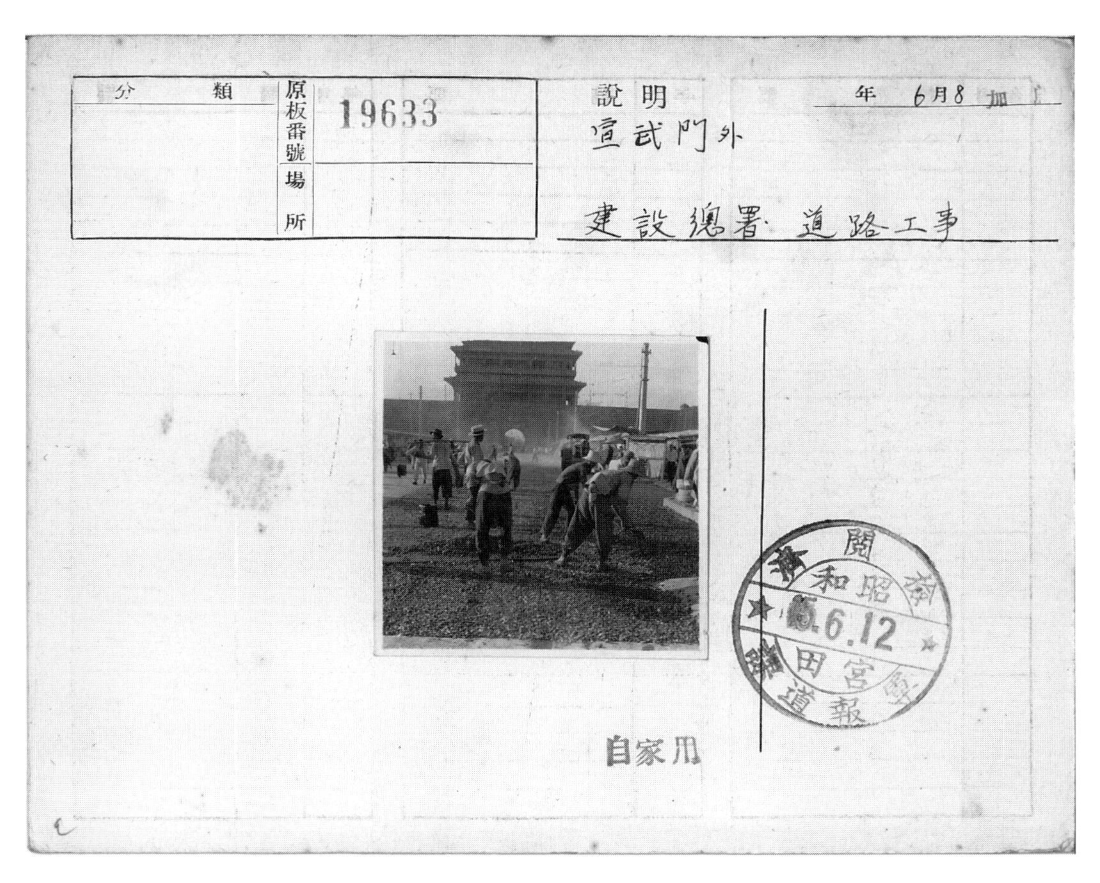

分類
原板番號 19633
場所
説明
宣武門外
建設總署 道路工事
年 6月8 加
閲
昭和
6.12
田宮
報道
自家用

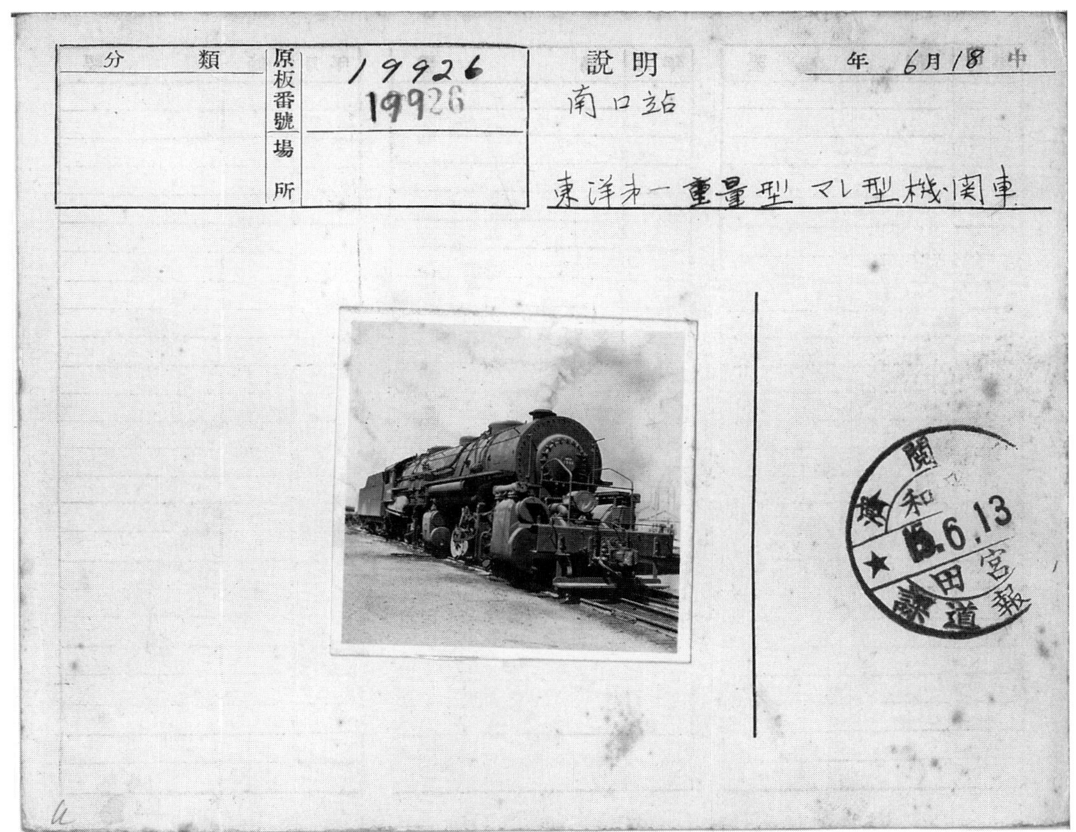

分類
原板番號 19926
19926
場所
説明
南口站
東洋第一重量型 マレ型機関車
年 6月18 中
閲
和
6.13
田宮
報道

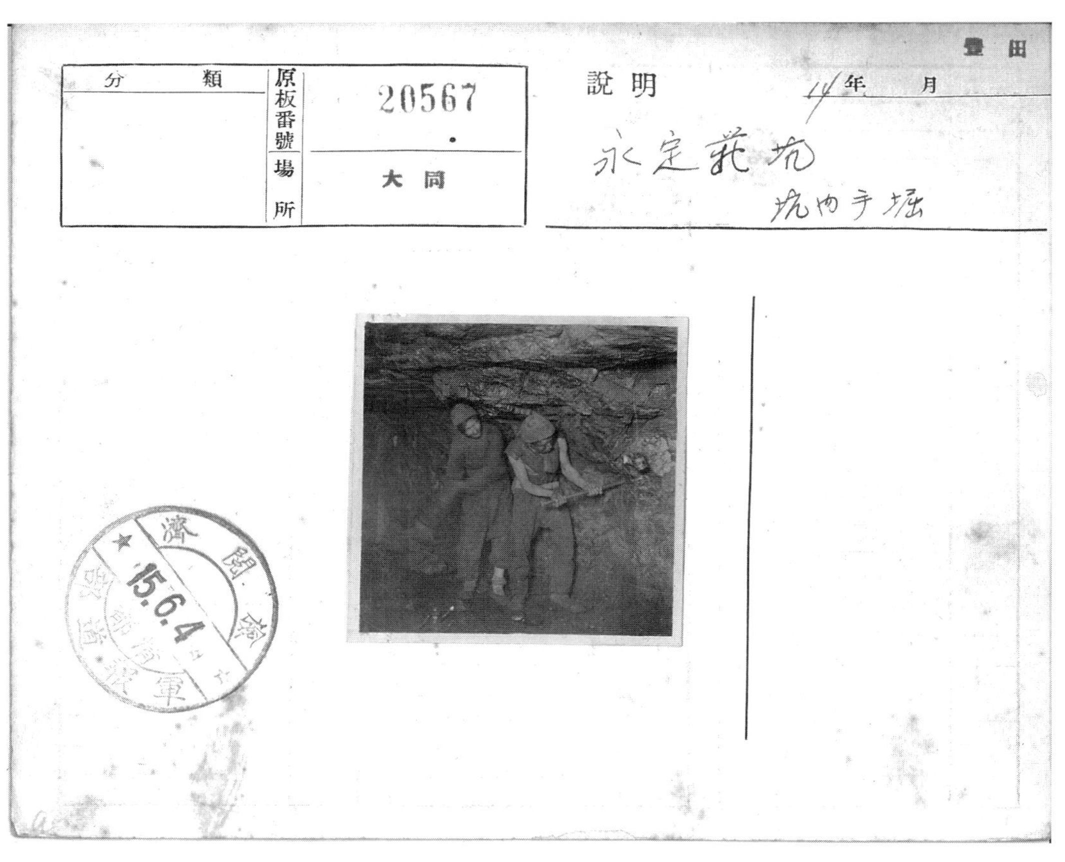
豊田

分類	原板番號	20567
	場所	大同

說明 14年 月

永定莊坑

坑内手掘

15.6.4

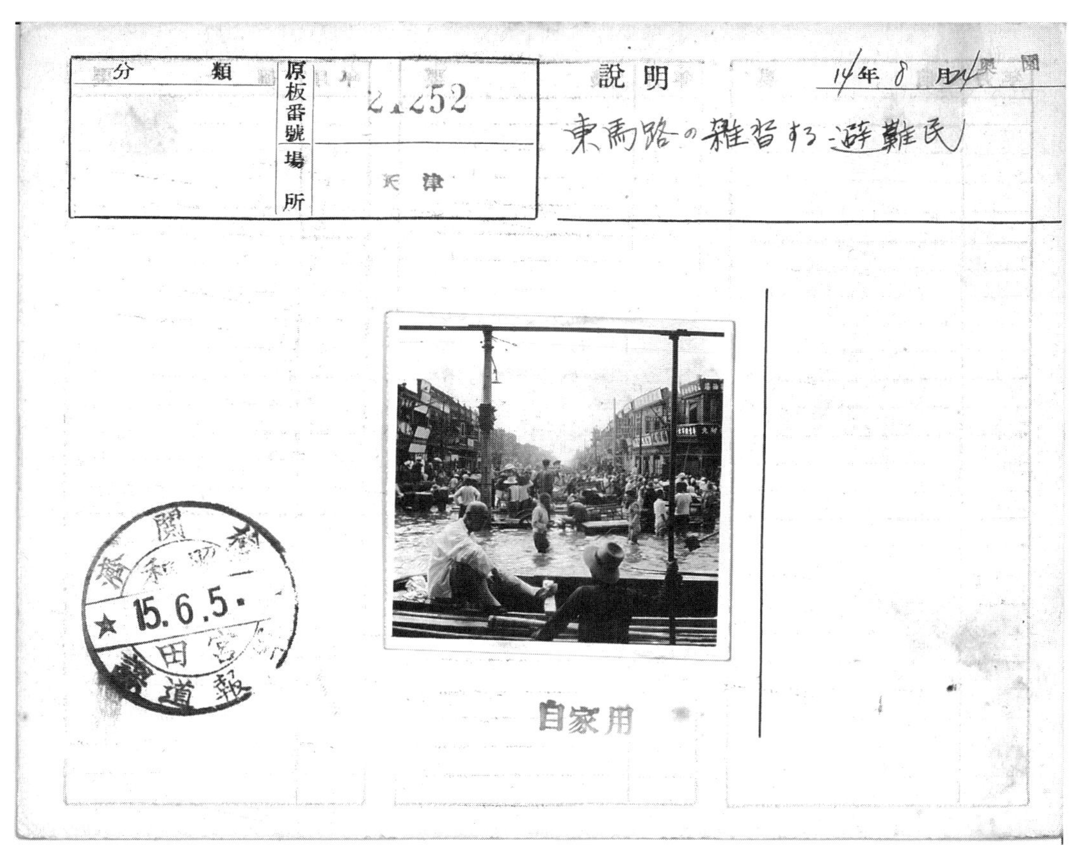

分類	原板番號	21252
	場所	天津

說明 14年8月24

東馬路の雑沓する避難民

15.6.5.

自家用

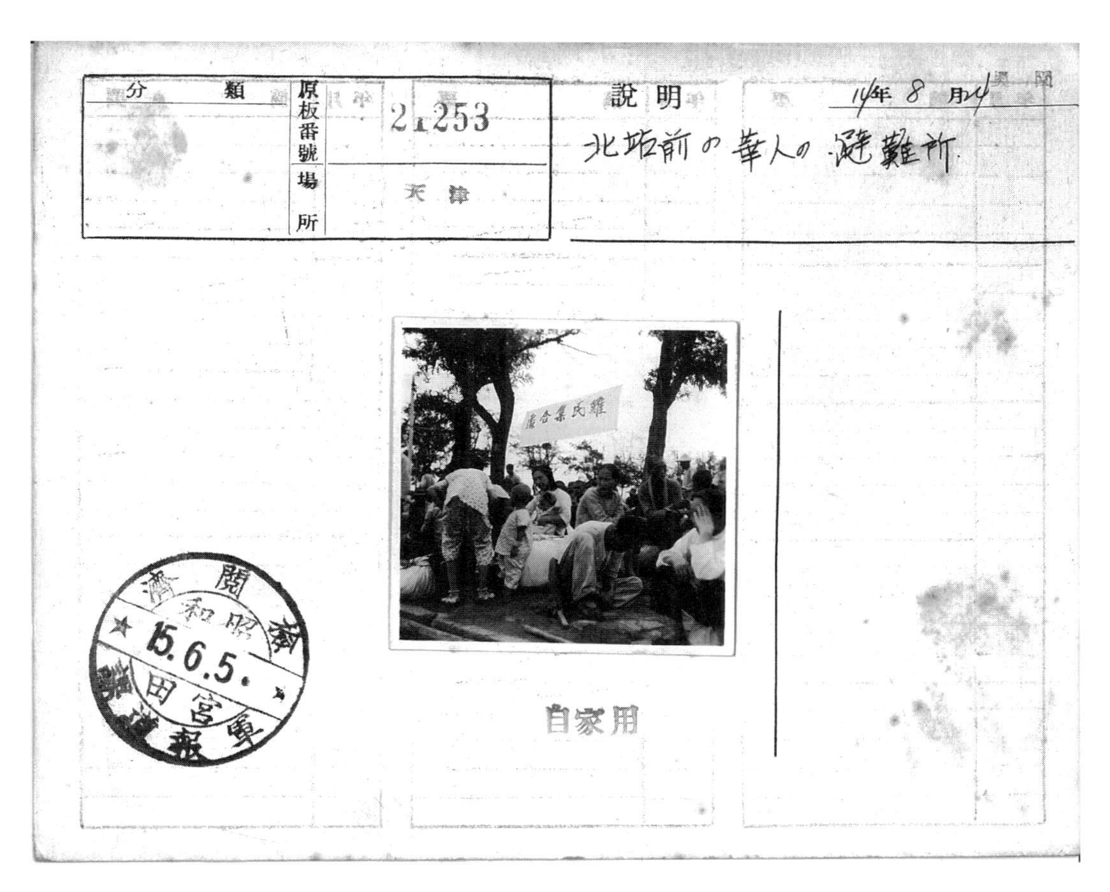
分類
原板番號 21253
場所 天津
説明 14年8月24
北站前の華人の避難所
自家用
檢閲濟
昭和15.6.5
軍宮田
報道部

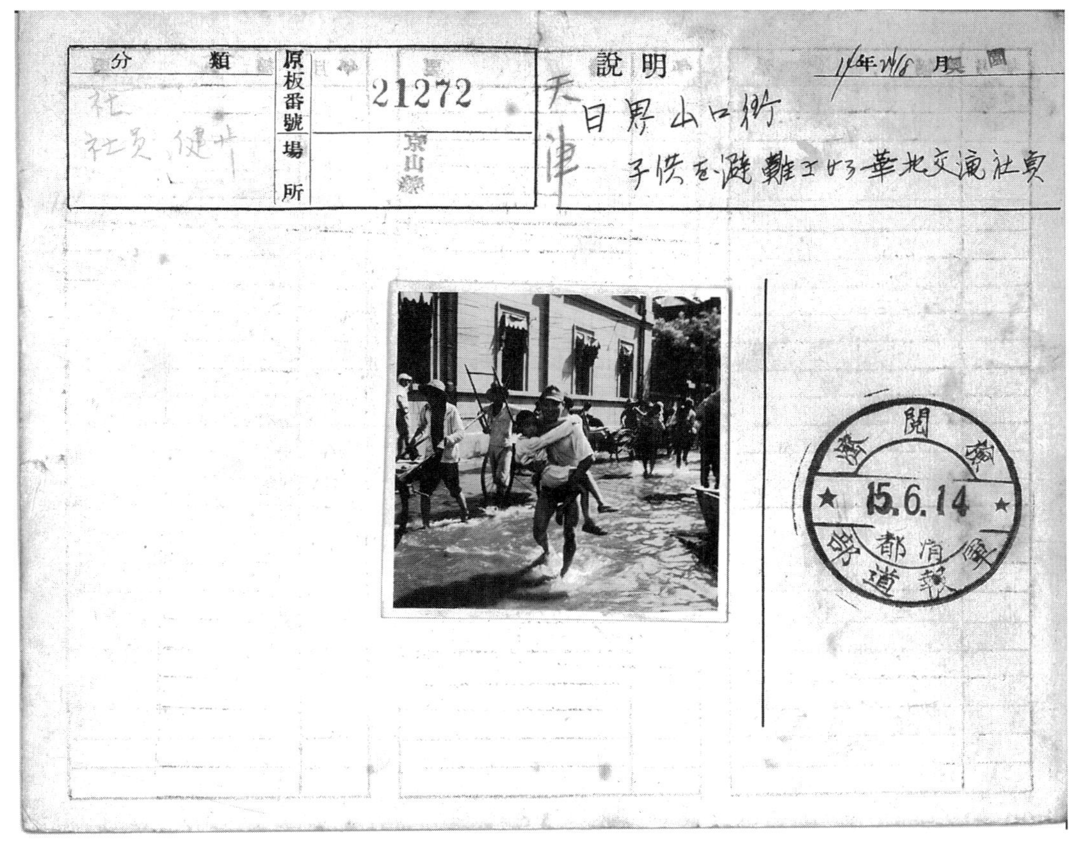
分類
原板番號 21272
場所 京山線
説明 14年8月
天津 日界山口街
子供を避難させる華北交通社員
檢閲濟
15.6.14
報道部

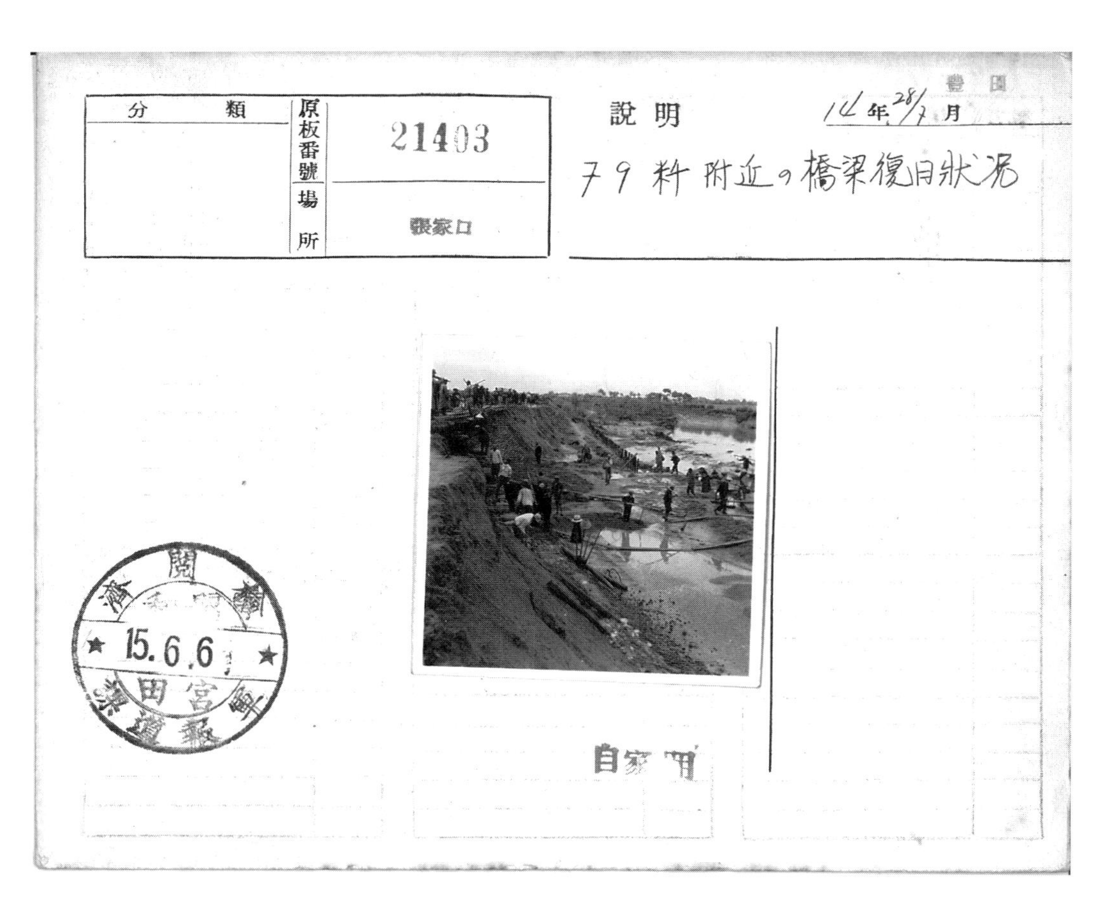

分類	原板番號	21403
	場所	張家口

説明　14年28/7月

79粁附近の橋梁復旧状況

濟閲　15.6.6

自家用

分類	原板番號	21418
	場所	張家口

説明　14年28/7月

康荘 — 西撥子

橋梁修理

15.6.6

自家用

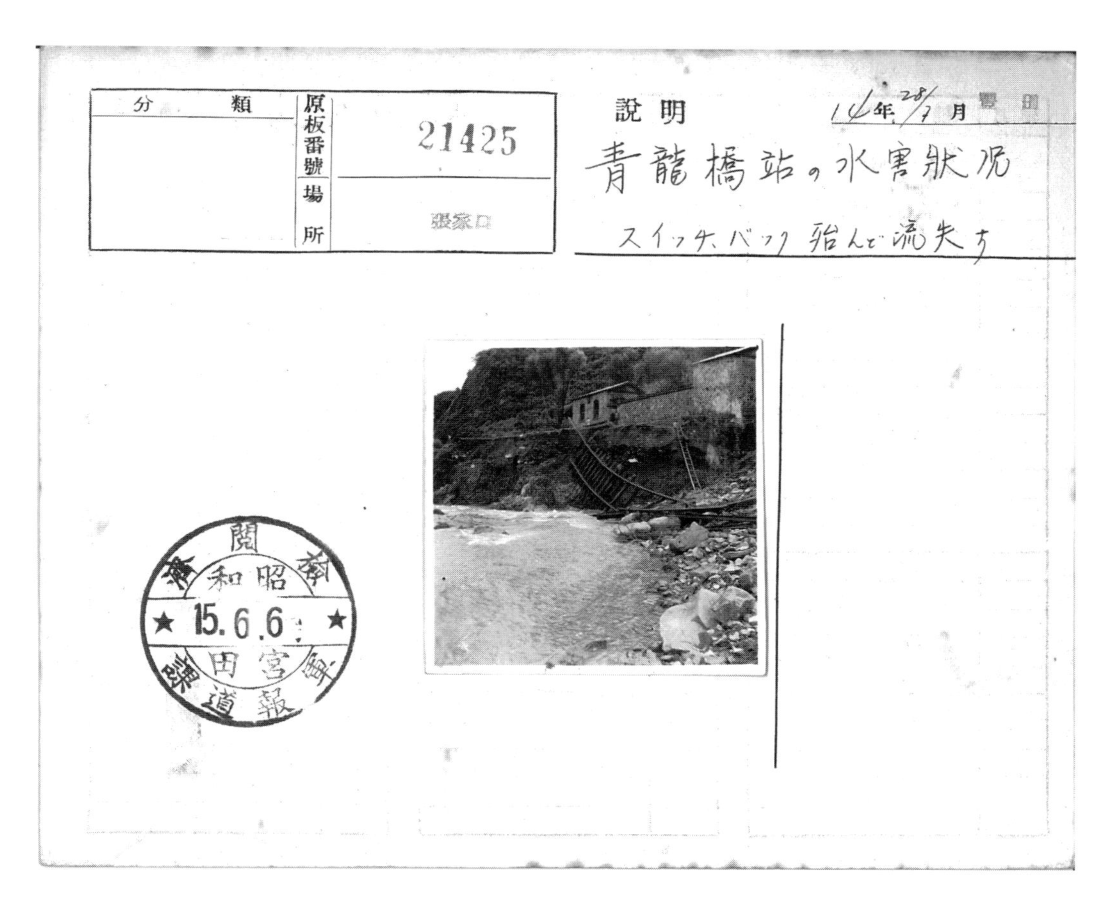

分類	原板番號	21425
	場所	張家口

説明　14年 28/7 月

青龍橋站の水害状況

スイッチバック殆んど流失す

檢閲 昭和 15.6.6 軍報道課 宮田

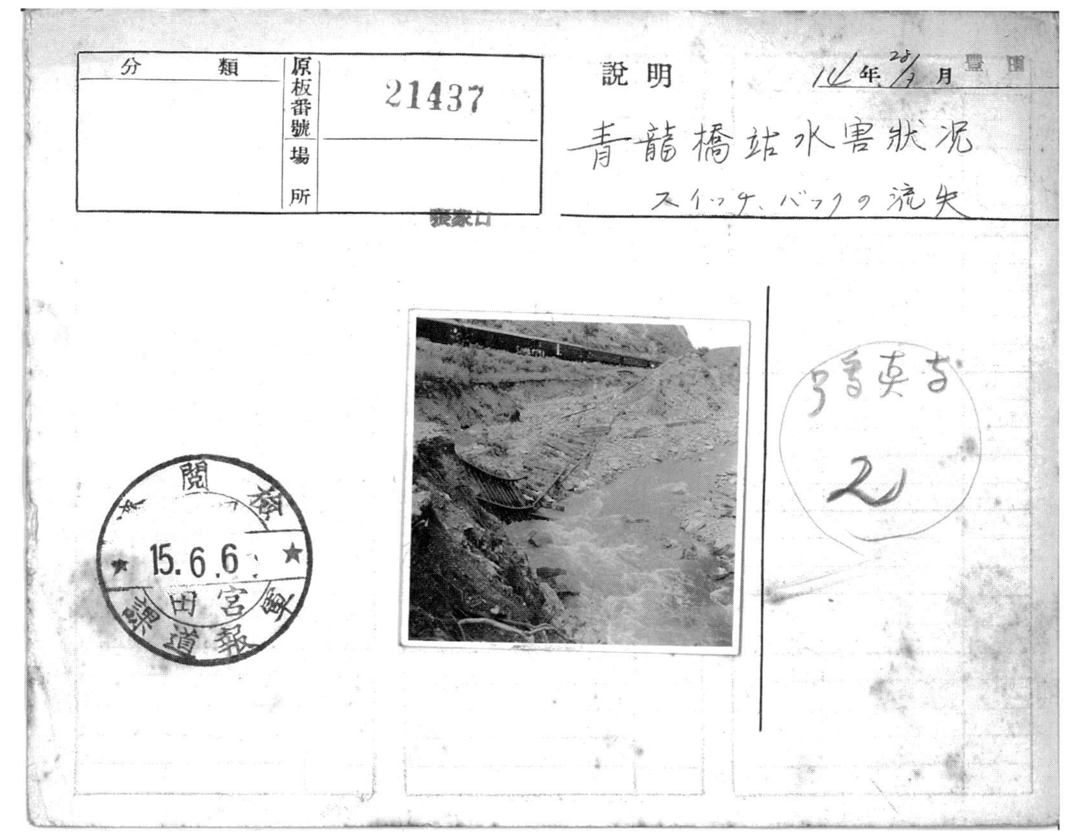

分類	原板番號	21437
	場所	張家口

説明　14年 28/7 月

青龍橋站水害状況

スイッチバックの流失

檢閲 15.6.6 軍報道課 宮田

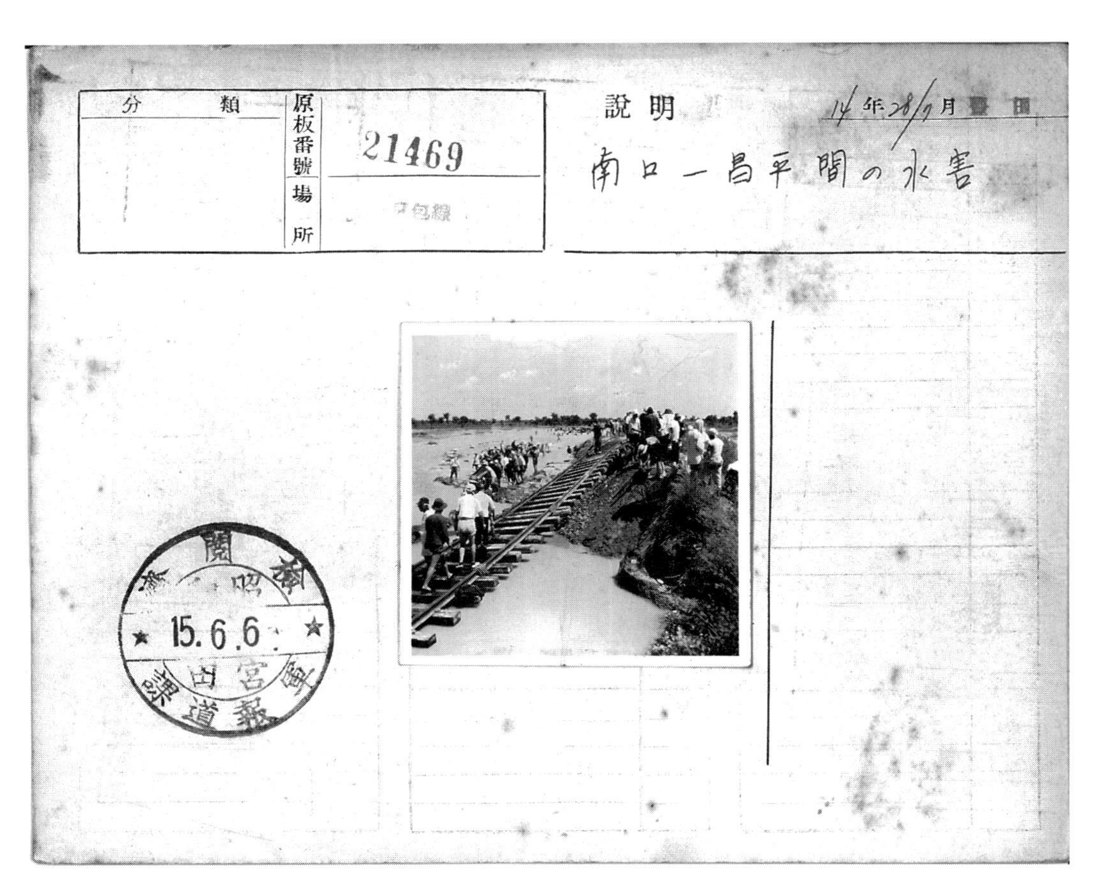
分類
原板番號 21469
場所
説明 14年28/7月
南口―昌平間の水害
檢閲濟
15.6.6
報道課

分類
原板番號 21665
場所
説明 14年7月
蒙古軍の騎馬教練
貝子廟
檢閲濟
15.6.12
報道課
自家用

分類	原板番號	21724	説明	14年7月 豐田
	場所			

塩の運搬

ダブスノール

湖塩を運搬する牛車隊

19

自家用

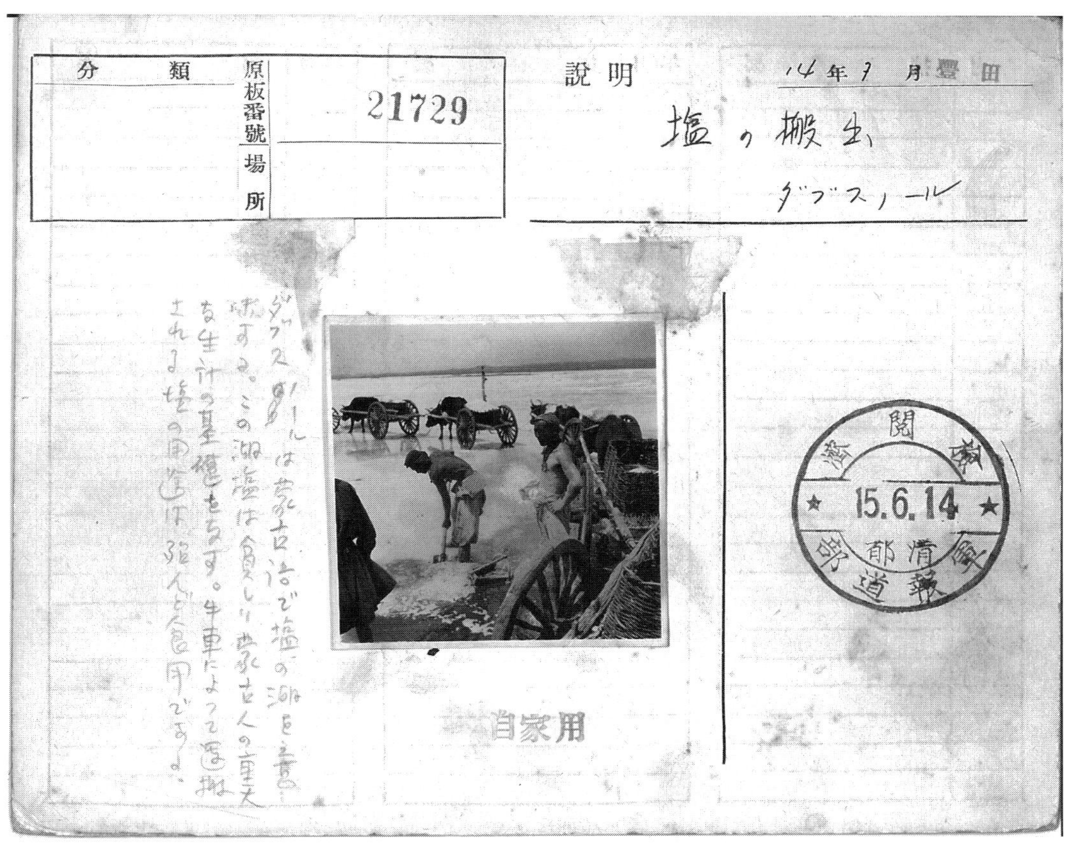

分類	原板番號	21729	説明	14年7月 豐田
	場所			

塩の搬出

ダブスノール

ダブスノールは蒙古語で塩の湖を意味する。この湖塩は貧しい蒙古人の重大な生計の基礎をなす。牛車によって運搬される塩の用途は殆んど食用である。

自家用

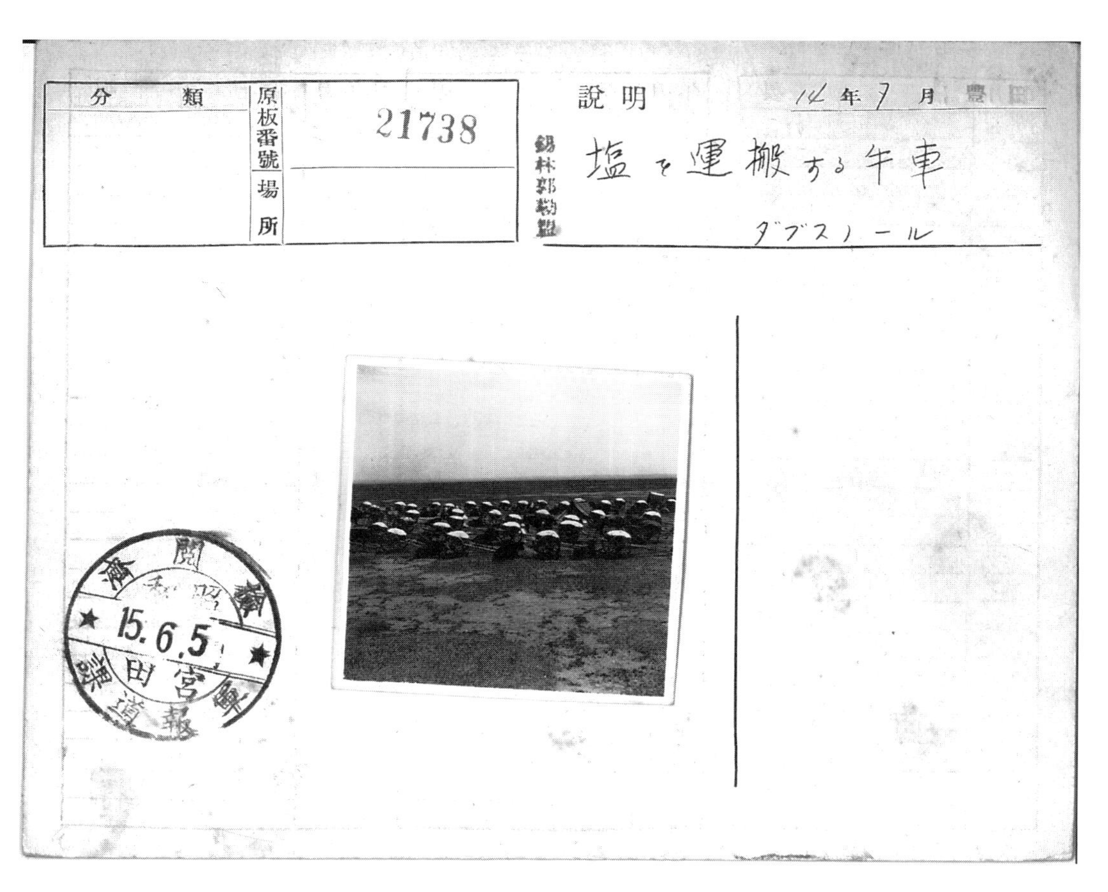

分類	原板番號	21738
	場所	

説明　14年7月　豊田

錫林郭勒盟

塩を運搬する牛車

ダブスノール

検閲済　昭和　15.6.5　宮田　報道課

分類	原板番號	21834
	場所	山海關

説明　14年7月　加島

長途バス告知板

検閲済　昭和　15.6.12　宮田　報道課

分類	原板番號	21859
建 京漢	場所	京漢線

説明 14年 2/7月

正定（第四堤場）

水害地のロープの渡し

15.6.6

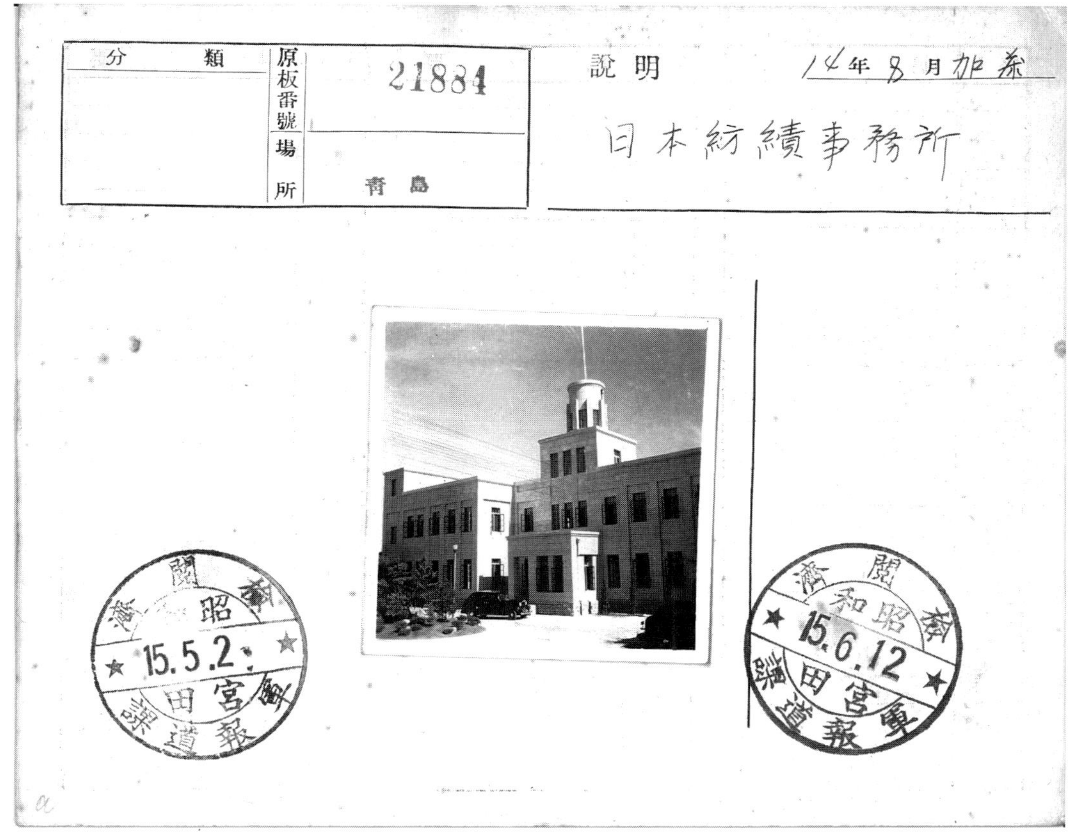
分類	原板番號	21884
	場所	青島

説明 14年 8月 加茶

日本紡績事務所

濟閲 15.5.2

濟閲 15.6.12

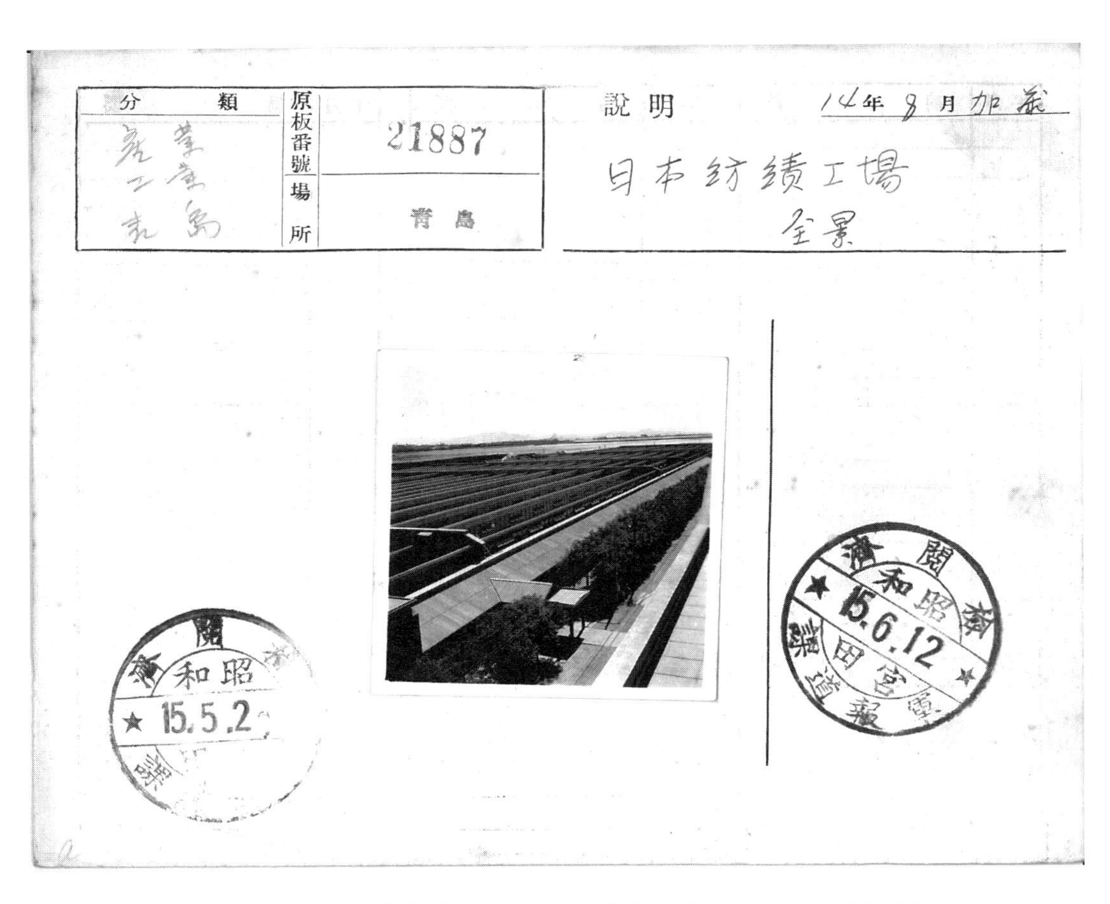

分類	原板番號	21887
産業 工業 青島	場所	青島

説明　14年8月加藤

日本紡績工場
全景

分類	原板番號	22022
建設 京漢	場所	京漢線

説明　14年15/7月

定縣—于家莊間
水害に鐵路を護る愛護村民

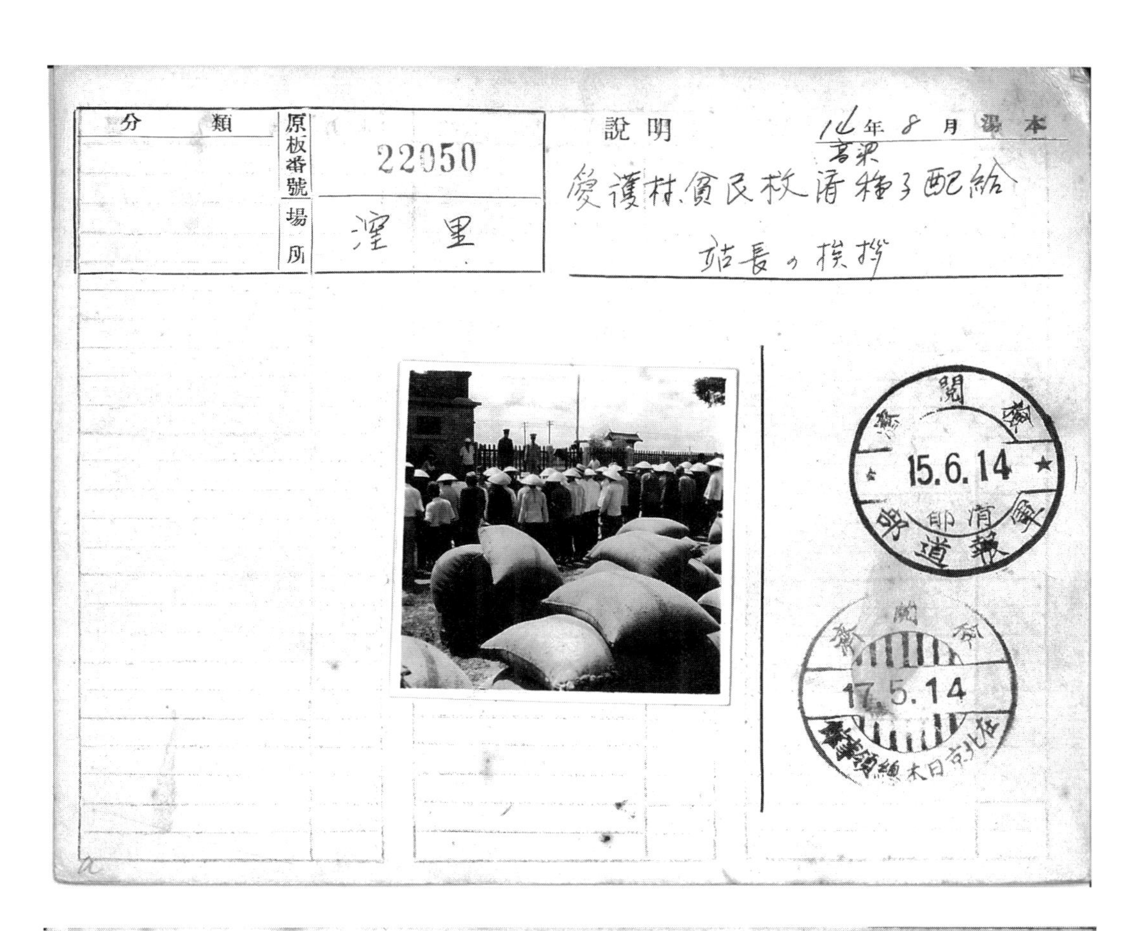

分類	原板番號	22050
	場所	溼里

説明　14年8月　湯本
高梁
愛護村貧民救済種子配給
站長の挨拶

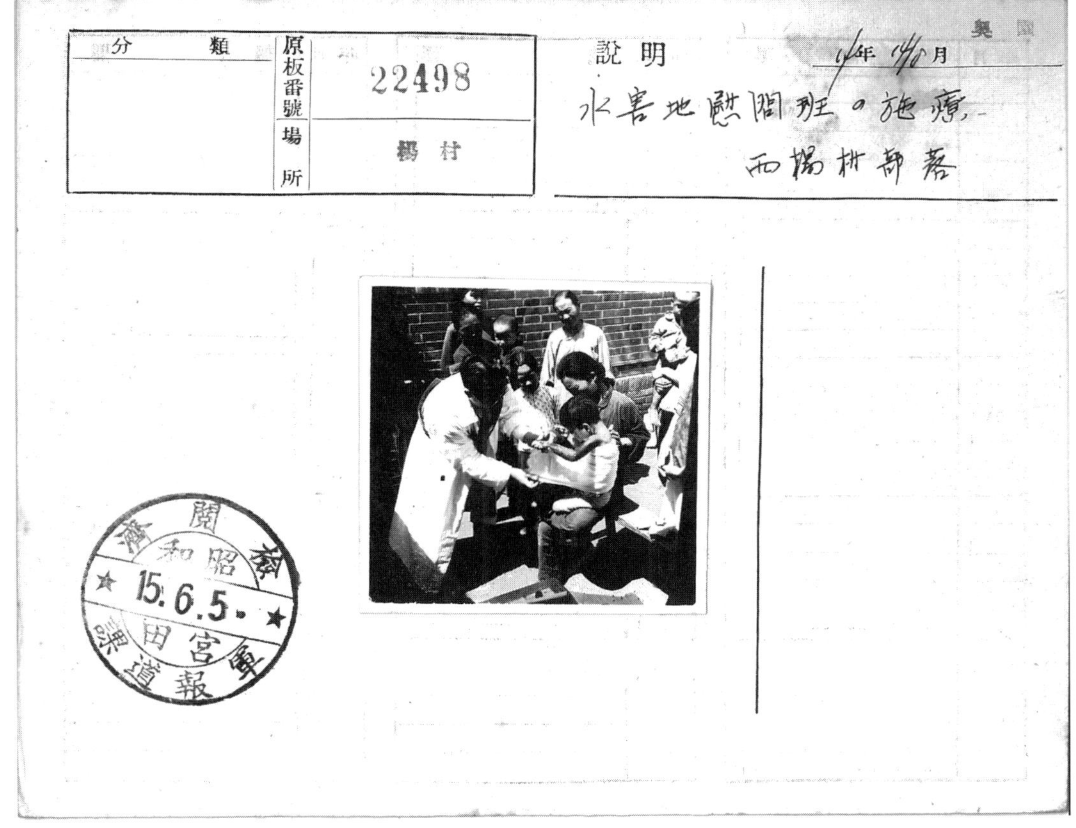

分類	原板番號	22498
	場所	楊村

説明　14年10月　奥園
水害地慰問班の施療、
西楊村部落

分類
原板番號
22576
場所
天津
說明
14年8月24
日界石山街の
華北交通社員の救助作業
閲覧
昭和
15.6.12
軍宮田
報道課

分類
原板番號
22578
場所
天津
說明
14年8月24
日界旭街の浸水状況
15.6.5
軍宮田
報道課

分類	原板番號	22922
	場所	天津

説明　14年8月　奥園

水害状況

日本租界

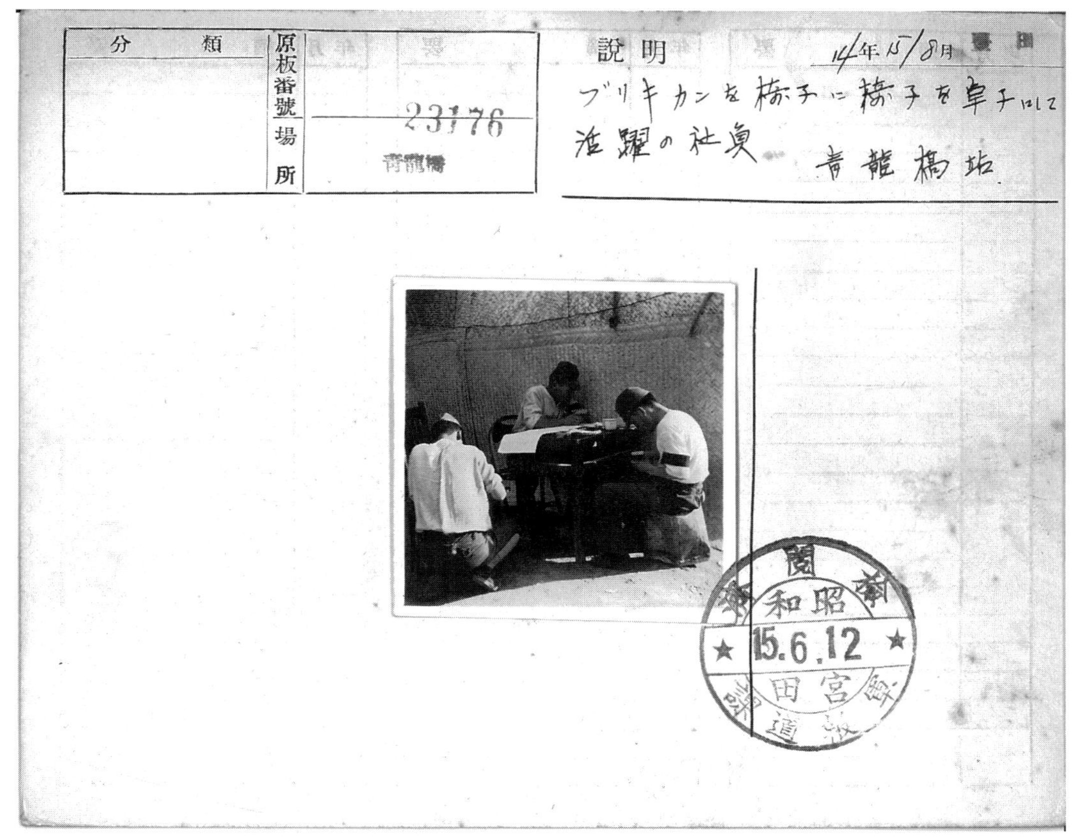

分類	原板番號	23176
	場所	青龍橋

説明　14年15/8月

ブリキカンを椅子に椅子を卓子にして活躍の社員　青龍橋站

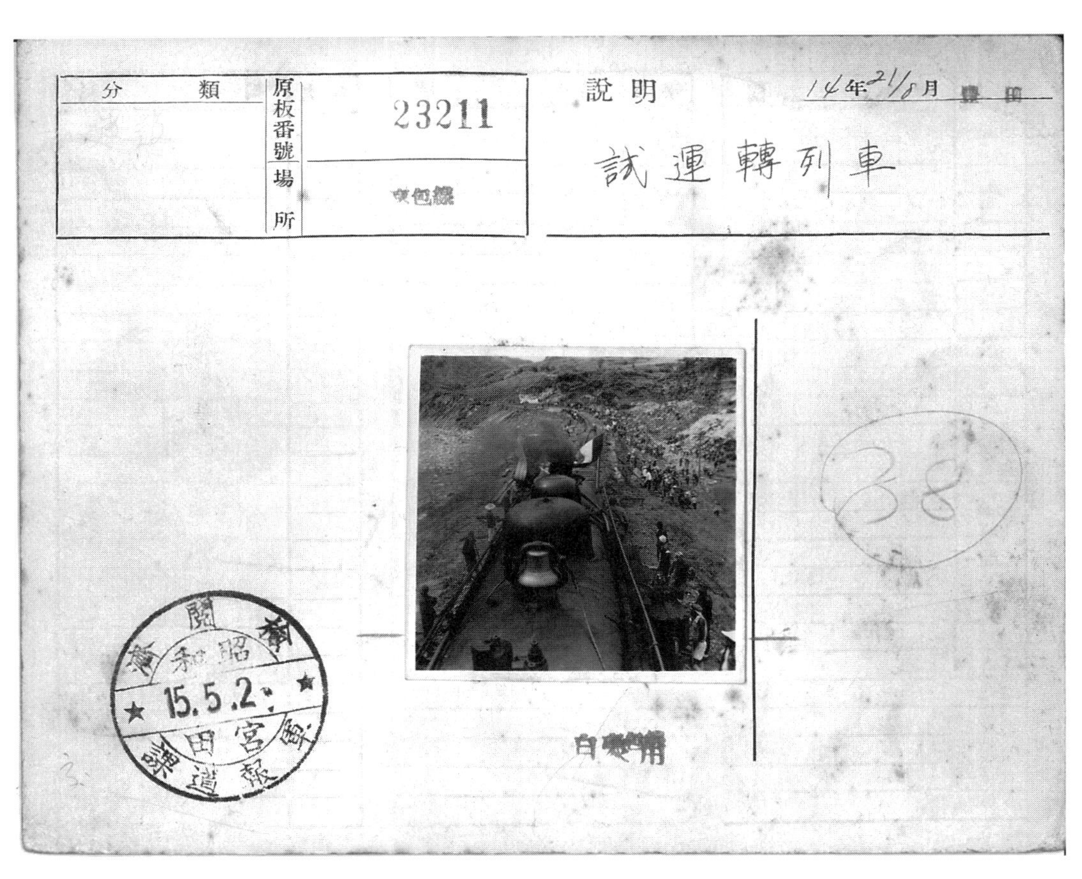

分類	原板番號	23211
	場所	

説明　14年21/8月

試運轉列車

分類	原板番號	24304
	場所	陽泉

説明　14年9月27

狭軌の最終列車
陽泉

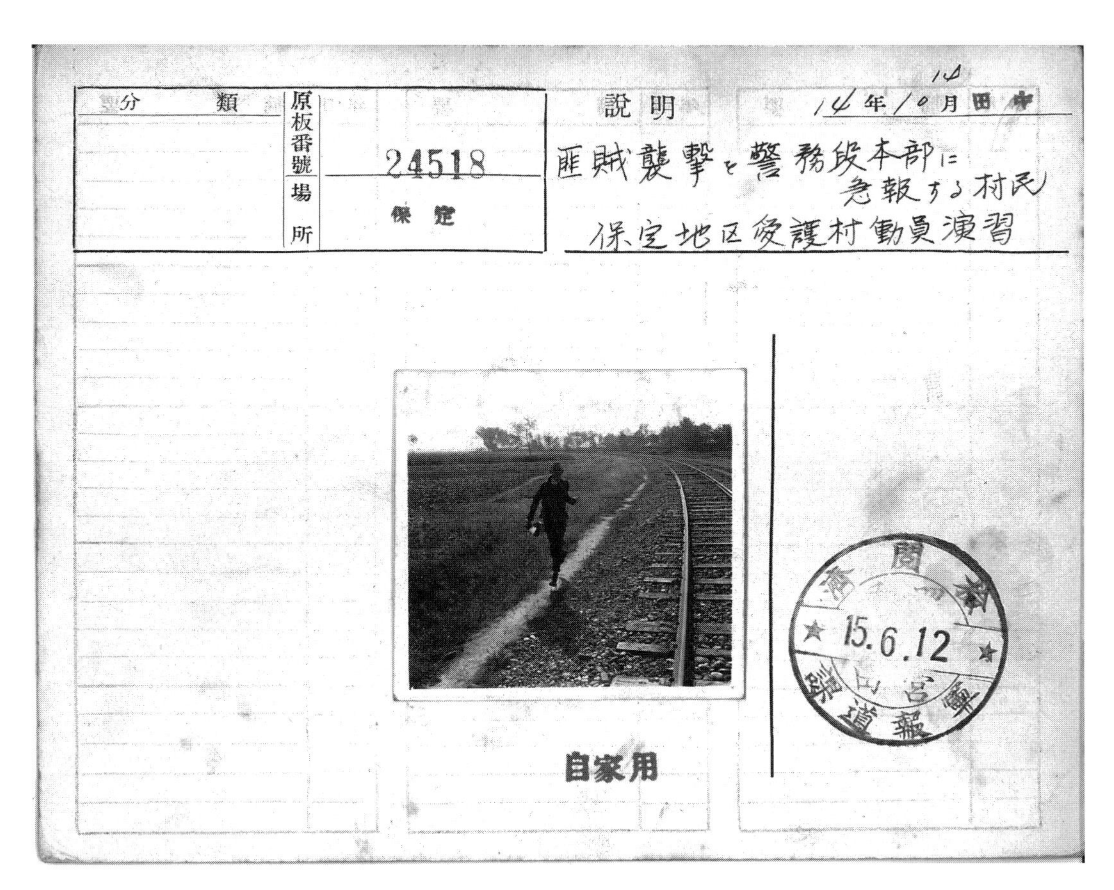
分類
原板番號 24518
場所 保定
説明 14年10月 田中
匪賊襲撃を警務段本部に急報する村民
保定地区愛護村動員演習
15.6.12
自家用

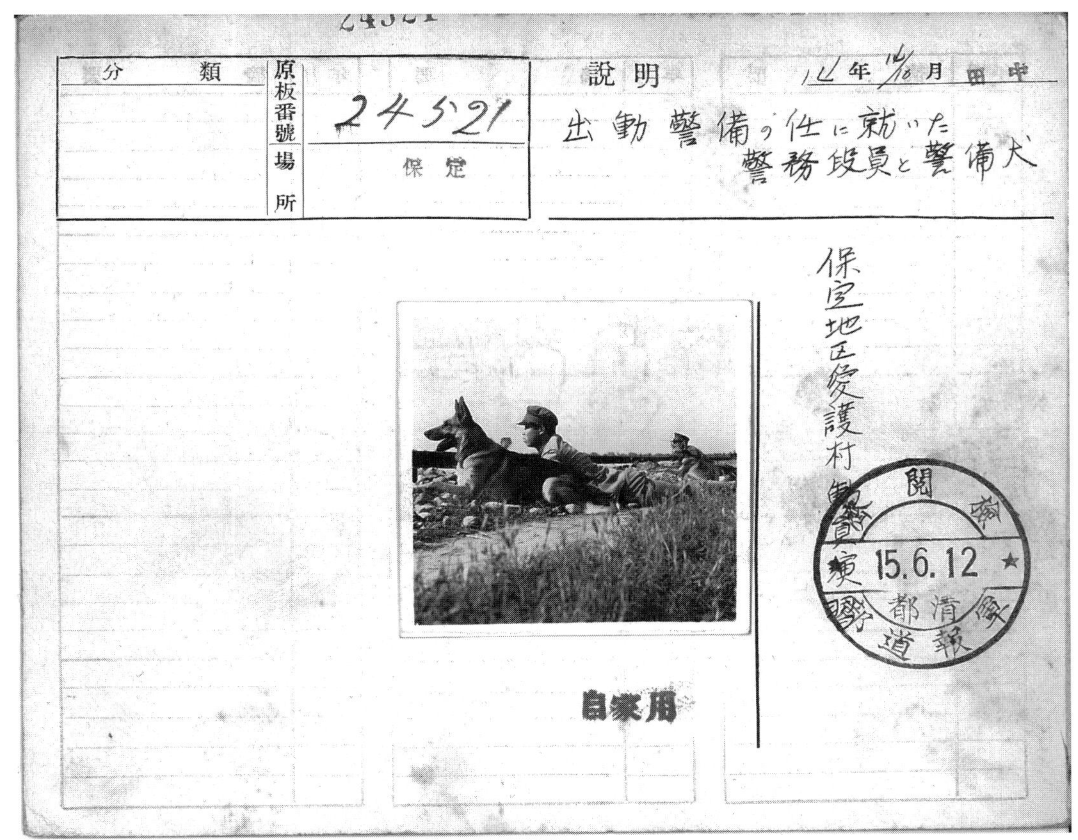
分類
原板番號 24521
場所 保定
説明 14年10月 田中
出動警備の任に就いた警務段員と警備犬
保定地区愛護村動員演習
15.6.12
自家用

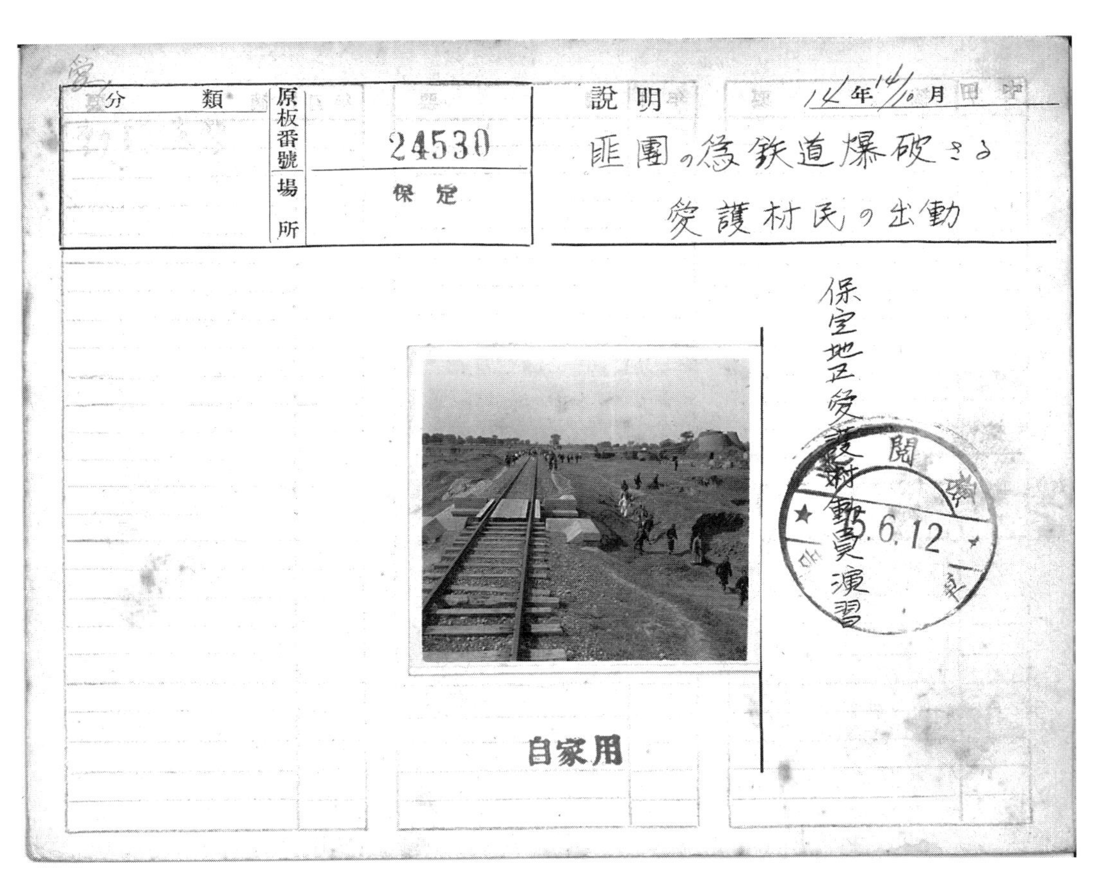

分類	原板番號	24530
	場所	保定

説明　14年10月

匪團の爲鉄道爆破さる
愛護村民の出動

保定地区愛護村民動員演習

閲　15.6.12

自家用

分類	原板番號	247214
	場所	大清河　東安村

説明　14年10月

保定—東安村間
運行のバス

済　閲　検
15.6.14
報道部

分類	原板番號	ネガ欠 24872
	場所	北京

說明　14年 11月

東便門角樓と列車

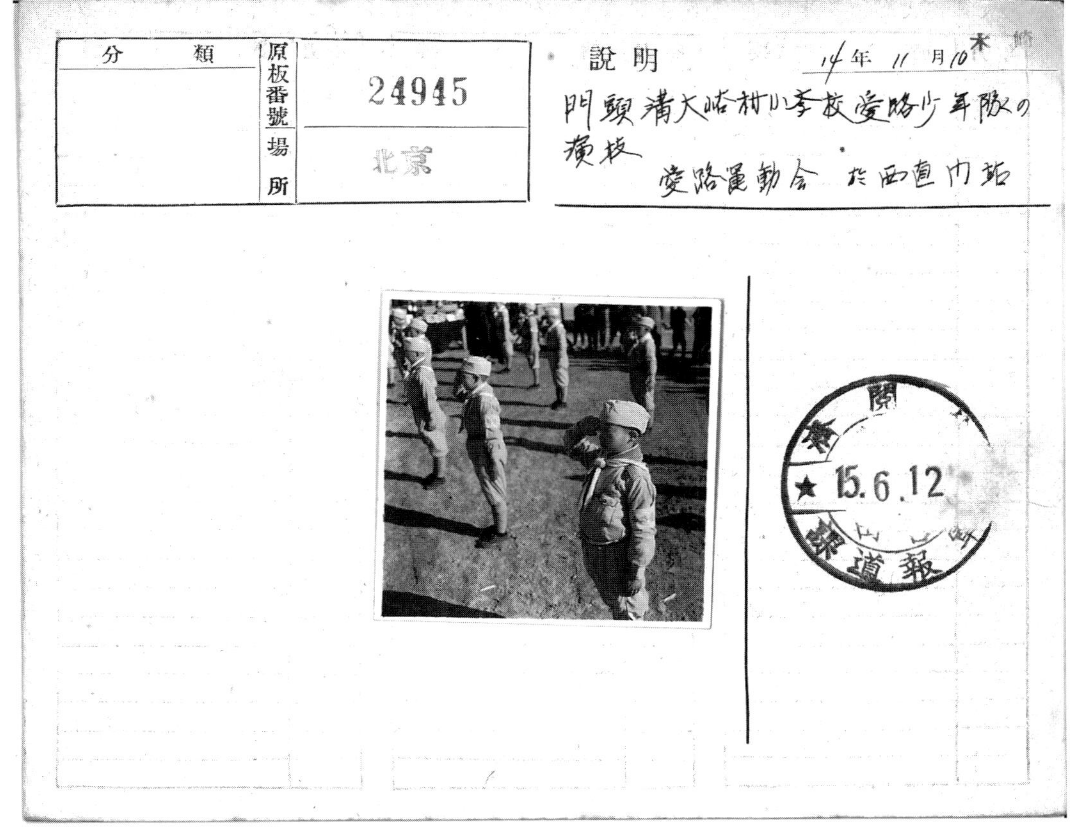

分類	原板番號	24945
	場所	北京

說明　14年 11月10

門頭溝大峪村小学校愛路少年隊の演技
愛路運動会　於西直門站

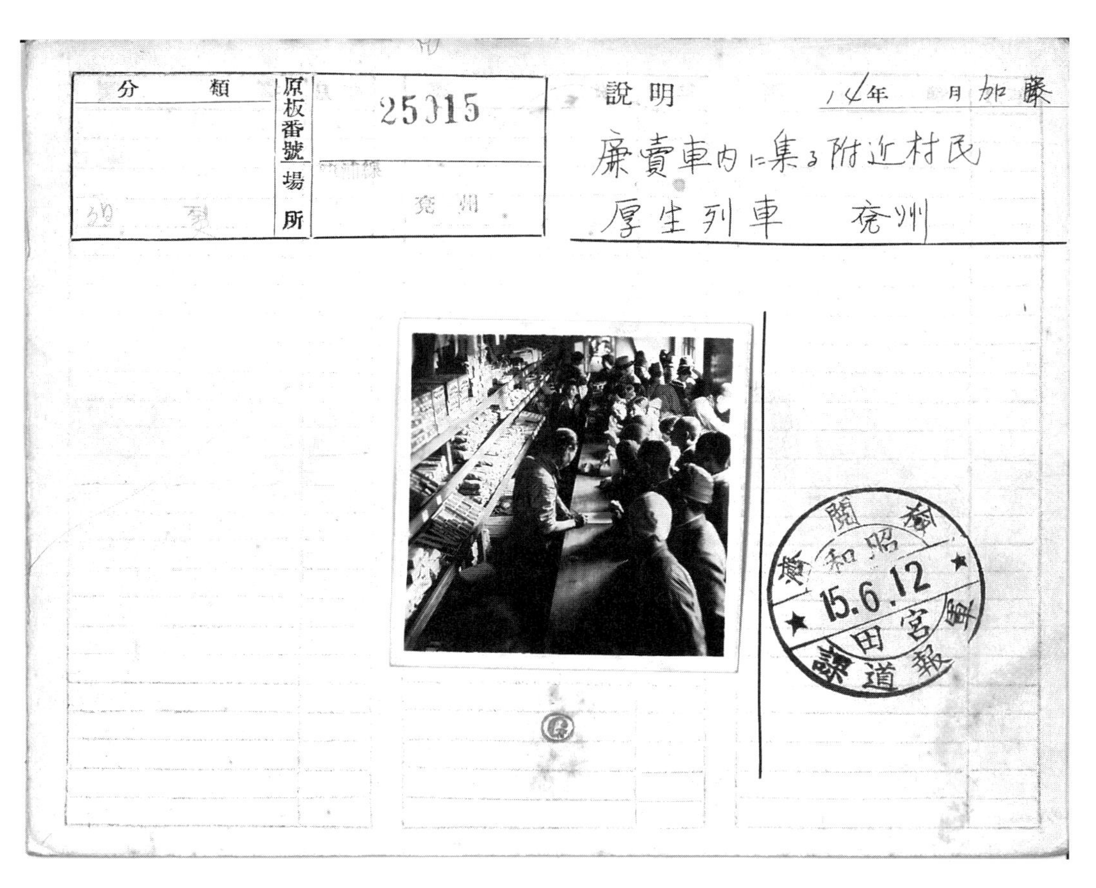

分類	原板番號	25015
	場所	兗州

説明　14年　月　加藤

廉賣車内に集る附近村民
厚生列車　兗州

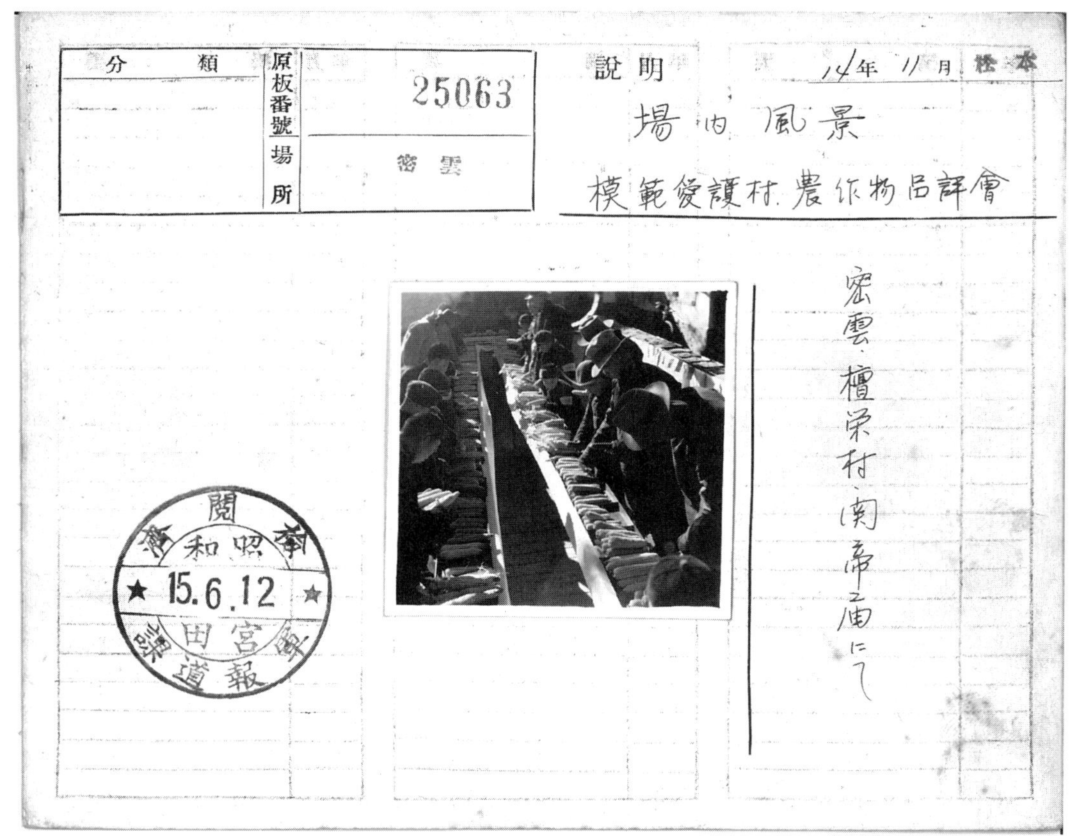

分類	原板番號	25063
	場所	密雲

説明　14年　11月　桂本

場内風景
模範愛護村 農作物品評會

密雲、檀栄村関帝廟にて

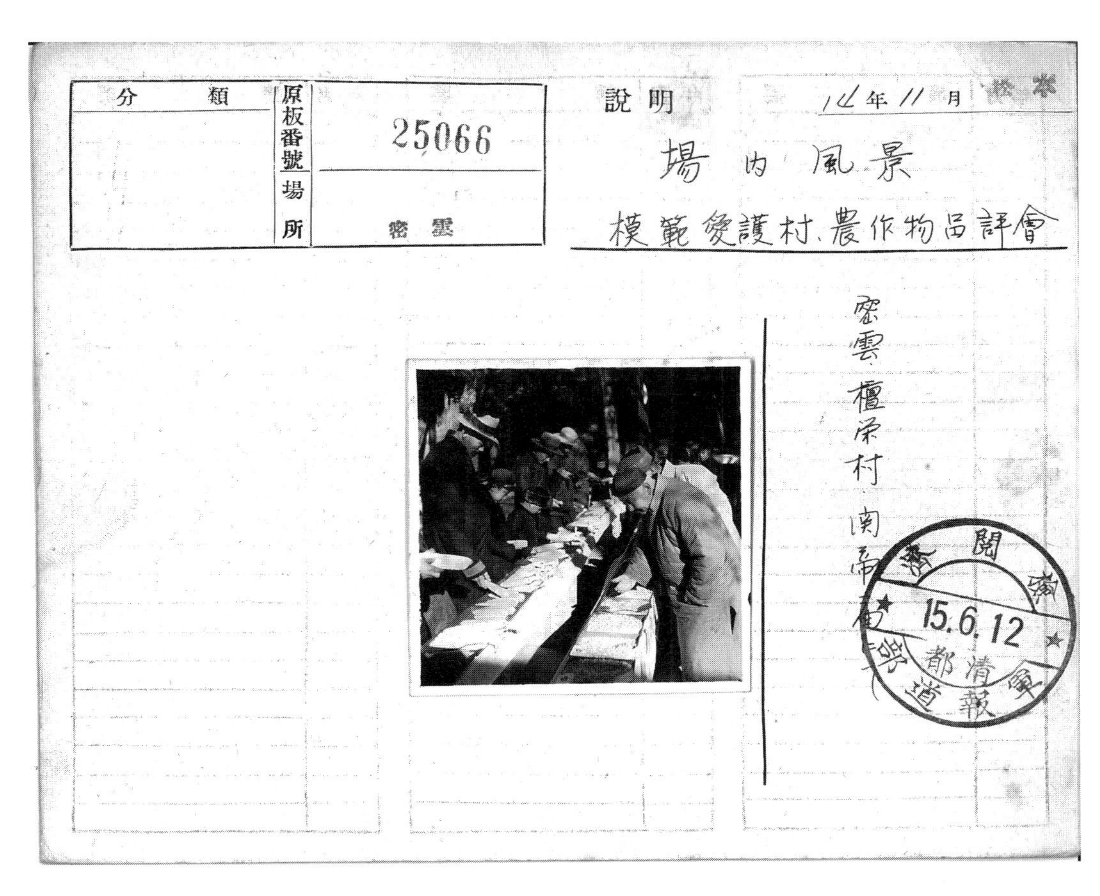
分類	原板番號	25066
	場所	密雲

説明　14年11月

場内風景

模範愛護村、農作物品評會

密雲　檀榮村

15.6.12

分類	原板番號	25197
	場所	北京

説明　14年11月

崇文门と汽関車

15.6.12

自家用

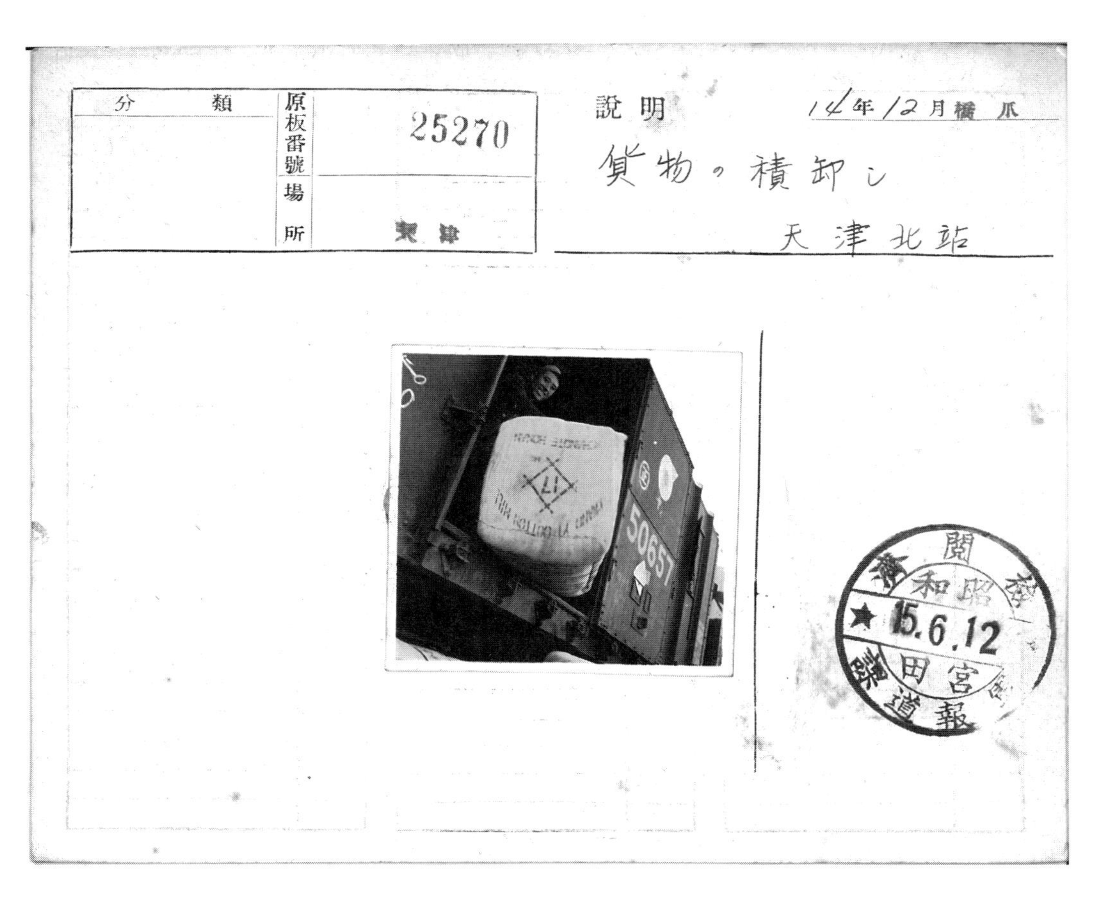

分類	原板番號	25270
	場所	天津

説明　14年12月　横爪

貨物の積卸し

天津北站

閲　昭和　15.6.12　宮田　報道課

分類	原板番號	25408
	場所	北京　北京

説明　14年12月

貨車と箭楼

閲　昭和　15.6.12　宮田　報道課

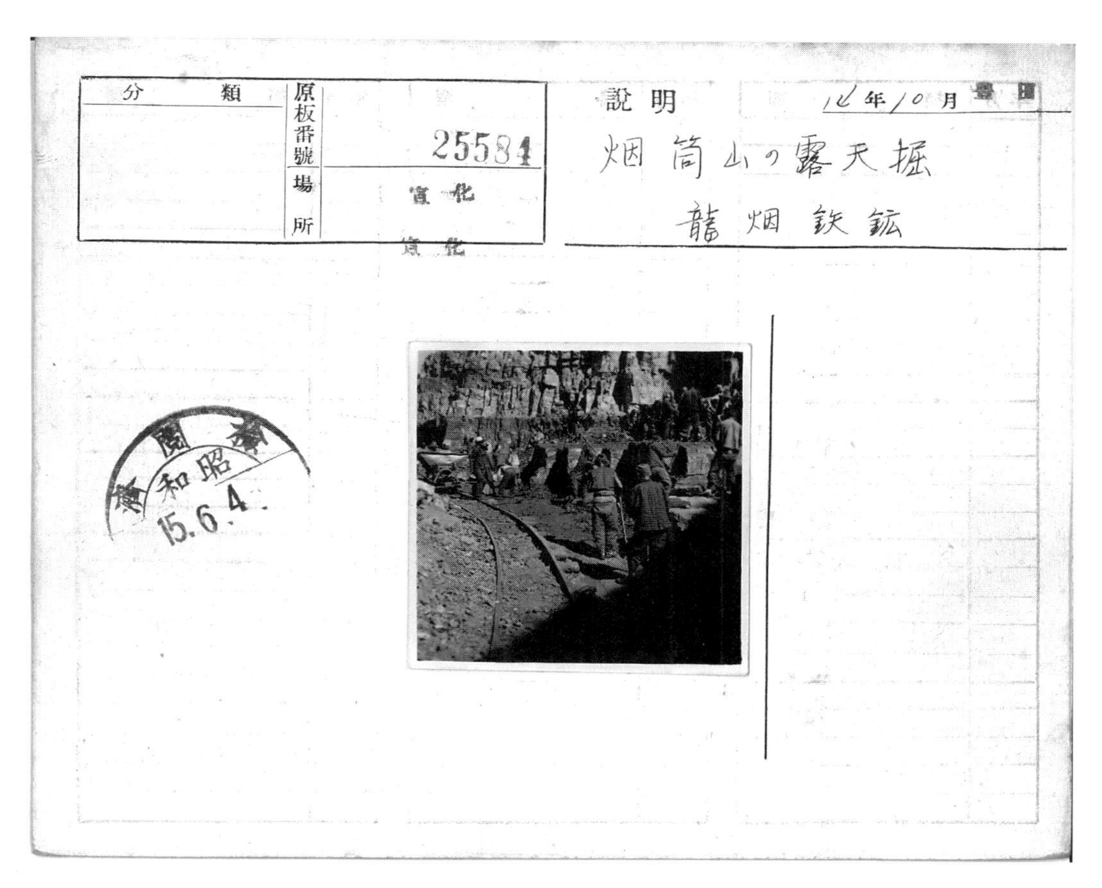

分類	原板番號	25584
	場所	宣化

説明　14年10月

烟筒山の露天掘

龍烟鉄鉱

檢閲 昭和 15.6.4

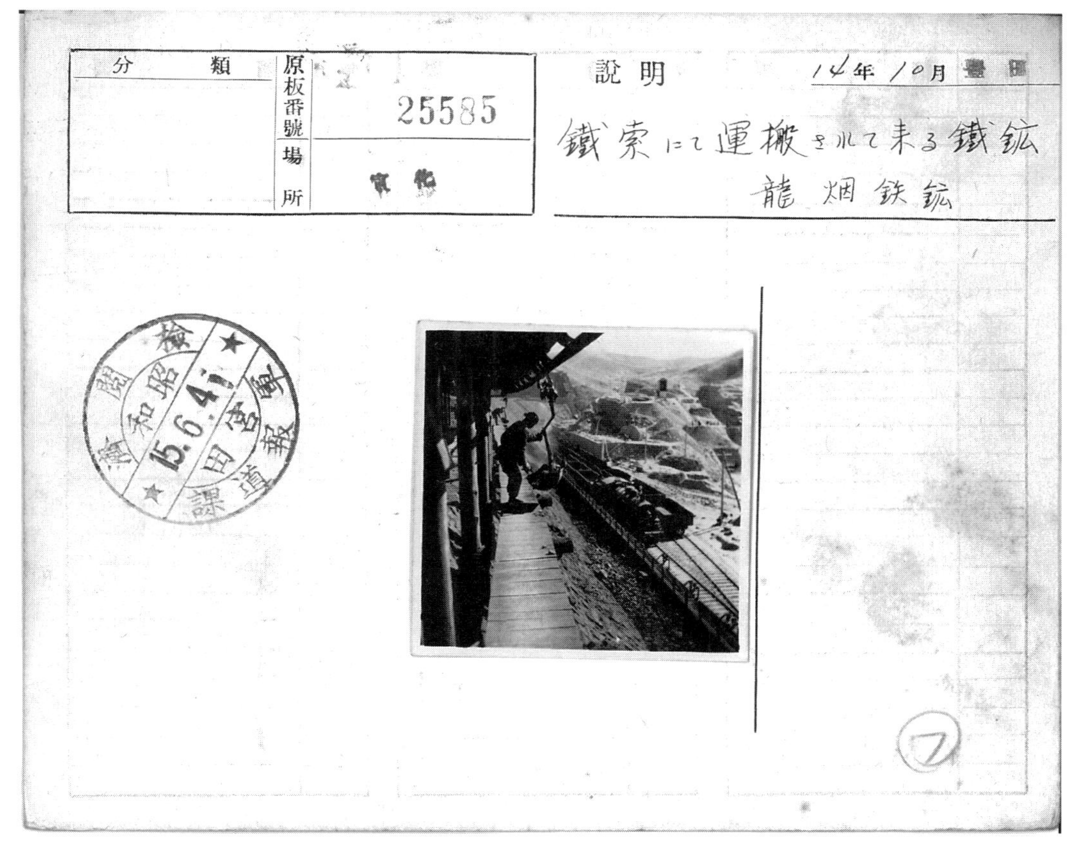

分類	原板番號	25585
	場所	宣化

説明　14年10月

鐵索にて運搬されて来る鐵鉱

龍烟鉄鉱

檢閲 昭和 15.6.4

⑦

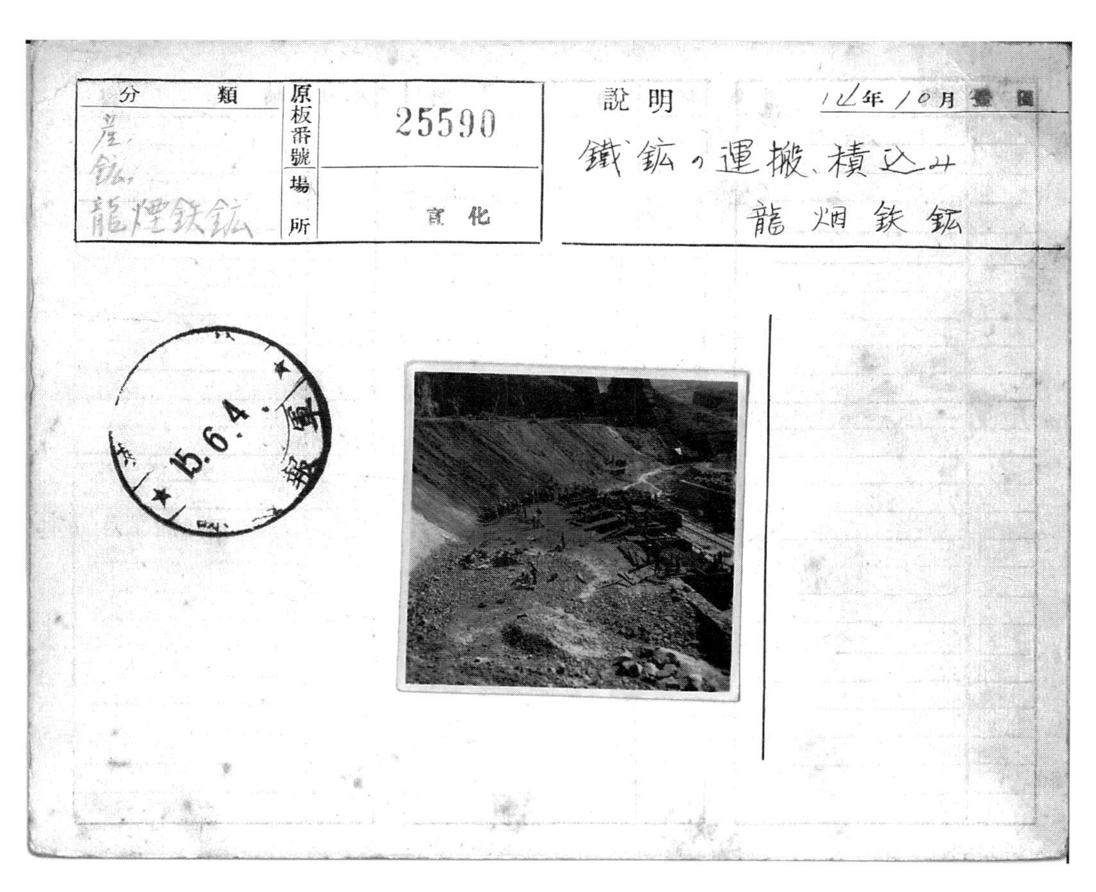

分類	原板番號	25590
産 鉱 龍煙鉄鉱	場所	宣化

説明　14年10月

鐵鉱の運搬、積込み
龍烟鉄鉱

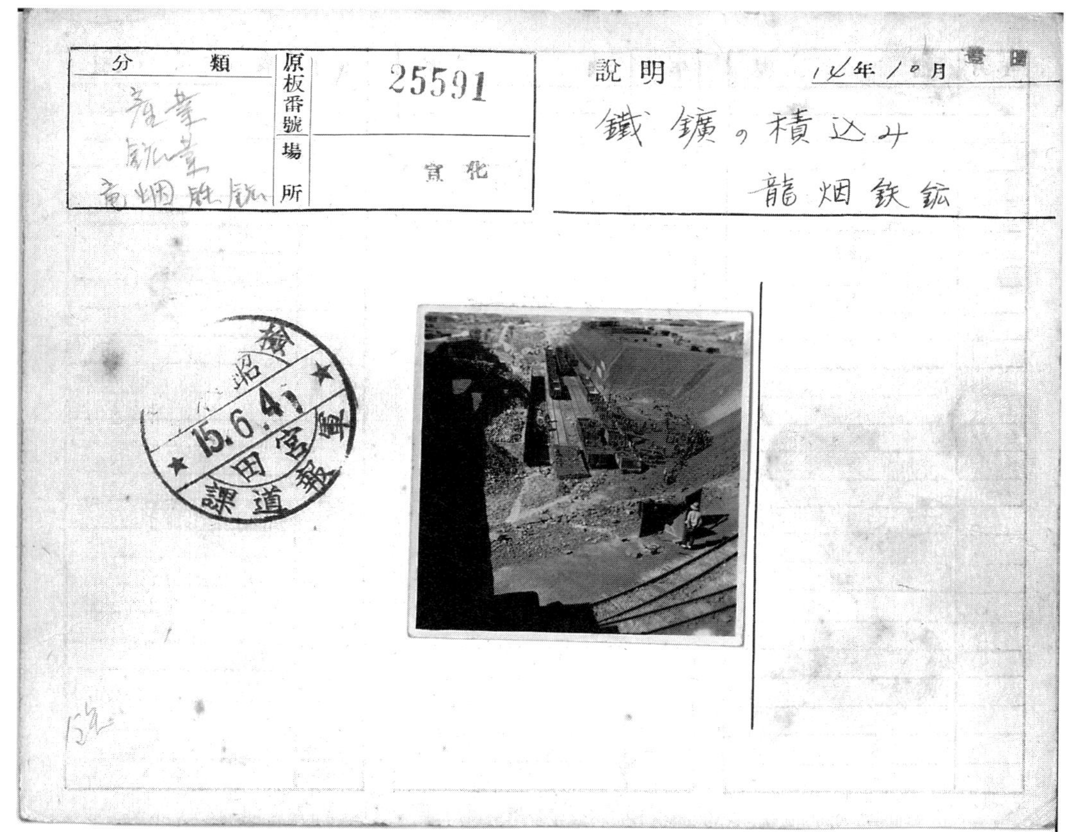

分類	原板番號	25591
産業 鉱業 竜烟鉄鉱	場所	宣化

説明　14年10月

鐵鑛の積込み
龍烟鉄鉱

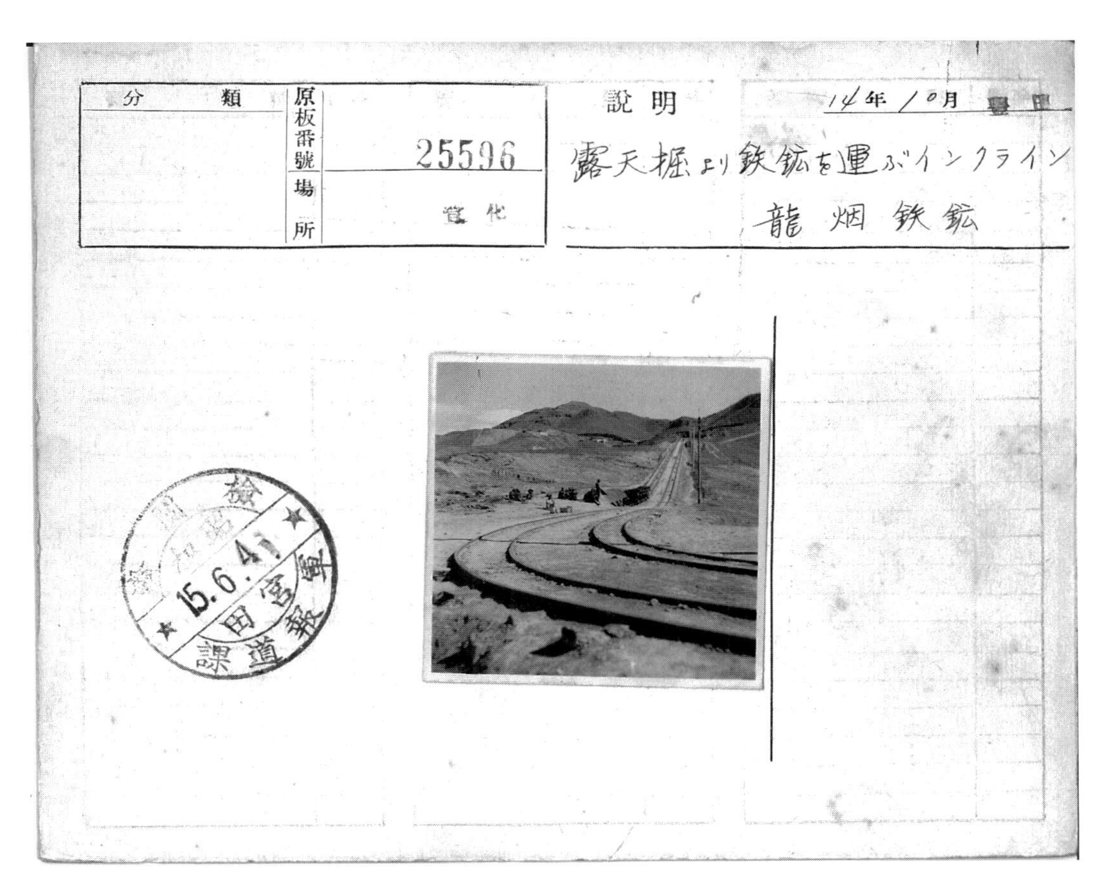

分類	原板番號	25596
	場所	宣化

説明　14年10月

露天掘より鉄鉱を運ぶインクライン

龍烟鉄鉱

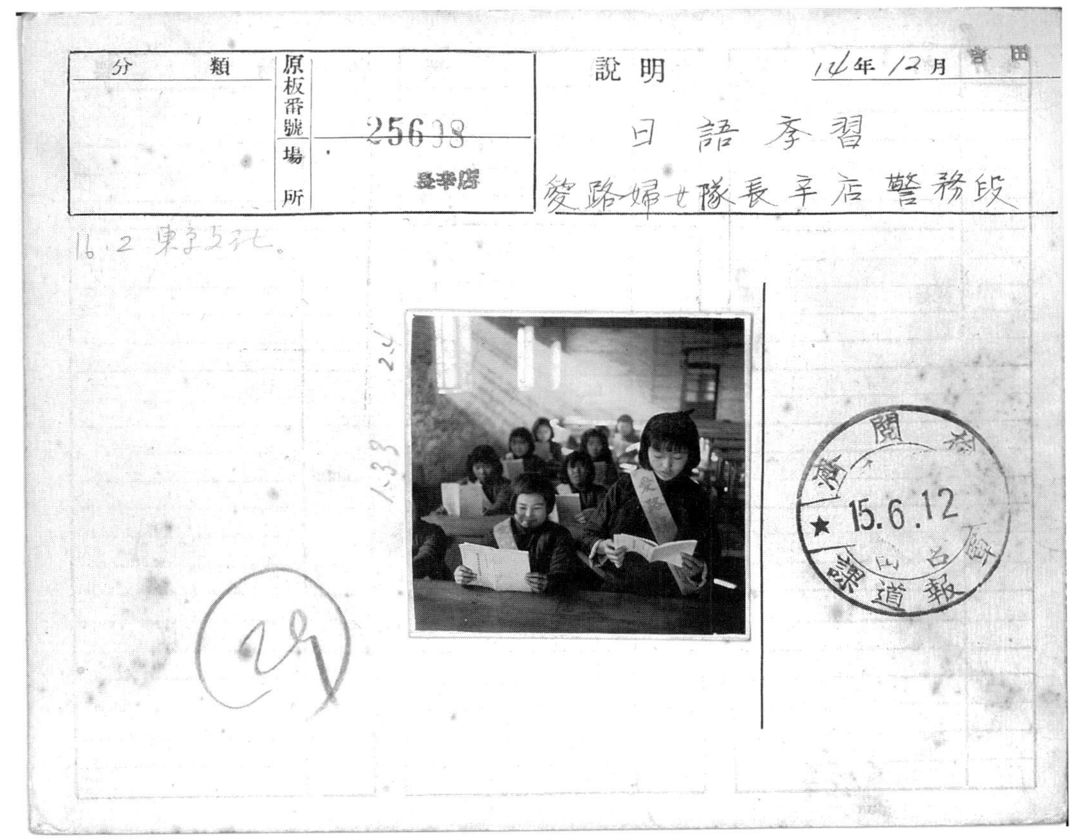

分類	原板番號	25608
	場所	辛店

説明　14年12月

日語学習

愛路婦女隊長　辛店警務段

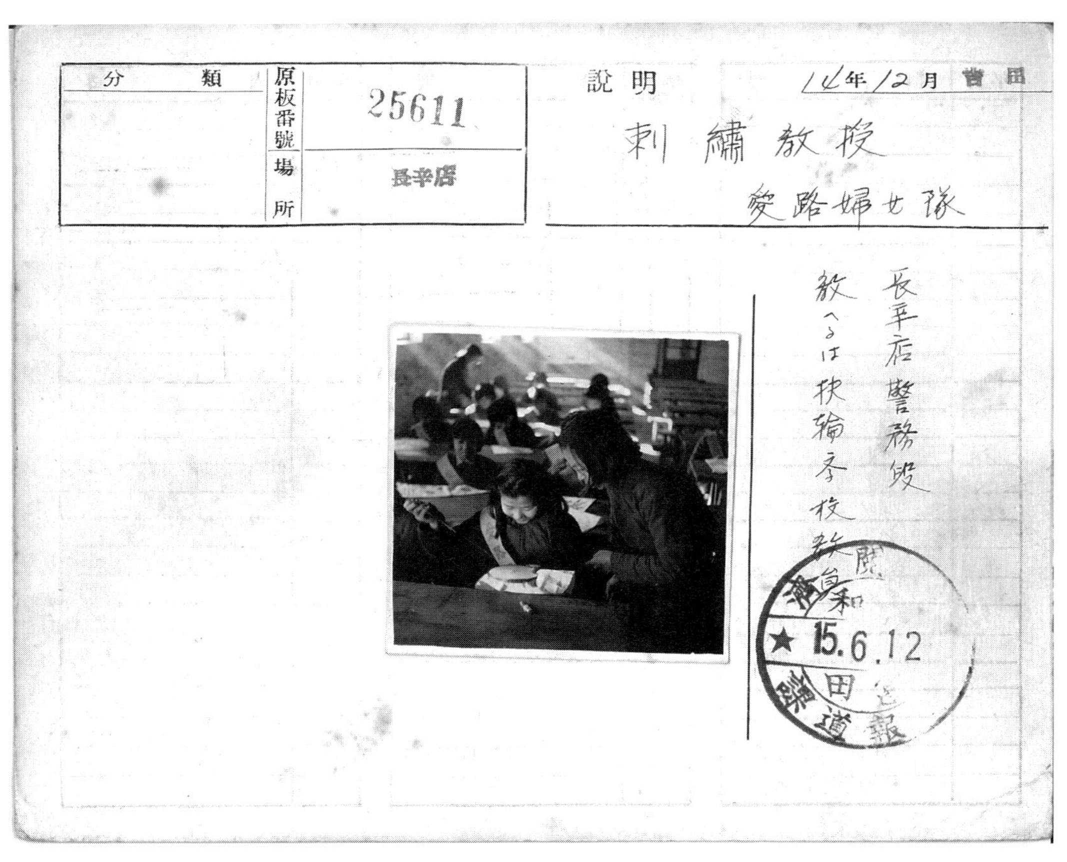

分類

原板番號 25611

場所 長辛店

說明 14年12月 曾田

刺繍教授

愛路婦女隊

長辛店警務段

教へるは扶輪学校教員

閲 昭和 15.6.12 田 報道

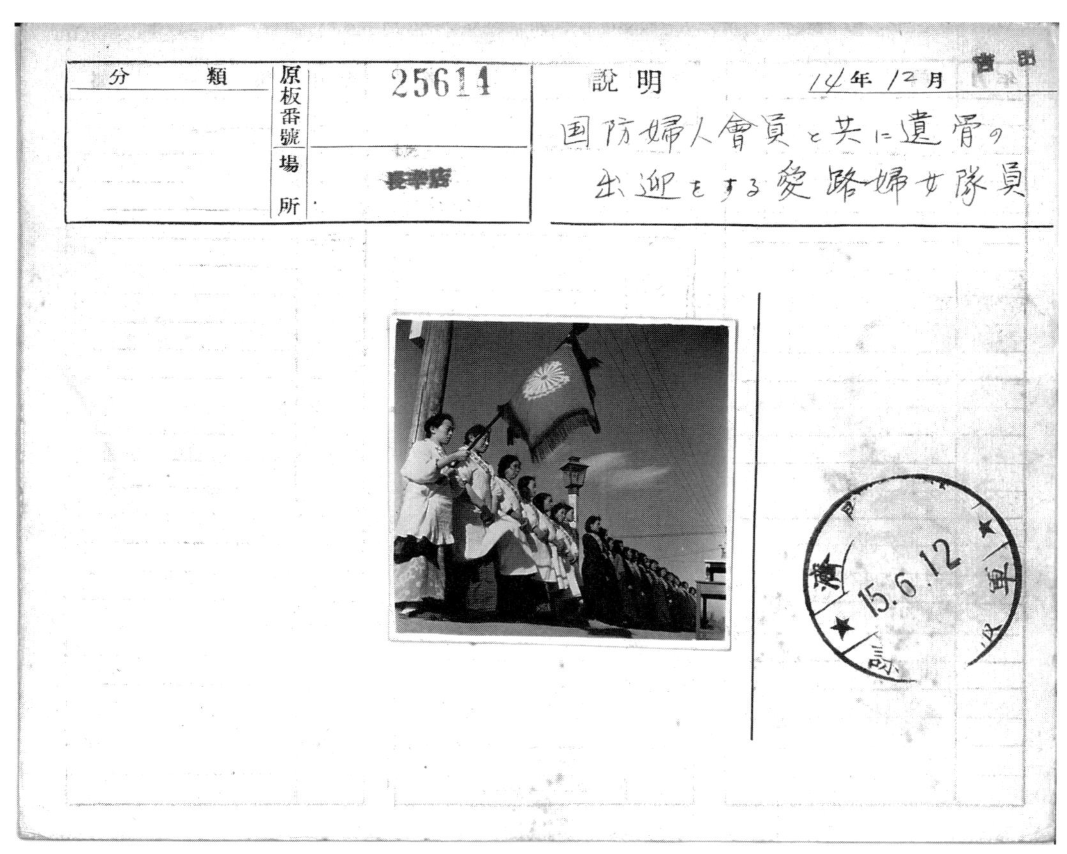

分類

原板番號 25614

場所 長辛店

說明 14年12月 曾田

国防婦人會員と共に遺骨の出迎をする愛路婦女隊員

15.6.12

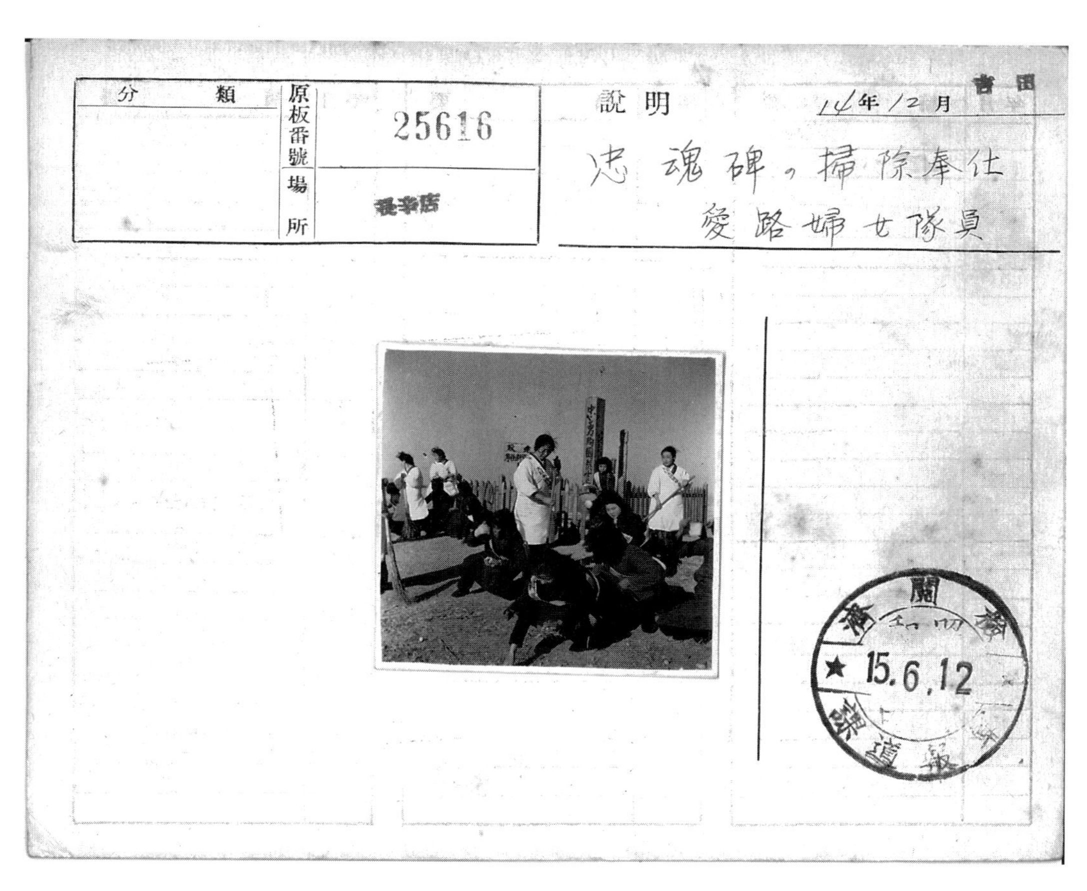

分類	原板番號	25616
	場所	長辛店

説明　14年12月

忠魂碑の掃除奉仕
愛路婦女隊員

閲
15.6.12

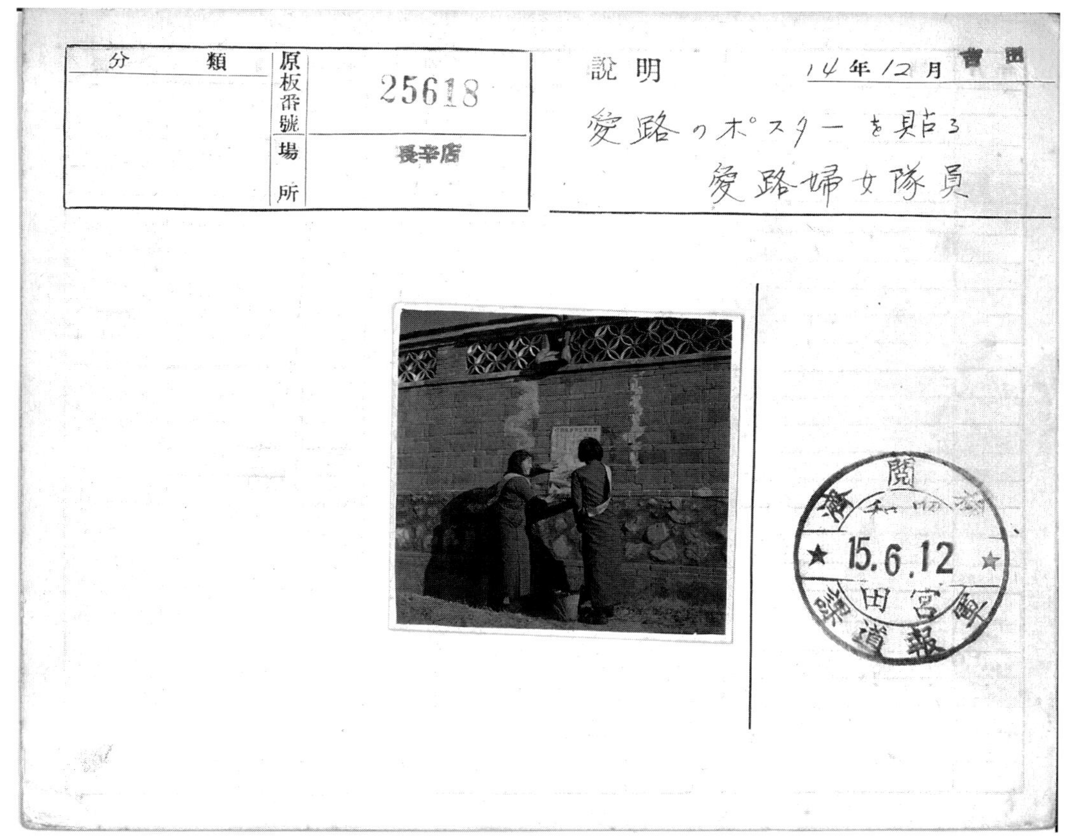

分類	原板番號	25618
	場所	長辛店

説明　14年12月

愛路のポスターを貼る
愛路婦女隊員

閲
15.6.12

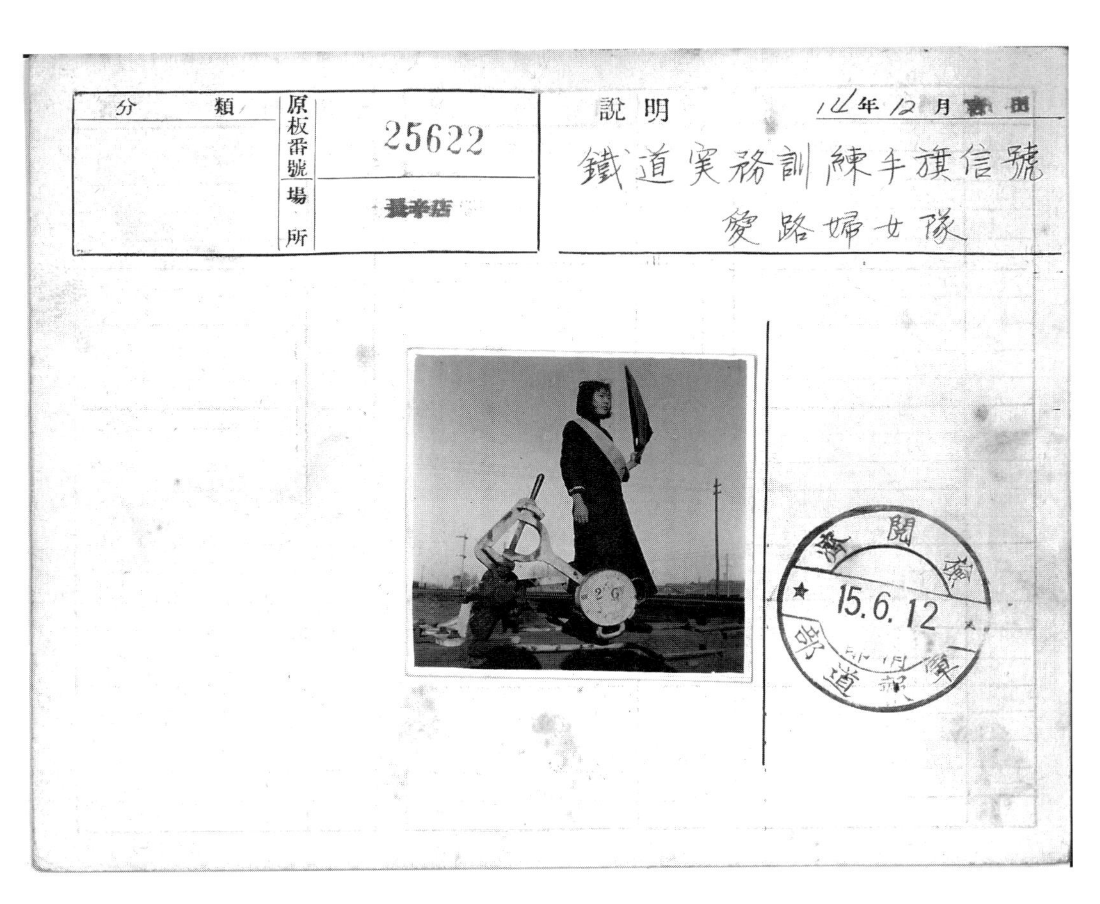

分類	原板番號	25622
	場所	長辛店

說明　14年12月

鐵道実務訓練手旗信號
愛路婦女隊

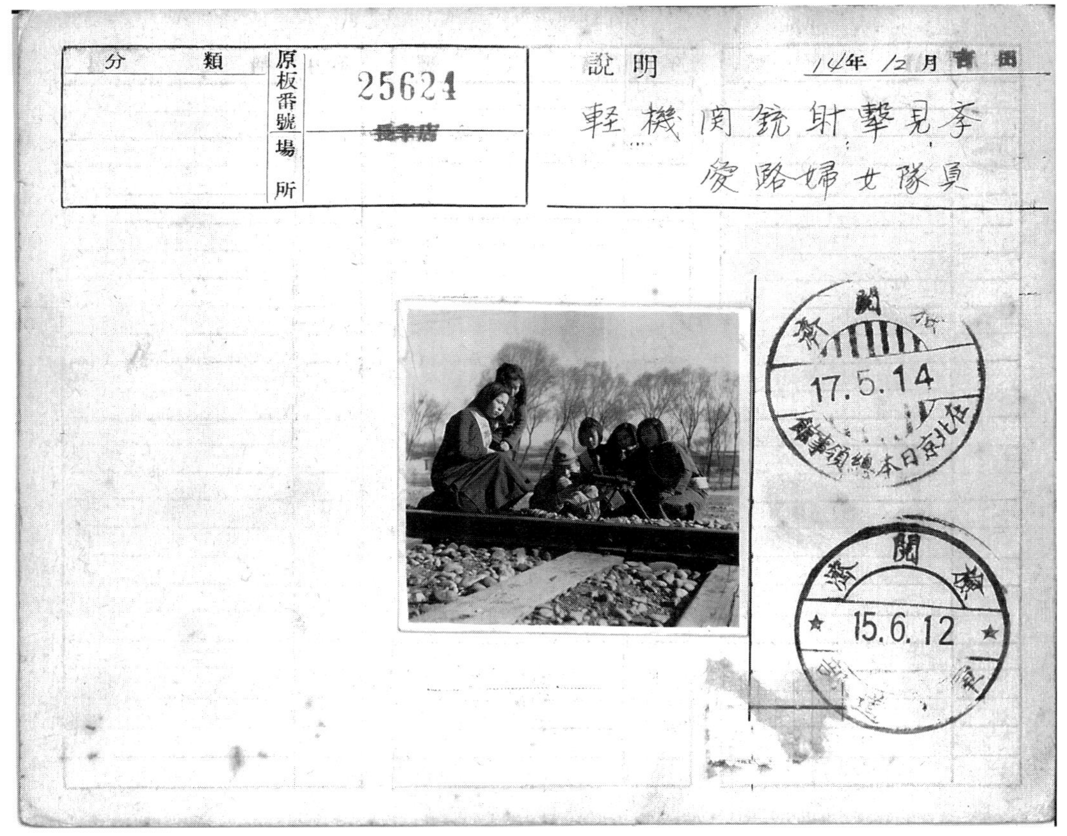

分類	原板番號	25624
	場所	長辛店

說明　14年12月

軽機関銃射撃見学
愛路婦女隊員

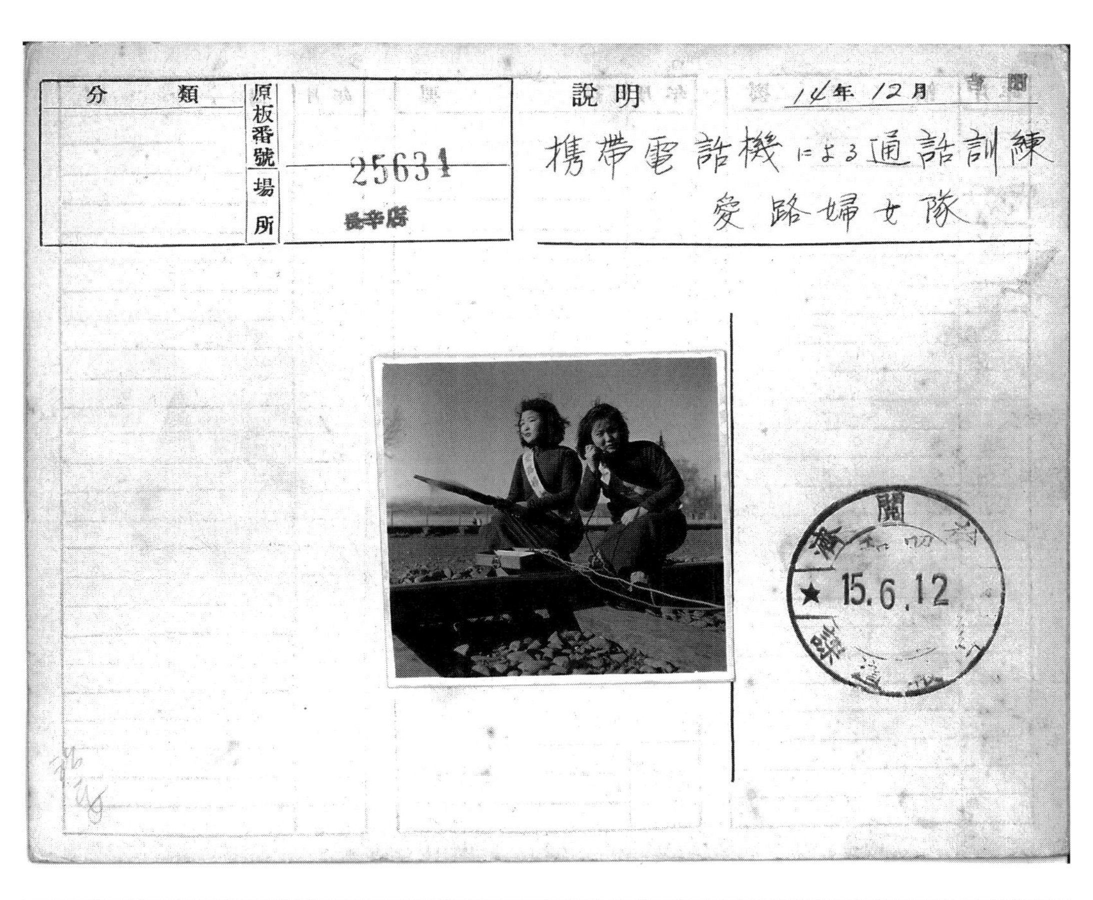

分類	原板番號	25634
	場所	長辛店

說明　14年12月

携帯電話機による通話訓練
愛路婦女隊

★15.6.12

分類	原板番號	25639
	場所	長辛店

說明　14年12月

施藥施療に活躍の
愛路婦女隊員

★15.6.12

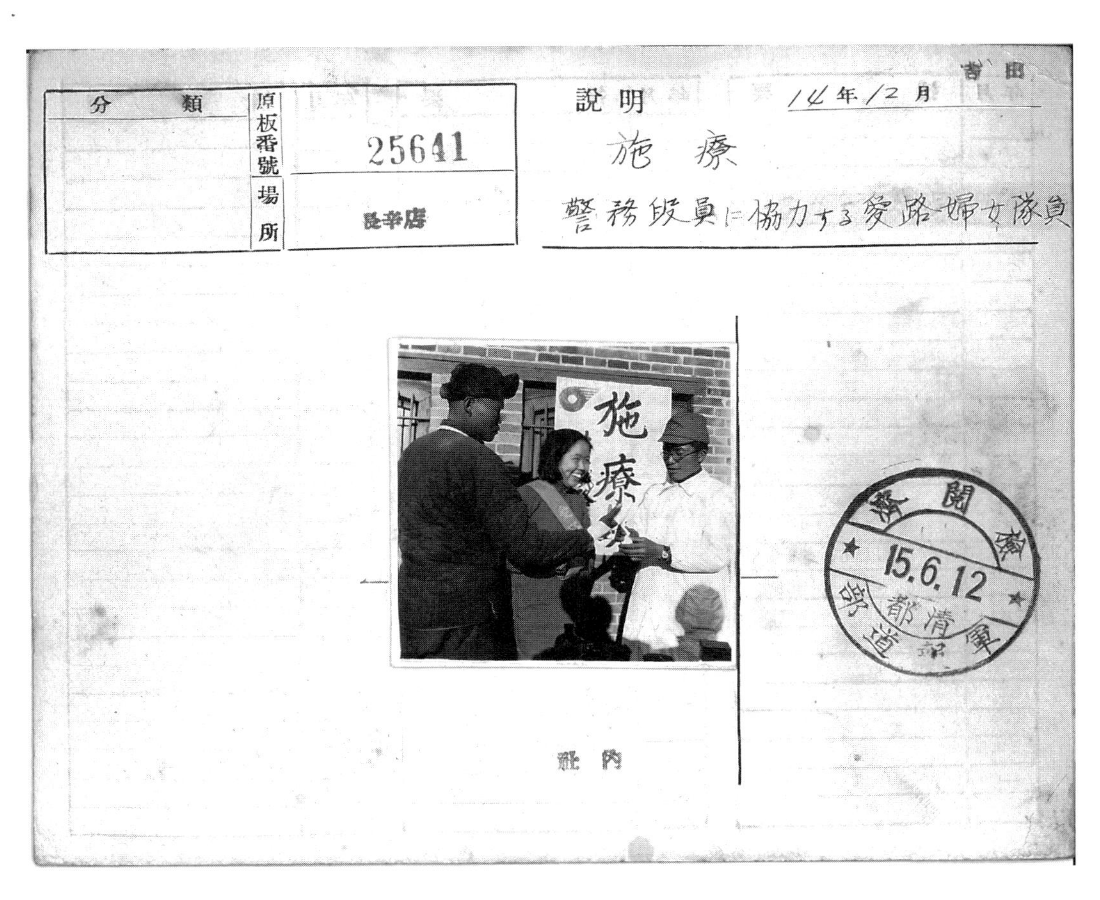

分類	原板番號	25641
	場所	長辛店

説明　14年12月

施療

警務段員に協力する愛路婦女隊員

縦内

分類	原板番號	25755
	場所	北京

説明　14年12月

華北交通自動車

正陽門營業所

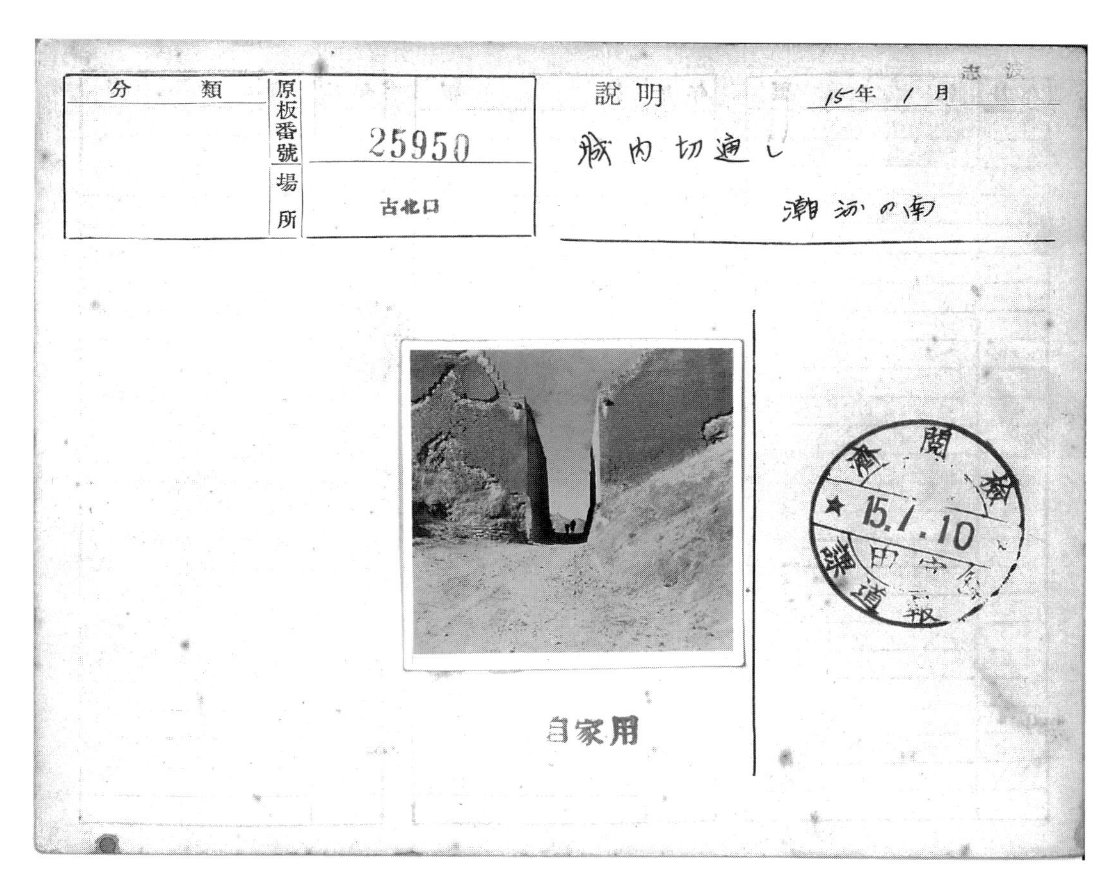
分類
原板番號 25950
場所 古北口
説明 15年 1月
城内切通し
潮河の南
検閲済 15.7.10 報道課
自家用

分類
原板番號 25980
説明 月
開通
試運轉列車
検閲済 15.6.5. 報道課

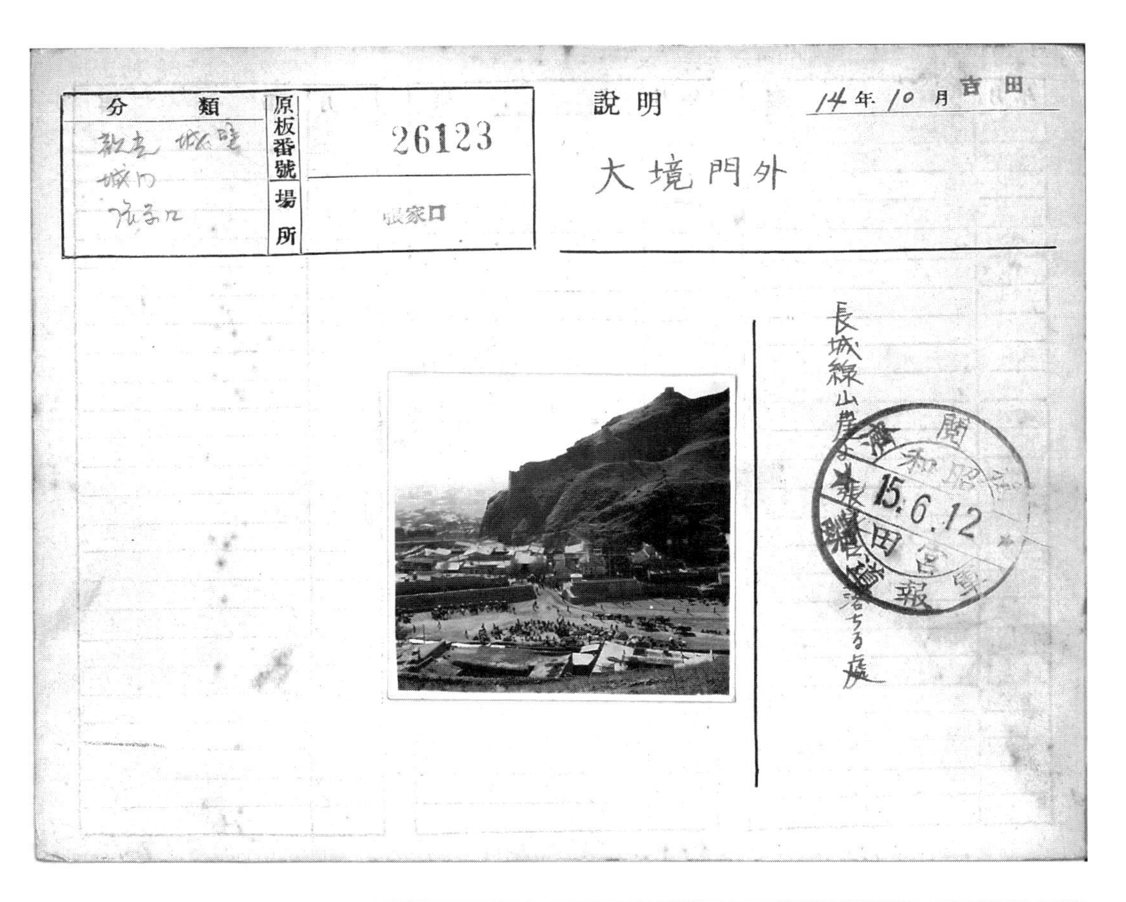

分類	原板番號	26123
敖包 城壁 城門 張家口	場所	張家口

説明　14年10月 吉田

大境門外

長城線山麓より…落ちる處

昭和 15.6.12 閲 済 宮田 軍報道部

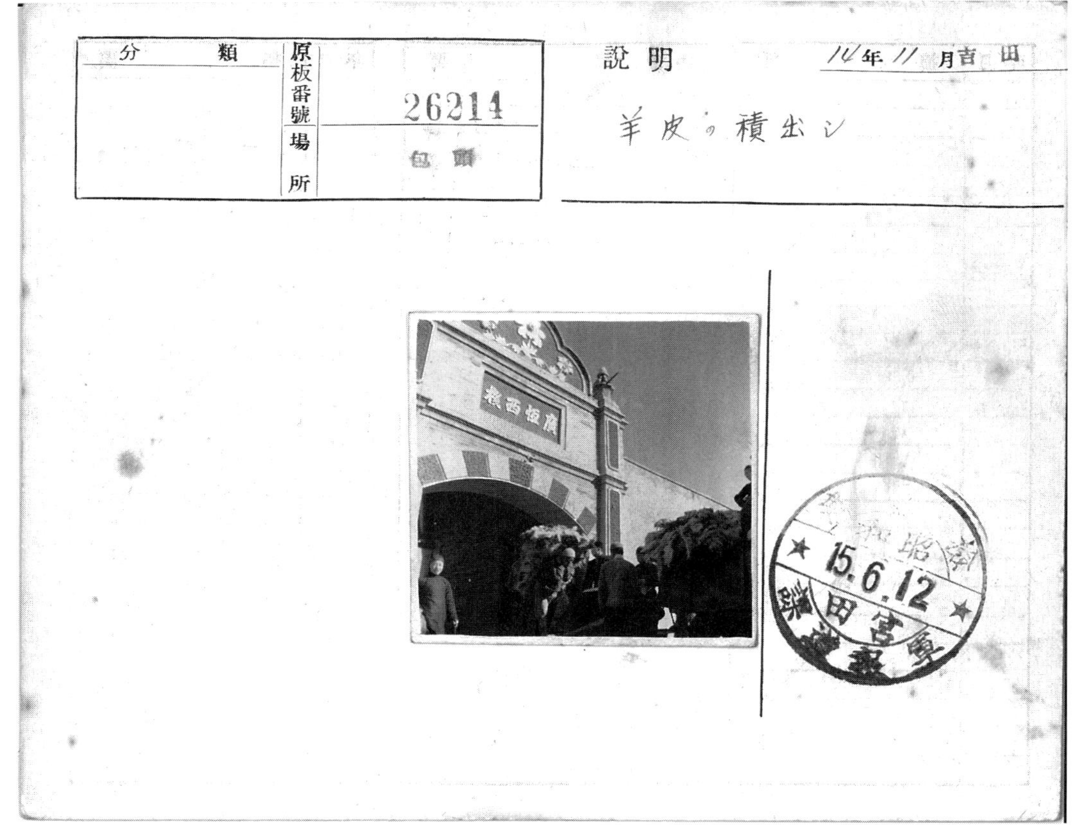

分類	原板番號	26214
	場所	包頭

説明　14年11月 吉田

羊皮の積出シ

昭和 15.6.12 宮田 軍報道部

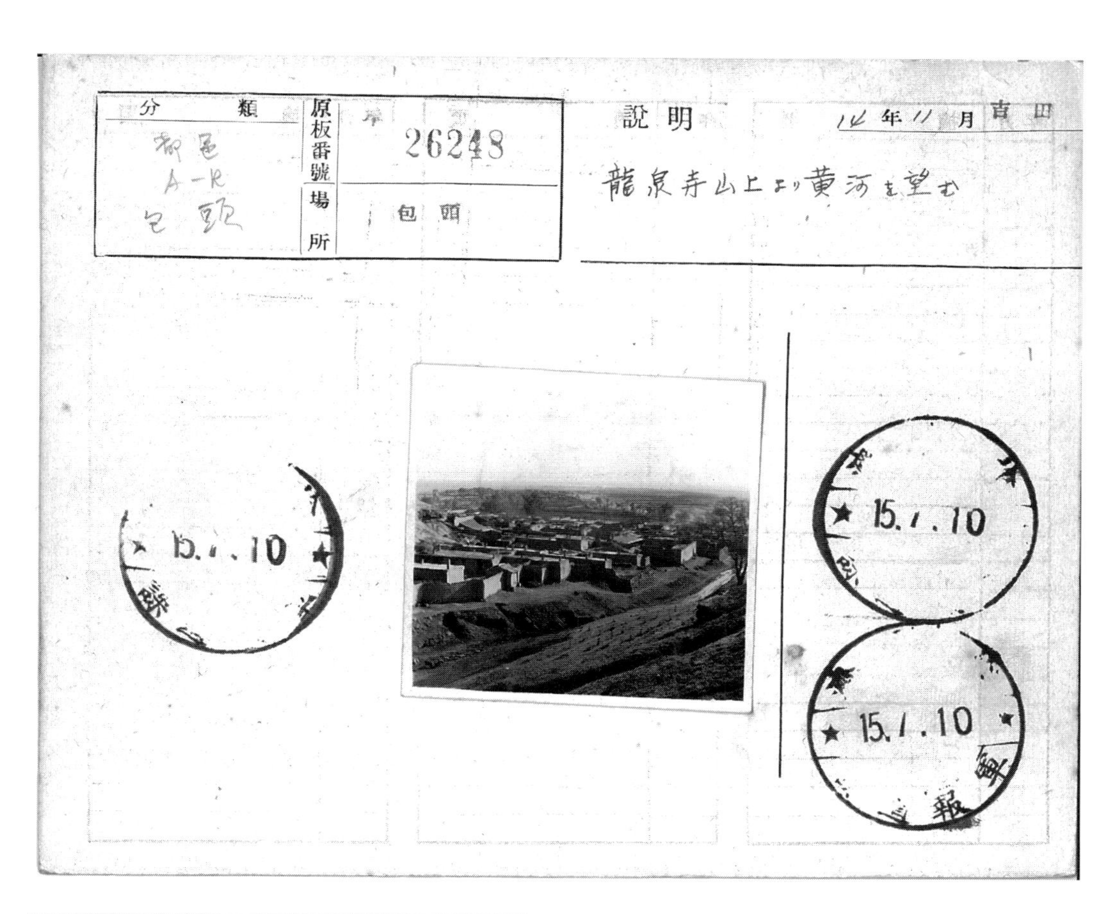

分類	原板番號	26248	說明 14年11月
都邑 A-R 包頭	場所	包頭	龍泉寺山上より黄河を望む

15.7.10

15.7.10

15.7.10

分類	原板番號	26431	說明 14年11月
都邑 S-乙 太原	場所	太原	商店街 橋頭街

15.7.10

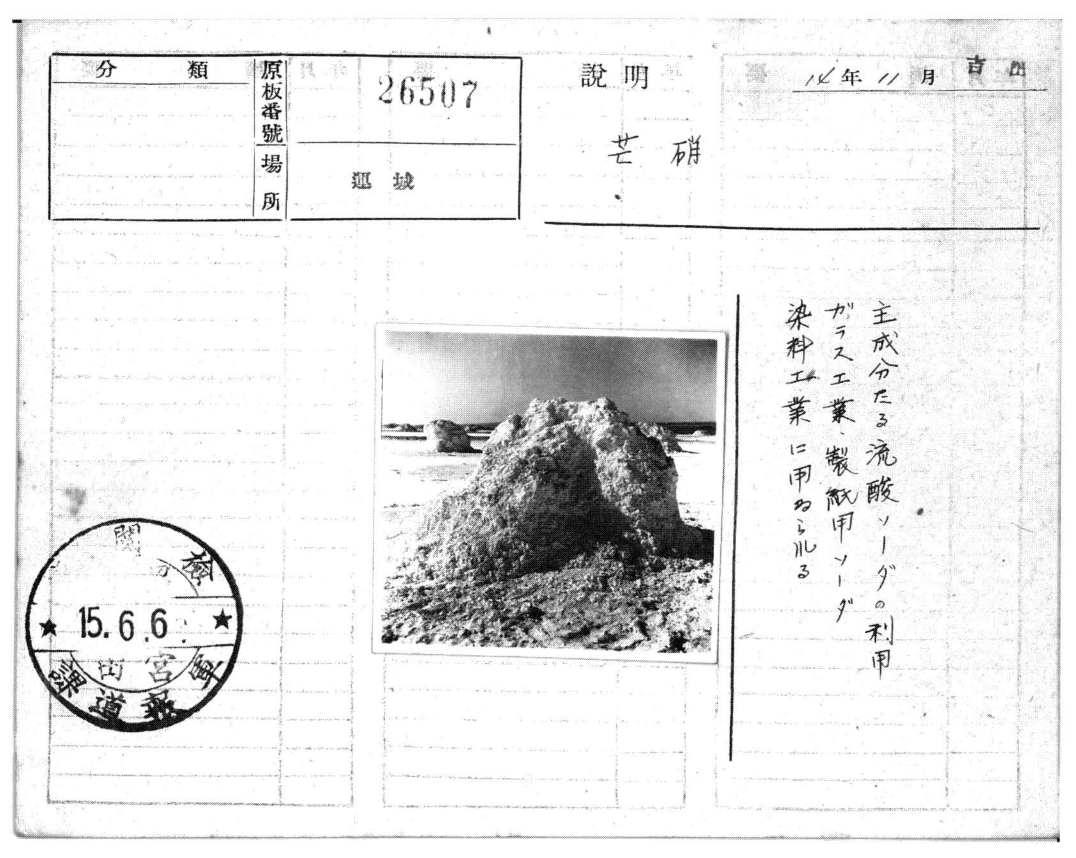

分類

原板番號 26507

場所 運城

說明 14年11月

芒硝

主成分たる硫酸ソーダの利用
ガラス工業、製紙用ソーダ
染料工業に用ゐらるる

閲 檢 15.6.6

分類

原板番號 26511

場所 運城

說明 14年11月

滷水汲み

閲 檢 15.6.14

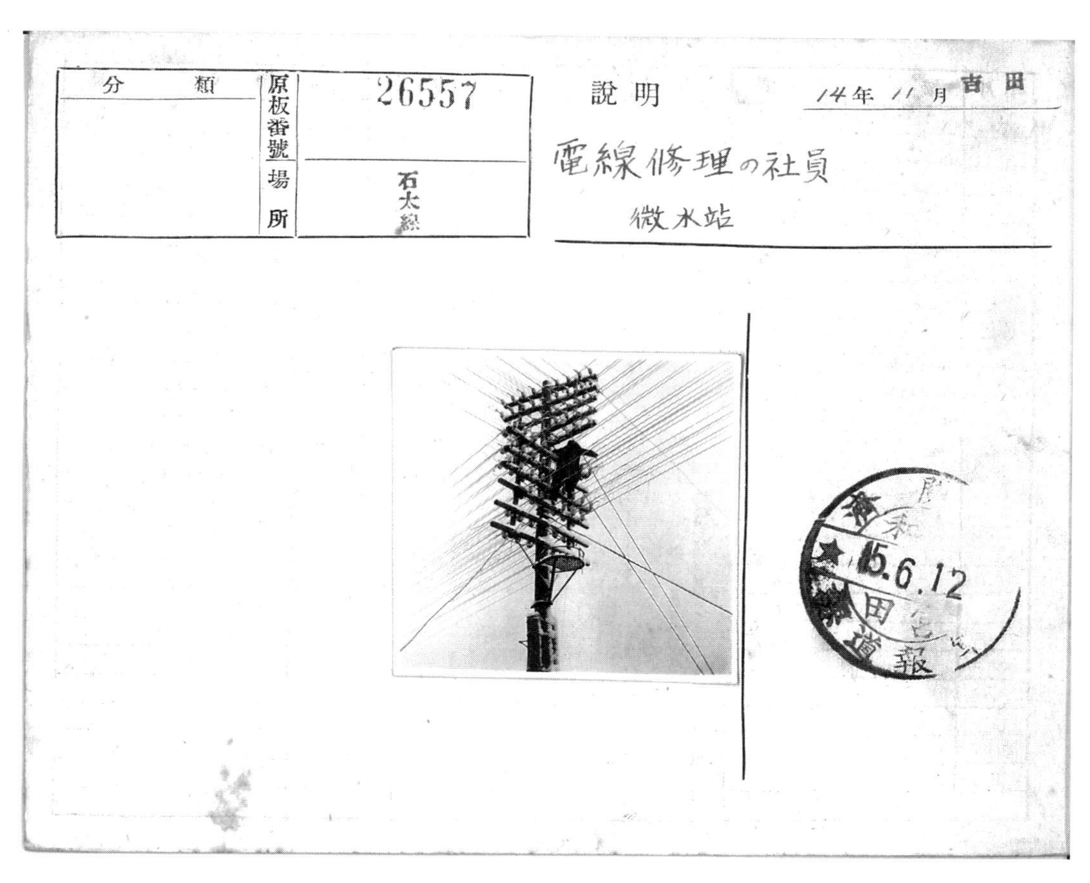

分類	原板番號	26557
	場所	石太線

説明　14年11月　吉田

電線修理の社員

微水站

15.6.12

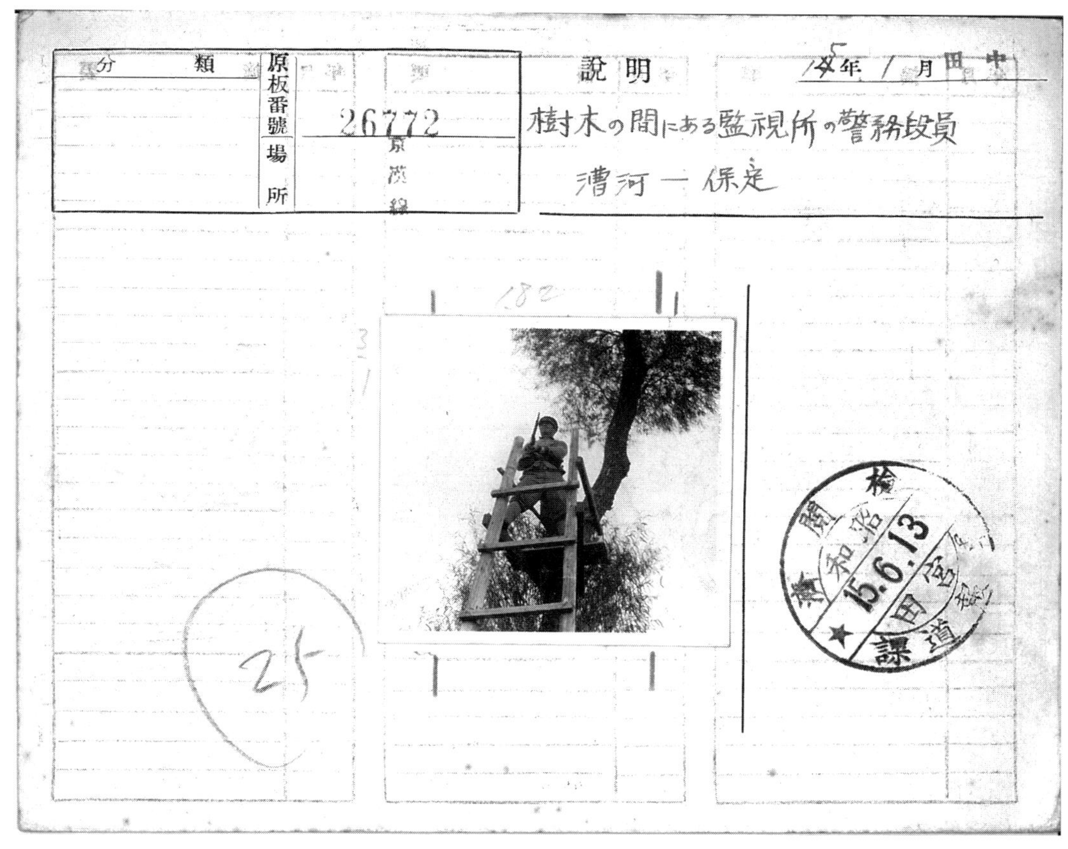

分類	原板番號	26772
	場所	京漢線

説明　15年1月　中田

樹木の間にある監視所の警務段員

漕河一保定

15.6.13

180

25

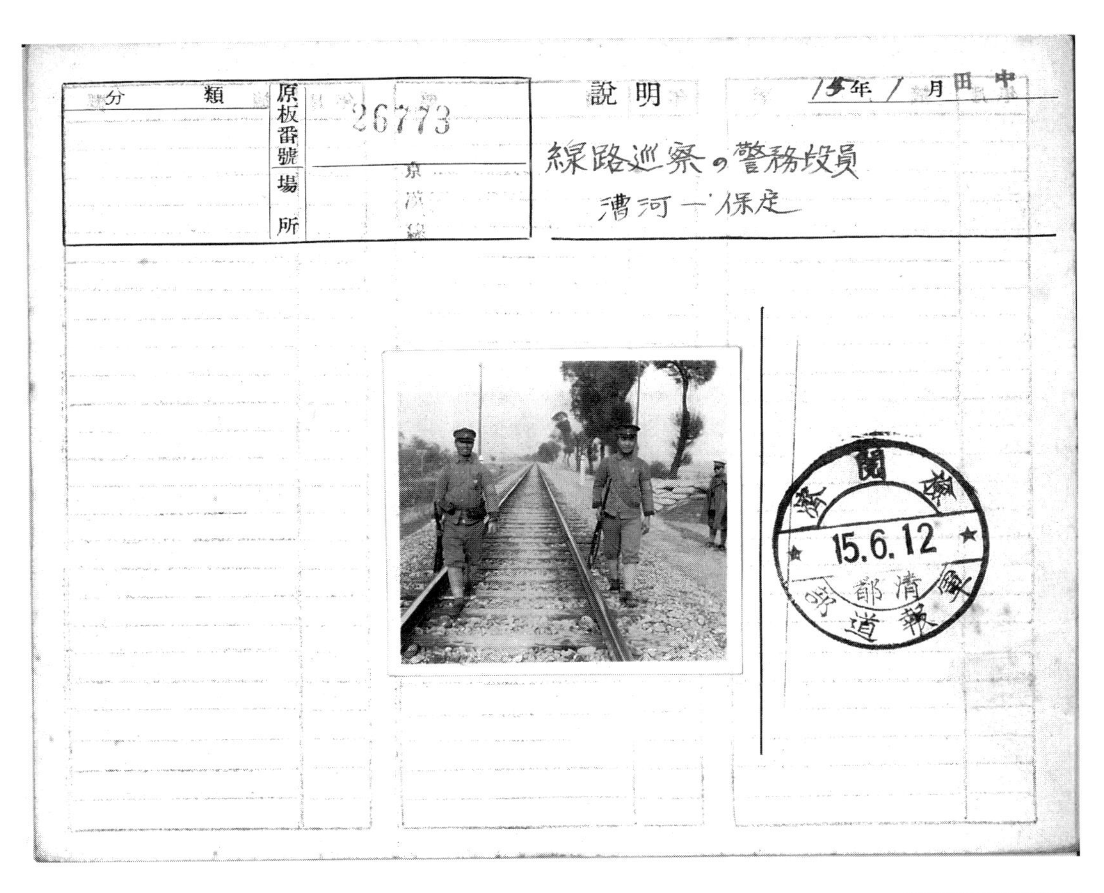

分類	原板番號	26773
	場所	京漢線

説明　13年 1月　中田

線路巡察の警務段員
漕河―保定

檢閲濟　15.6.12　軍報道部

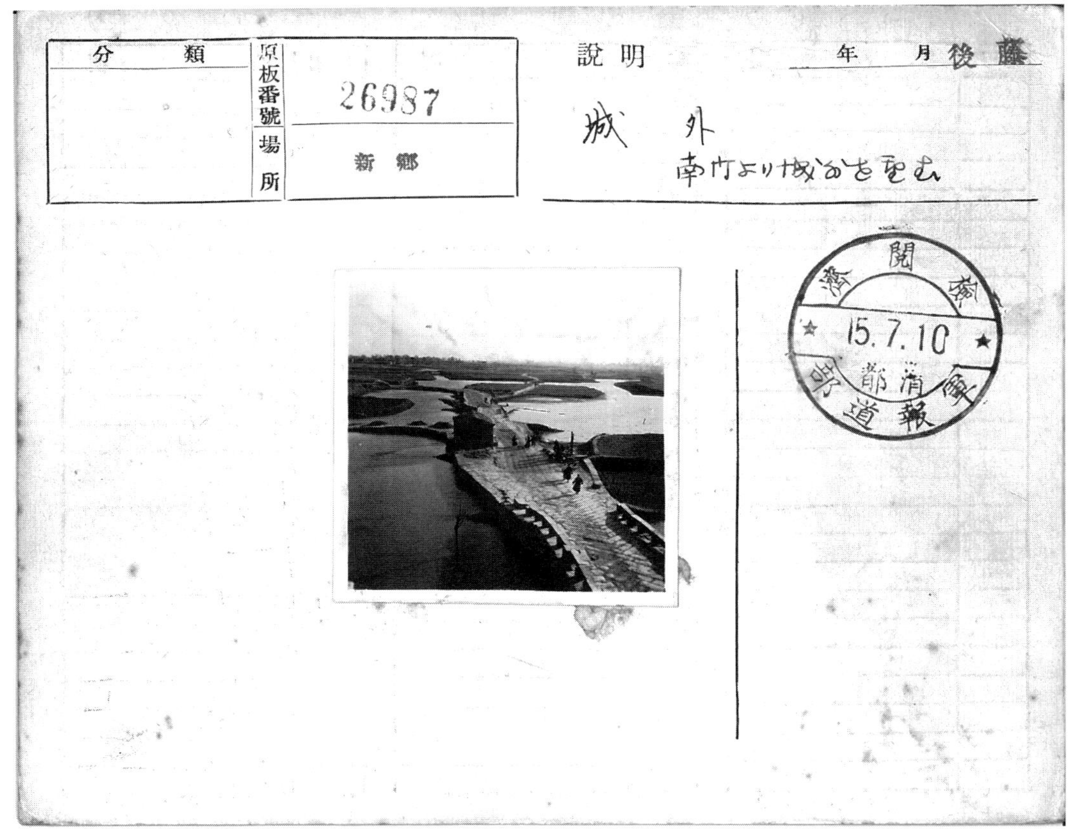

分類	原板番號	26987
	場所	新鄉

説明　年　月　後藤

城　外
南門より城門を望む

檢閲濟　15.7.10　軍報道部

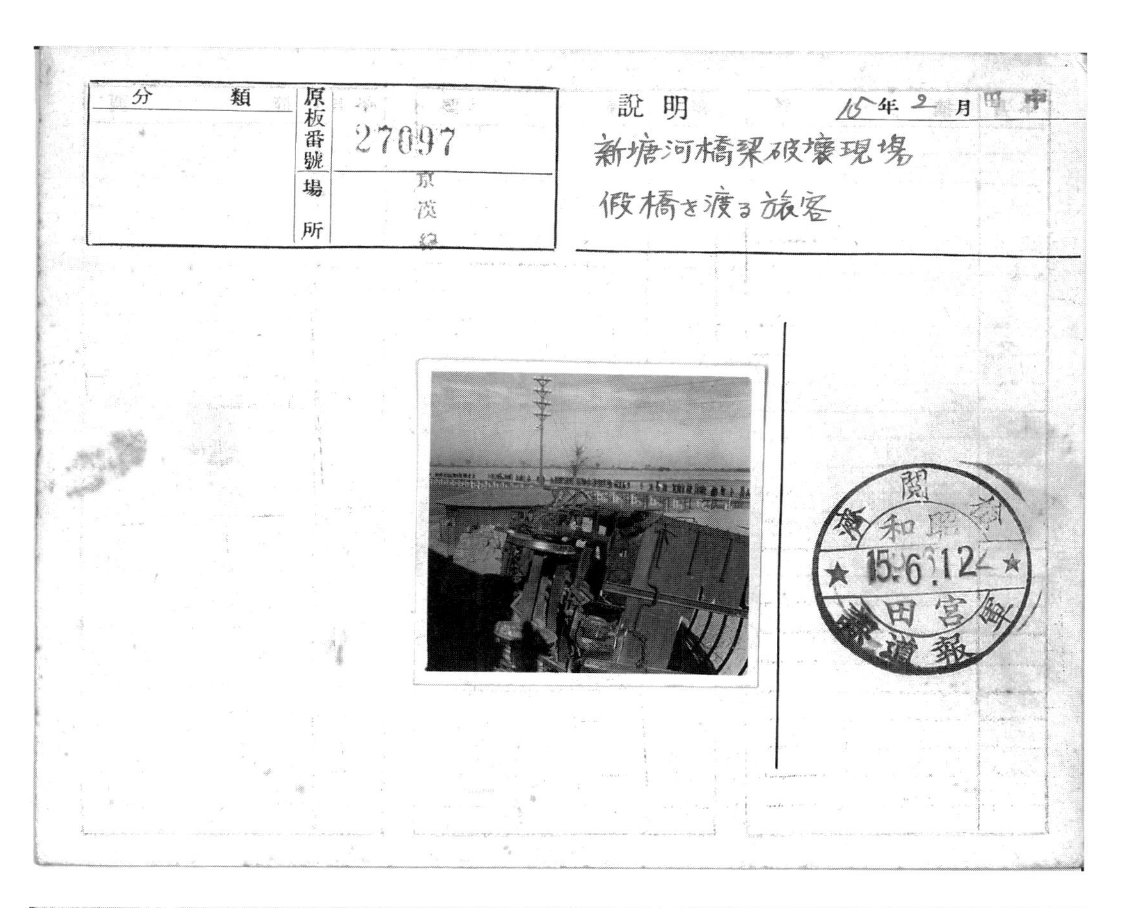

分類

原板番號 27097

場所 京漢線

説明 15年2月

新塘河橋梁破壞現場
假橋を渡る旅客

分類

原板番號 27134

場所 [illegible]沽

説明 15年1月 吉田

白河ノ流氷

River Pei-ho in winter.

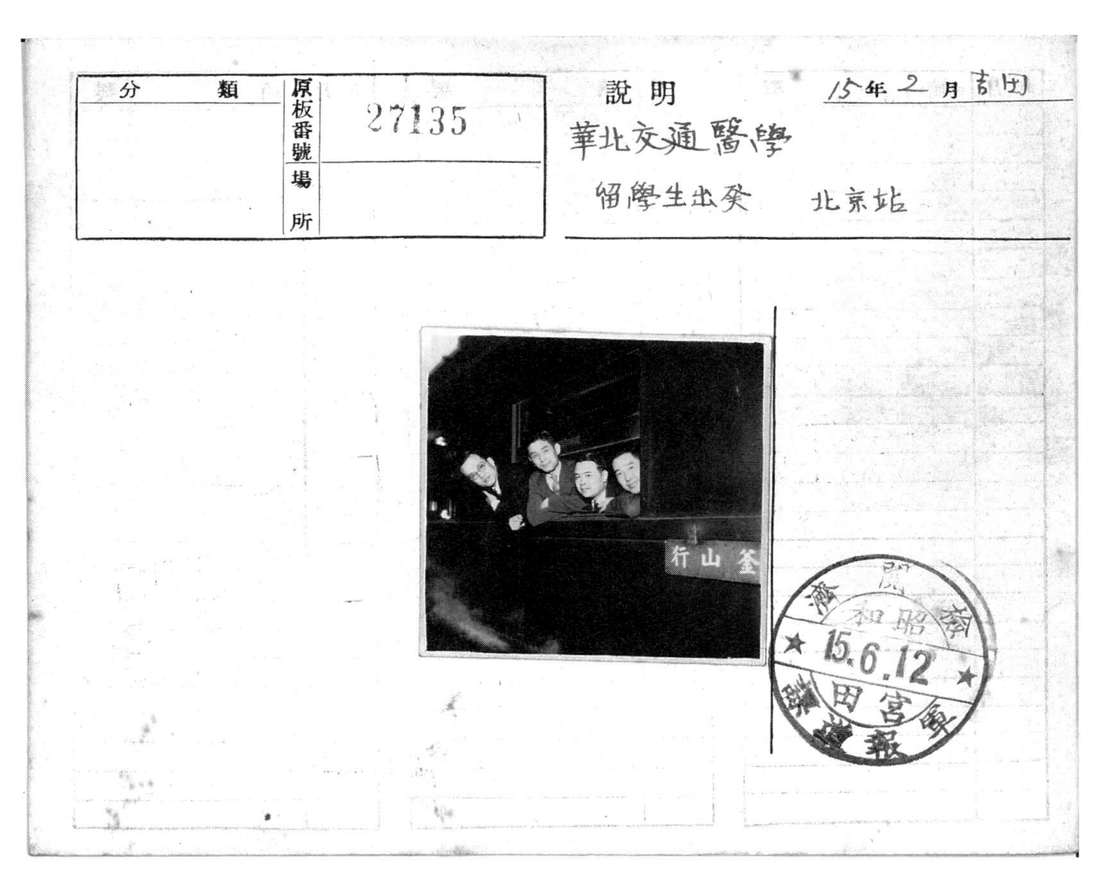

分類	原板番號	27135
	場所	

説明　15年2月　吉田

華北交通醫學

留學生出發　北京站

分類	原板番號	27225
	場所	北京

説明　15年2月　志波

新都市建設

西城切壊し

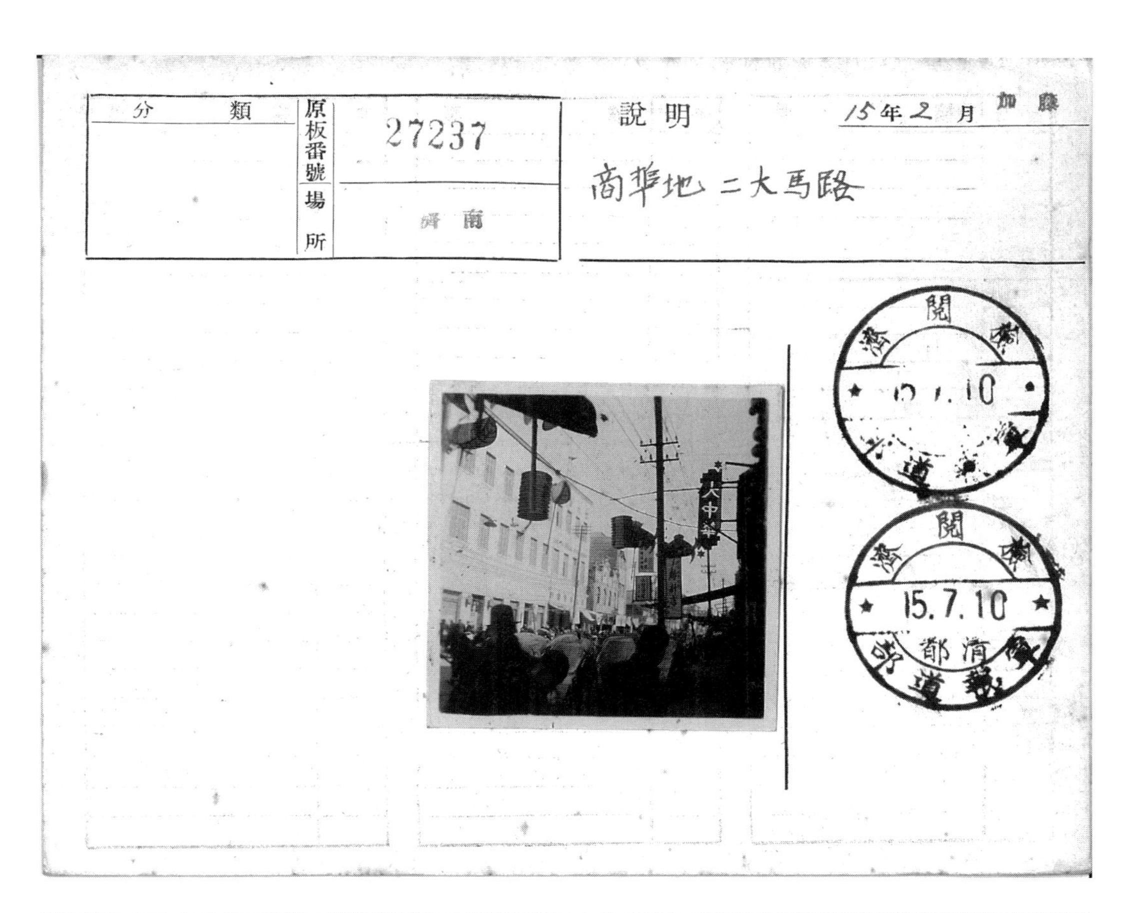

分類	原板番號	27237
	場所	濟南

説明　15年2月　加藤

商埠地ニ大馬路

15.7.10

分類	原板番號	27279
	場所	北京

説明　15年2月　安福

箭樓と列車

東便門站

15.6.12

分類
原板番號　27439
場所　石景山製鉄所
説明　15年2月　橋本
野焼コークス
蒸し上ったか否か調べる

分類
原板番號　27503
場所　石景山製鉄所
説明　15年2月　橋本
野焼コークス
コークスを割って取出す

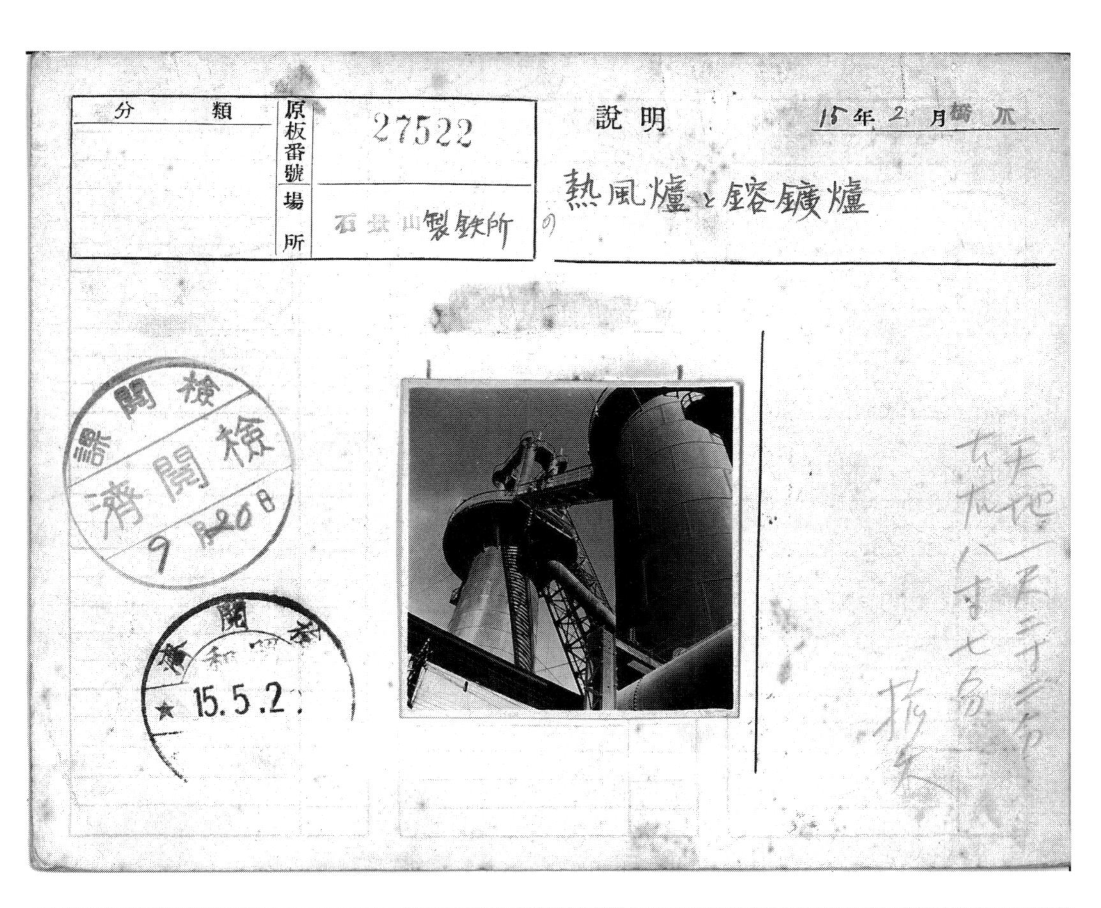

分類	原板番號	27522
	場所	石景山製鉄所

説明　15年2月　橋爪

熱風爐と鎔鑛爐

検閲済　9月20日

検閲済　15.5.2

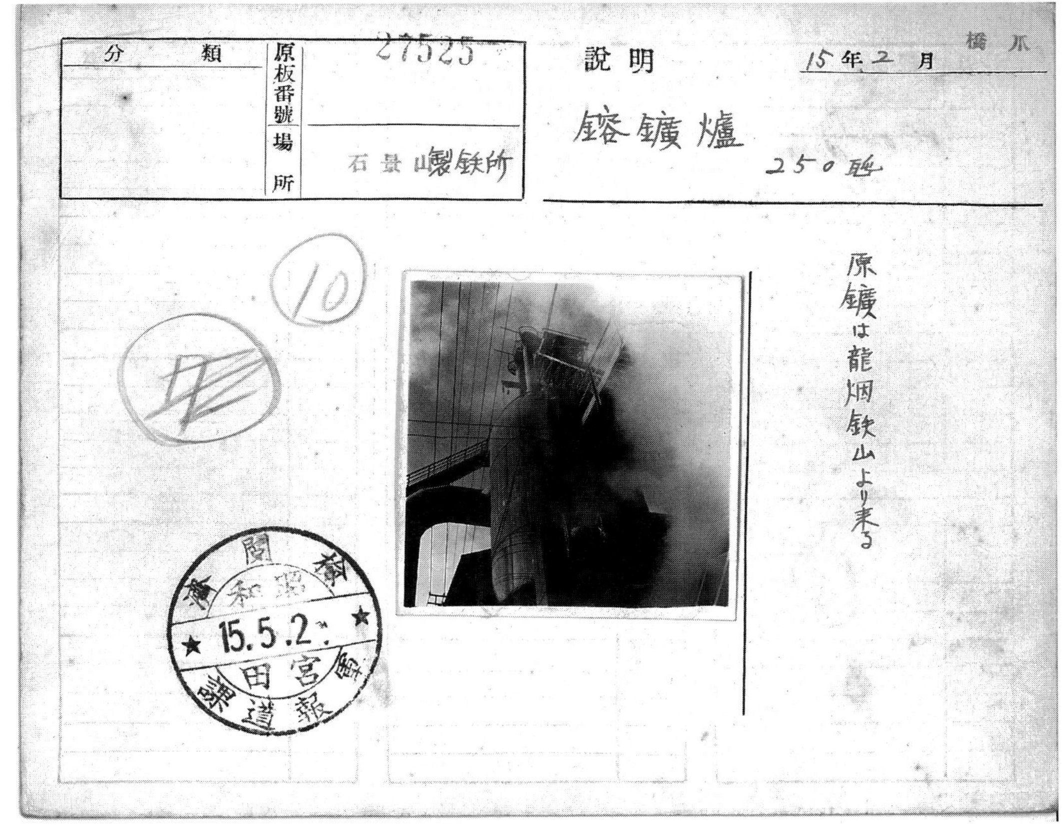

分類	原板番號	27525
	場所	石景山製鉄所

説明　15年2月　橋爪

鎔鑛爐　250瓲

原鑛は龍烟鉄山より来る

(10)

検閲済　15.5.2　宮田　報道課

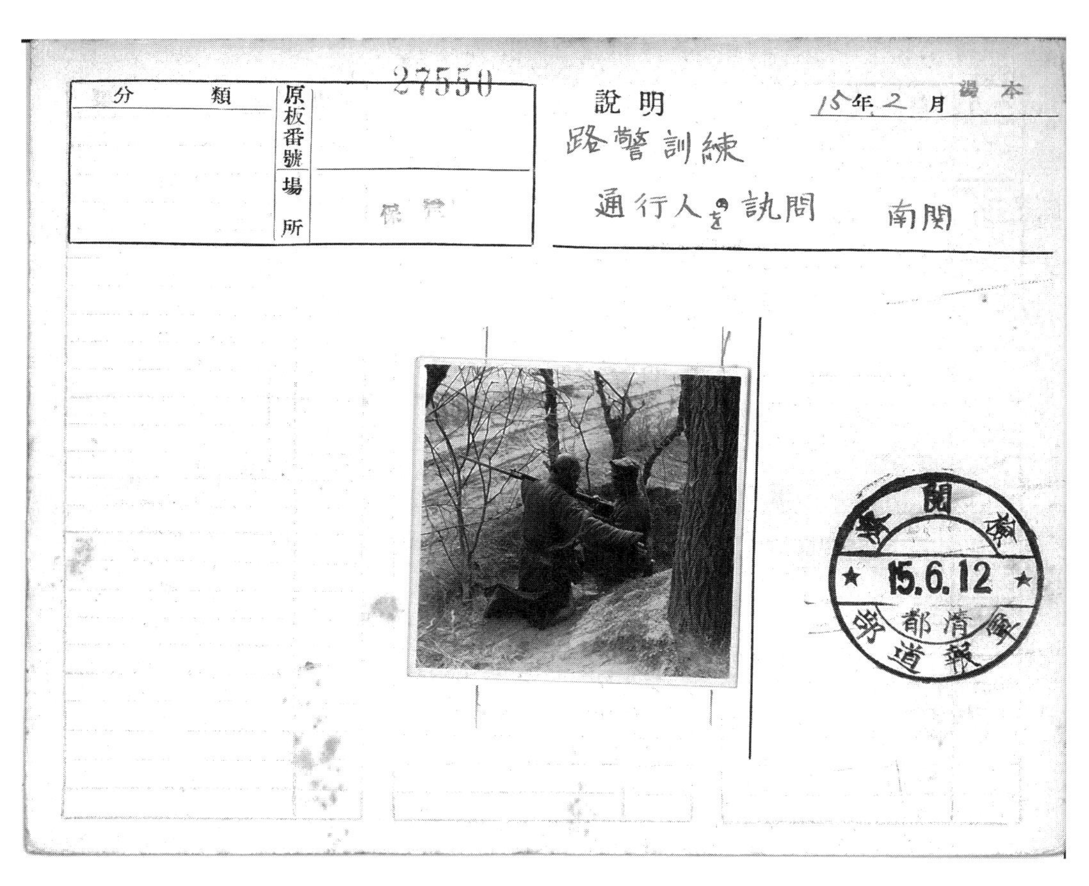

分類	原板番號	27550
	場所	

説明　15年2月　湯本

路警訓練

通行人ノ訊問　南関

15.6.12

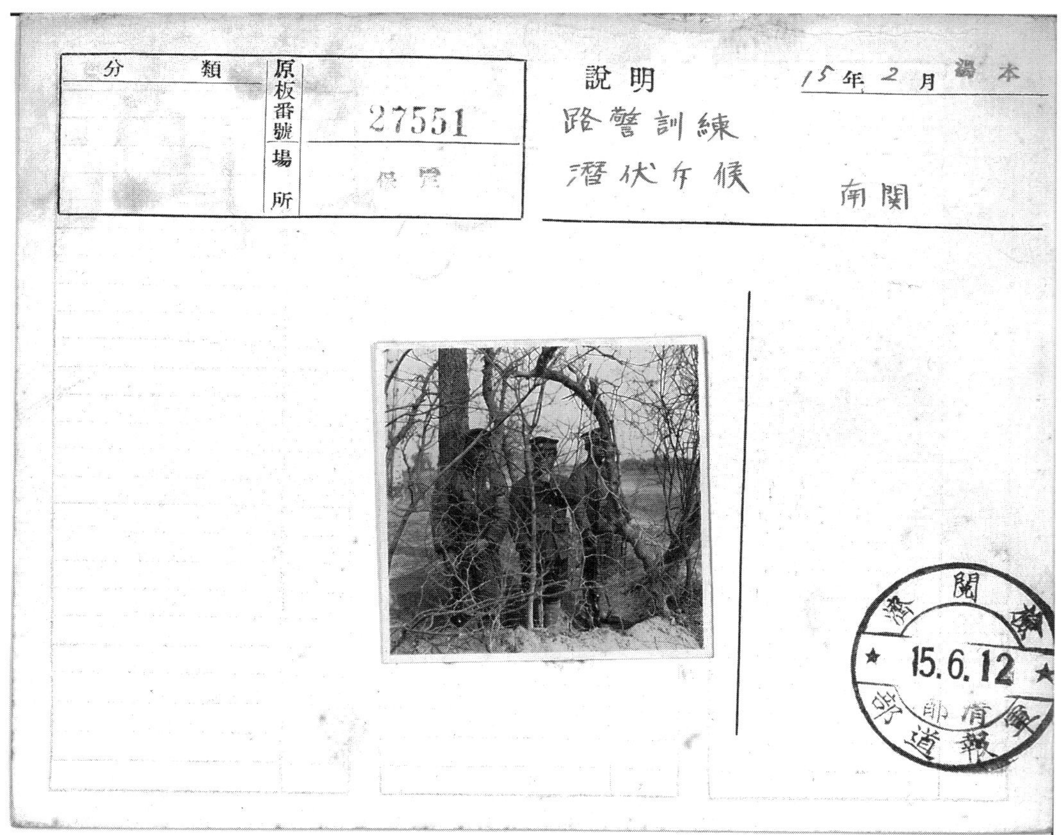

分類	原板番號	27551
	場所	

説明　15年2月　湯本

路警訓練

潜伏斥候　南関

15.6.12

分類	原板番號	27553
	場所	保定

説明　15年2月　湯本

路警訓練

射撃　南関

15.6.12

(22)

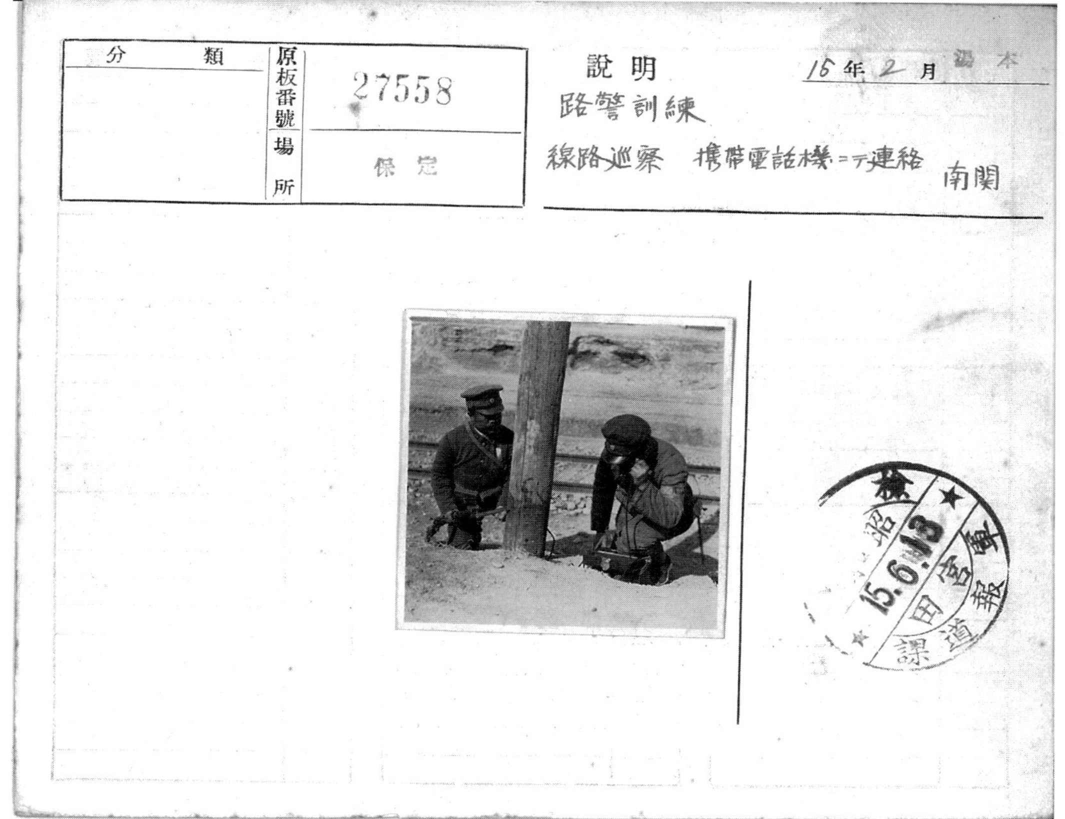

分類	原板番號	27558
	場所	保定

説明　15年2月　湯本

路警訓練

線路巡察　携帯電話機ニテ連絡　南関

15.6.13

分類	原板番號	27564
	場所	保定

説明　15年2月　湯本
路警訓練
銃剣術　南関

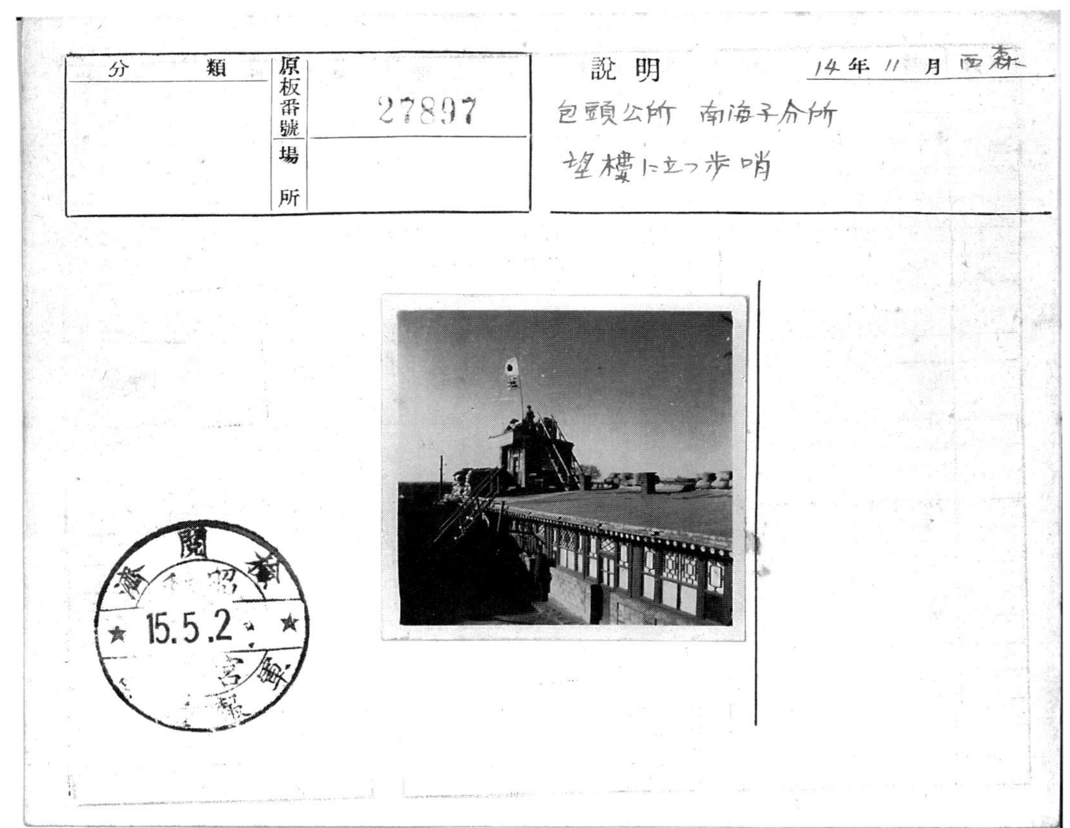

分類	原板番號	27897
	場所	

説明　14年11月　西森
包頭公所　南海子分所
望樓に立つ歩哨

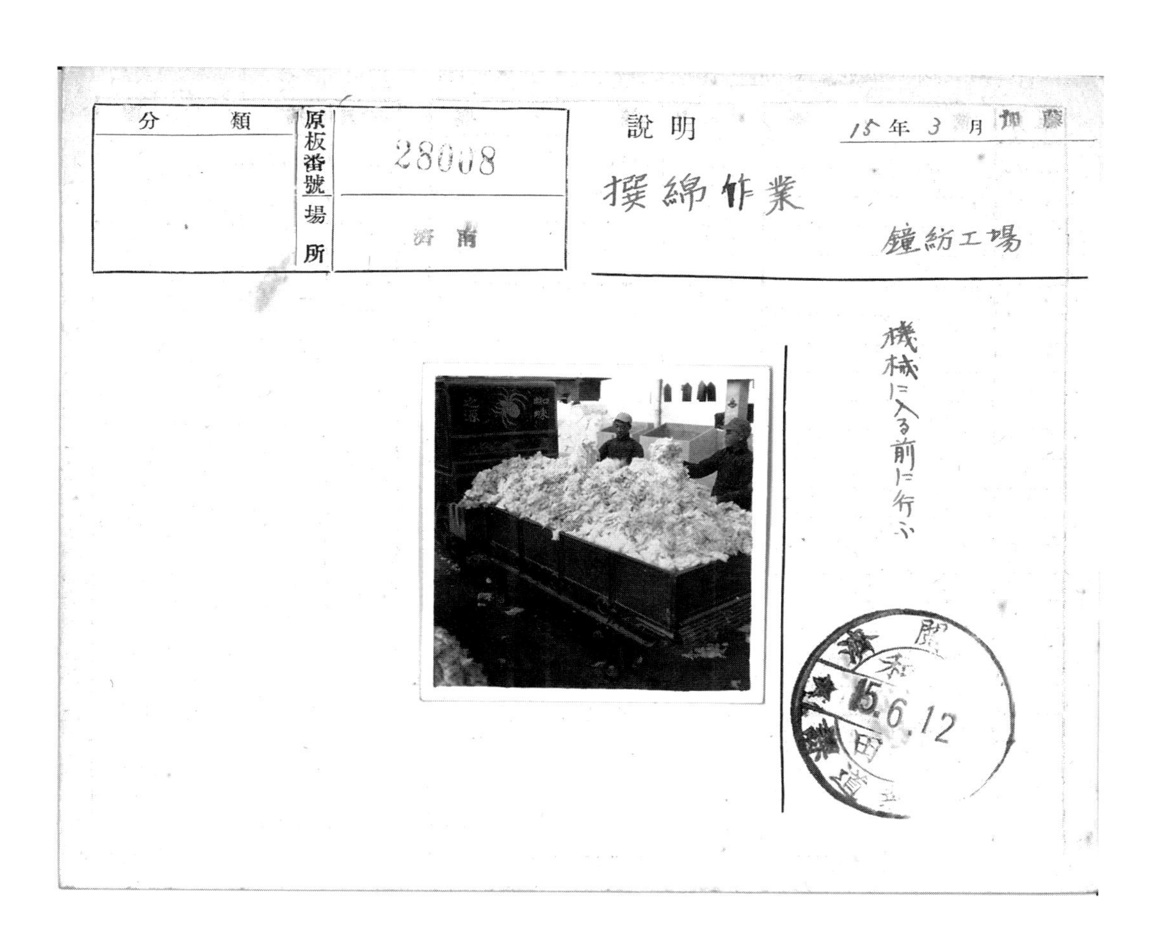
分　類
原板番號
28008
場所
濟南
說明
15年3月
加藤
撰綿作業
鐘紡工場
機械に入る前に行ふ
15.6.12

分　類
原板番號
28123
場所
說明
15年2月
竹島
愛路列車
廉賣車の混雜
15.6.12
部道報

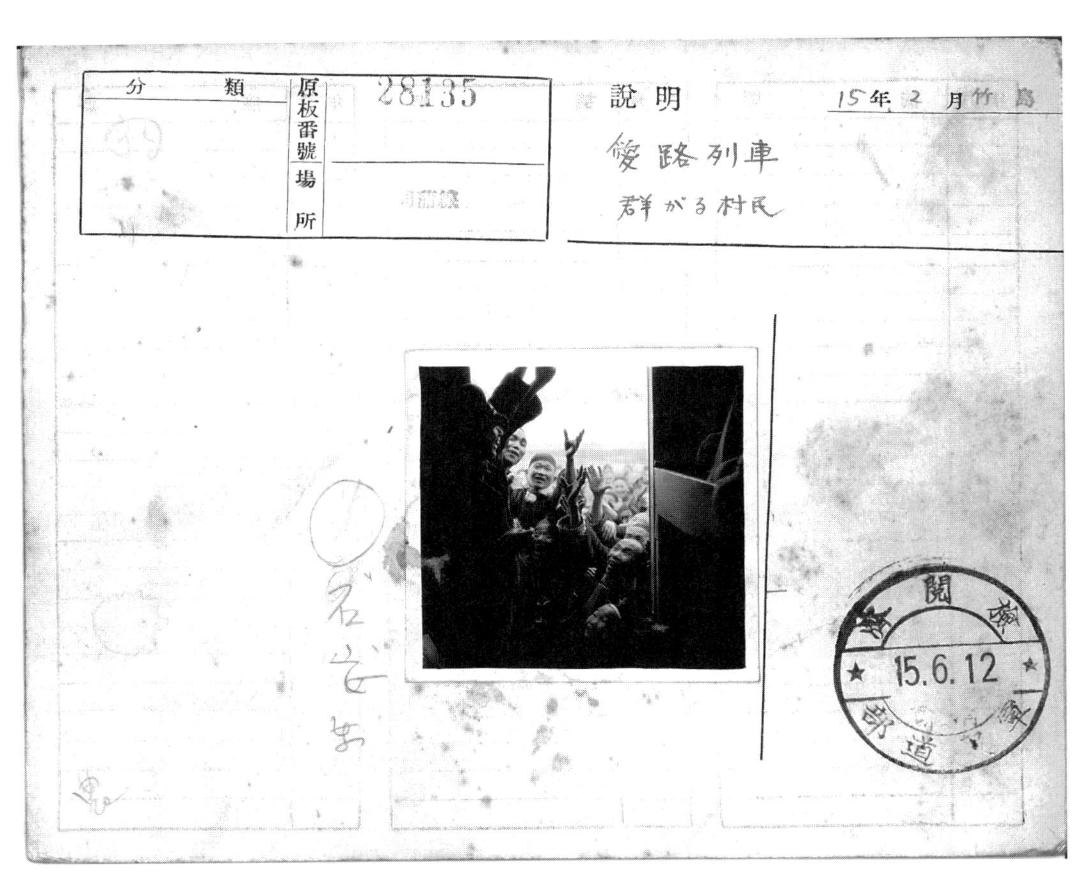

分類 | 原板番號 28135 | 場所
說明 15年2月 竹島
愛路列車
群がる村民

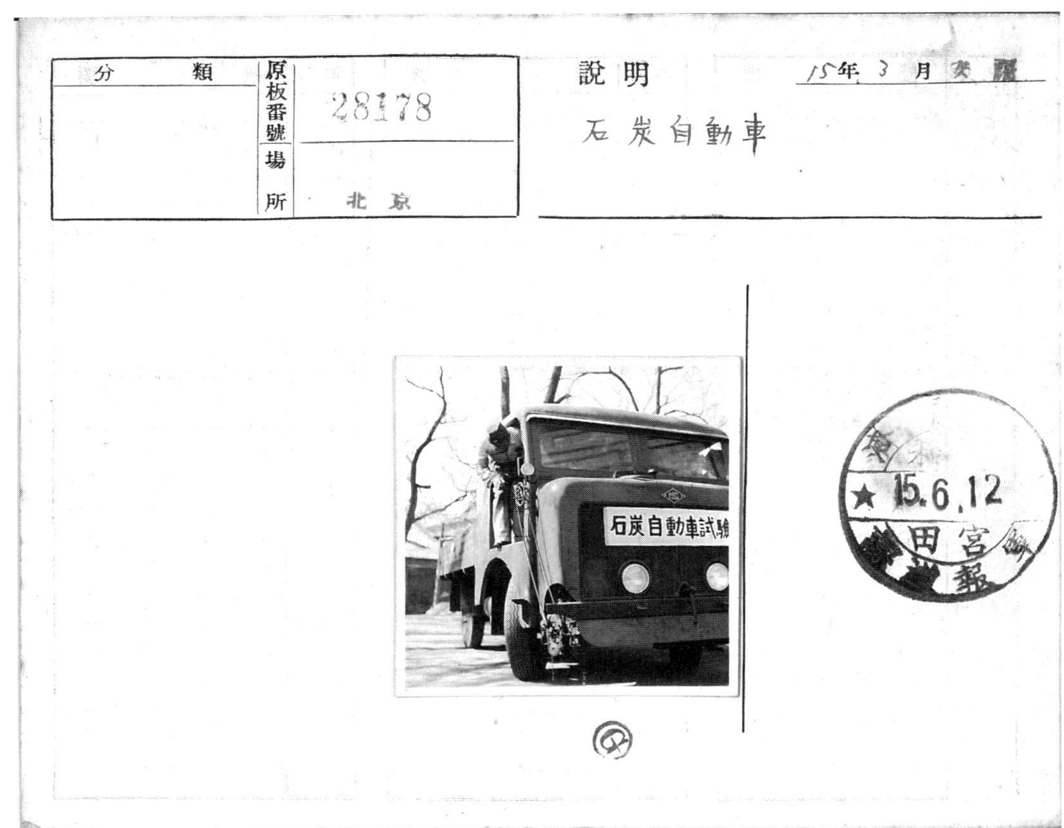

分類 | 原板番號 28178 | 場所 北京
說明 15年3月
石炭自動車

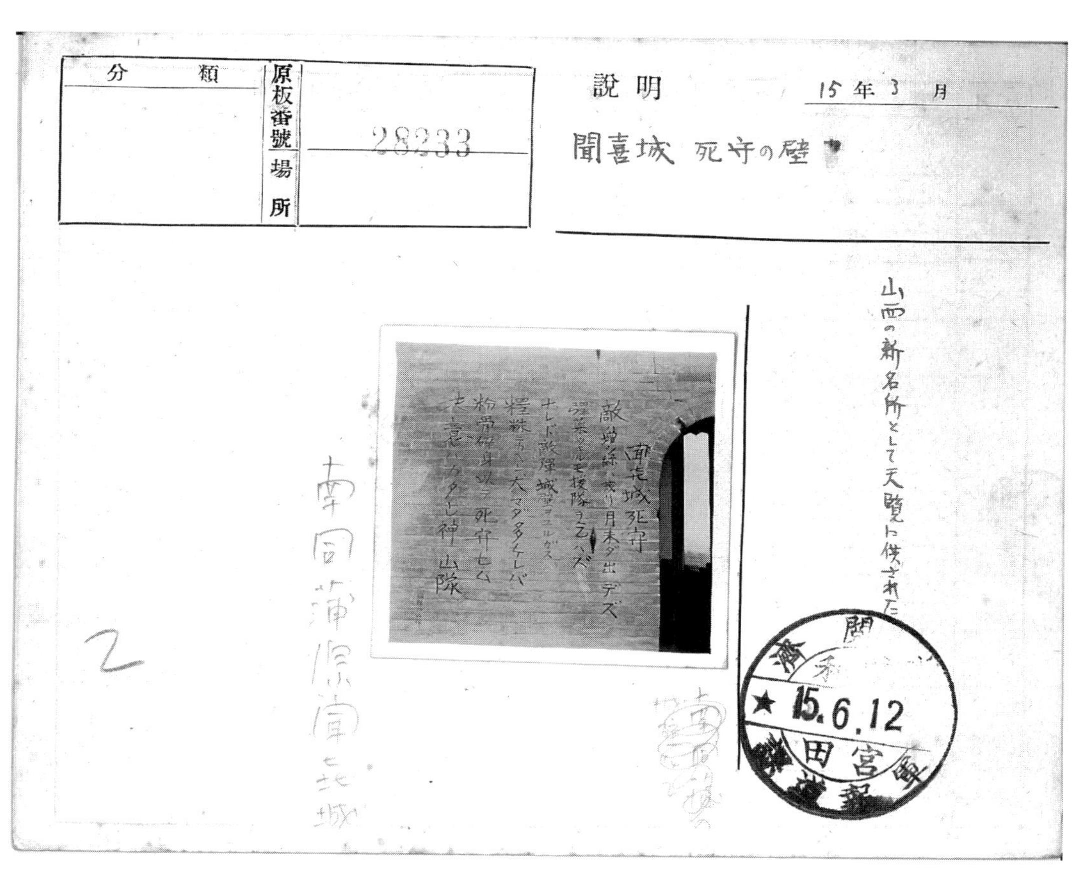

分類	原板番號	28233
	場所	

説明　15年3月

聞喜城 死守の壁

山西の新名所として天覧に供された

2

南同蒲保宣兵城

済 閲 15.6.12 田宮 軍報道部

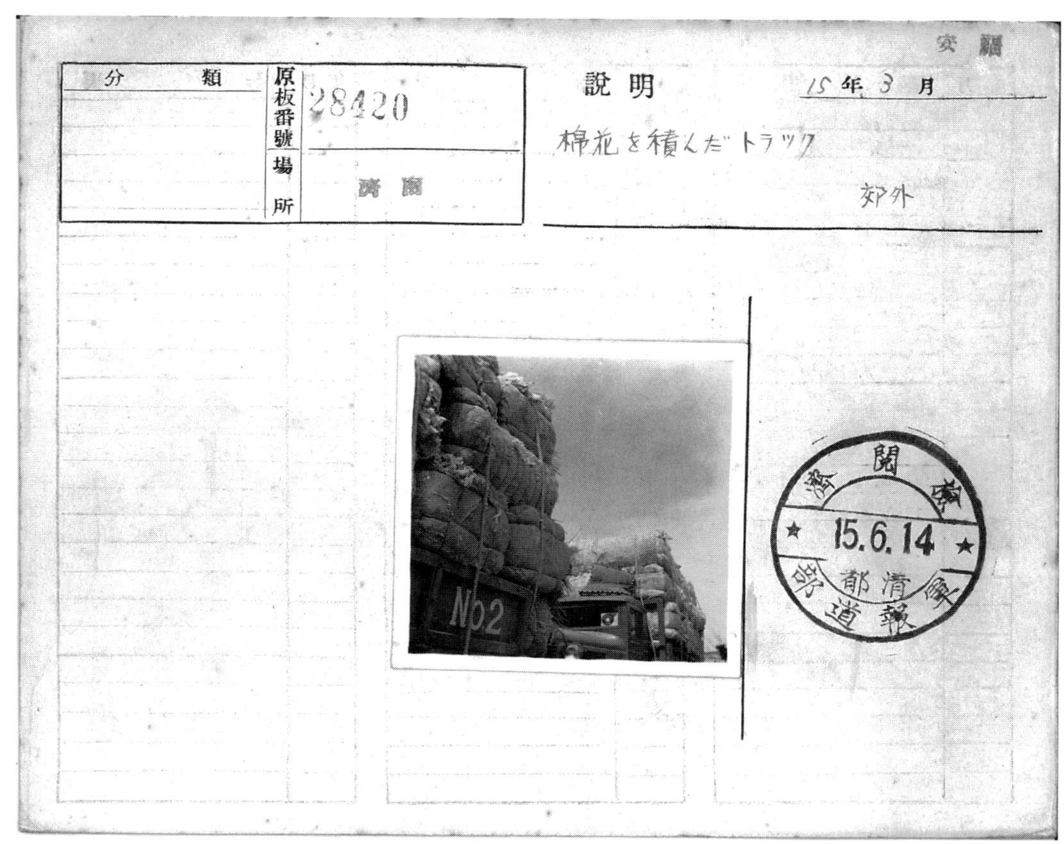

分類	原板番號	28420
	場所	濟南

説明　15年3月

棉花を積んだトラック

郊外

済 閲 15.6.14 軍報道部

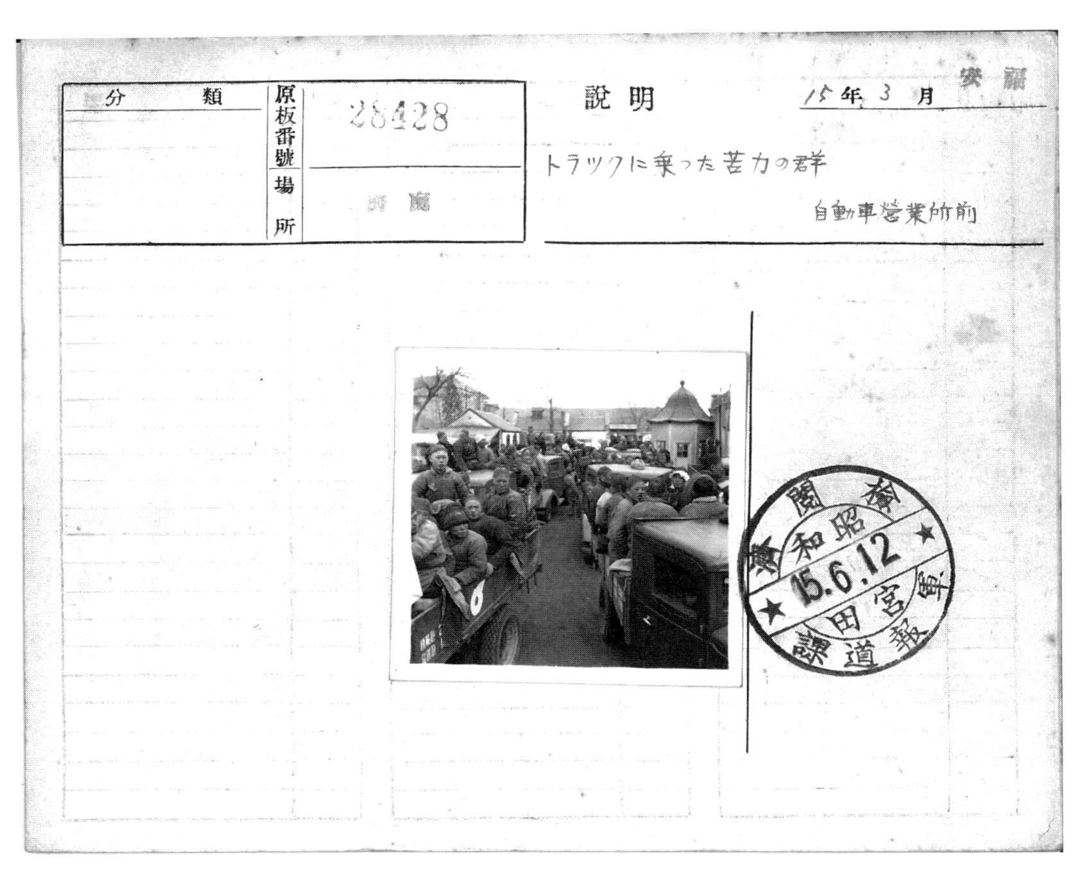

分類	原板番號	28428
	場所	[illegible]

説明　15年3月

トラックに乗った苦力の群

自動車営業所前

15.6.12

分類	原板番號	28477
	場所	桃園

説明　15年3月

華北交通のトラックとバス

15.6.14

③

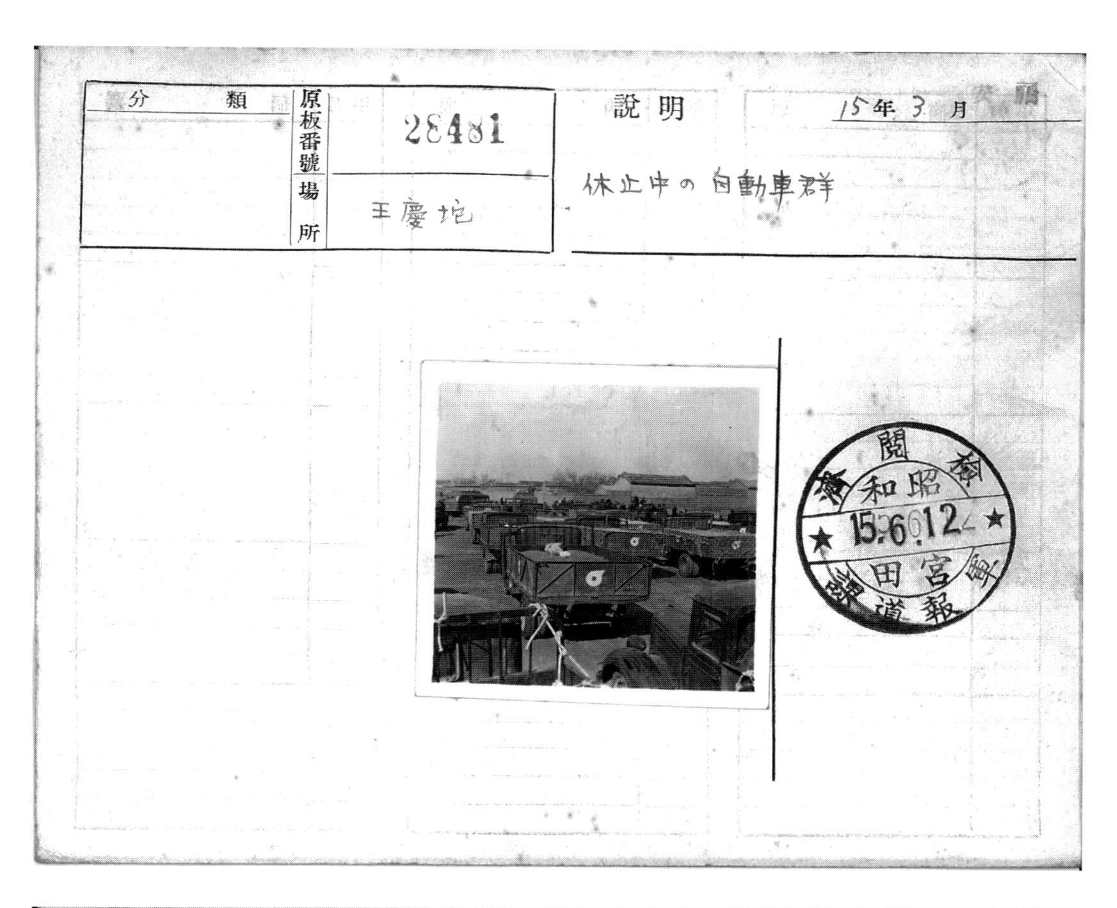

分類	原板番號	28481	説明	15年3月
	場所	王慶坨	休止中の自動車群	

検閲済
昭和 15.6.12
宮田
軍報道部

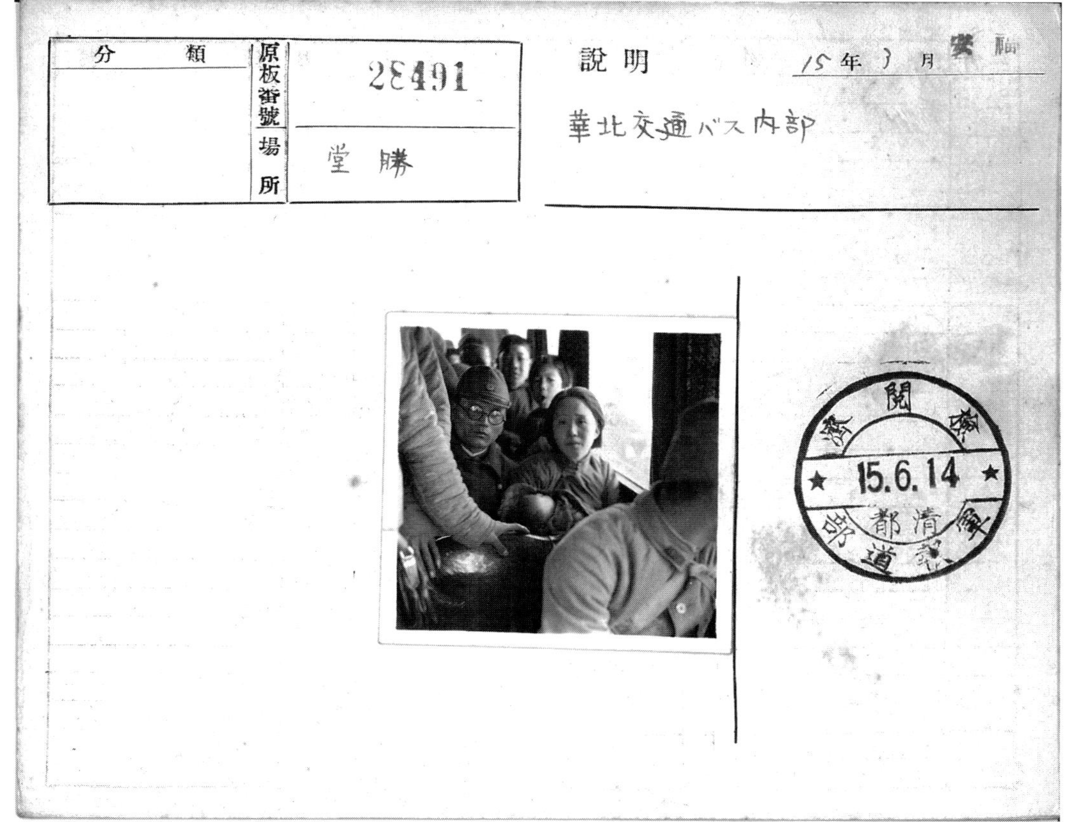

分類	原板番號	28491	説明	15年3月
	場所	堂勝	華北交通バス内部	

検閲済
15.6.14
清都
軍報道部

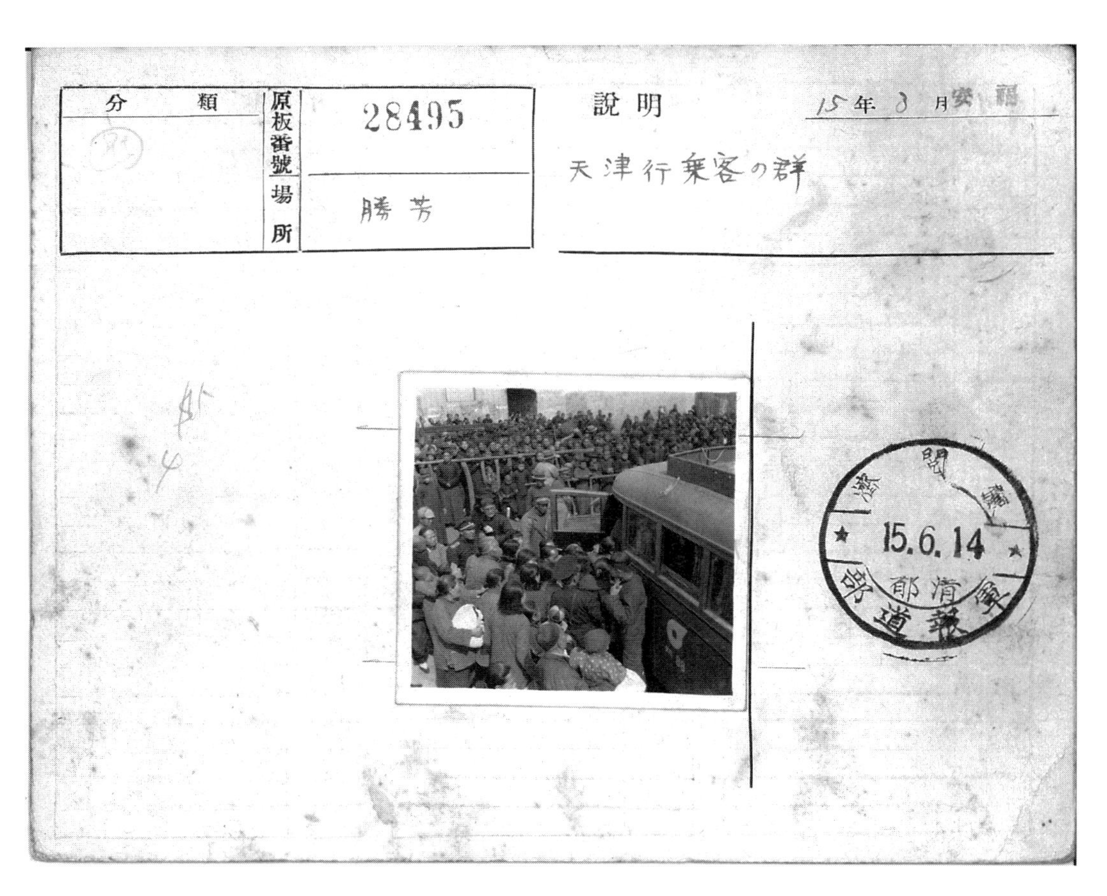

分類
原板番號 28495
場所 勝芳
說明 15年3月 安福
天津行乗客の群
15.6.14

分類
原板番號 28504
場所 山海関
說明 15年3月 安福
華北交通バス
天下第一関前
15.6.12

分類	原板番號	28647
	場所	濟南

説明　15年2月　加

苦力輸送の華北交通トラック

郊外

検閲済　★15.6.14　軍報道部

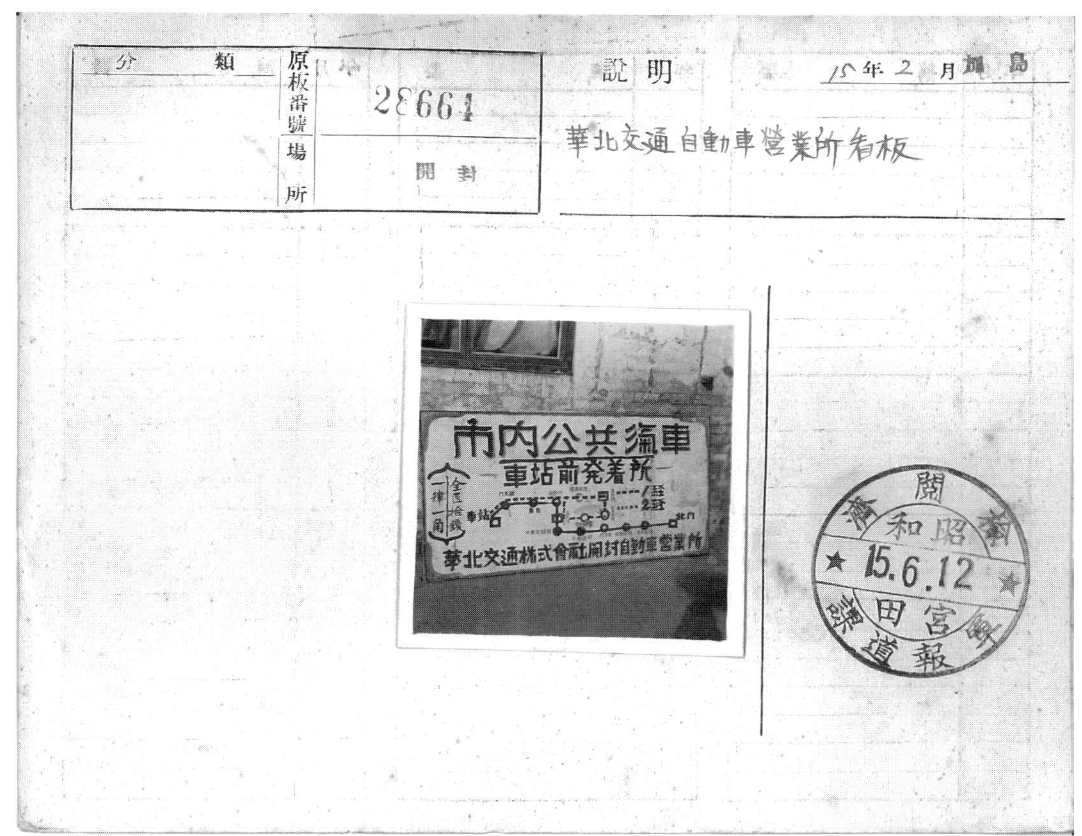

分類	原板番號	28664
	場所	開封

説明　15年2月　島

華北交通自動車營業所看板

検閲済　昭和　★15.6.12★　宮田　軍報道課

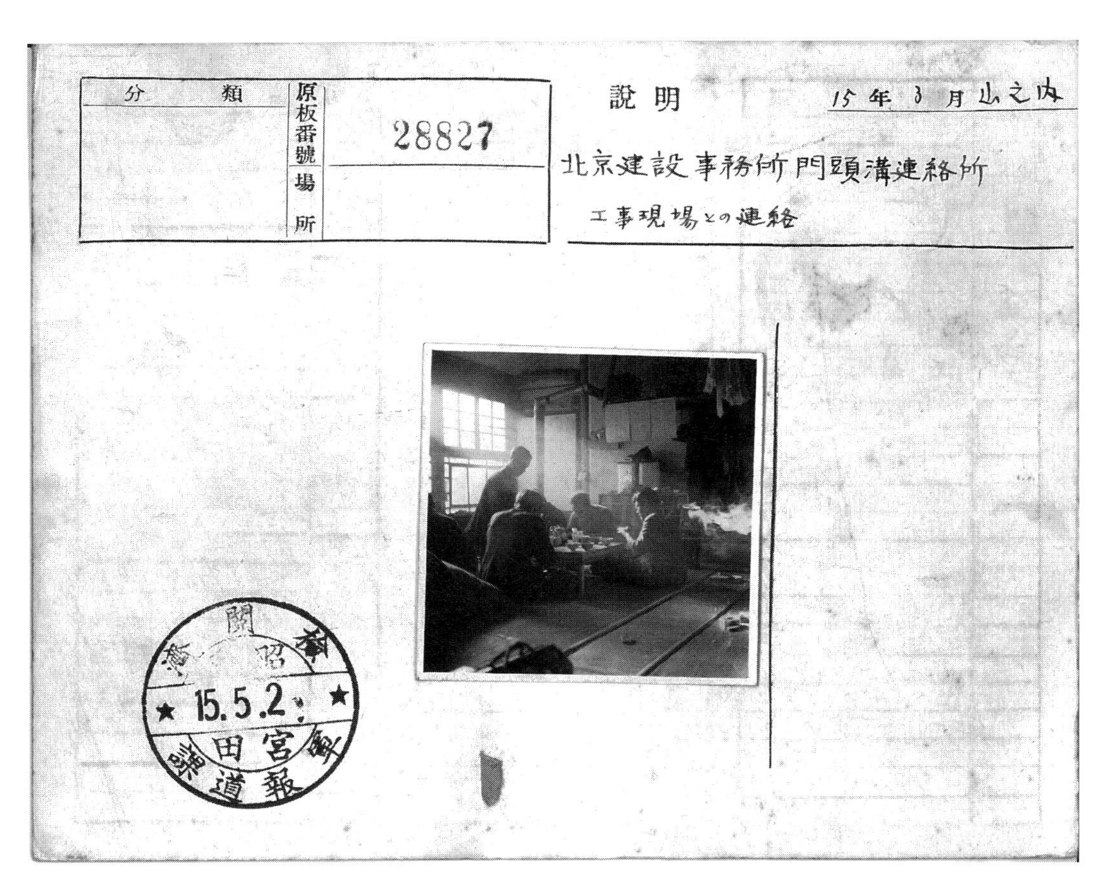

分類	原板番號	28827
	場所	

説明　15年3月　山之内

北京建設事務所門頭溝連絡所

工事現場との連絡

檢閲濟　昭和　15.5.2　報道課　宮田

分類	原板番號	28838
	場所	同塘線

説明　15年3月　山之内

中心測量機と技師

王平村―安家莊

檢閲濟　昭和　15.5.2

分類	原板番號	28846	説明	15年3月 山之内
	場所	同塘線	吊橋建設工事 永定河 王平村ー安家莊	

15.5.2

分類	原板番號	28847	説明	15年3月 山之内
	場所	同塘線	鉄道建設用の道路工事 永定河畔　王平村ー安家莊	

15.5.2

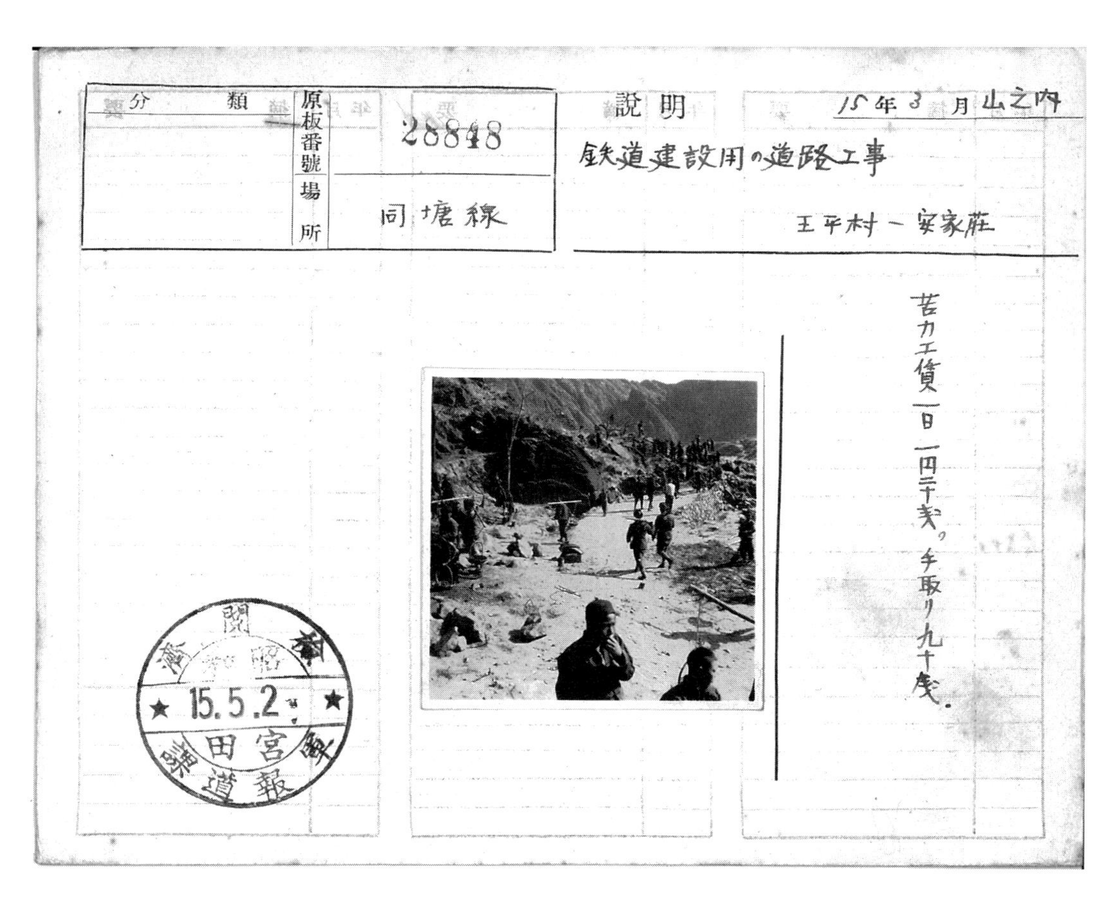

分類	原板番號	28848
	場所	同塘線

説明　15年3月　山之内

鉄道建設用の道路工事

王平村－安家荘

苦力工賃一日一円二十銭の手取り九十銭。

分類	原板番號	28916
	場所	張家口

説明　15年2月

五原より凱旋の勇士を迎へる

アトバルーン

分類

原板番號 29094

場所 天津

説明 15年4月

苦力輸送

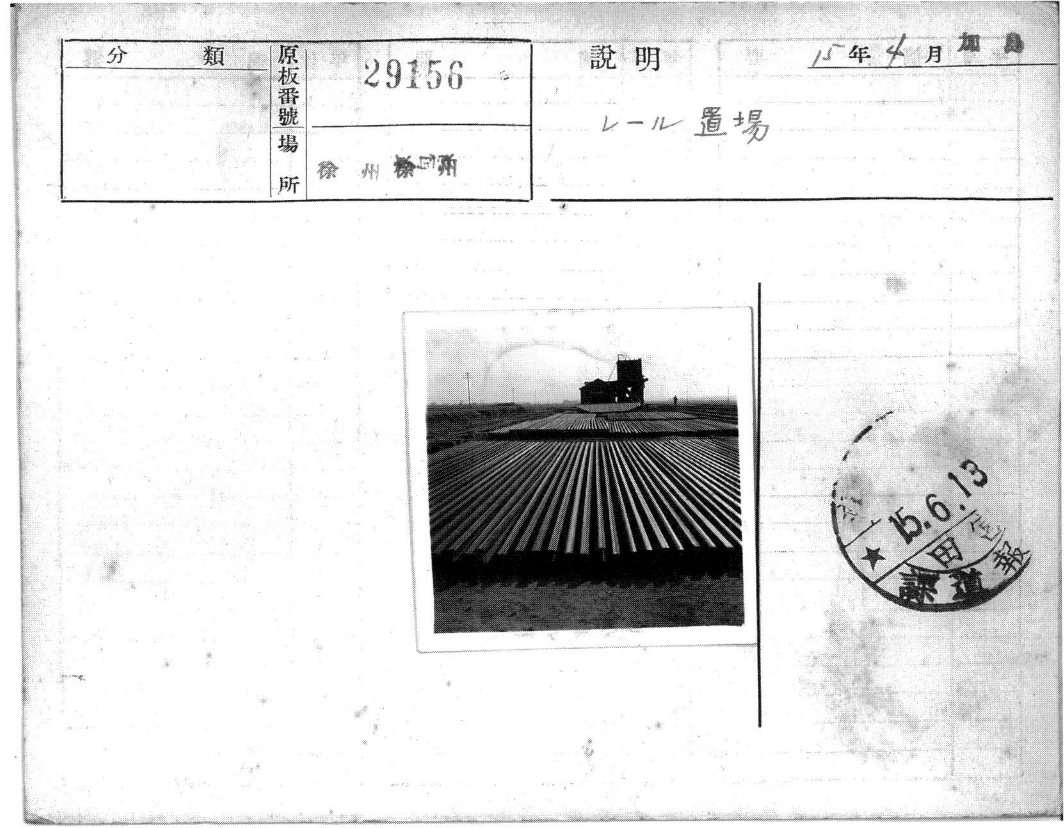

分類

原板番號 29156

場所 徐州

説明 15年4月

レール置場

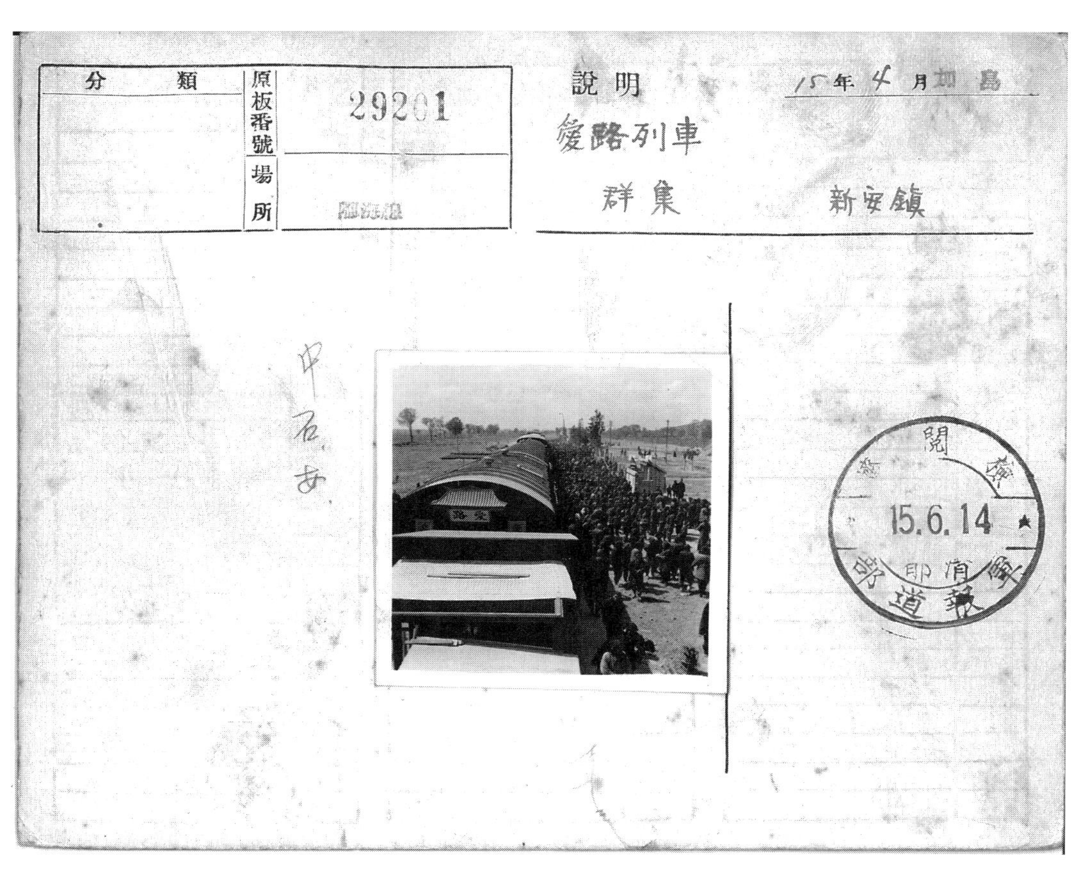

分類	原板番號	29201
	場所	隴海線

說明 15年4月 加島

愛路列車

群集 新安鎮

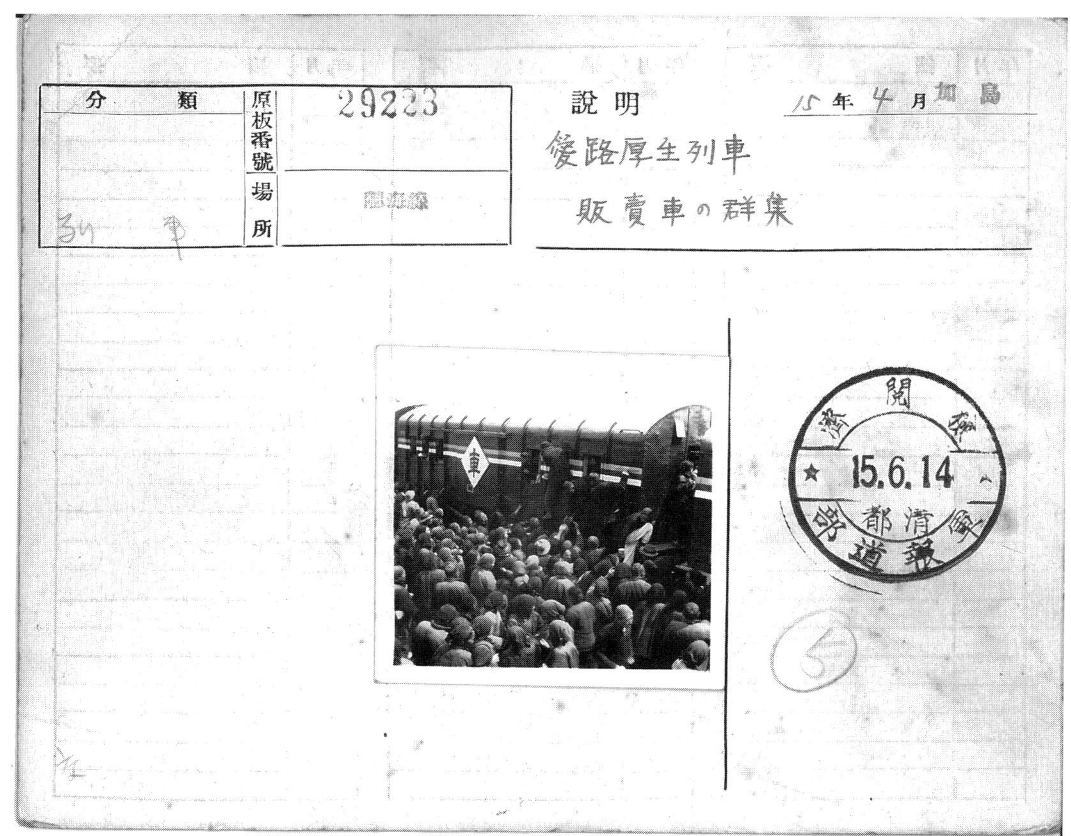

分類	原板番號	29223
列車	場所	隴海線

說明 15年4月 加島

愛路厚生列車

販賣車の群集

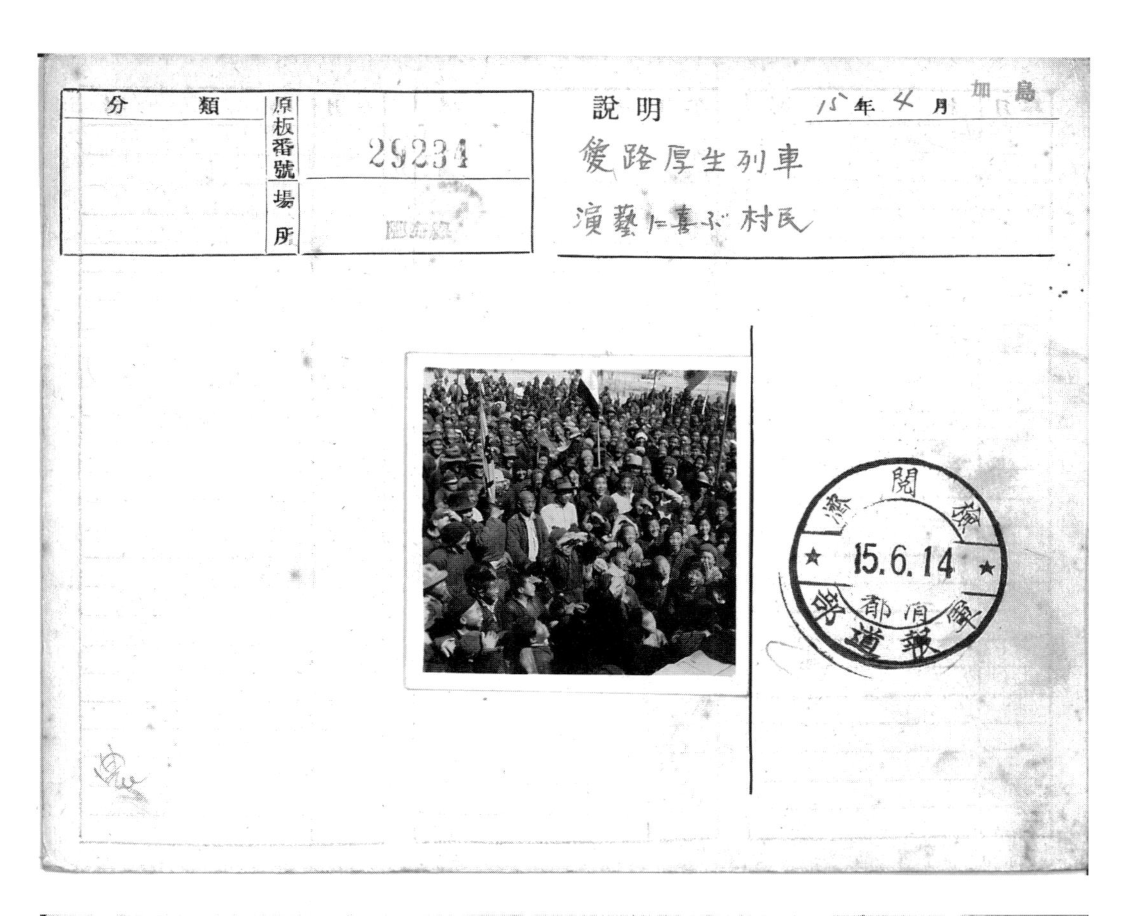
分類
原板番號 29234
場所
說明 15年4月 加島
愛路厚生列車
演藝に喜ぶ村民
濟閲檢 15.6.14 軍報道部

分類
原板番號 29265
場所
說明 15年4月 加藤
枕木の輸送
吳村站

15.6.13

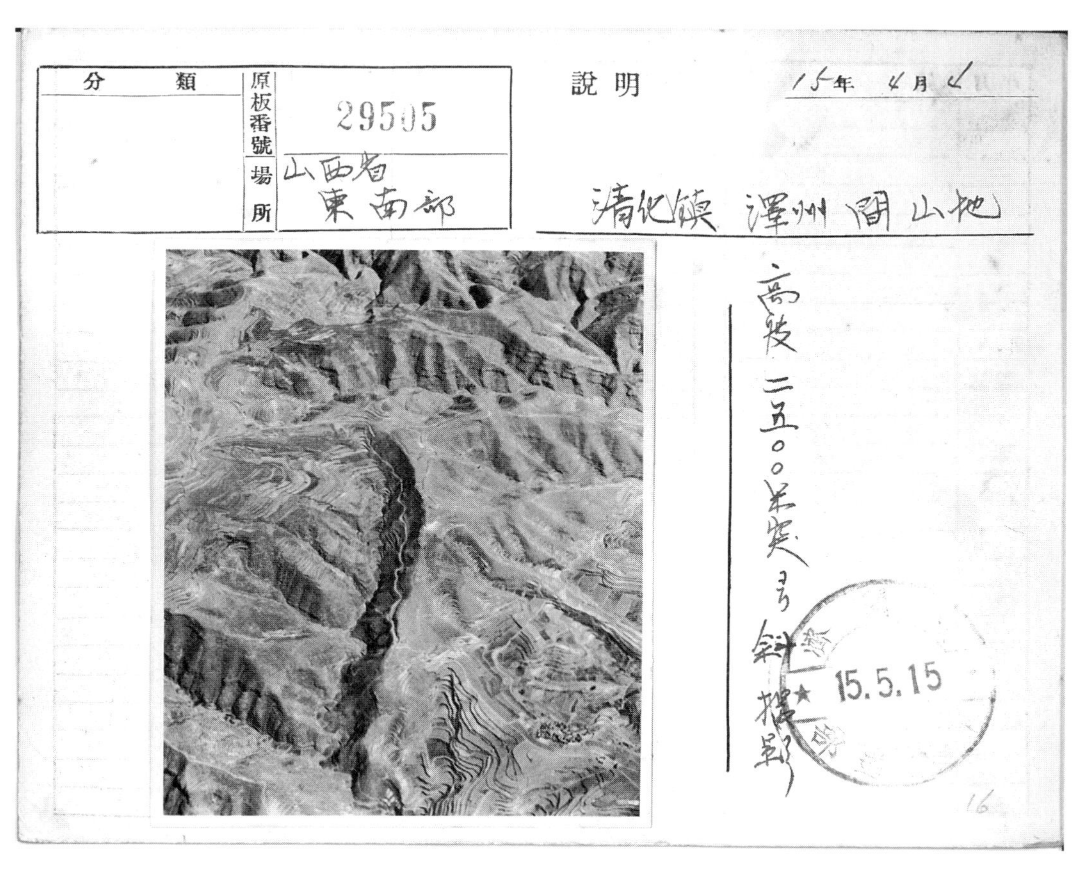

分類	原板番號	29505
	場所	山西省 東南部

説明 15年4月4

清化鎮 澤州間山地

高度二五〇〇米突ヨリ斜撮影

15.5.15

16

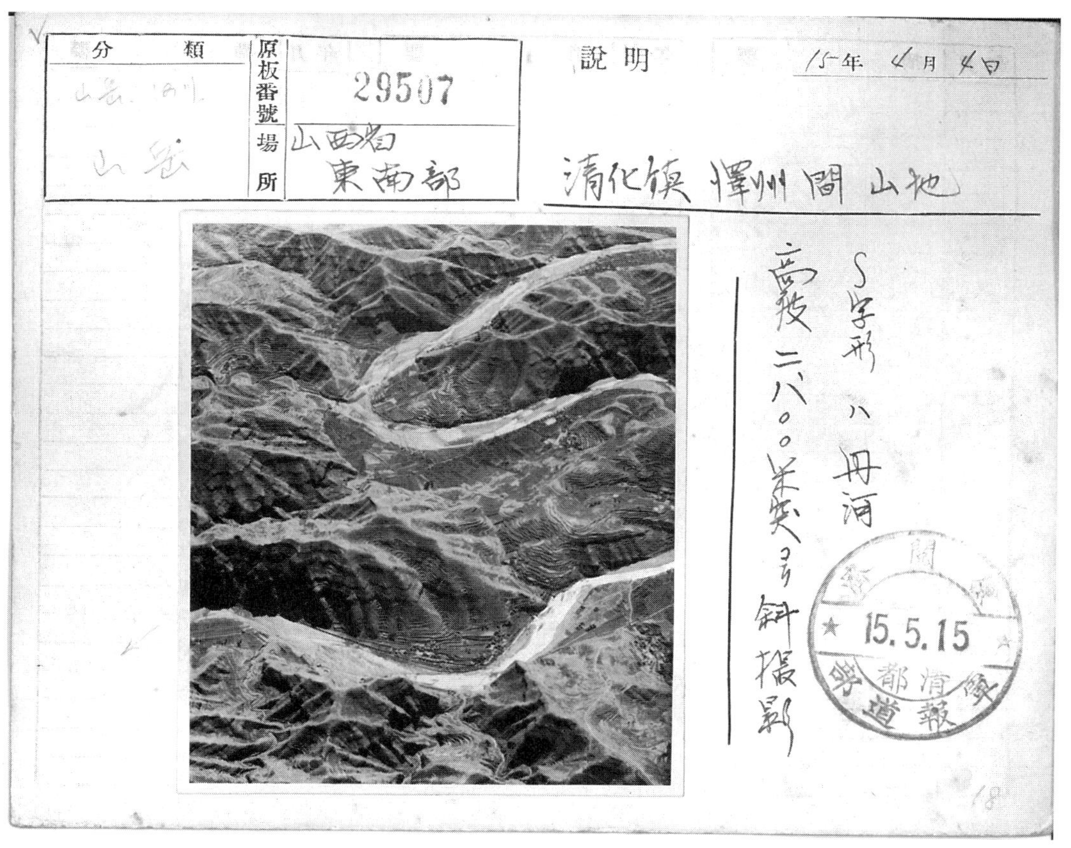

分類	原板番號	29507
山岳	場所	山西省 東南部

説明 15年4月4日

清化鎮 澤州間山地

高度二八〇〇米突ヨリ斜撮影

S字形ハ丹河

15.5.15

18

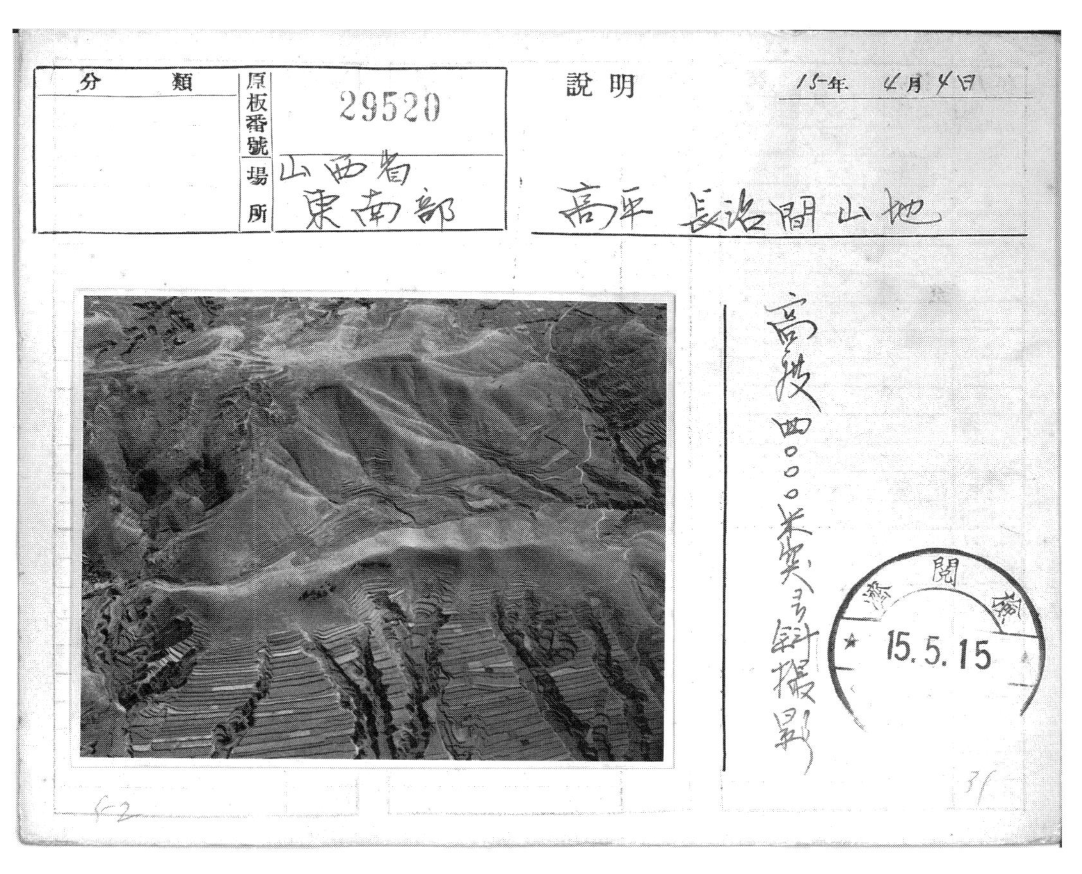

分類	原板番號	29520
	場所	山西省 東南部

説明 15年 4月4日

高平 長治間山地

高度四〇〇〇米ヨリ斜撮影

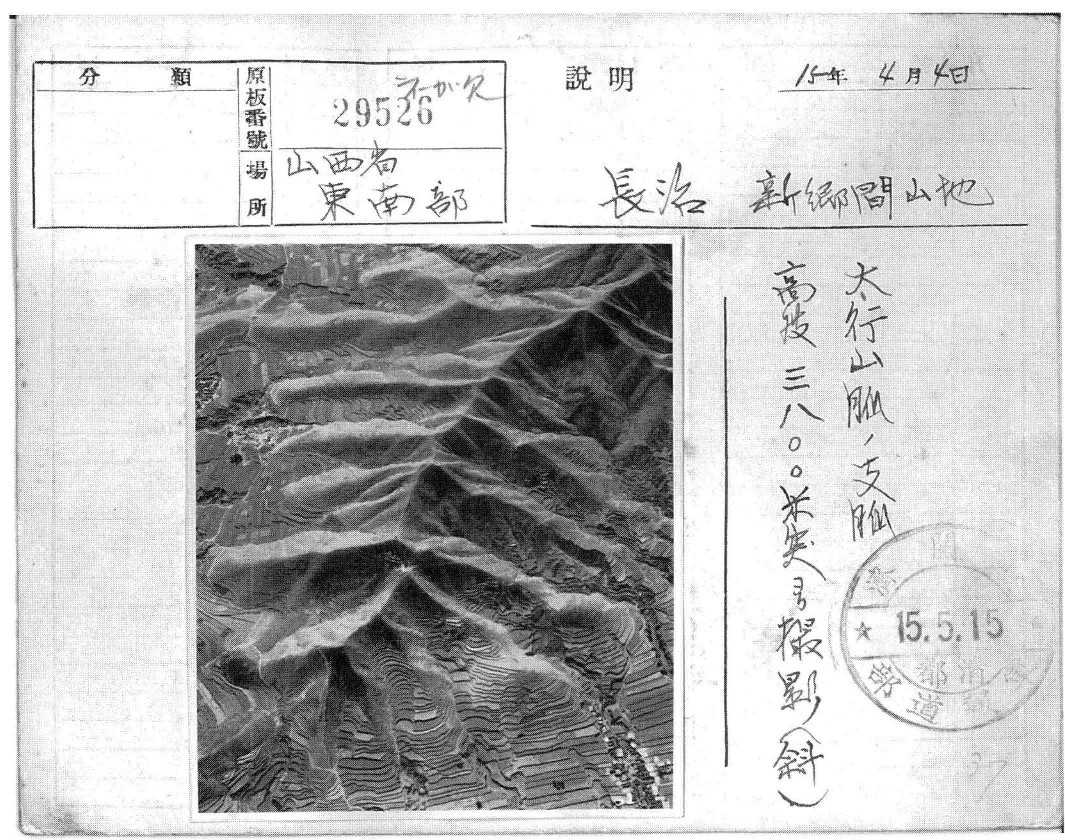

分類	原板番號	29526 ネガ欠
	場所	山西省 東南部

説明 15年 4月4日

長治 新郷間山地

太行山脈ノ支脈

高度三八〇〇米ヨリ撮影(斜)

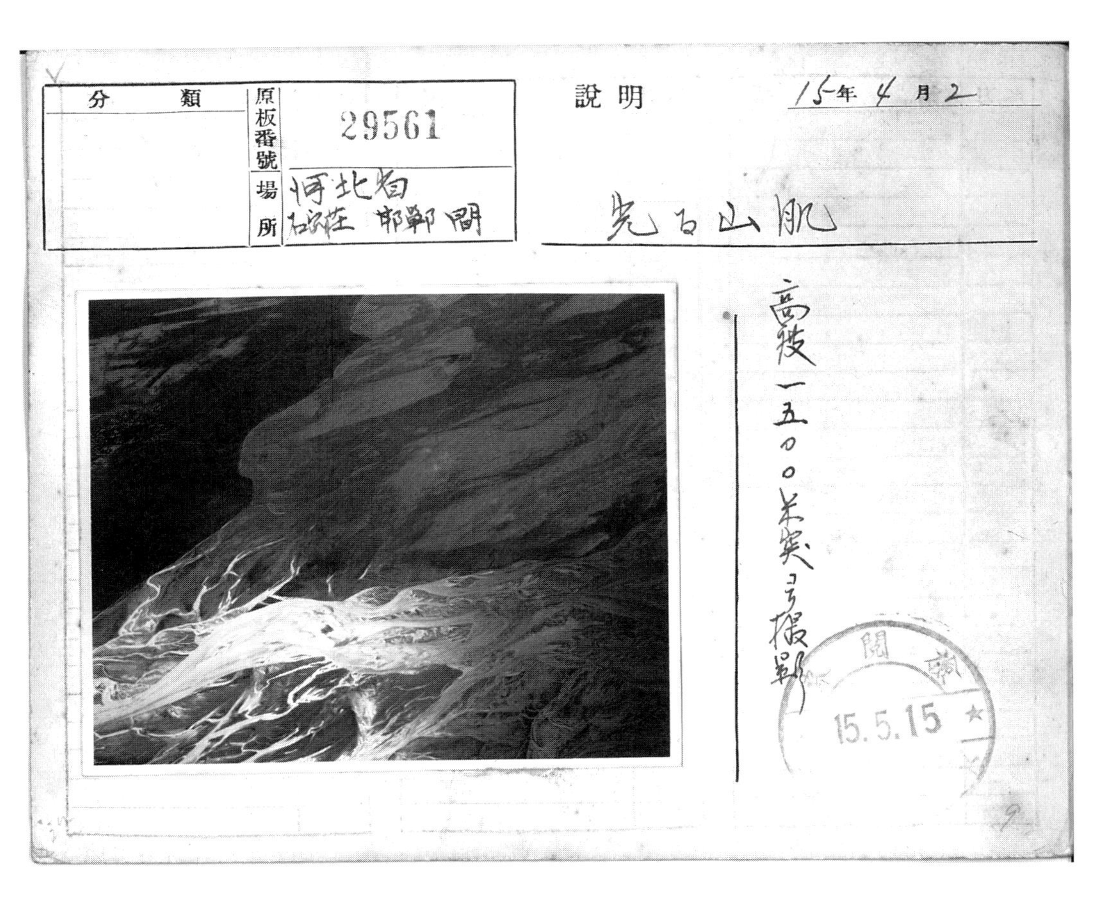

分類	原板番號	29561
	場所	河北省 石家荘 邯鄲間

説明　15年4月2

光る山肌

高度一五〇〇米より撮影

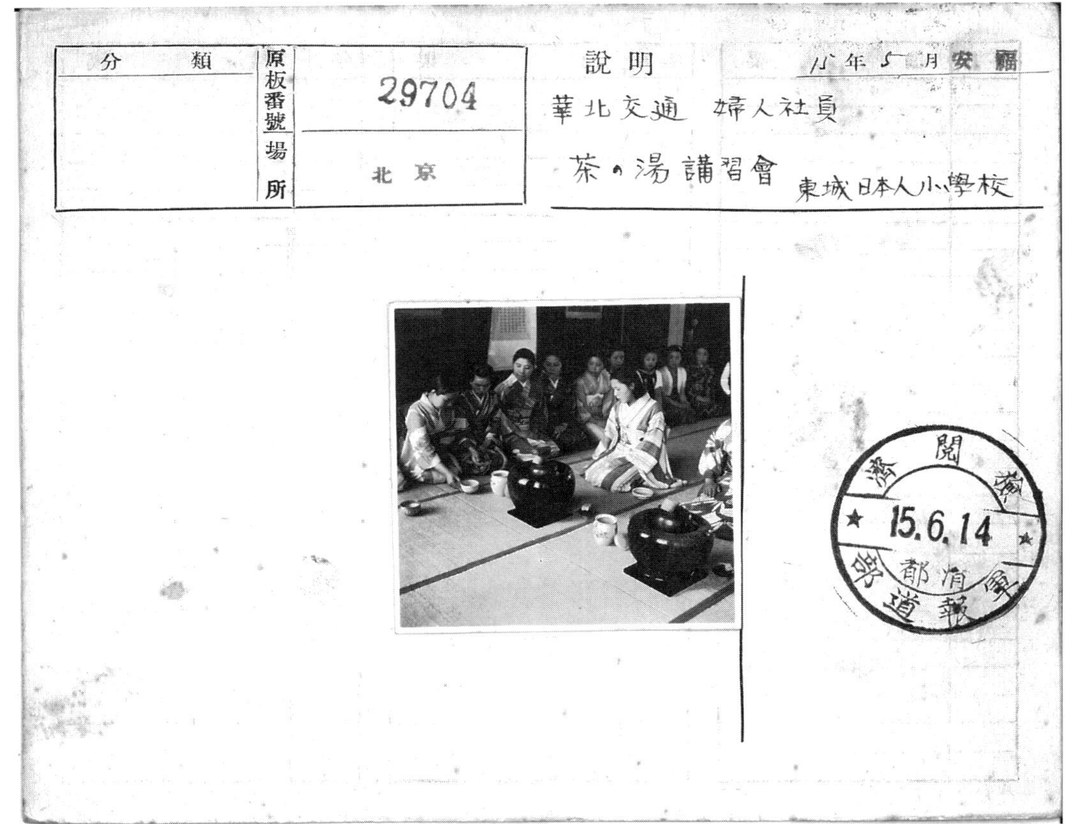

分類	原板番號	29704
	場所	北京

説明　15年5月

華北交通　婦人社員

茶の湯講習會　東城日本人小學校

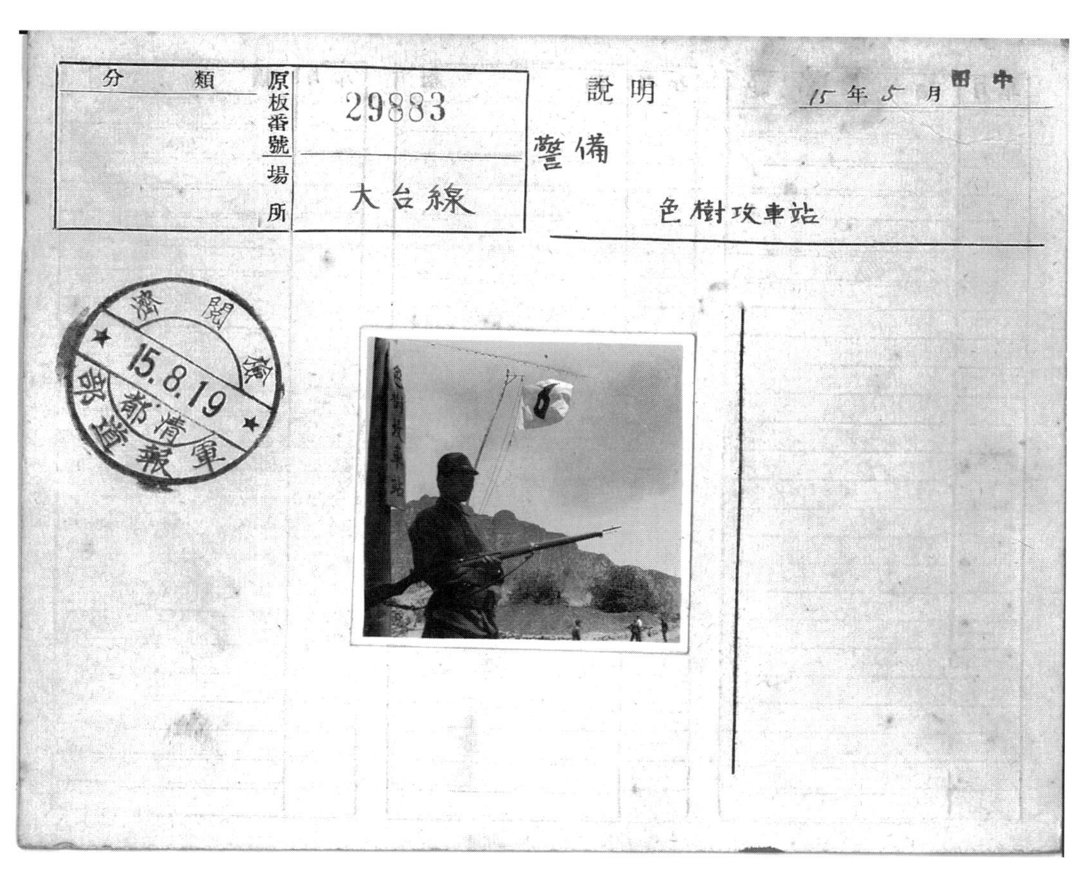

分類	原板番號	29883
	場所	大台線

說明 15年5月 田中

警備

色樹攻車站

濟閱檢 15.8.19 軍報道部

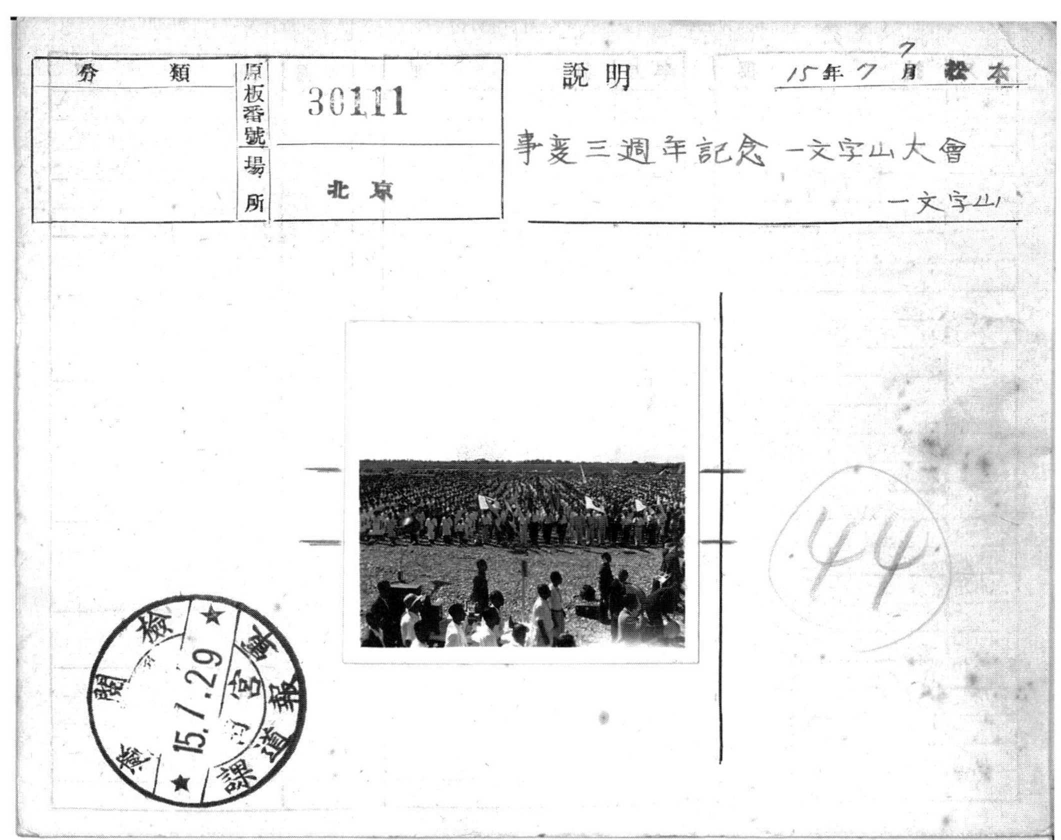

分類	原板番號	30111
	場所	北京

說明 15年7月 松本

事変三週年記念 一文字山大會

一文字山

44

檢閱濟 15.7.29 報道部

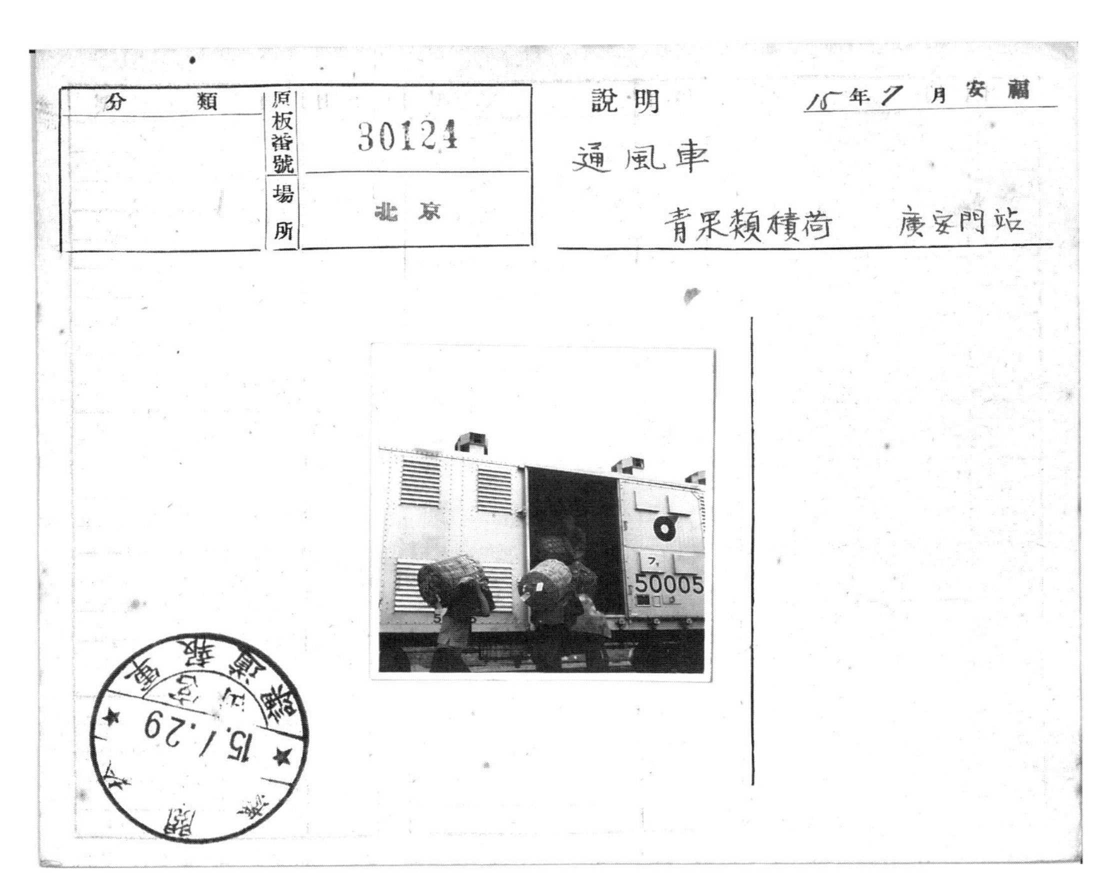

分類	原板番號	30124
	場所	北京

説明　15年7月　安福

通風車

青果類積荷　廣安門站

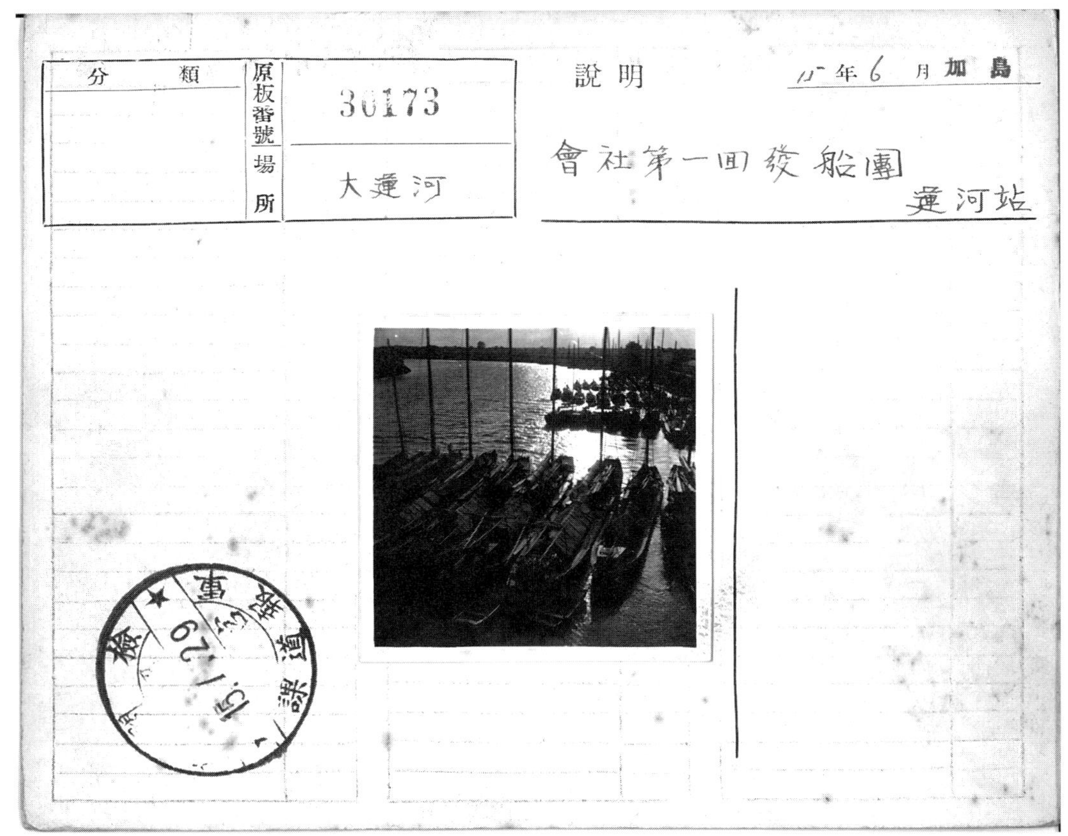

分類	原板番號	30173
	場所	大運河

説明　15年6月　加島

會社第一回發船團

運河站

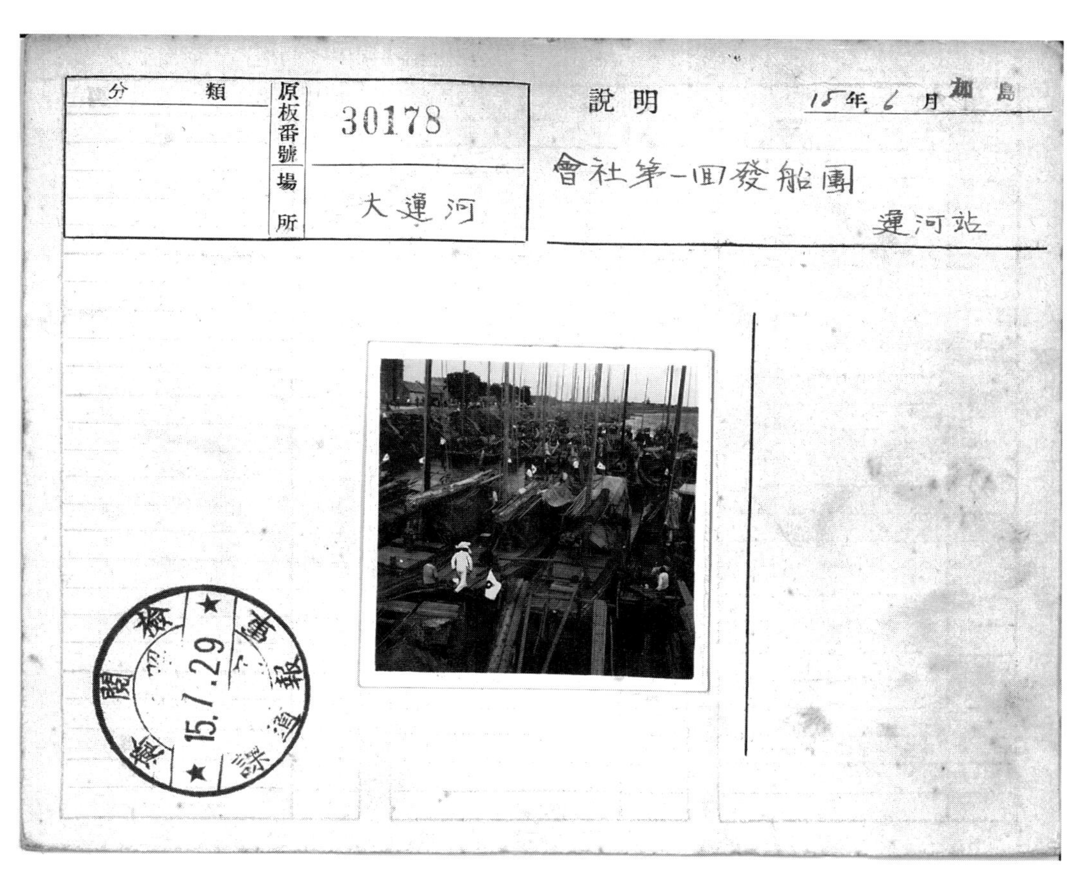
分類
原板番號 30178
場所 大運河
說明 15年6月 加島
會社第一回發船團
運河站
檢閲 15.7.29 軍報道課

分類
原板番號 30271
說明 15年29/6月 松本
雁翅——安家莊
建設資材輸送中の自動車
檢閲 15.11.29 軍報道課 田宮

分類

原板番號 30297 ネガ欠

場所 大同

説明 15年6月 吉田

大同炭田

大露頭 ネガ欠

安石

檢閲濟 昭和 15.7.29 軍報道課

分類

原板番號 30298 ネガ欠

場所 大同

説明 15年6月 吉田

大同炭田

大露頭 ネガ欠

檢閲濟 昭和 15.7.29

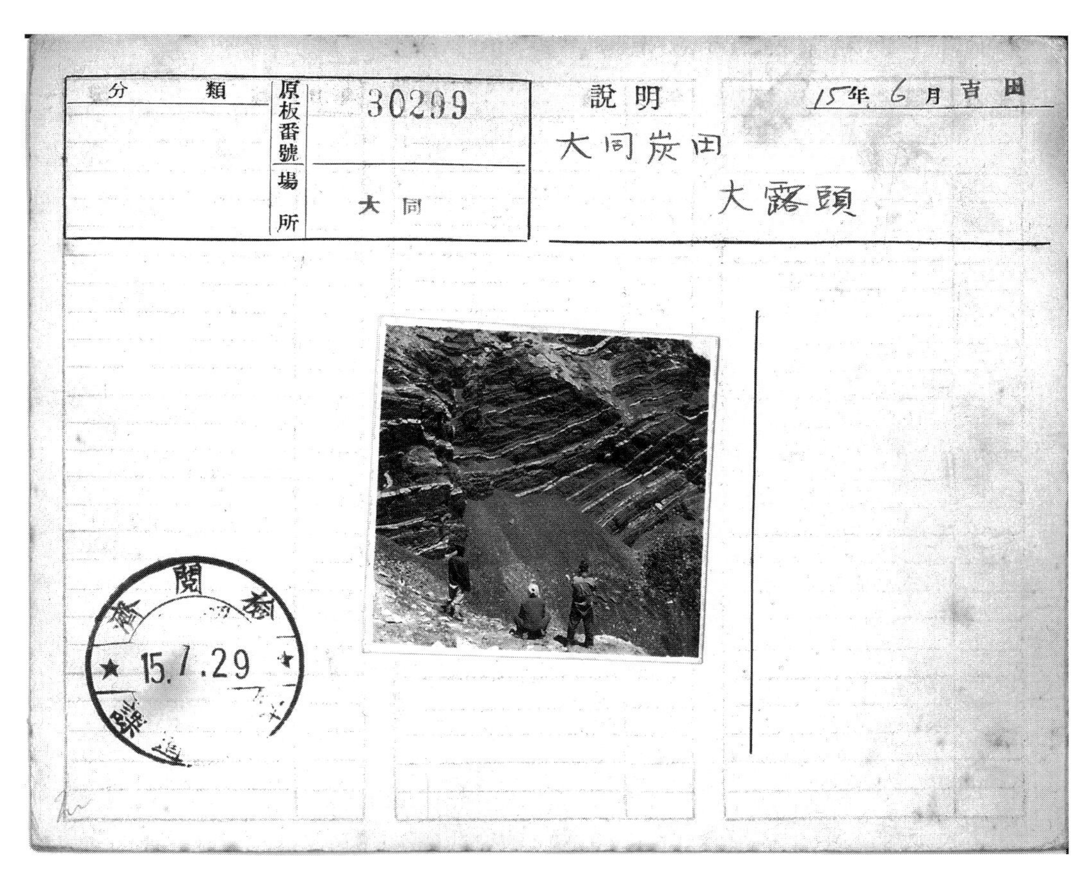

分類	原板番號	30299
	場所	大同

説明　15年 6月 吉田

大同炭田

大露頭

檢閲 15.7.29 課

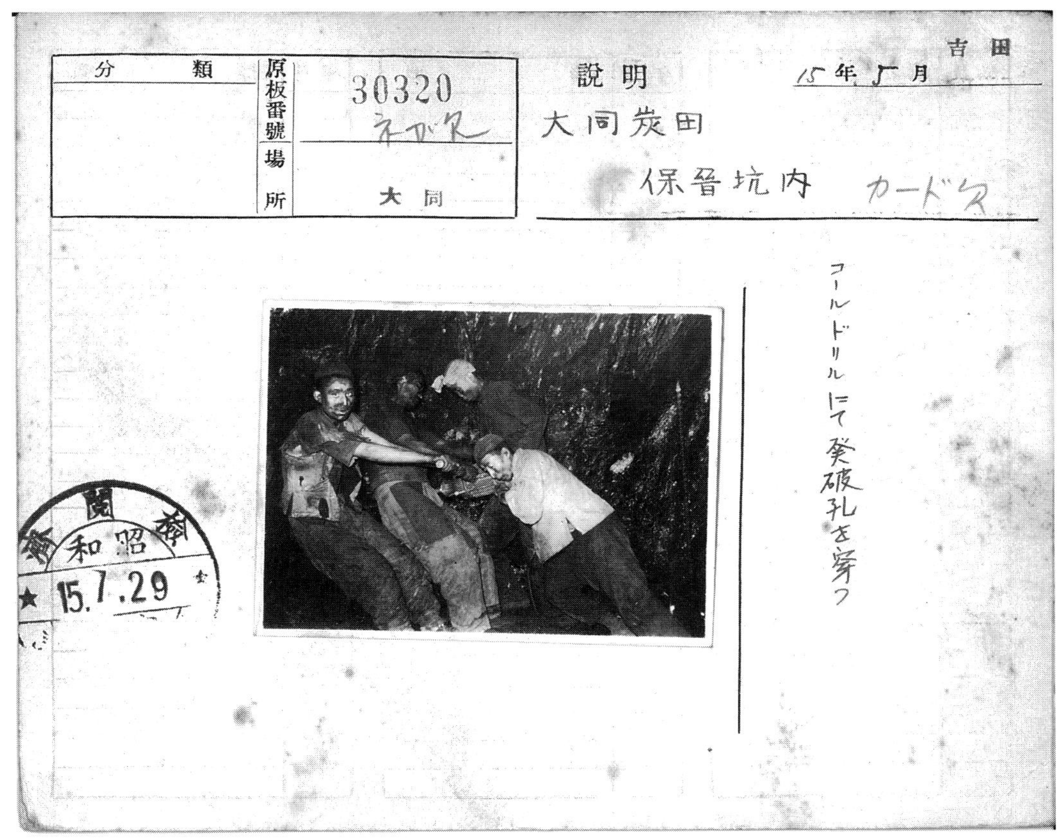

分類	原板番號	30320 ネガ欠
	場所	大同

説明　15年 5月 吉田

大同炭田

保晉坑内　カード欠

コールドリルにて発破孔を穿つ

檢閲 昭和 15.7.29

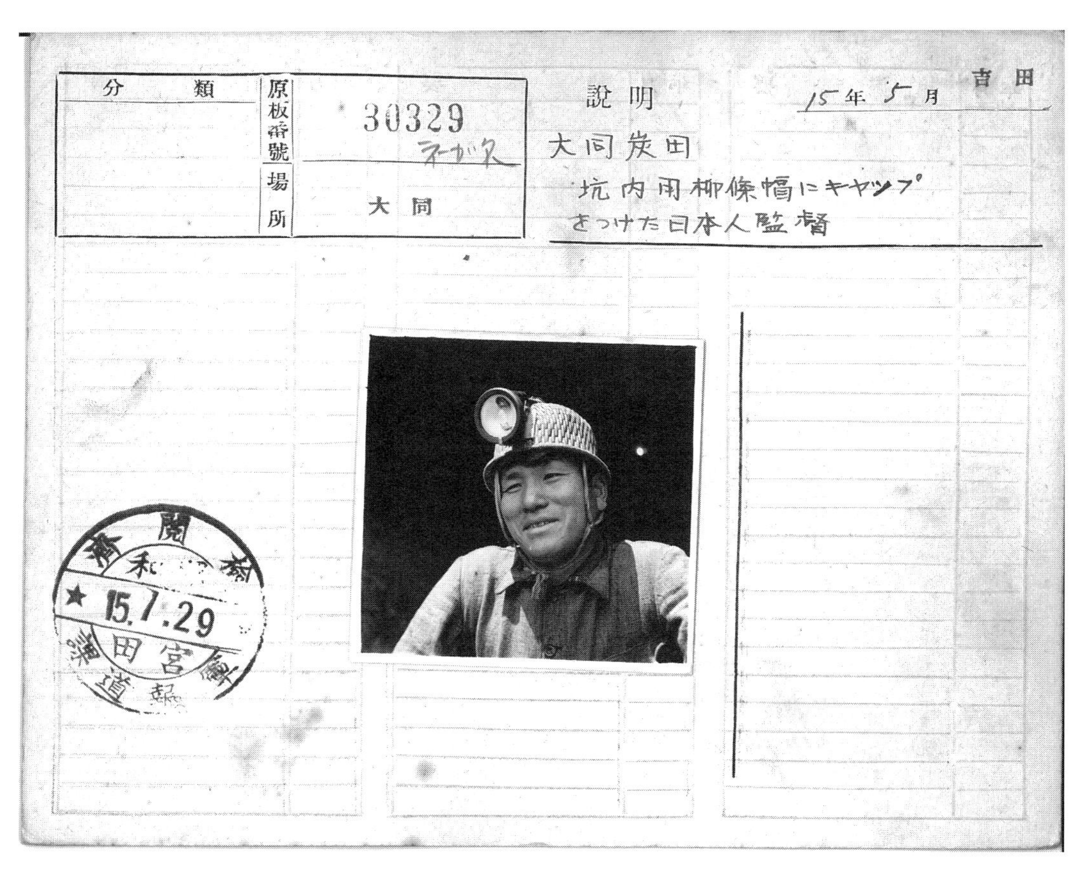

分類	原板番號	30329 ネガ欠
	場所	大同

説明　15年5月　吉田

大同炭田
坑内用柳條帽にキヤツプをつけた日本人監督

検閲済　昭和　15.7.29　宮田　報道課

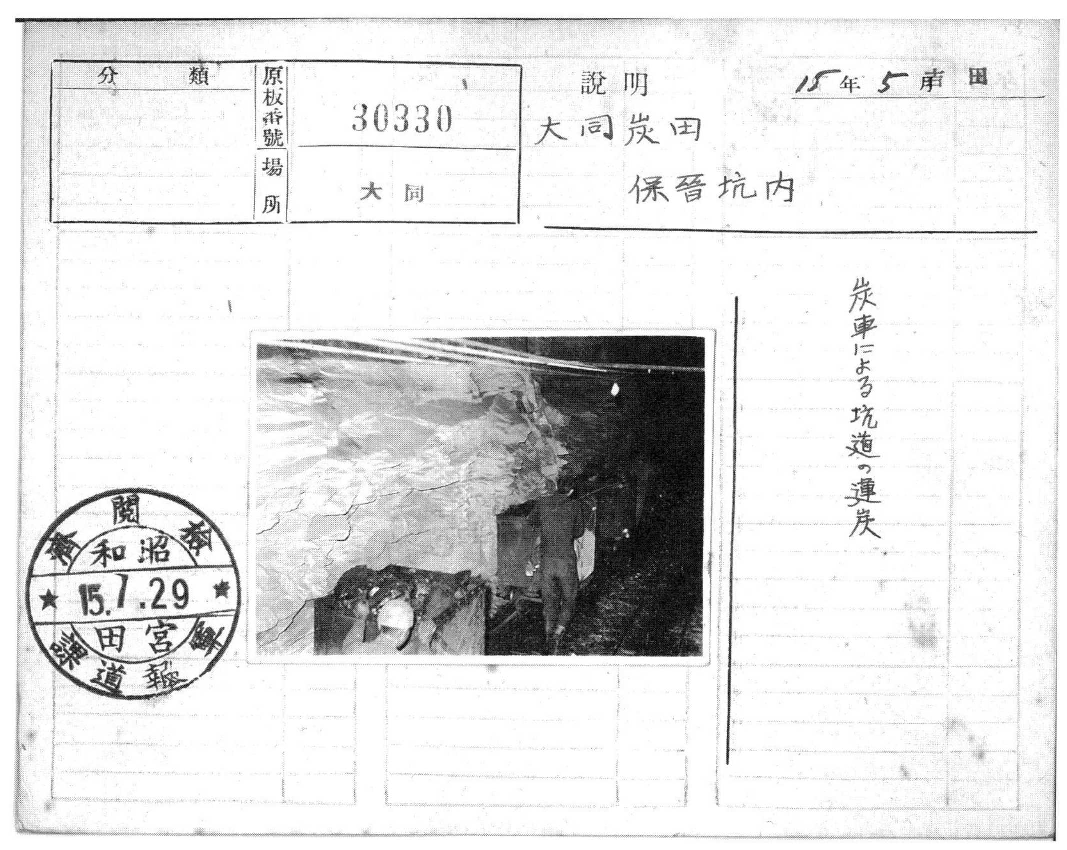

分類	原板番號	30330
	場所	大同

説明　15年5月　吉田

大同炭田
保晉坑内

炭車による坑道の運炭

検閲済　昭和　15.7.29　宮田　報道課

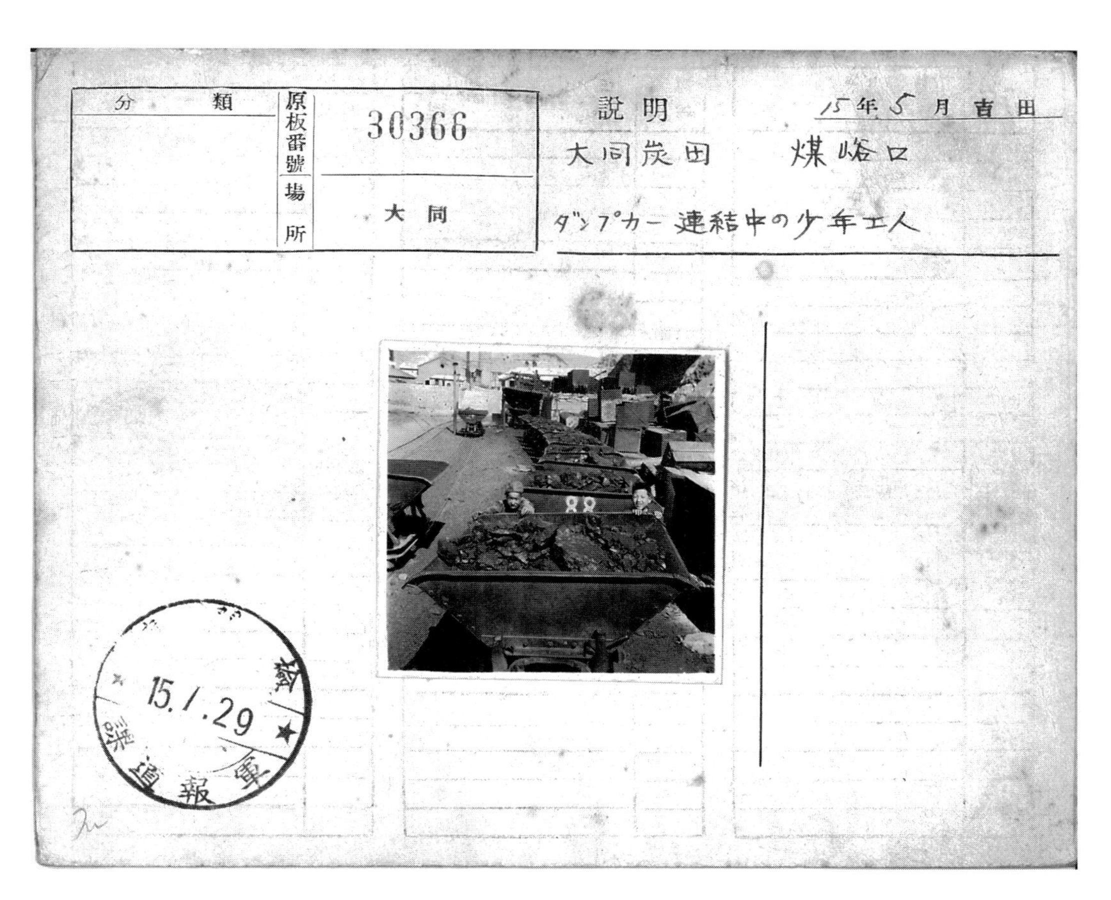

分類	原板番號	30366
	場所	大同

説明　15年5月　吉田

大同炭田　煤峪口

ダンプカー連結中の少年工人

15.1.29　軍報道部　検閲

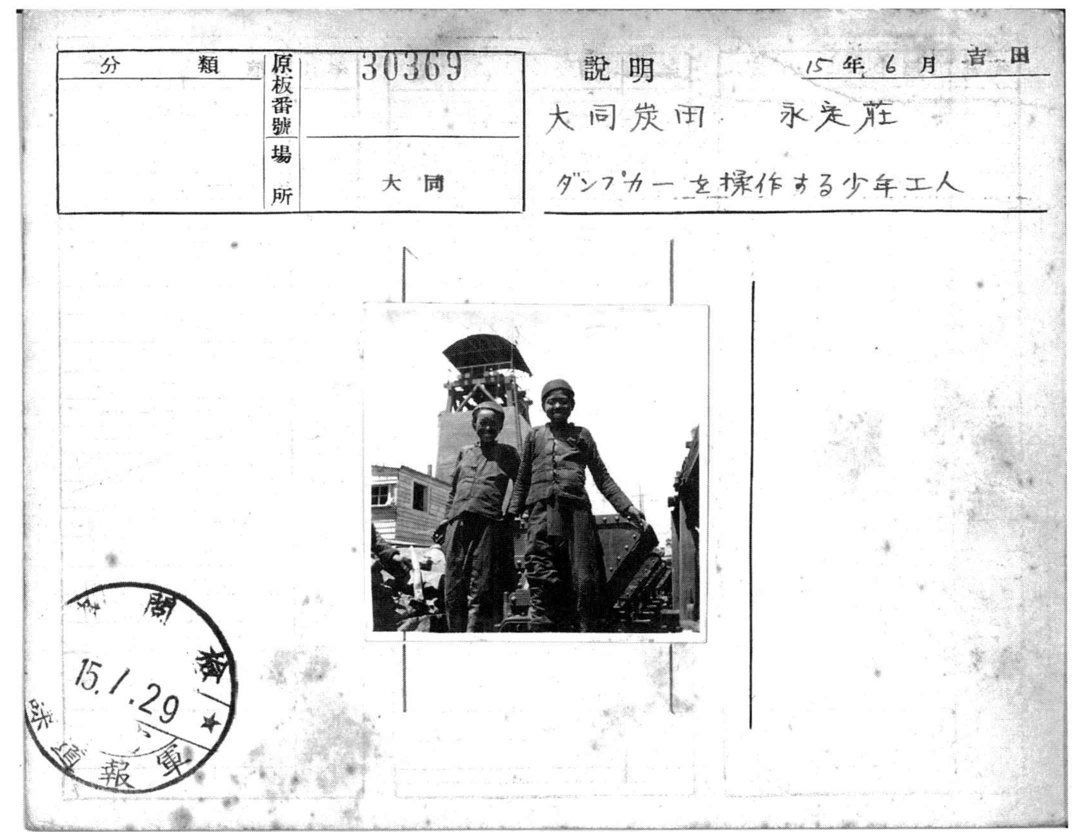

分類	原板番號	30369
	場所	大同

説明　15年6月　吉田

大同炭田　永定荘

ダンプカーを操作する少年工人

15.1.29　軍報道部　検閲

分類	原板番號	30370
	場所	大同

説明　15年6月　吉田

大同炭田　永定荘

少年工人

閲検　15.1.29　軍報道課

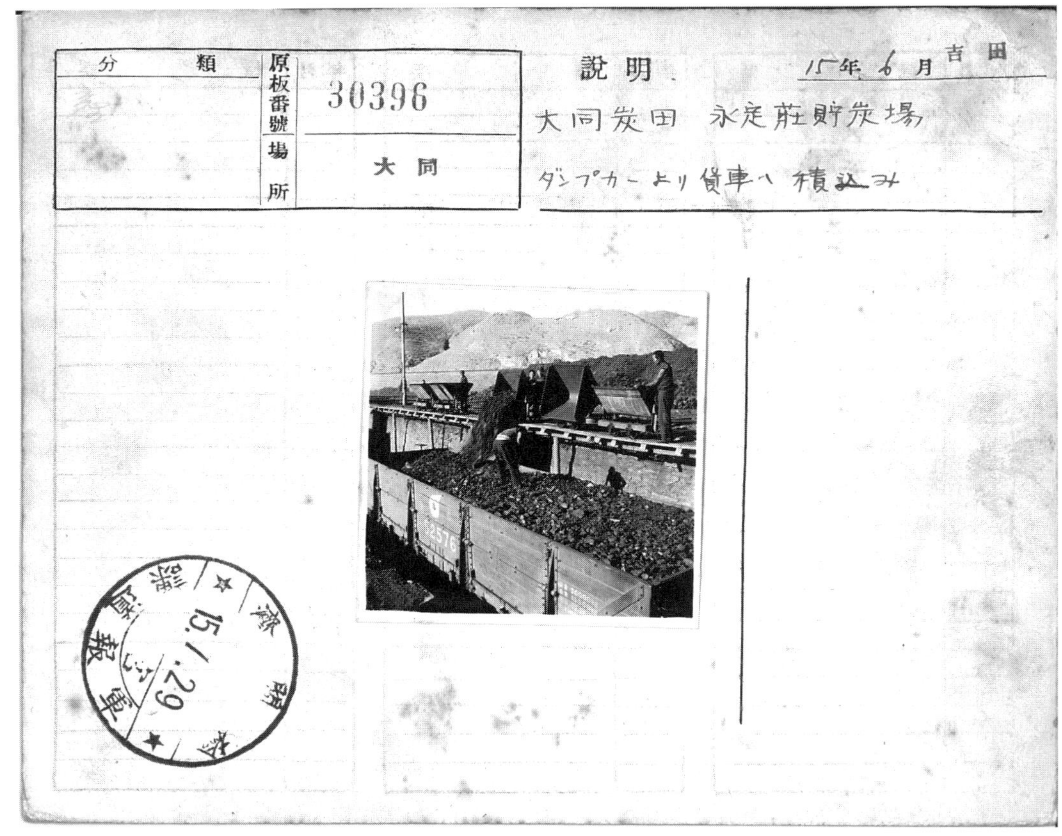

分類	原板番號	30396
	場所	大同

説明　15年6月　吉田

大同炭田　永定荘貯炭場

ダンプカーより貨車へ積込み

閲検　15.1.29　軍報道課

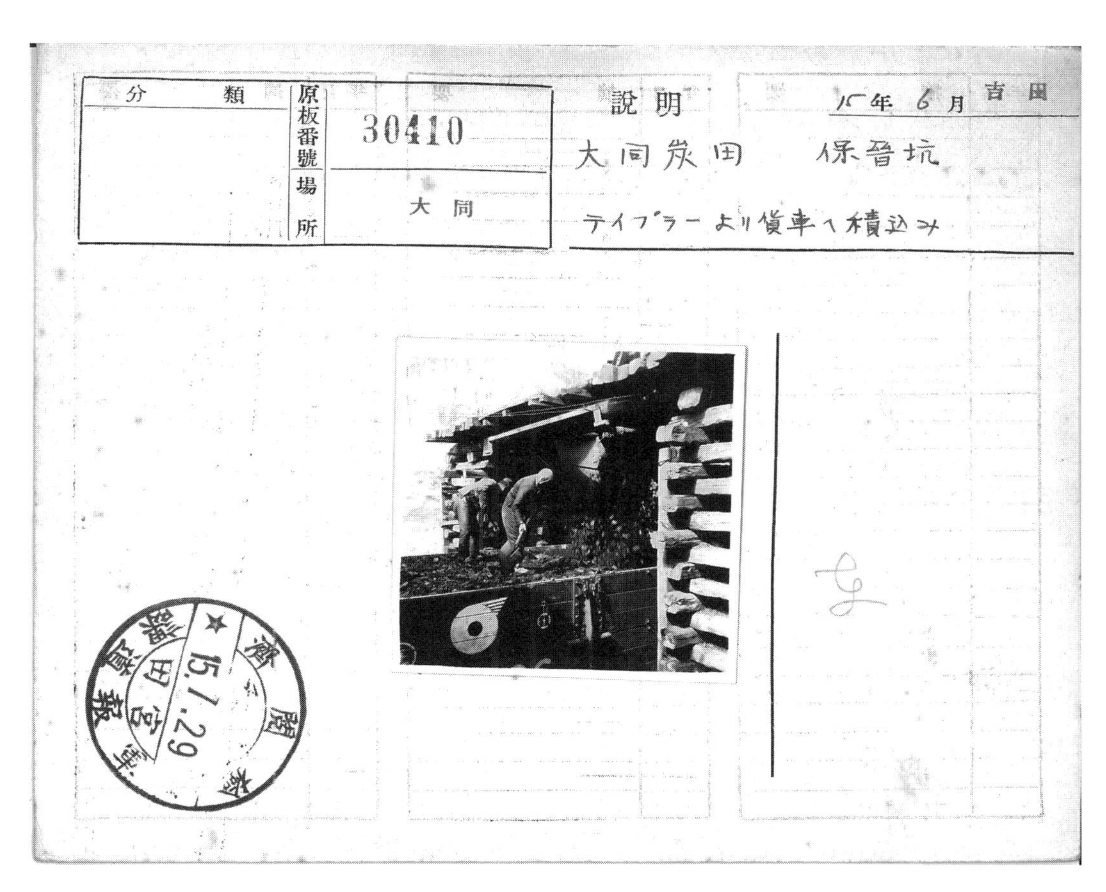

分類	原板番號	30410
	場所	大同

説明　15年6月　吉田

大同炭田　保晋坑

テイプラーより貨車へ積込み

15.7.29

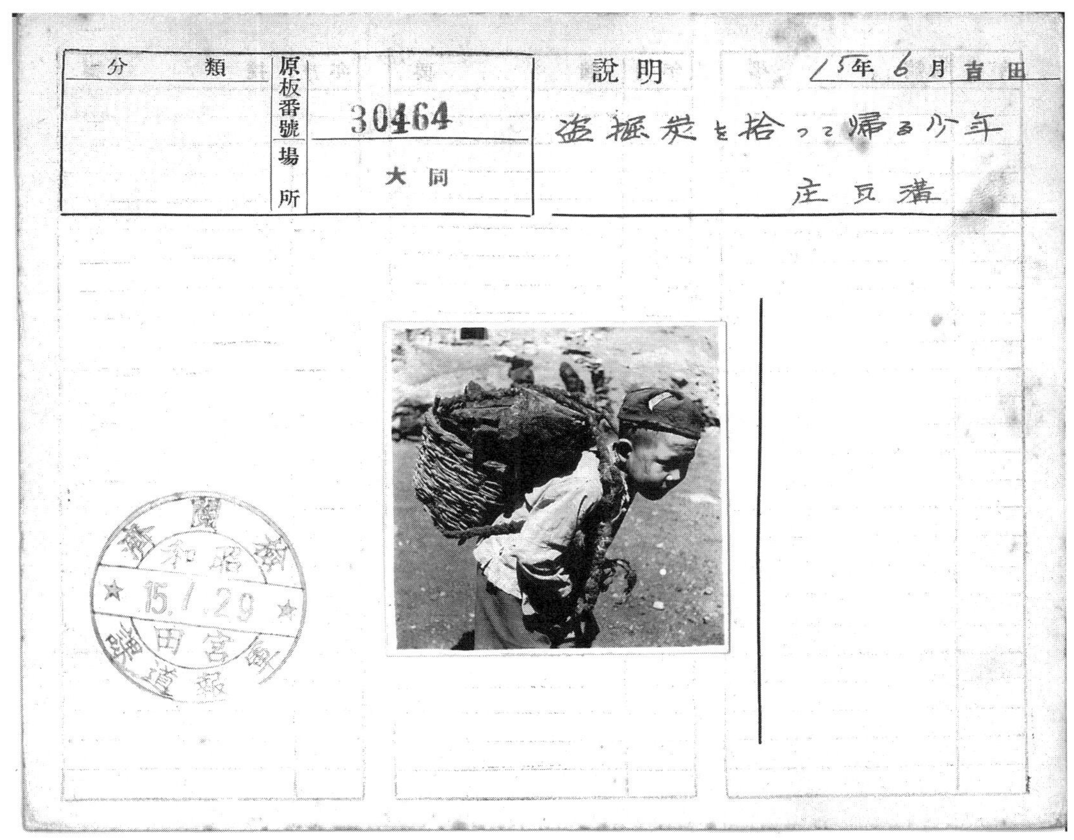

分類	原板番號	30464
	場所	大同

説明　15年6月　吉田

盗掘炭を拾って帰る少年

庄豆溝

15.7.29

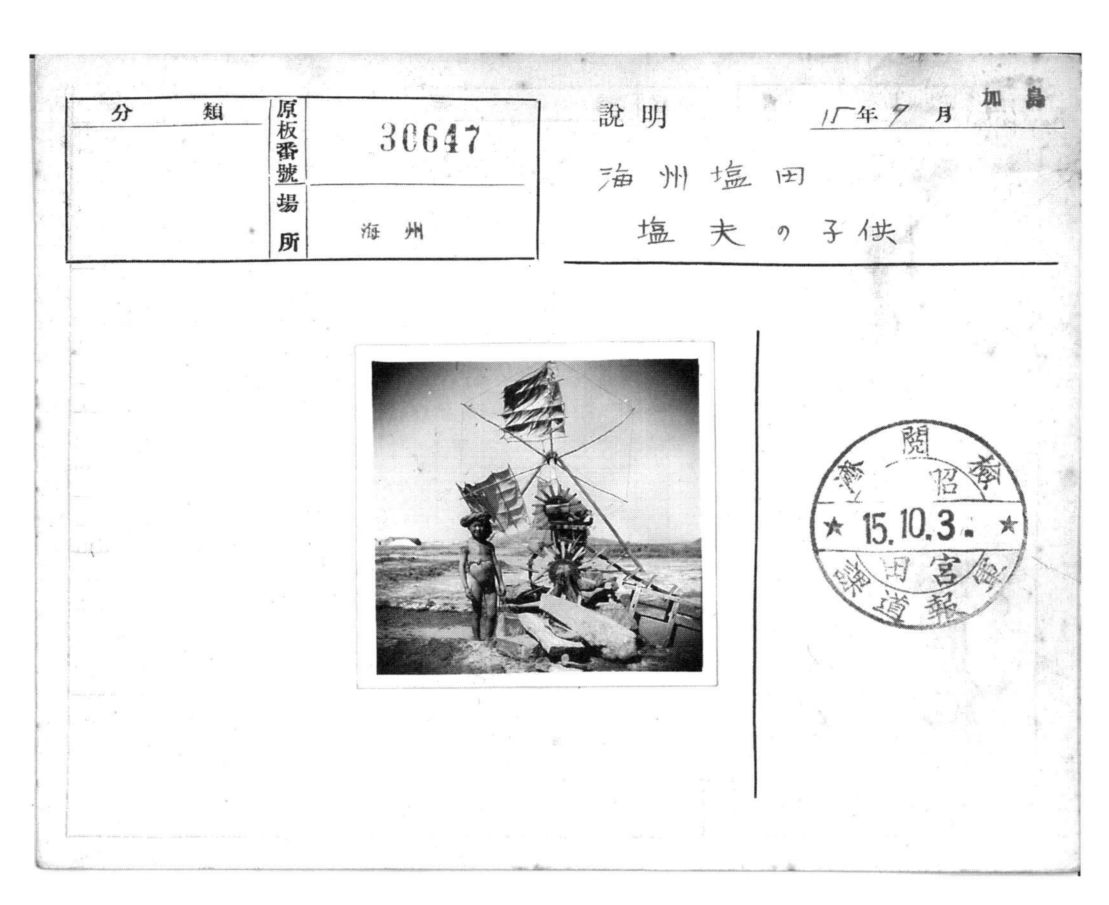
分類

原板番號 30647

場所 海州

説明 15年7月 加島

海州塩田

塩夫の子供

檢閲済 昭 15.10.3. 軍宮田 報道課

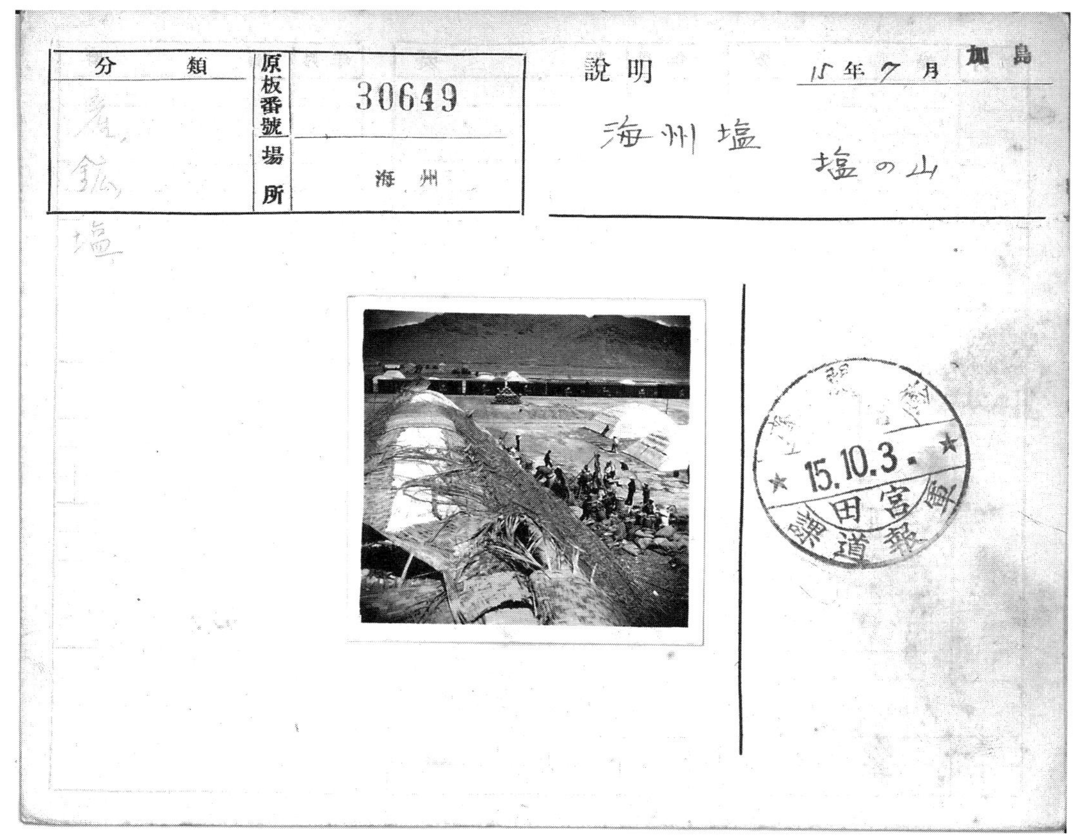
分類 産 鉱 塩

原板番號 30649

場所 海州

説明 15年7月 加島

海州塩 塩の山

檢閲済 昭 15.10.3. 軍宮田 報道課

分類	原板番號	30650
	場所	海州

說明　15年7月　加島

海州塩

塩の運搬

15.10.3

分類	原板番號	30651 ネガ欠
	場所	海州

說明　15年7月　加島

海州塩

塩の山　ネガ欠

15.10.3.

分類
原板番號 ネガ欠 30654
場所 海州
説明 15年7月 加島
海州塩
塩の運搬 ネガ欠
検閲済 昭和 15.10.3.

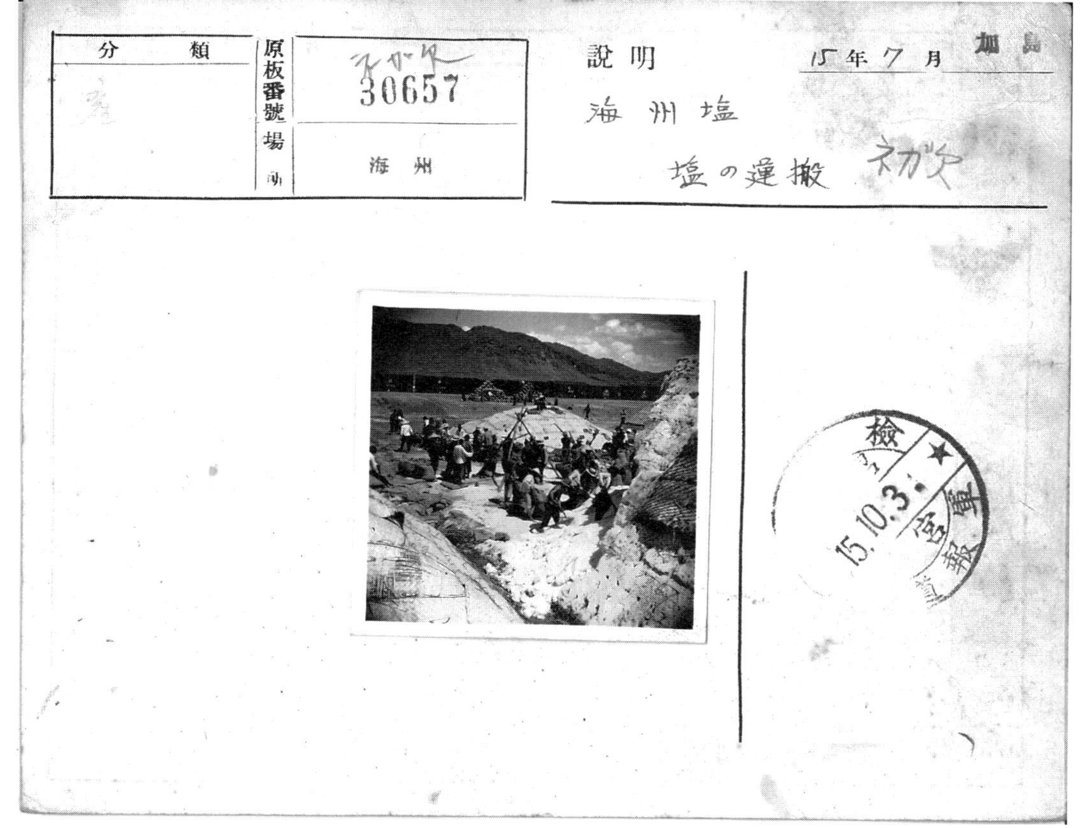
分類
原板番號 ネガ欠 30657
場所 海州
説明 15年7月 加島
海州塩
塩の運搬 ネガ欠
検 15.10.3.

分類	原板番號	30663
産 鉱 海州塩	場所	海州

説明　15年7月　加島

海州塩

貨車の積込み

★15.10.3.

分類	原板番號	30666
社 鉄 貨物輸送	場所	海州

説明　15年7月　加島

海州塩

貨車へ積込み

5

★15.10.3.

17.5.14

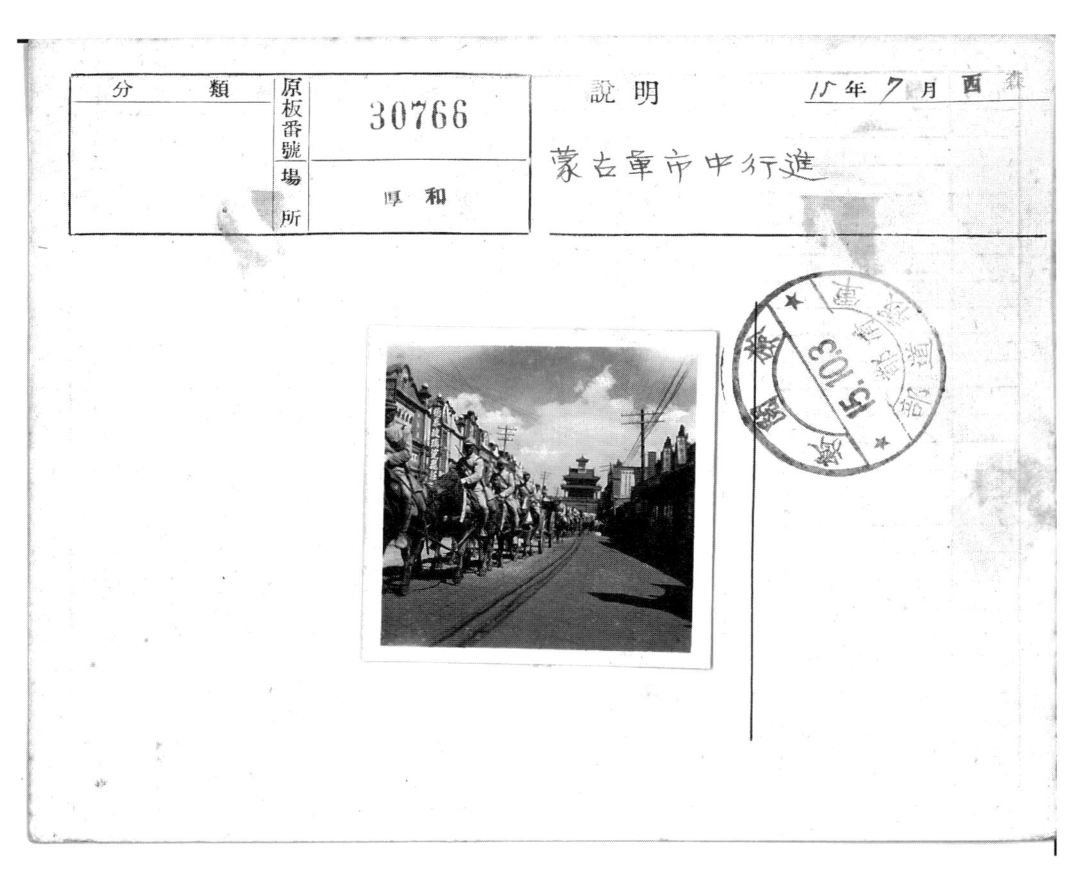
分類	原板番號	30766
	場所	厚和

說明　15年7月　西森

蒙古軍市中行進

15.10.3

分類	原板番號	31188
	場所	隴海線

說明　15年7月　加島

海軍陸戰隊上陸地

連雲，孫家山

15.10.3

分類	原板番號	31190
	場所	隴海線

説明　15年7月　加島

大浦港

検閲済　昭和　15.10.3.

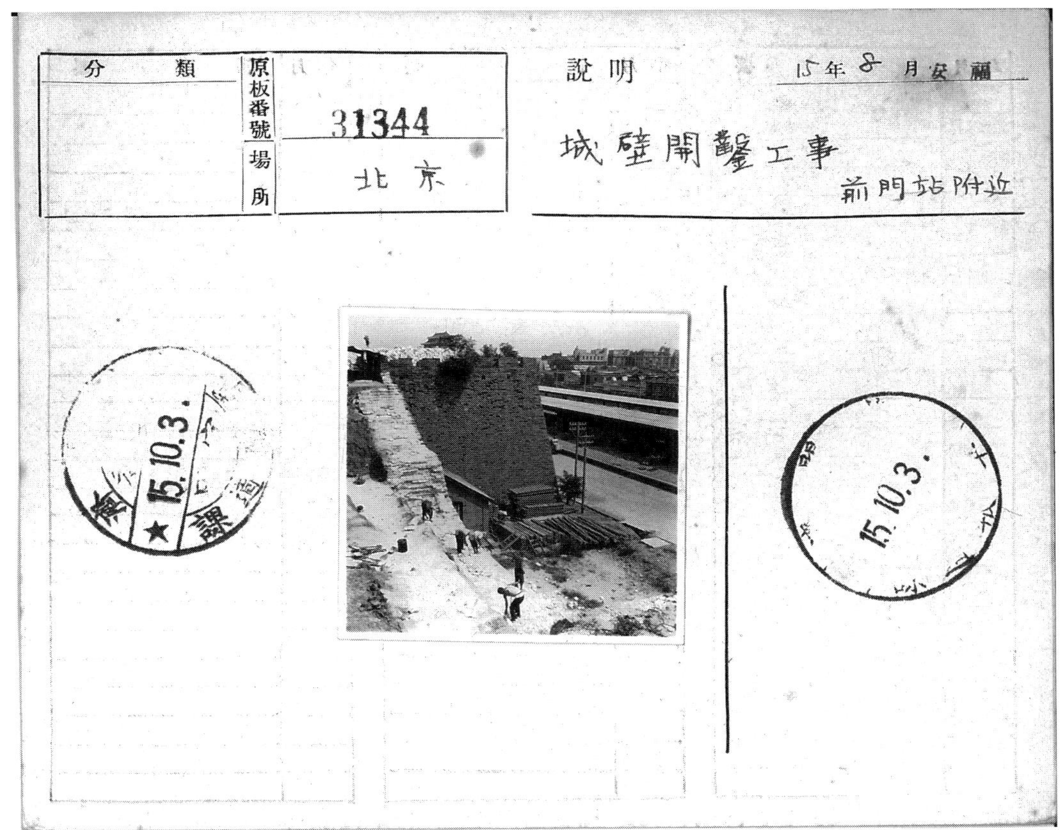

分類	原板番號	31344
	場所	北京

説明　15年8月　安福

城壁開鑿工事
前門站附近

15.10.3.

15.10.3.

分類	原板番號	31557
	場所	京包線

說明　15年7月　豊田

京包線　改修工事

東園,三堡間31号橋梁

16.3.13

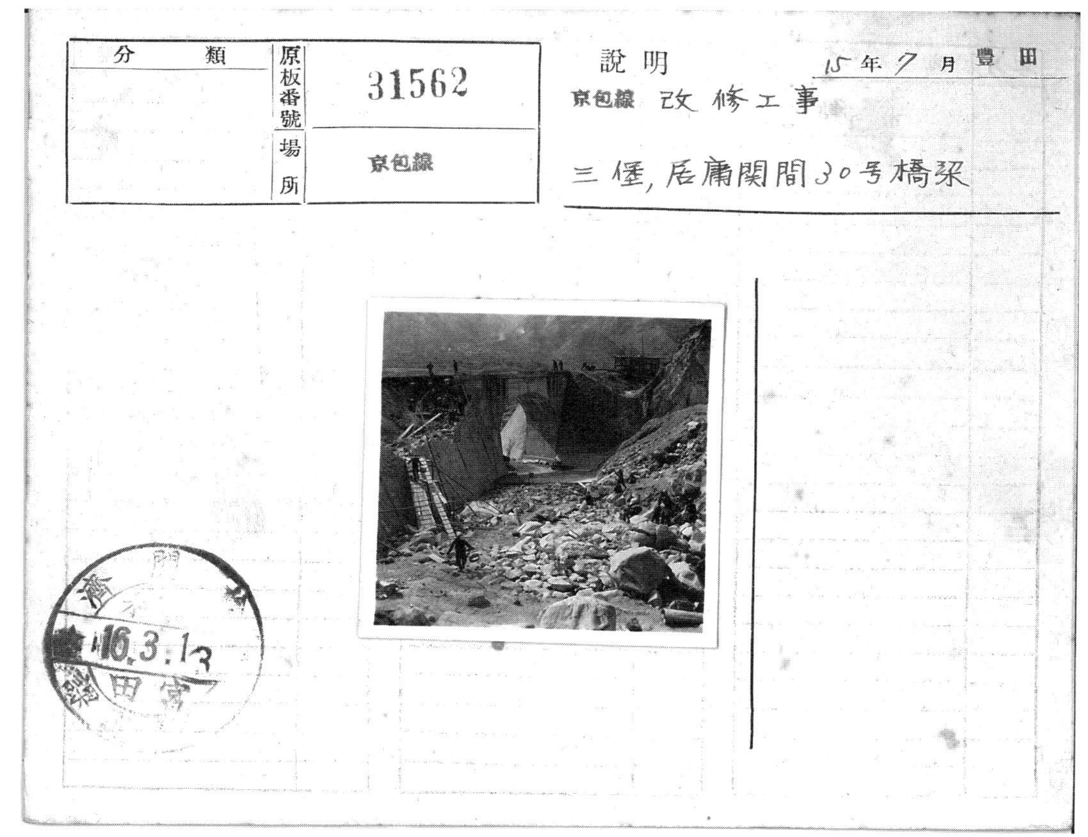

分類	原板番號	31562
	場所	京包線

說明　15年7月　豊田

京包線　改修工事

三堡,居庸関間30号橋梁

16.3.13

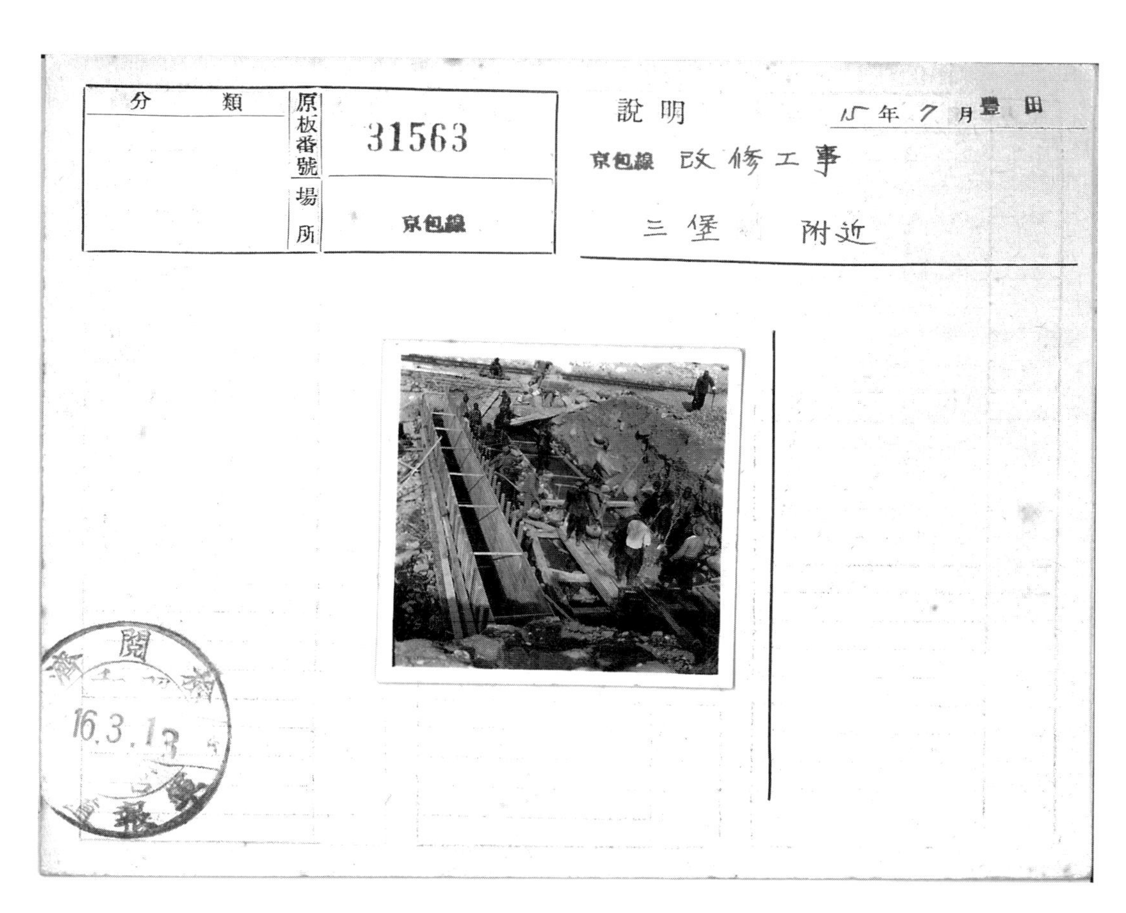

分類	原板番號	31563
	場所	京包線

說明　15年7月 豐田

京包線 改修工事

三堡　附近

16.3.13

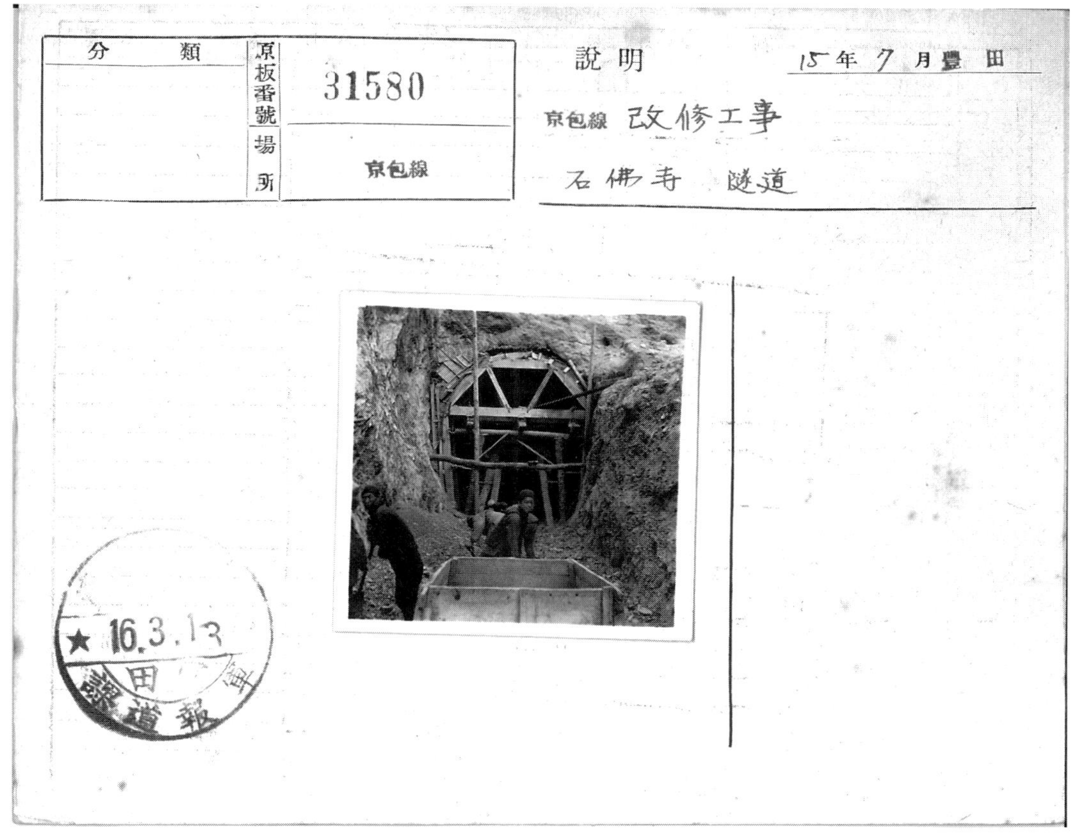

分類	原板番號	31580
	場所	京包線

說明　15年7月 豐田

京包線 改修工事

石佛寺 隧道

16.3.13

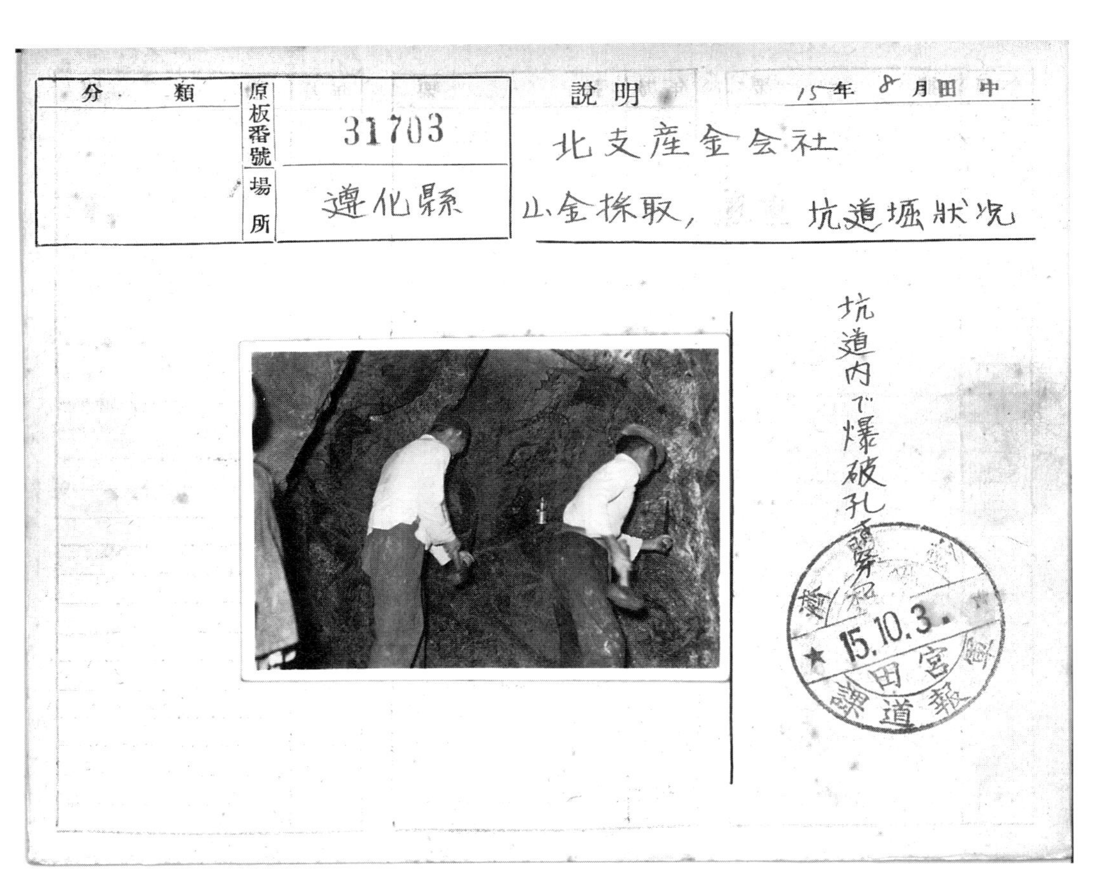

分類	原板番號	31703
	場所	遵化縣

説明　15年8月　田中

北支産金会社

山金採取，　坑道堀状況

坑道内で爆破孔を

15.10.3.

宮田

報道課

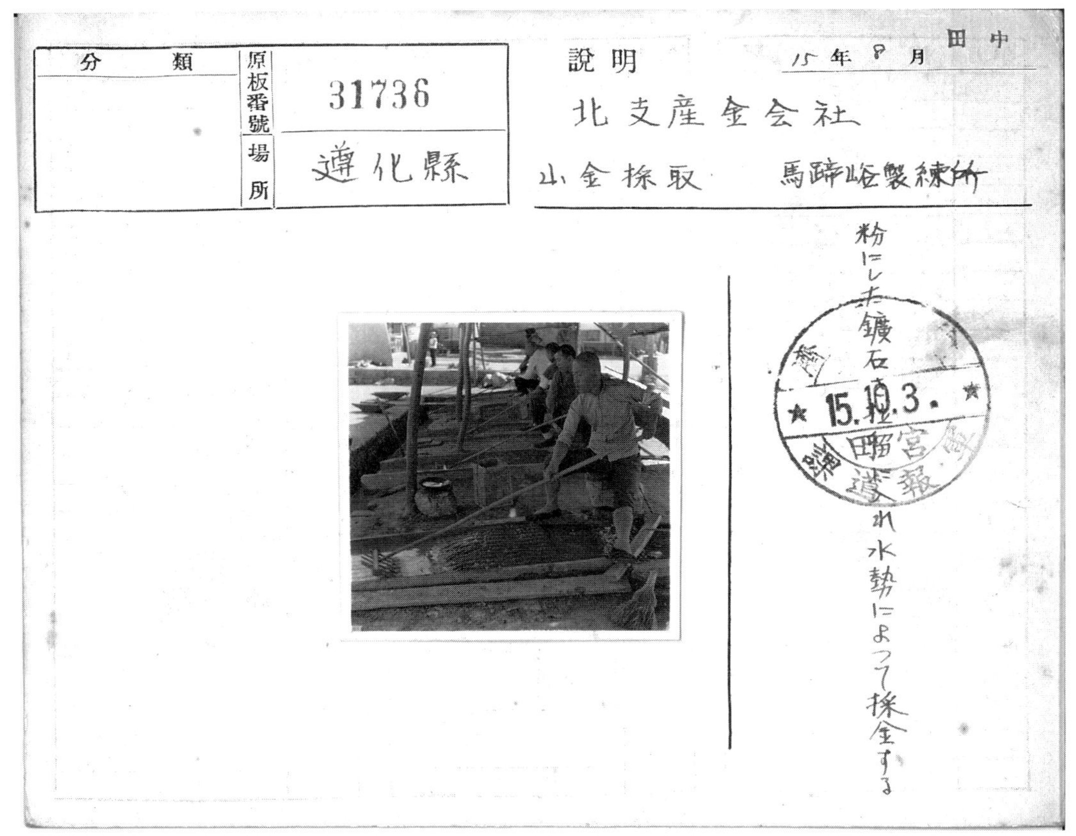

分類	原板番號	31736
	場所	遵化縣

説明　15年8月　田中

北支産金会社

山金採取　馬蹄峪製錬所

粉にした鑛石

れ水勢によって採金する

15.10.3.

宮田

報道課

分類	原板番號	31792
	場所	北京

説明　15年8月　田中

北支産金株式会社

分類	原板番號	32000
	場所	京包線

説明　15年8月　豊田

大青山線開通
開通列車　包頭驛

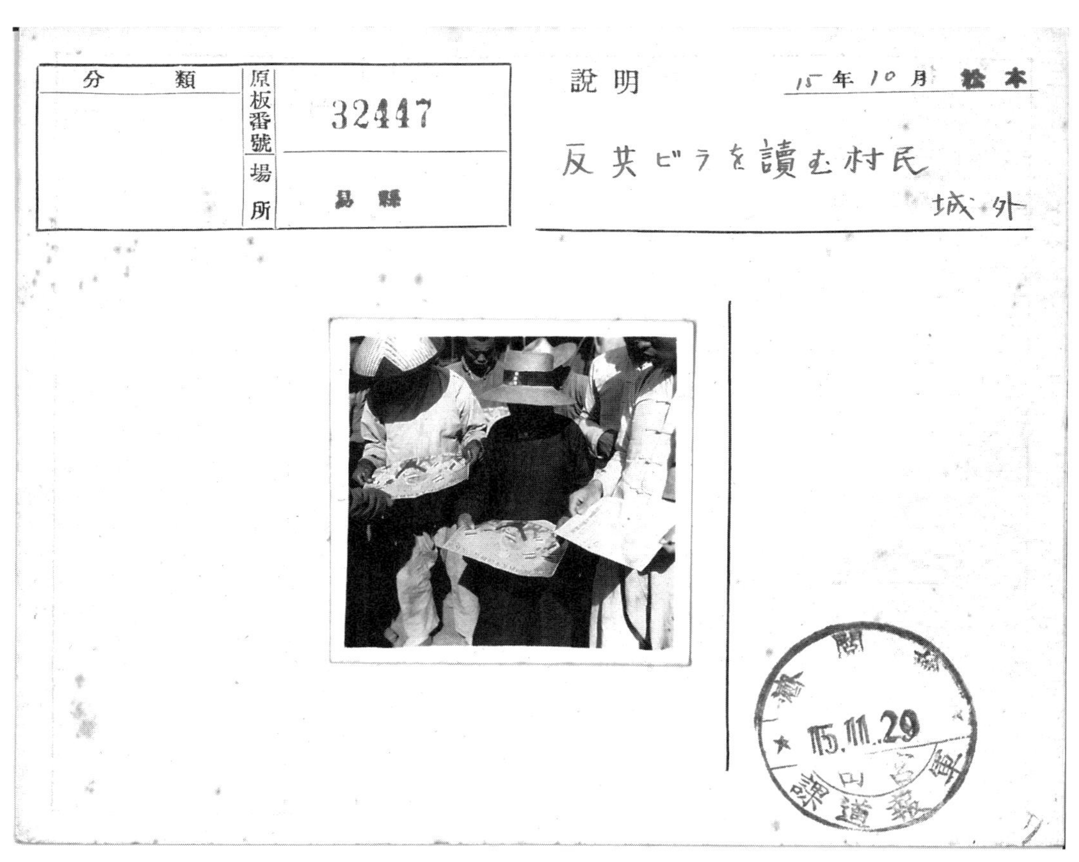

分類

原板番號 32447

場所 易縣

説明　15年10月　松本

反共ビラを讀む村民

城外

15.11.29

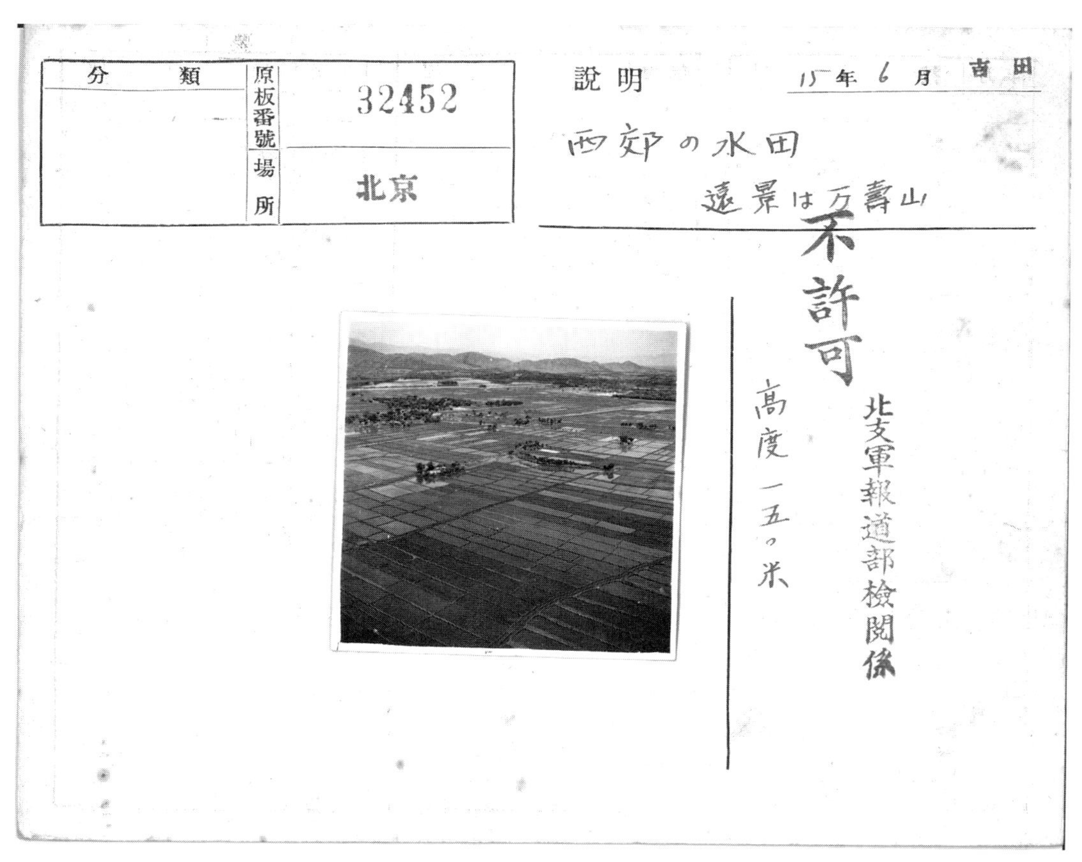

分類

原板番號 32452

場所 北京

説明　15年6月　吉田

西郊の水田

遠景は万壽山

不許可

高度一五〇米

北支軍報道部検閲係

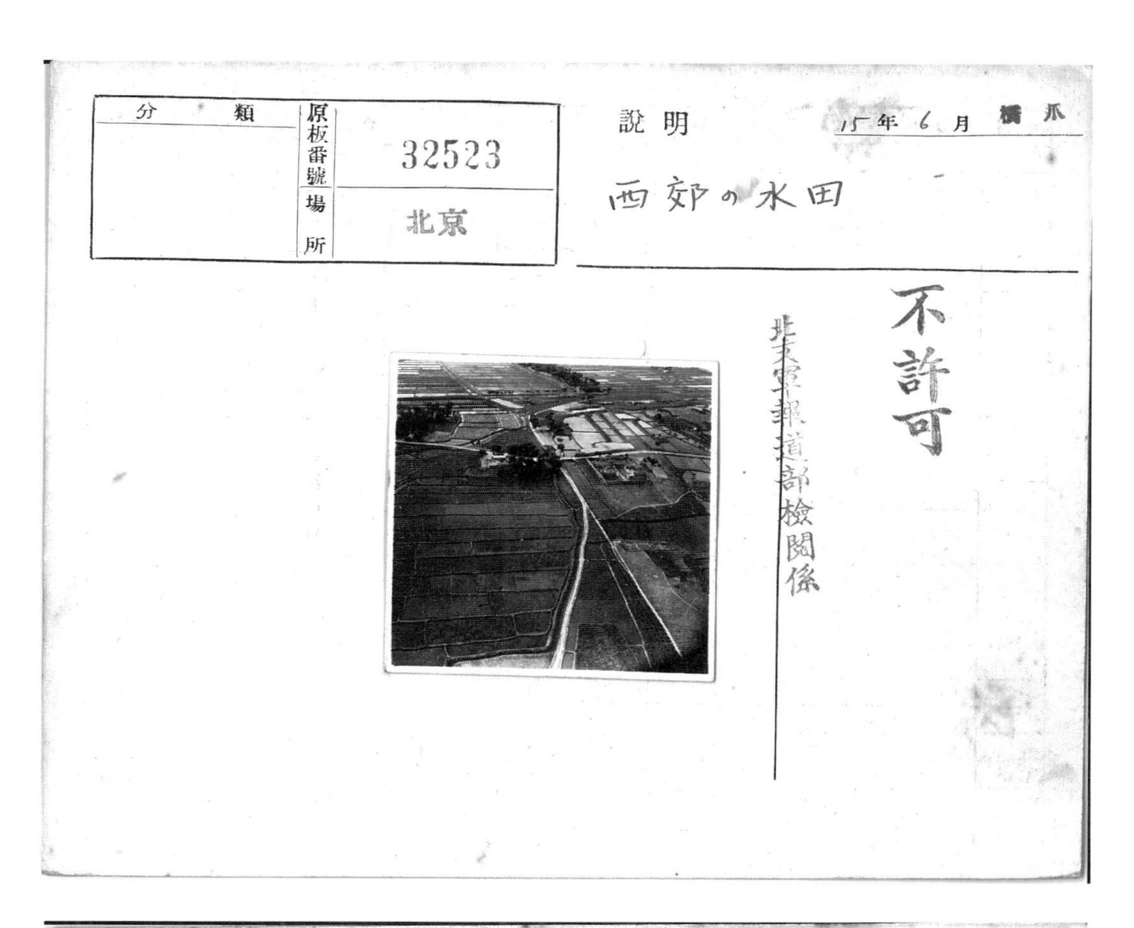

分類	原板番號	32523
	場所	北京

説明 15年6月 橋爪

西郊の水田

不許可

北支軍報道部検閲係

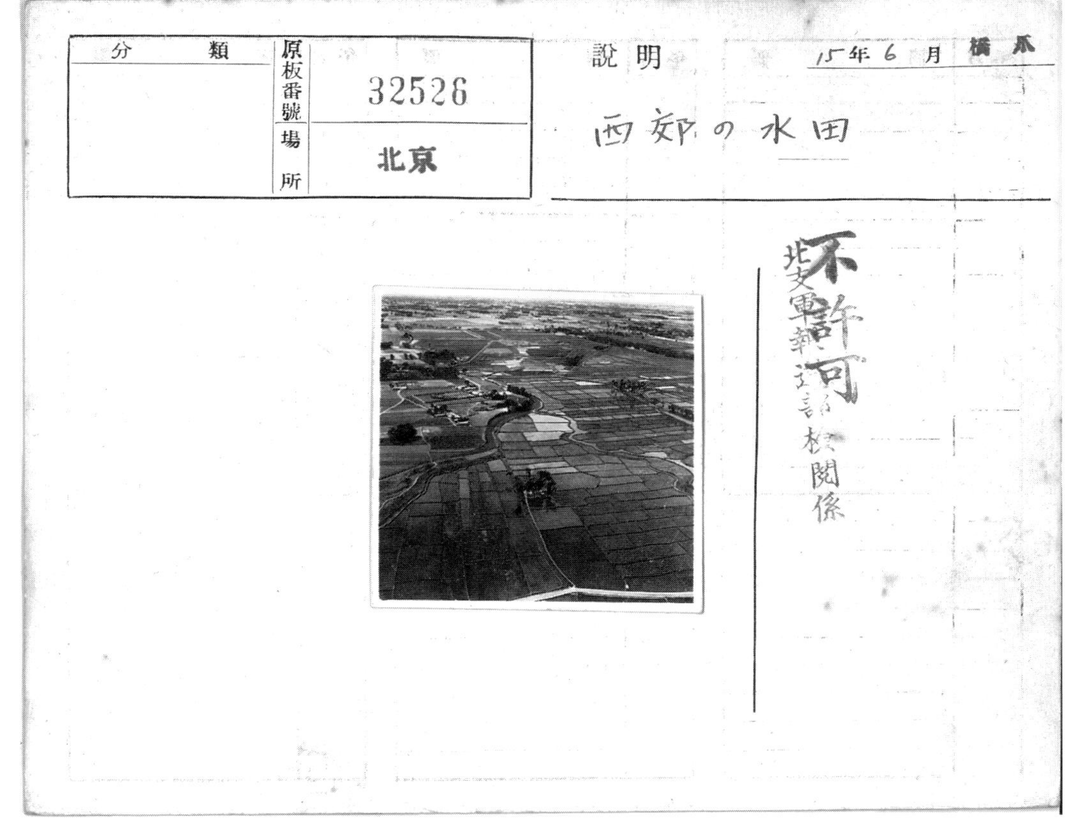

分類	原板番號	32526
	場所	北京

説明 15年6月 橋爪

西郊の水田

不許可

北支軍報道部検閲係

ネガ欠

分類

原板 32851

地名 東台橋

小清河

會社船團

15年9月 荒木

分類

原板 32865

地名 羊角溝

小清河

筏子

15年9月 荒木

南洋土人の「カヌー」に似たる小舟

分類

原板 32886

地名 羊角溝 小清河

苦力の曳船

15年9月 本

検閲済
昭和
15.11.29
軍

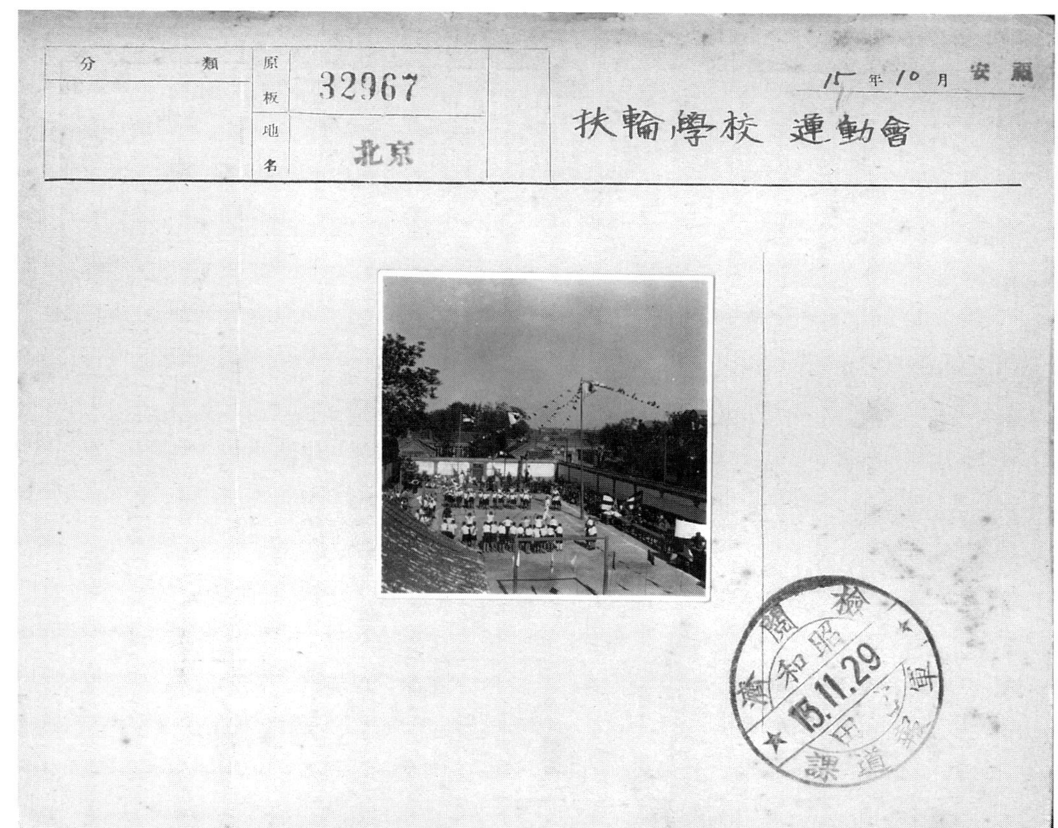
分類

原板 32967

地名 北京

扶輪學校 運動會

15年10月 安

検閲済
昭和
15.11.29
軍

分 類
原板
33154
地名
王家井
15年15/11月 有澤
徳石線建設殉職勇士の墓
徳石線開通式 王家井
検閲
15.12.24

分 類
原板
33156
地名
黄家台
15年15/11月 有澤
處女列車到着
徳石線開通式 黄家台
石門起点一〇六キロ
検閲
15.12.22

分類
風俗
子供
子供のある風景

原板番號 33211

場所 定県 京漢線

説明 15年11月 西

子供達

16.3.13

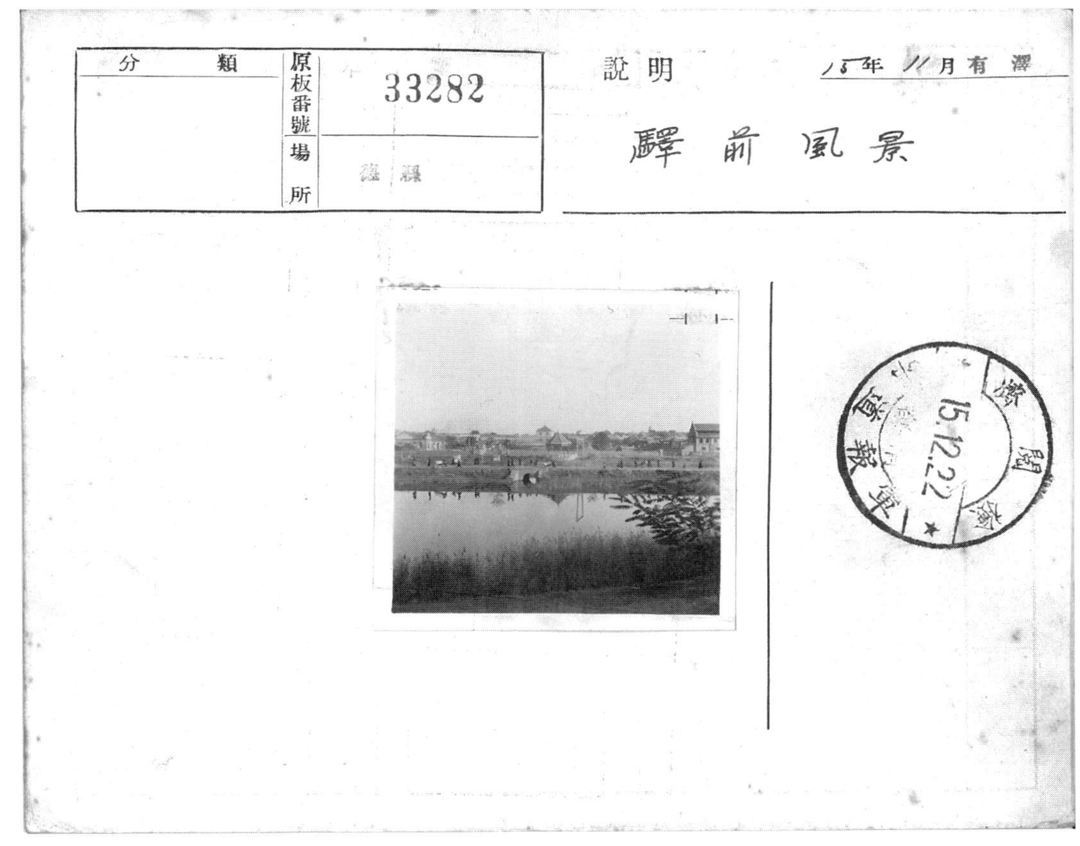

分類

原板番號 33282

場所

説明 15年11月 有澤

驛前風景

15.12.22

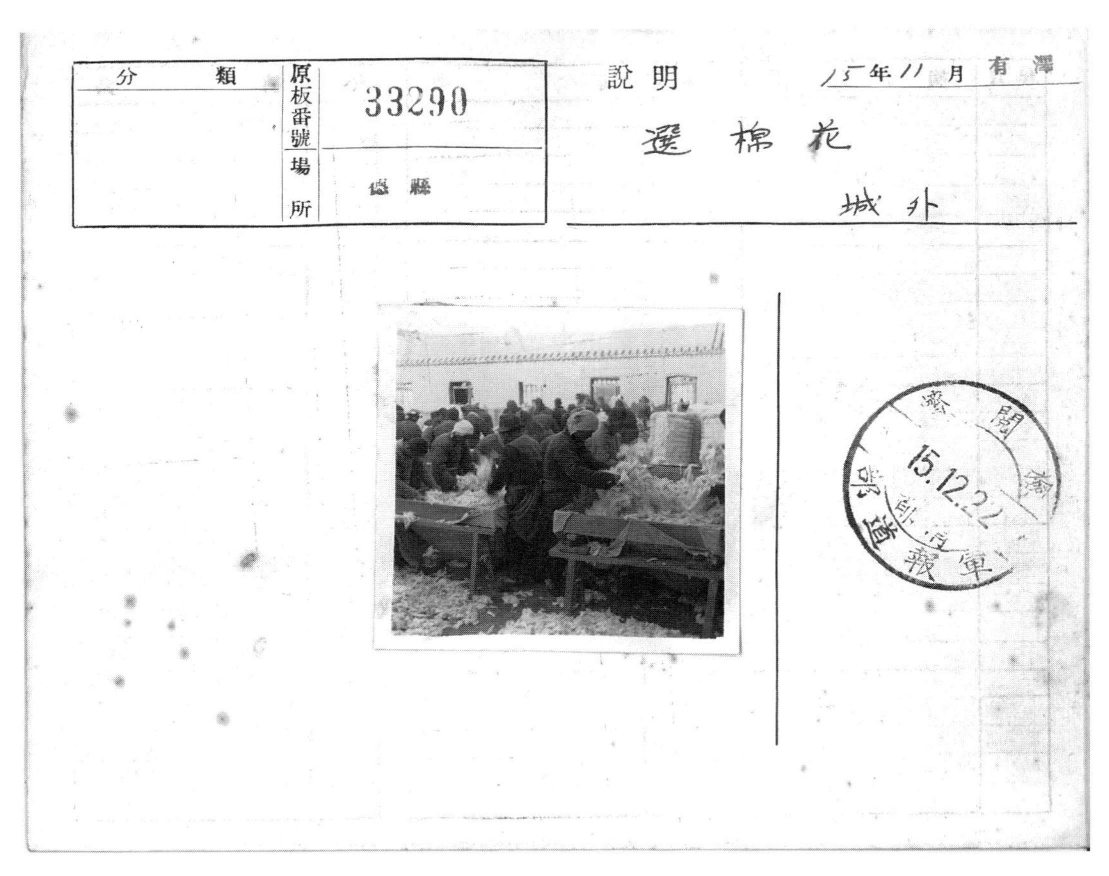

分　　類	原板番號	33290
	場所	德縣

說明　15年11月　有澤

選棉花

城外

檢閱濟　15.12.22　軍報道部

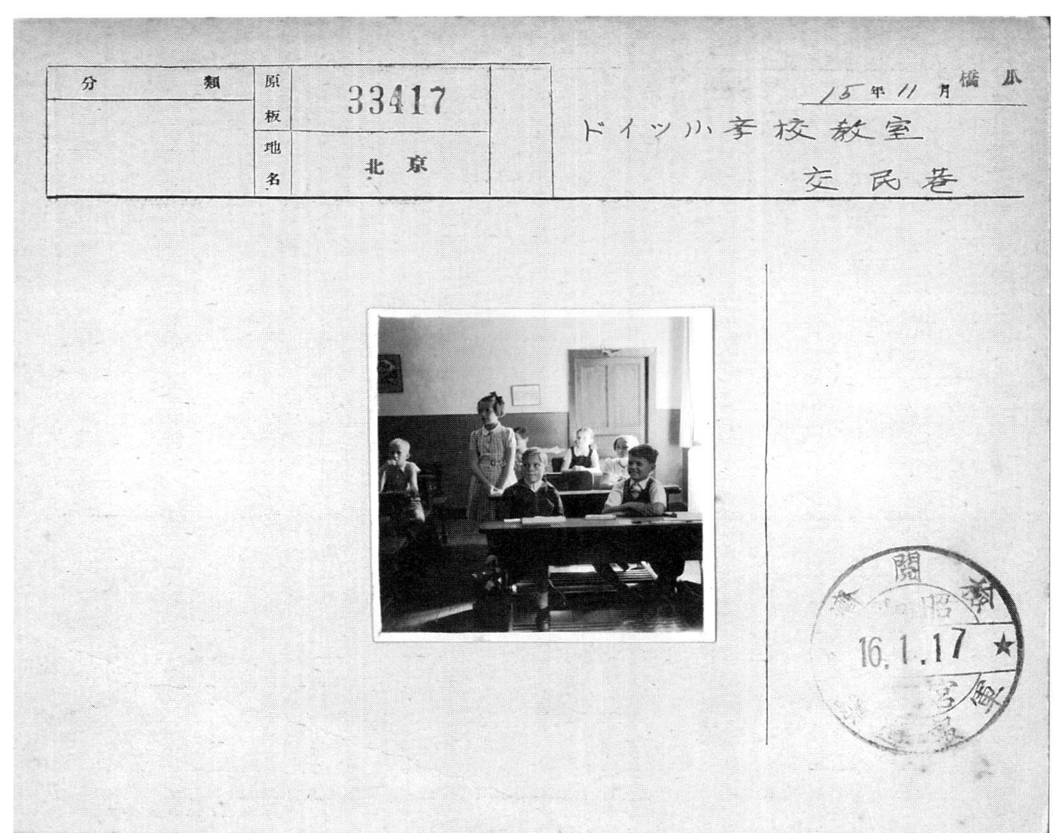

分　　類	原板	33417
	地名	北京

15年11月　橋爪

ドイツ小学校教室

交民巷

檢閱濟　昭　16.1.17 ★　軍報道部

分類	原板	33459	
	地名	北京	

15年11月松本

整列を終へた青年隊

中国人鉄道青年隊 前門站

★16.1.17

分類	原板	33463	
	地名	北京	

15年11月松本

華北交通歌合唱

前門站中国人鉄道青年隊

閲

★16.1.17★

分類	原板	33465
	地名	北京

15年11月松本

驛構内警備訓練スナップ

前門站中国人鉄道青年隊

16.1.17

分類	原板	33466
	地名	北京

15年11月松本

驛構内警備訓練スナップ

前門站中国人鉄道青年隊

16.1.17

分類	原板	33472
	地名	北京

15年11月 松本

驛構内警備訓練スナップ。

前門站中国人鉄道青年隊

16.1.17

分類	原板	33475
	地名	北京

15年11月 松本

城壁上の驛舎警備

前門站中国人鉄道青年隊

昭和 16.1.17

分類	原板	33478
	地名	北京

15年11月 松本

分列式

前門站中国人鉄道青年隊

閲済 昭和 16.1.17 田宮 報道課

分類	原板	33483
	地名	北京

15年11月 松本

前門站中国人鐵道青年隊員

閲済 昭和 16.1.17 田宮 報道課

分類	原板	33484
	地名	北京

15年11月松本

前門站中国人鐵道青年隊員

検閲済 昭和 16.1.17 報道課 宮田

分類	原板	33487
	地名	北京

15年11月松本

日本語の講習

前門站中国人鉄道青年隊

済 16.1.17 報道課 宮田

分類	原板	33538
	地名	北京

13年11月

新造の家畜車

前門站

16.1.17

分類	原板	33705
	地名	北京

15年12月

貨物を満載した列車到着

前門站

無事故の封印が切られ

貨車の戸が開かれる

50975

16.1.17

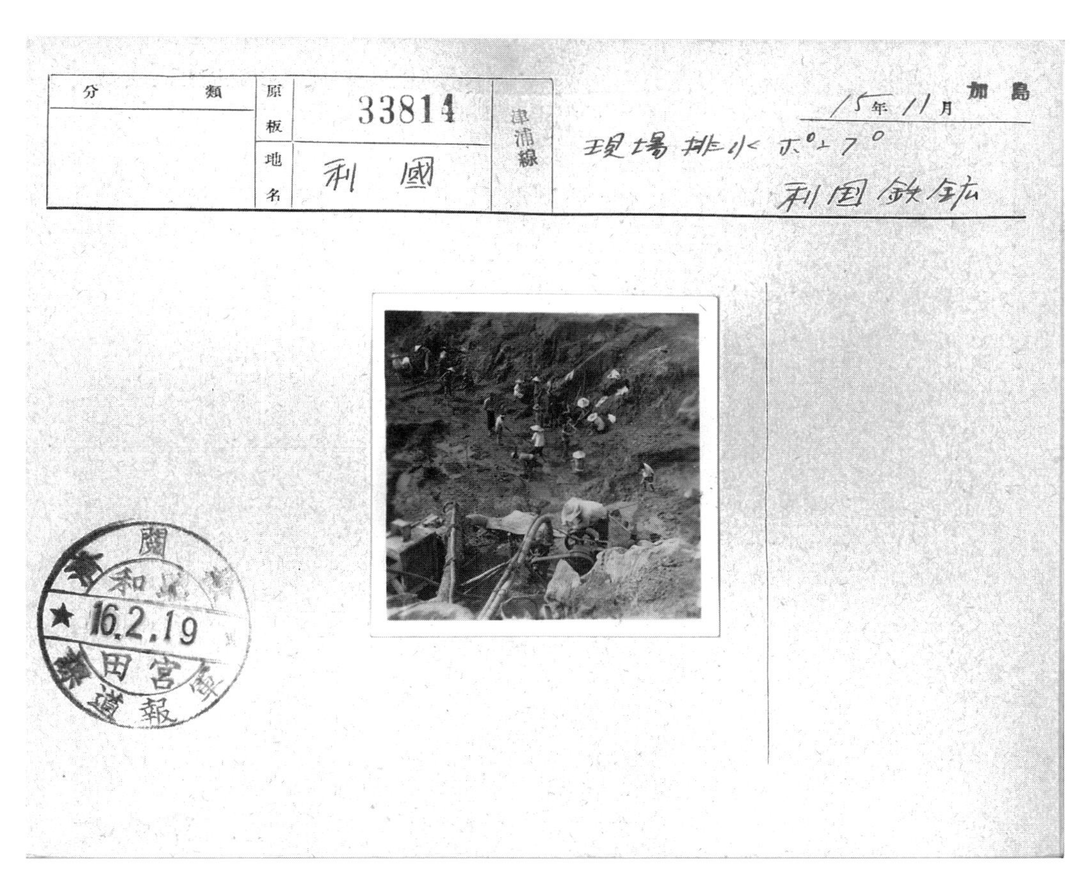

分類	原板	33814	津浦線
	地名	利國	

15年 11月 加島

現場排水ポンプ
利国鉄鉱

16.2.19

分類	原板	34011	門頭溝線
	地名	三家店	

15年 12月 山之内

三家店建設事務所工事段

工事段の庭
敵弾に具へて土堀し置いた
通信鳩舎

16.3.13

分類
原板地名
34048
同蒲線
15年12月 山之内
八路軍帰順兵を指揮する警備員
建設事務所工事員
16.4.2

分類
原板地名
34136
晋県
石徳線
15年12月 有澤
棉花をつんで石門へ出発するトラック
晋県
17.5.14
16.2.19

分類	原板	34276	隴海線	15年11月 加島
	地名	東海		東海站燐砿石積下し 海州燐砿石

分類	原板	34284	津浦線	15年11月 加島
	地名	沛県		沛県時計台前

自動車開通歓迎の
小学児童

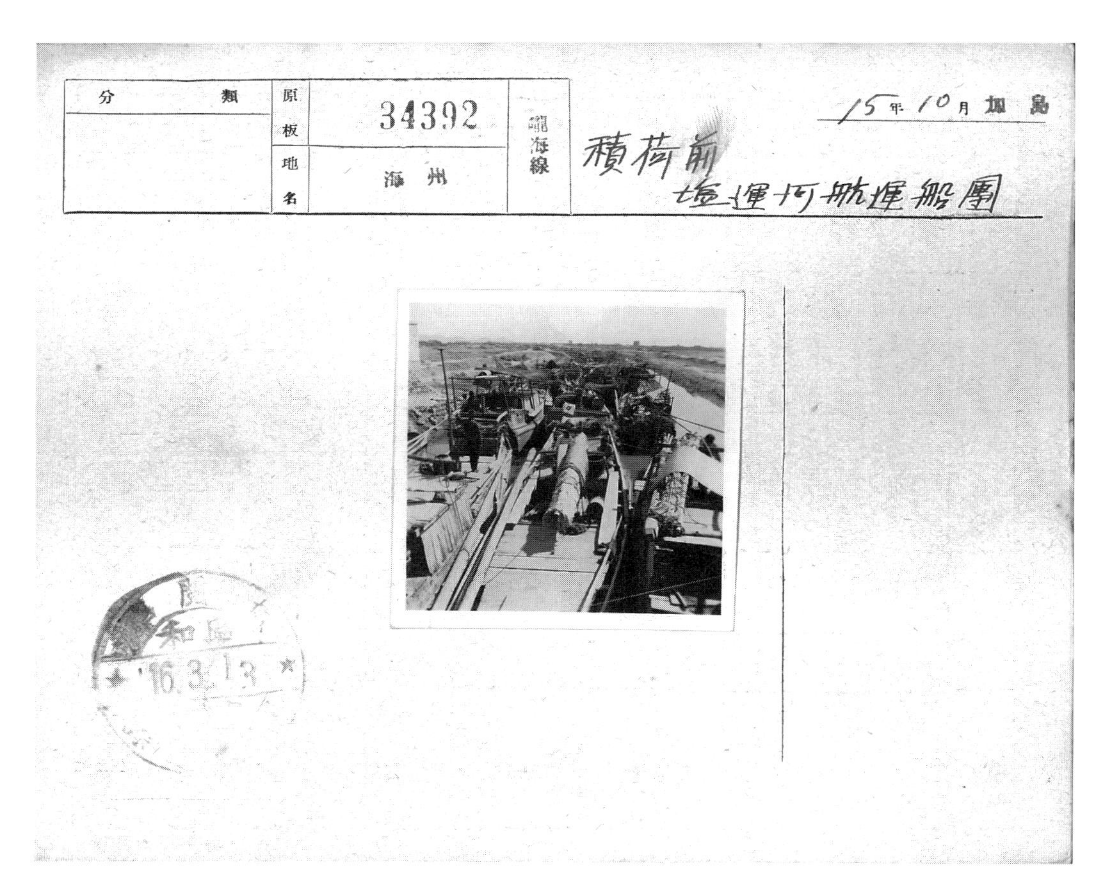
分類
原板 34392
地名 海州
隴海線
積荷前
塩運河航運船團
15年10月 加島
16.3.13

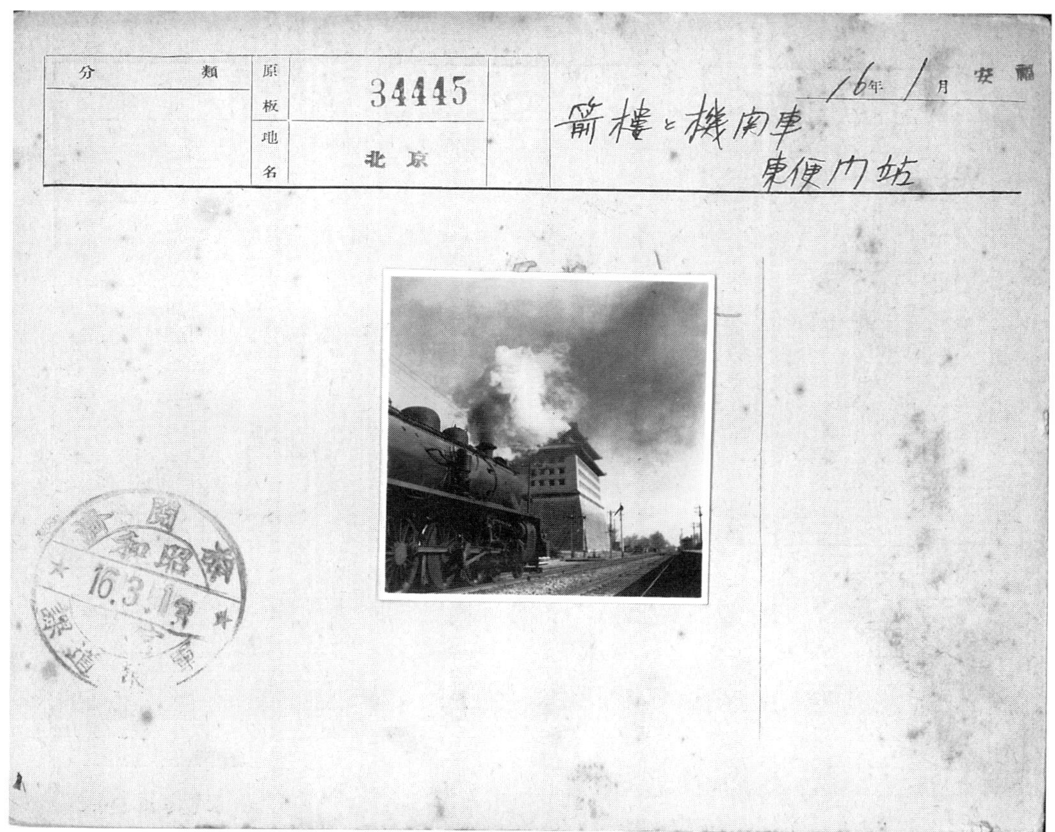
分類
原板 34445
地名 北京
箭樓と機関車
東便門站
16年1月 安福
16.3.11

分類
原板
地名
34480
15年12月
愛路村民の歓迎
順徳南城間自動車路線開通
南和平郷間

分類
原板
地名
34483
15年12月
愛路村民の歓迎
順徳南城間自動車路線開通
建設王道樂土

分類	原板	34485
	地名	定県

15年12月 松本

愛路村民の鉄道復旧工事
定県附近

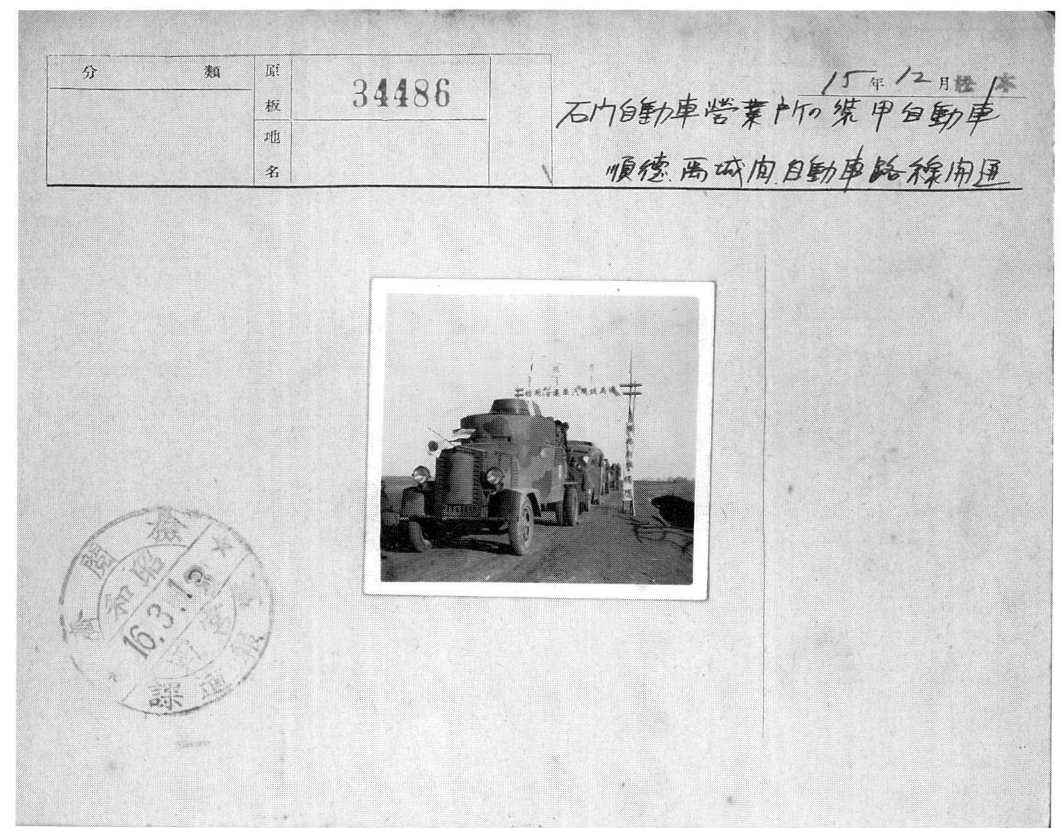

分類	原板	34486
	地名	

15年12月 松本

石門自動車営業所の装甲自動車
順徳 南城間 自動車路線開通

分類	原板	34491	京漢線	15年 12月 松本
	地名	順德		東門（望寄とも謂ふ）順德

分類	原板	34505	京漢線	15年 12月 松本
都邑 S-乙 順德	地名	順德		南門城壁上から見た府前大街（前方に見えるのは清風楼）

15年12月 松本

分類	原板	34507	京漢線	城内府前大街
	地名	順德		

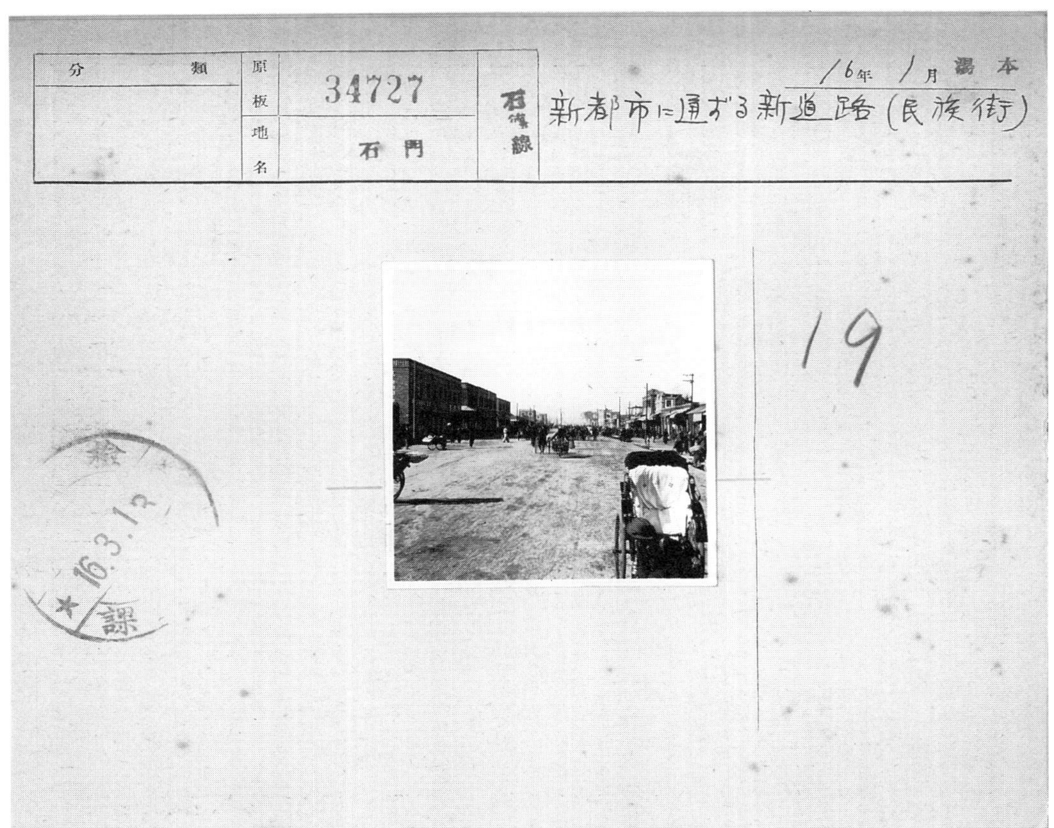

16年1月 湯本

分類	原板	34727	石德線	新都市に通ずる新道路(民族街)
	地名	石門		

19

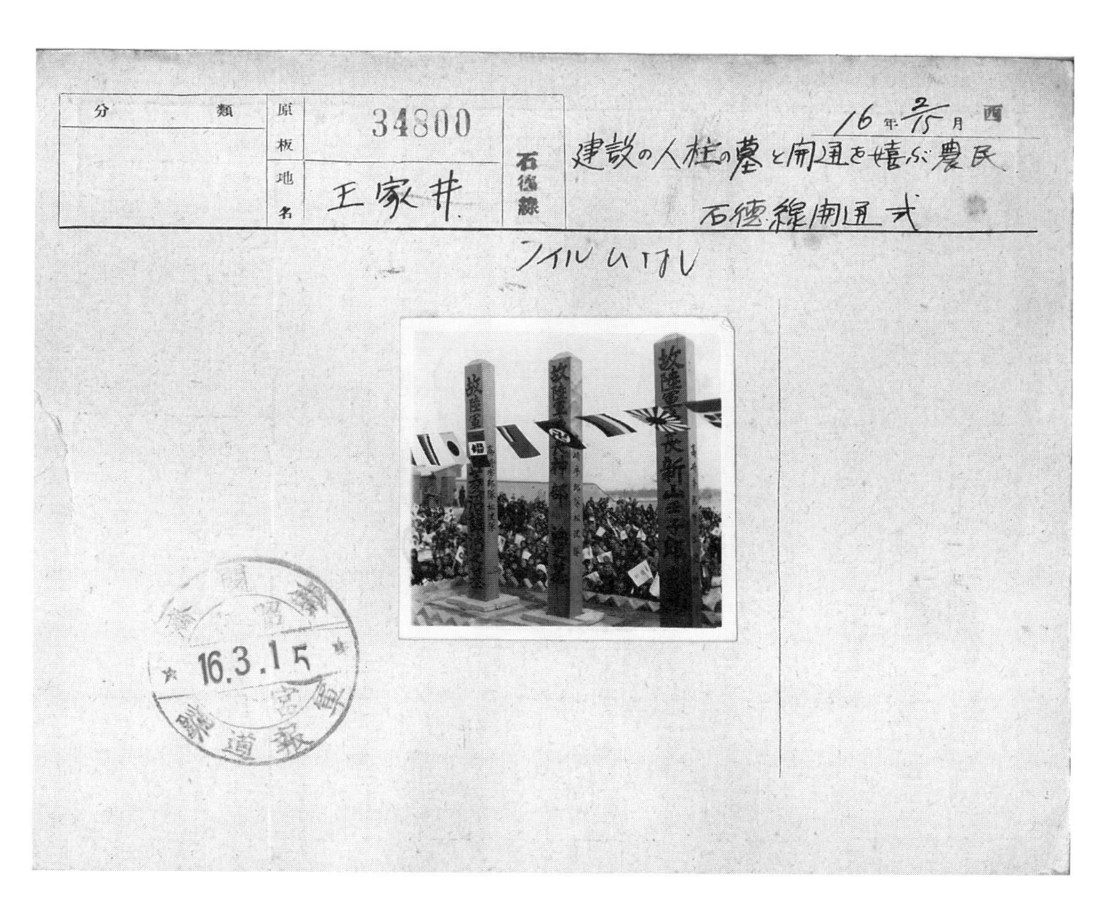
分類
原板 34800
地名 王家井
石徳線
16年2/15月 西
建設の人柱の墓と開通を嬉ぶ農民
石徳線開通式
フイルムなし
16.3.15

分類
原板 34801
地名 王家井
石徳線
16年2/15月 西
開通を嬉ぶ農民
石徳線開通式
16.3.15

分類	原板	34802	石德線	16年2/15月 西
	地名	馬于		列車を迎へる農村の子供達 石徳線開通式

分類	原板	35442	16年1月 加島
	地名	沢卅	南門城壁上の警備兵 晋城県城

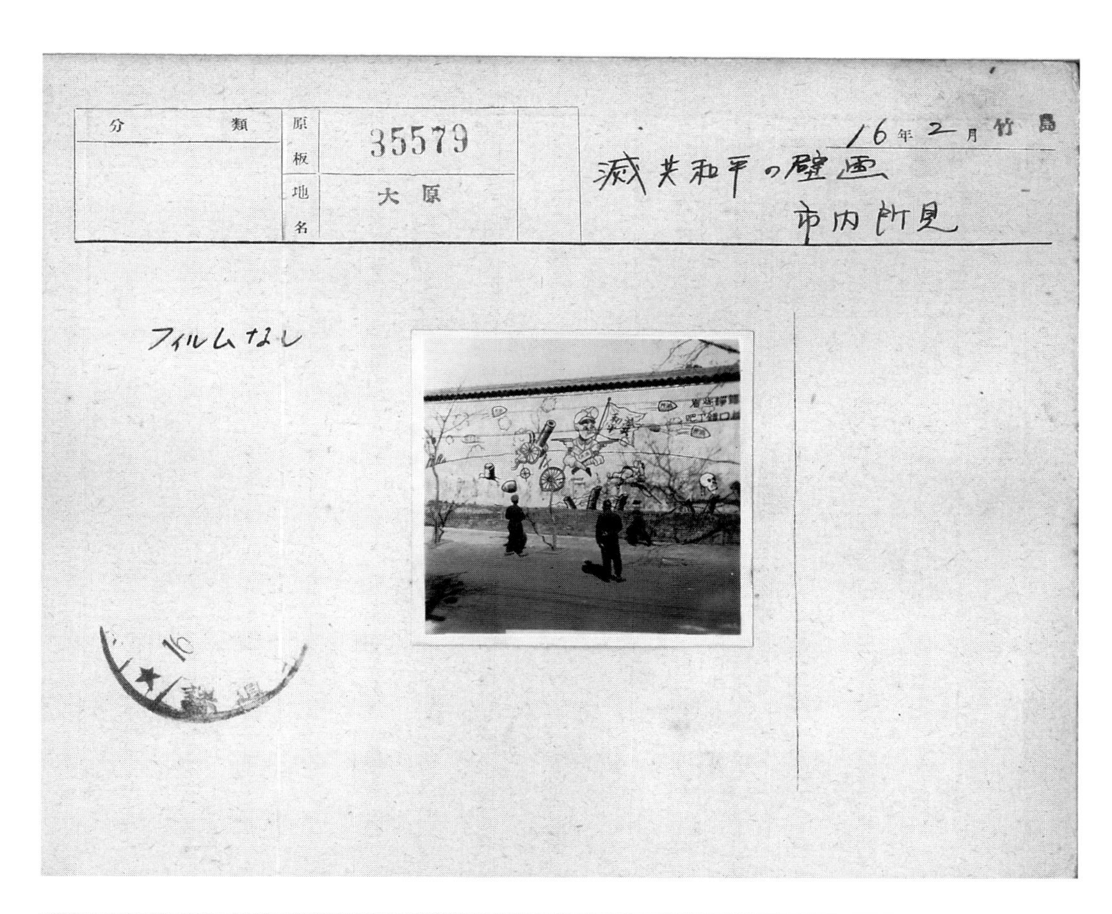

分類	原板	35579
	地名	大原

16年2月 竹島

滅共和平の壁画
市内所見

フィルムなし

分類	原板	35653
	地名	

15年5月 竹島

蘭村紙廠

乾燥機

16.5.29

分　類
原板
35655
地名
15年5月竹島
罌粟畠
蘭村
16.5.29
部道

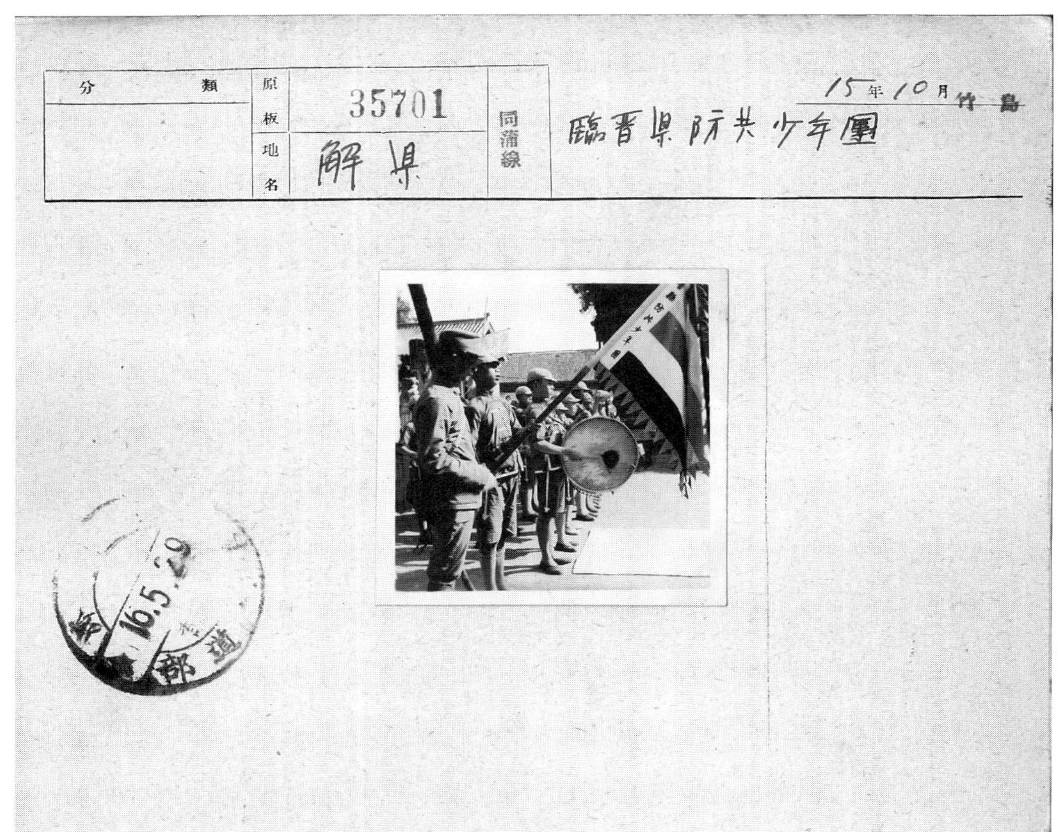
分　類
原板
35701
地名
解県
同蒲線
15年10月竹島
臨晋県防共少年團
16.5.29
部道

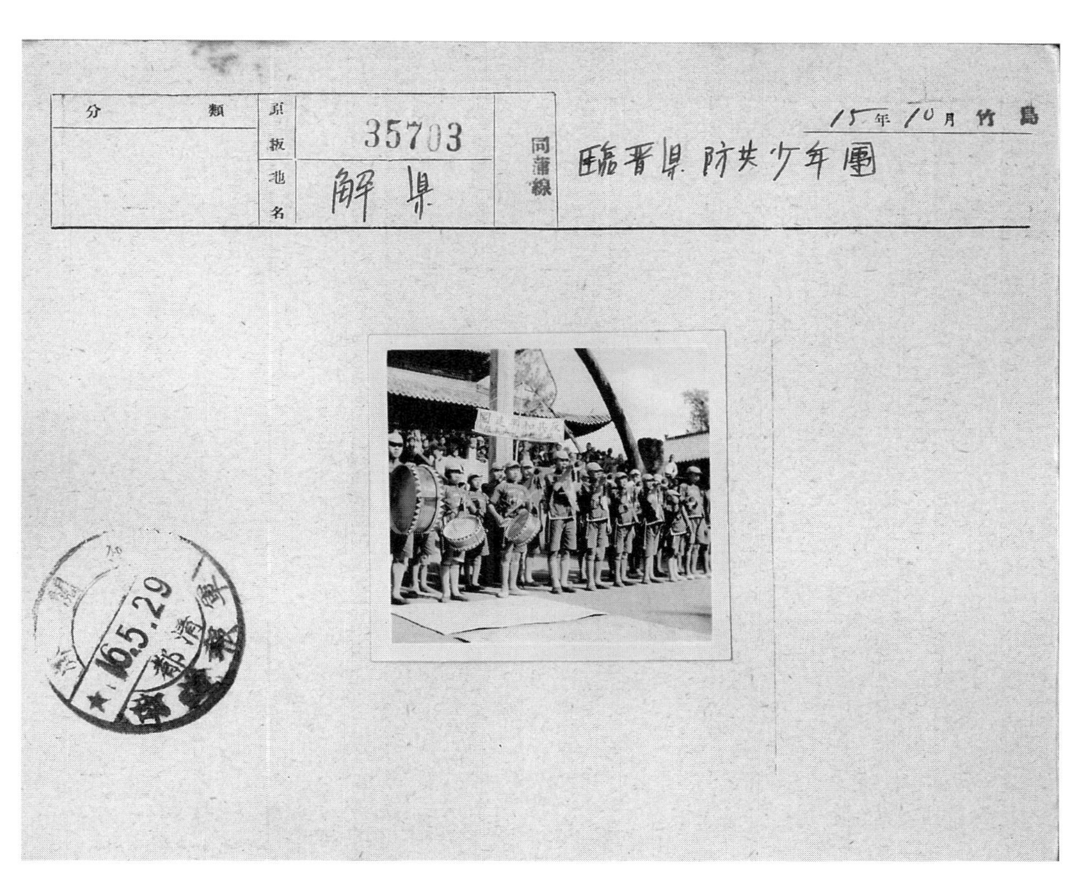

分類	原板	35703	同蒲線	15年10月 竹島
	地名	解県		臨晋県 防共少年團

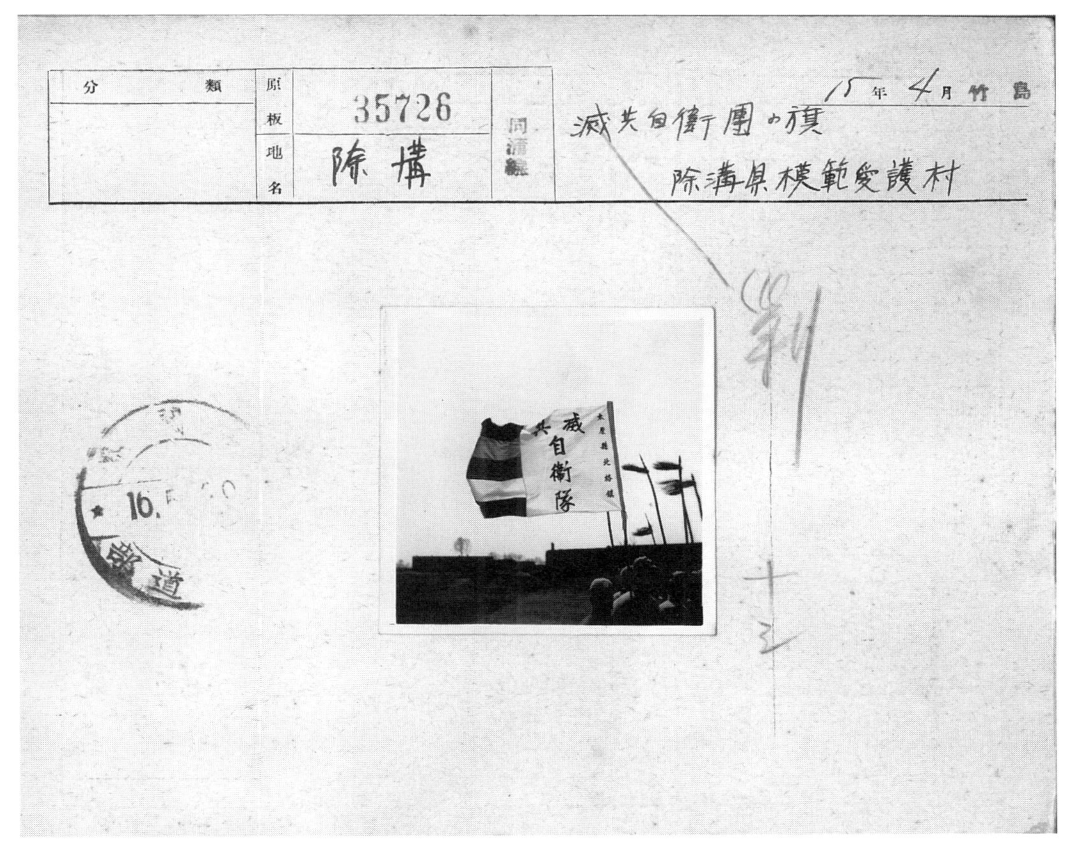

分類	原板	35726	同蒲線	15年4月 竹島
	地名	除構		滅共自衛團の旗 除溝県模範愛護村

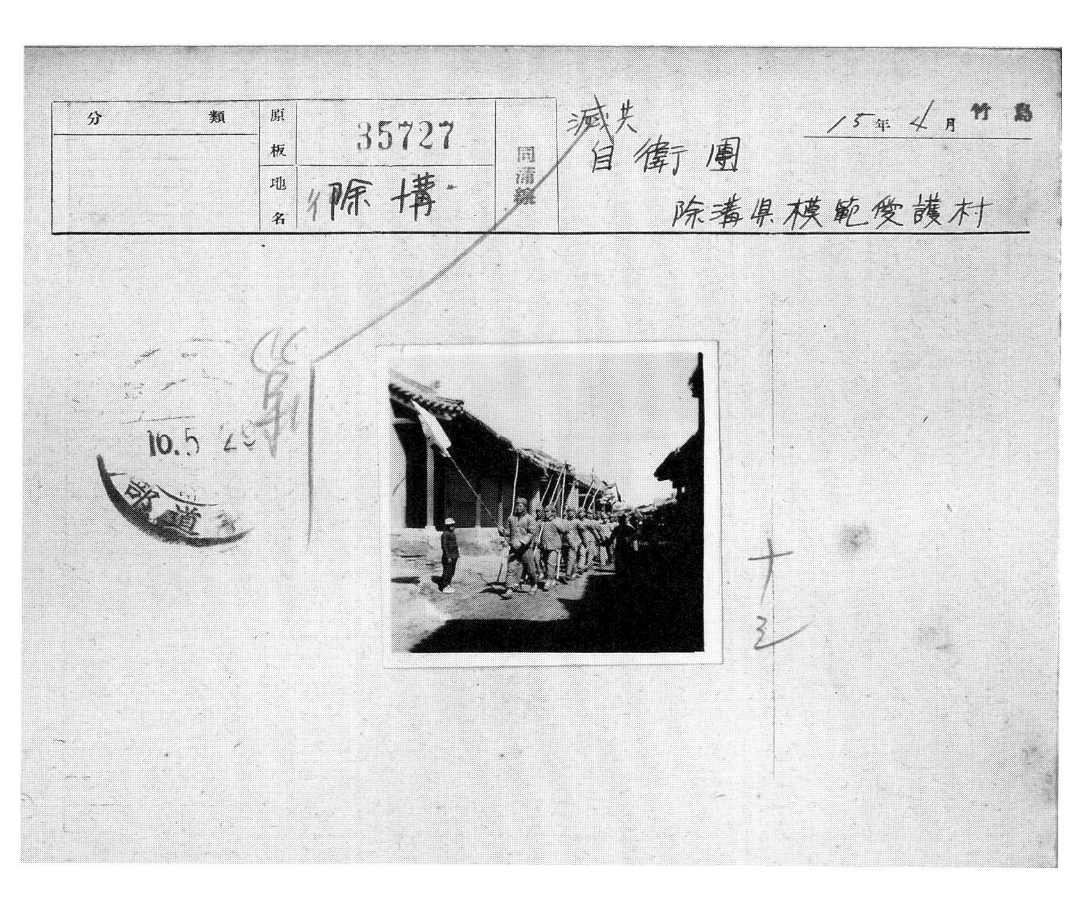

分　類	原板	35727	同蒲線	滅共 自衛團	15年 4月 竹島
	地名	徐溝		除溝県模範愛護村	

10.5.29 部道

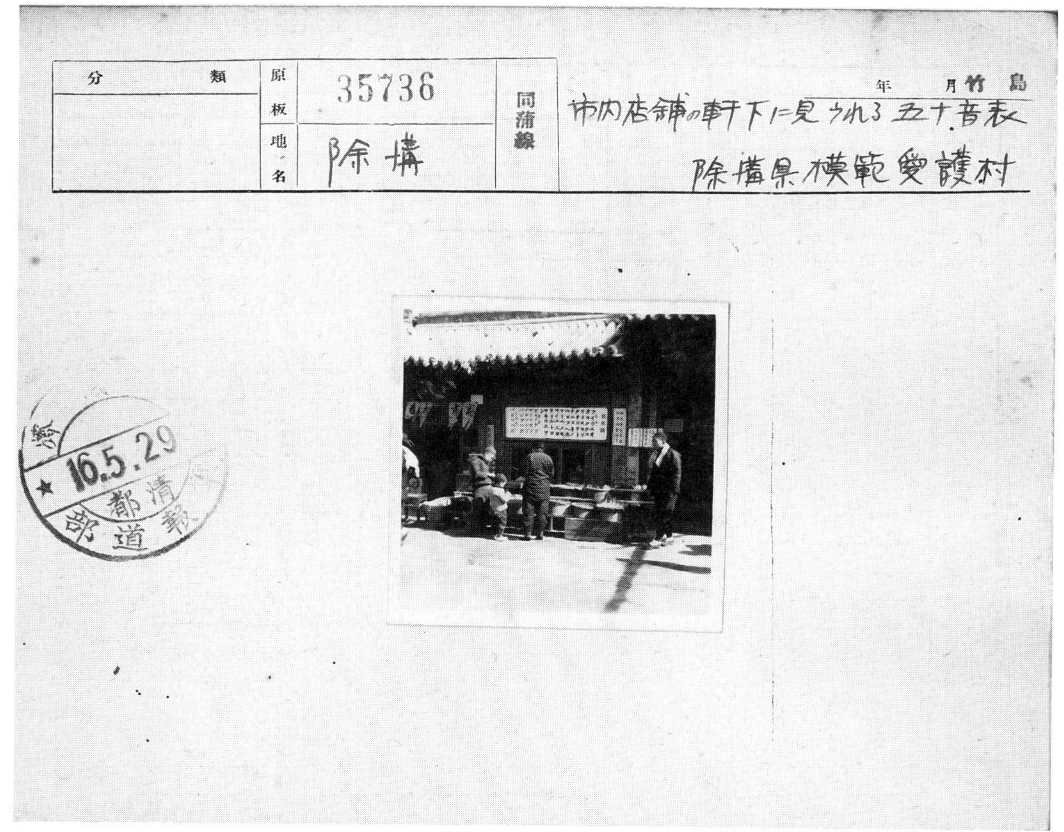

分　類	原板	35736	同蒲線	市内店舗の軒下に見られる五十音表	年 月 竹島
	地名	除溝		除溝県模範愛護村	

16.5.29 都清 部道報

分類	原板	35950
	地名	北京

16年1月 河合

年画を賣る店

旧歳末風景

検閲済 16.5.29 報道部

分類	原板	36186
	地名	來遠鎮

16年3月 竹島

來遠鎮部落

東潞線開通

16.5.2

分類
原板 39747
地名 徐州
16年 7月 加島
麥畑の中をゆく
自動車の集團運行

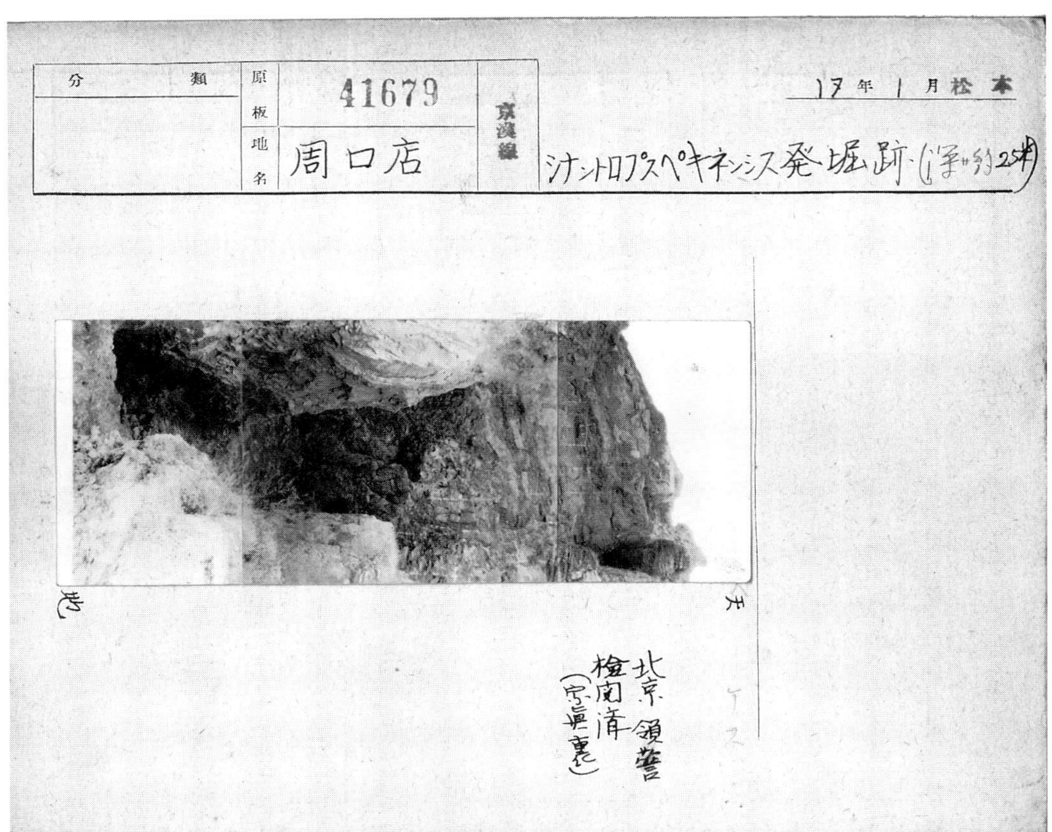
分類
原板 41679
地名 周口店
京漢線
17年 1月 松本
シナントロプスペキネンシス発掘跡（深サ約25米）
地
天
北京 領警
檢閲済
（写真裏）

第２部　写真リスト

原板番号	場所	説明	撮影年月	撮影者	検閲印	その他
74, 75, 76	豊名	脱線修理	1937年10月	荒木	軍報道課19390623伊藤、軍報道部19400612清都	『週刊朝日』に使用
158	天津	大汽碼頭風景	1938年２月	湯本	軍報道課19400612宮田	通番番号別写真もあり
建165, 169, 171	—	黄河橋梁架設・渡舟作業	1938年１月	奥園	軍報道課19390629伊藤、軍報道課19400612宮田	
308, 351	通州	遭難邦人ノ墓	1938年３月	奥園	軍報道課19390629伊藤、軍報道課19400612宮田	
401, 402, 403	天津	万国橋ノ開閉	1938年２月	湯本	軍報道課19400612宮田	
454, 445, 478	天津	ヴィクトリヤロード（英租界）	1938年２月	湯本	軍報道部19400710清都	
480, 483	天津	万国橋ト仏租界	1938年２月	湯本	軍報道課19400612宮田	裏：『英文日本』に使用
623, 626, 627	山海関	物産山積	1938年２月	橋爪	軍報道課19390725伊藤、軍報道課19400612宮田	
787, 792	—	北寧線ニ於ケル列車転覆ノ現場	—	—	—	検閲不許可
883, 891	石景山	石景山製鉄所・熱風筒	1938年３月	竹島	軍報道課19400502宮田	『庸報』に使用
1004, 1028, 1057	済南	城外風景・洗濯中ノ住民	1938年３月	奥園	軍報道課19390707伊藤、軍報道部19400710清都	『北支画刊』２号、同盟通信193903、『Glimbses of the East』、『ツーリスト』に使用
1181	郎坊	日本兵ノ墓ニ花ヲ捧ゲル支那娘	1938年３月	奥園	軍報道課19390629伊藤	1939年４月１日から　大朝大東亜建設博、佐世保　支那事変展、今治　支那事変展
2544	天津	特産物の荷揚げ　白河	1938年５月	橋爪	軍報道課19400612宮田	『北支画刊』に使用
2547, 2549	塘沽	塩田	1938年５月	橋爪	軍報道課19400606宮田	『北支画刊』に使用。４月１日大阪朝日新聞主催「大東亜建設博覧会」（西宮大運動場）、横浜　大陸発展展、（2549ネガ欠）
2550, 2571, 2572	塘沽	長蘆塩	1938年５月	橋爪	軍報道部19400614清都	『北支画刊』『北支』に使用
2551, 2552, 2553	塘沽	長蘆塩　塩の輸送	1938年５月	橋爪	軍報道課19400605宮田	『北支』に使用

原板番号	場所	説明	撮影年月	撮影者	検閲印	その他
2564, 2565, 2566	塘沽	長蘆塩	1938年5月	橋爪	軍報道課 19400605宮田	『北支画刊』に使用。大阪朝日新聞主催「大東亜建設博覧会」（西宮大運動場）19390401-0521、横浜　大陸発展展、佐世保　支那事変展。裏：『東亜経済ニュース』194007に使用
2574, 2578, 2585	塘沽	長蘆塩　内記工場内	1938年5月	橋爪	軍報道課 19400606宮田	『北支画刊』『庸報』に使用。大阪朝日新聞主催「大東亜建設博覧会」（西宮大運動場）19390401-0521、横浜　大陸発展展、佐世保　支那事変展
2687, 2688, 2689	天津	万国橋	1938年5月	大坪	軍報道課 19400612宮田	『東京工業日日新聞』に使用。1939年12月、大陸交通案内所で使用
2703, 2704	天津	北寧鉄路管理局	1938年5月	大坪	軍報道課 19390629伊藤	
2939, 2940	北京	前門駅の女警	1938年6月	豊田	軍報道課 19390629伊藤、軍報道課 19400612宮田	裏：大阪朝日新聞主催「大東亜建設博覧会」（西宮大運動場）19390401-0521、(2940ネガ欠)
3002, 3003	正太・同蒲線方面	武装勤務スル満鉄社員	1938年4月	竹島	軍報道課 19390623伊藤、軍報道課 19400612宮田	
3005, 3007	正太・同蒲線方面	旅客糧秣輸送状況	1938年4月	竹島	軍報道課 19390623伊藤、在北京日本総領事館19420514	1939年3月7日、社員館記念室
3050, 3054	唐山	華新紡績公司	1938年6月	奥園	軍報道課 19400612宮田	
3130, 3163	天津	電業公司	1938年6月	奥園	軍報道課 19400612宮田	『中外商業』、『新東亜産業大観』193912に使用
3154	天津	仏蘭西租界	1938年6月	奥園	検閲印不鮮明	『興亜』
3218, 3223	秦皇島	開灤炭輸出風景	1938年6月	奥園	軍報道課 19390701伊藤	『新東亜経済大観』に使用
3224, 3237	秦皇島	開灤炭輸出	1938年6月	奥園	軍報道課 19400604宮田	『北支画刊』『庸報』に使用
3274, 3275, 3276	北京	警察学校	1938年6月	豊田	軍報道課 19400612宮田	(3274ネガ欠)
3357	包頭	阿片吸煙状態	1938年6月	荒木	軍報道課 19390701伊藤	『北支画刊』に使用
3394	居庸関	社員ノ歩哨	1938年6月	荒木	軍報道課 19400612宮田	『新東亜経済大観』193912に使用
3531, 3532, 3538	包頭	市街	1938年6月	荒木	軍報道課 19400710宮田	大陸交通案内所193912で使用
3719, 3720, 3721	大同	大同炭鉱　盗掘ノ跡ノ現場　本人達ハ盗掘ヲ意識シナイト言フ	1938年6月	荒木	軍報道部 19400604清都	『月夜』に使用か

原板番号	場所	説明	撮影年月	撮影者	検閲印	その他
3789, 3790, 3791	煙筒山	採鉱　龍煙鉄鉱	—	荒木	軍報道部19400604清都	『新東亜経済大観』『中外商業』に使用。大阪朝日新聞主催「大東亜建設博覧会」（西宮大運動場）19390401-0521、横浜　大陸発展、展、今治　支那事変展、佐世保　支那事変展に使用
3938, 3941, 3942	津浦線	爆撃サレタ敵、貨車	1938年6月	木村	軍報道課19390629伊藤、軍報道課19400612宮田	
3961, 3972, 3974	津浦線徐州	旧従業員　満鉄採用（徐州）	1938年6月	木村	軍報道課19390629伊藤	
3993, 4003	津浦線徐州	お風呂列車	〔1938年6月〕	橋爪	軍報道課19400612宮田	
4011, 4012	津浦線	徐州ニテ	—	橋爪	軍報道課19390707伊藤、軍報道課19400612宮田	
4049, 4060	京漢線	焦作へ向フ　修理列車	1938年6月	〔橋爪？〕	軍報道課19390623伊藤	『新東亜』『新東亜経済大観』に使用
4056	京漢線	新郷城畔	1938年6月	橋爪	軍報道部19400710清都	
4058	京漢線彰徳附近	貨車デ第一線へ向フ兵士—彰徳附近—	1938年6月	奥園	軍報道課19400612宮田	04010大阪朝日新聞主催「大東亜建設博覧会」（西宮大運動場）、今治　支那事変展、佐世保　支那事変展
4269, 4270	芝罘	アメリカ艦体入港風景	1938年8月	〔豊田〕	軍報道課19390725五月女、軍報道部19400613清都	
4423, 4439	芝罘	アメリカ水兵の上陸	1938年8月	〔豊田〕	軍報道課19400612宮田	
4458	芝罘	市街所見	1938年8月	豊田	軍報道部19400710清都	
4629, 4830	青島	山東路	1938年8月	奥園	軍報道部19400710清都	『北支画刊』『ツーリスト』北京に使用
4650	徳県	城門より駅方面を望む	1938年8月	奥園	軍報道部19400710清都	
4681, 4690	青島	海浜所見	1938年8月	奥園	軍報道部19400613清都	『ツーリスト』満州、北京に使用。大阪朝日新聞主催「大東亜建設博覧会」（西宮大運動場）19390401
4693, 4694	青島	海浜所見	1938年8月	奥園	軍報道部19400613清都	『ツーリスト』に使用
4708	淄川	討伐行	1938年8月	奥園	軍報道課19390629伊藤、軍報道課19400612宮田	
4756	済南	市街	1938年7月	奥園	軍報道部19400710清都	『北支画刊』に使用

原板番号	場所	説明	撮影年月	撮影者	検閲印	その他
4759	徐州	満鉄社員の活動	1938年7月	奥園	軍報道課 19400612宮田	『北支画刊』に使用（ネガ欠）
4823, 4826	唐山	国防婦人会	1938年7月	—	軍報道課 19390725五月女	
4940, 4941, 4942	包頭	二里半ニ於ケル羊毛ノ馬車積込　渡船ト駱駝デ輸送シ更ニ馬車ニテ包頭ニ入ル	〔1938年〕	〔竹島〕	軍報道課 19400612宮田	『同盟通信写真年鑑』に使用。4月1日大阪朝日新聞主催「大東亜建設博覧会」（西宮大運動場）、横浜　大陸発展展、佐世保　支那事変展。（4940ネガ欠）
4954, 4955, 4956	済南	隴海線ニ出発スル社員	1938年8月	竹島	軍報道課 19390623伊藤、軍報道課 19400612宮田	『北支画刊』に使用（4954, 4956ネガ欠）
5001, 5003	天津	日伊親善　大和公園ニテ	1938年9月	〔竹島？〕	軍報道課 19400612宮田	
5092, 5106, 5113	張北	満鉄カメラマンノ活躍	1938年9月	奥園	軍報道課 19390623伊藤	自家用
5293, 5294, 5295	北京	道路工事	1938年9月	湯本	軍報道課 19390629伊藤、軍報道課 19400612宮田	自家用（5295ネガ欠）
5471	沙河鎮	愛路列車ニ集ル人	1938年9月	湯本	軍報道部 19400612清都	自家用。『満日』『少年クラブ』に使用
5483, 5484	南口	愛路列車ノ講演　愛路列車キャラメルをくばる	1938年9月	湯本	軍報道部 19400612清都	自家用。『遠東画報』『満日』、台湾展全紙に使用
5509	正太線	山西ノ寺院（機上ヨリ）	1938年9月	新谷	軍報道課 19400612宮田	自家用
6032, 6033	北京	鮮満支直通列車	1938年10月	奥園	軍報道課 19390623伊藤	自家用
6256, 6257	北京	銃剣術教練(治安部)	1938年10月	豊田	軍報道課 19390629伊藤、軍報道課 19400612宮田	
6373, 6374	青島	復興を急ぐ紡績工場（四方紡績）	1938年11月	竹島	軍報道課 19400612宮田	同盟通信、『新興亜産業大観』に使用
6433	天津	天津白河万国橋	1938年6月	竹島	軍報道課 19400612宮田	（ネガ欠）
6503, 6504	北京	治安部車警隊ノ活躍	1938年10月	豊田	軍報道課 19390629伊藤、軍報道課 19400612宮田	(6503ネガ欠)
6513, 6514	北京	治安部車警隊ノ活躍	1938年10月	豊田	軍報道課 19390629伊藤、軍報道課 19400612宮田	『北支画刊』に使用（6513, 6514ネガ欠）
6524, 6525	北京	西単ニ於ケル夜間検査	1938年10月	豊田	軍報道課 19390629伊藤、軍報道課 19400612宮田	

原板番号	場所	説明	撮影年月	撮影者	検閲印	その他
6553, 6561	新郷	船越部隊　慰安会場ニテ	1938年10月	奥園	軍報道課 19400612宮田	
7173	北京	石景山製鉄所火入式　勇躍仕事を開始する	1938年11月	湯本	軍報道課 19400502宮田	自家用
7368	北京	隆福寺廟会	1938年12月	田中	在北京日本総領事館19450319	(原板在東京)
7465	同蒲線 ［洪善鎮］	楡次構内軍人及社員ノ墓	1938年12月	—	軍報道課 19390612宮田	
7696	—	周鎮蚌埠間鉄路破壊修復	1938年12月	奥園	軍報道課 19390629伊藤	
7788, 7789	太原	太原紡績工場	1938年11月	豊田	軍報道課 19400612宮田	自家用
7977	同蒲線 ［洪善鎮］	洪善鎮車站にある診療所	1938年12月	湯本	軍報道課 19390629伊藤	自家用。4月1日大阪朝日新聞主催「大東亜建設博覧会」(西宮大運動場）で使用
7981, 7982	同蒲線	五色旗を持つて出迎へす高村	1938年12月	湯本	軍報道部 19400612宮田	
7987	同蒲線	社員の碑	1938年12月	湯本	軍報道課 19400612宮田	
8296	津浦線	蚌埠市街	1938年12月	奥園	軍報道部 19400710清都	
8335	京包線 大同	大同駅修理	1938年12月	豊田	軍報道課 19390623伊藤、 軍報道課 19400612宮田	『写真週報』に使用
8426	津浦線	匪賊ヲ連れて居る白兵隊	1938年12月	豊田	軍報道課 19400612宮田	
8450	膠済線	列車ノ転覆	1938年12月	豊田	軍報道課 19390629伊藤、 軍報道課 19400612宮田	
8691	天津	天祥市場附近	1938年12月	竹島	軍報道部 19400710—	(ネガ欠)
8800	京包線	流水状態	1938年12月	〔田中〕	軍報道課 19390701伊藤、 軍報道課 19400612宮田	(ネガ欠)
8996	太原	太原　社員の生活	〔1938年〕	安福	軍報道課 19400612宮田	自家用
9118	正太線	岩会站　社員の生活	〔1938年〕	安福	軍報道課 19400612宮田	『写真週報』に使用
9182	正太線 上安	上安站附近　敵襲ニヨル事故	〔1938年12月〕	安福	軍報道課 19390623伊藤、 軍報道課 19400613宮田	
13085	保定	西門丘ヨリ城外ヲ望ム	1939年2月	田中	軍報道部 19400710清都	
14343	北京	満鉄北支事務局　表玄関	1939年2月	竹島	軍報道部 19390614清都	(ネガ欠)

原板番号	場所	説明	撮影年月	撮影者	検閲印	その他
14365	〔北京〕	警察局　警防軍射撃の姿勢	〔1931年6月〕	〔吉田〕	軍報道課19390616伊藤、軍報道課19400612宮田	
14431	［新郷］	新郷　衛河民楽槗	1939年1月	—	軍報道課19390616伊藤、軍報道部19400710清都	
14616	北京	北京—南京間開通慶祝看板	1939年4月	田中	軍報道課19390616伊藤	
14740	［張家口］	岱岳鎮　駅に山と積まれた穀物	1939年4月	豊田	軍報道課19390616伊藤、軍報道課19400612宮田	自家用
14758	［朔県］	朔県站　改軌工事積込作業	1939年4月	豊田	軍報道課19390616伊藤、軍報道課19400612宮田	裏：『新東亜経済大観』193912に使用
14771	［朔県］	朔県市街	1939年4月	豊田	軍報道課19390616伊藤、軍報道部19400710清都	
14786	—	南大皇河橋　汲水ポンプ	1939年4月	豊田	軍報道課19390616伊藤、軍報道部19400612宮田	自家用
14813	［朔県］	朔県市街	1939年4月	豊田	軍報道課19390616伊藤	自家用
14837	［朔県］	寧武　宣撫班の活躍	1939年4月	豊田	軍報道課19390616伊藤	自家用
14849	［朔県］	電線作業　陽方口—寧武	1939年4月	豊田	軍報道課19390616伊藤、軍報道課19400612清都	自家用。裏：『東亜経済news』194010に使用
14855	［朔県］	寧武站附近　改軌工事本作業	1939年4月	豊田	軍報道課19390616伊藤、軍報道部19400612宮田	自家用。『東亜経済news』194010に使用
14862	朔県	寧武站附近　改軌工事本作業	1939年4月	豊田	軍報道課19390616伊藤、軍報道部19400819清都	裏：『東亜経済news』194010、『同盟通信新聞社年鑑』？に使用
14878	朔県	朔県改軌班工事　従事員昼食	1939年4月	豊田	軍報道課19390616伊藤、軍報道課19400612清都	(ネガ欠)
15463	—	津浦線黄河・鉄橋工事(複写)	1939年3月	—	在北京日本総領事館19420514	赤字注意書き「許可条件　赤線カラ左方ヲ出サヌコト」(ネガ欠)
16097	〔北京〕	警務役の訓練	1939年4月	加島	軍報道課19390623伊藤、軍報道部19400612清都	

原板番号	場所	説明	撮影年月	撮影者	検閲印	その他
16464	張家口	神社建設奉仕労働（7）	1939年	豊田	軍報道課 19400612宮田	自家用
17125	張家口	神社建設奉祀（4）	1939年5月	豊田	軍報道課 19400612宮田	自家用
17479	運城	塩池	1939年5月	加島	軍報道部 19400614清都	裏：『新東亜経済大観』194912、日支問題研究会194002
17486	運城	塩砂ヲ集メル　岩塩モアリ　塩砂モアリ	1939年5月	加島	軍報道課 19400606宮田	
17488	運城	塩池　塩になる水を汲み溜める　初めは白く、黄となり、朱となり、赤となり、血の海のやうになる。	1939年5月	加島	軍報道部 19400614清都	メモ：「運城は山西南部の湖塩産地で、支那においても最も古い歴史的な塩産地をなす」
17869	楊村	前線へ行く苦力　娘子関にて	1939年4月	加島	軍報道部 19400819清都	
18587	済南	二馬路附近	1939年5月	荒木	軍報道部 1940710清都	
19146	門頭溝	大峪小学　小年隊　ブラスバンド指揮者	1939年5月	吉田	在北京日本総領事館19420514	『北支』第4巻7月号、『大陸の風貌』1頁に使用
19271	北京	敬礼	1931年6月	吉田	軍報道課 19400612宮田	自家用
19272	北京	女警務手	1931年6月	吉田	軍報道部 19400612清都、在北京日本総領事館19420303	『北支』昭和14年9月号に使用
19274	北京	手帳点検	1931年6月	吉田	軍報道課 19400612宮田	
19276	北京	拳銃射撃動作	1931年6月	吉田	軍報道課 19400612宮田	『北支』昭和14年9月号に使用（ネガ欠）
19277	北京	拳銃射撃動作	1931年6月	吉田	軍報道課 19400612宮田	
19296	北京	敬礼動作訓練	1931年6月	吉田	軍報道課 19400612宮田	自家用
19298	北京	女警体操	1931年6月	吉田	軍報道課 19400612宮田	（ネガ欠）
19440	［済南］	済南　城内商店街	1931年12月	—	軍報道部 19400710清都	自家用
19633	北京	宣武門外　建設総署道路工事	1931年8月	加島	軍報道課 19400612宮田	自家用
19926	〔北京〕	南口站　東洋第一重量型マレ型機関車	〔1939年〕6月18日	田中	軍報道課 19400613宮田	
20567	大同	永定荘坑　坑内手掘	1939年	豊田	軍報道部 19400604清都	
21252	天津	東馬路の雑踏する避難民	1939年8月24日	奥園	軍報道課 19400605宮田	自家用
21253	天津	北站前の華人の避難所	1939年8月24日	奥園	軍報道課 19400605宮田	自家用
21272	京山線	天津日界山口街　子供を避難させる華北交通社員	1939年8月24日	奥園	軍報道部 19400614清都	

原板番号	場所	説明	撮影年月	撮影者	検閲印	その他
21403	張家口	79粁附近の橋梁復旧状況	1939年7月28日	豊田	軍報道課 19400606宮田	自家用
21418	張家口	康荘－西撥子　橋梁修理	1939年7月28日	豊田	軍報道課 19400606宮田	自家用
21425	張家口	青龍橋站の水害状況　スイッチバックは殆んど流失す	1939年7月28日	豊田	軍報道課 19400606宮田	
21437	張家口	青龍橋の水害状況　スイッチバックの流失	1939年7月28日	豊田	軍報道課 19400606宮田	
21469	京包線	南口－昌平間の水害	1939年7月28日	豊田	軍報道課 19400606宮田	
21665	［錫林郭勒盟］	蒙古軍の騎馬教練　貝子廟	1939年7月	豊田	軍報道課 19400612宮田	自家用
21724	—	塩の運搬　ダブスリール	1939年7月	豊田	軍報道部 19400614清都	メモ：「湖塩を運搬する牛車隊」。自家用。裏：『実業之日本』193911
21729	［錫林郭勒盟］	塩の搬出　ダブスノール	1939年7月	豊田	軍報道課 19400614宮田	自家用
21738	錫林郭勒盟	塩を運搬する牛車　ダブスノール	1939年7月	豊田	軍報道課 19400605宮田	裏：『実業之日本』193911に使用
21834	山海関	長途バス告知板	1939年7月	加島	軍報道課 19400612宮田	
21859	京漢線	正定（第四現場）　水害地のロープの渡し	1939年7月20日	橋爪	軍報道課 19400606宮田	
21884	青島	日本紡績事務所	1939年8月	加藤	軍報道課 19400502宮田、軍報道課 19400612宮田	
21887	青島	日本紡績工場　全景	1939年8月	加藤	軍報道課 19400502宮田、軍報道課 19400612宮田	
22022	京漢線	定県－于家荘間　水害に鉄路を護る愛護村民	1939年7月15日	—	軍報道課 19400606宮田	
22050	窪里	愛護村貧民救済高粱種子配給　站長の挨拶	1939年8月	湯本	軍報道部 19400614清都、在北京日本総領事館19420514	裏：『Japanese Abroad』193912に使用
22498	楊村	水害地慰問班の施療　西楊村部落	1939年8月14日	奥園	軍報道課 19400605宮田	
22576	天津	日界石山街の華北交通社員救助作業	1939年8月24日	奥園	軍報道課 19400612宮田	
22578	天津	日界旭街の浸水状況	1939年8月24日	奥園	軍報道課 19400605宮田	
22922	天津	水害状況　日本租界	1939年8月	奥園	軍報道課 19400605宮田	
23176	青龍橋	ブリキカンを椅子に椅子を卓子にして活躍の社員　青龍橋站	1939年8月15日	豊田	軍報道課 19400612宮田	

原板番号	場所	説明	撮影年月	撮影者	検閲印	その他
23211	京包線	試運転列車	1939年8月21日	豊田	軍報道課 19400502宮田	自家用
24304	陽泉	狭軌の最終列車　陽泉	1939年9月27日	湯本	軍報道課 19400612宮田	
24518	保定	匪賊襲撃と警務段本部に急報する村民　保定地区愛護村動員演習	1939年10月14日	田中	軍報道課 19400612宮田	自家用
24521	保定	出動警備の任に就いた警務段員と警備犬	1939年10月14日	田中	軍報道部 19400612清都	メモ「保定地区愛護村動員演習」。自家用。裏：『興亜』に使用
24530	保定	匪賊の為鉄道爆破さる愛護村民の出動	1939年10月14日	田中	軍報道部 19400612清都	メモ「保定地区愛護村動員演習」。自家用。『新中国大観』194104に使用
24724	大清河東安村	保定－東安村間運行のバス	1939年10月	安福	軍報道部 19400614宮田	
24872	北京	東便門角楼と列車	1939年11月	安福	軍報道課 19400612宮田	(ネガ欠)
24945	北京	門頭溝大峪村小孳校愛路少年隊の演技　愛路運動会　於西直門站	1939年11月10日	木崎	軍報道課 19400612宮田	
25015	津浦線兗州	廉売車内に集る附近村民　厚生列車　兗州	1939年	加藤	軍報道課 19400612宮田	
25063	密雲	場内風景　模範愛護村、農作物品評会	1939年11月	松本	軍報道課 19400612宮田	メモ「密雲檀栄村関帝廟にて」
25066	密雲	場内風景　模範愛護村、農作物品評会	1939年11月	松本	軍報道部 19400612清都	メモ「密雲檀栄村関帝廟にて」
25197	北京	崇文門と汽関車	1939年11月	安福	軍報道課 19400612宮田	自家用
25270	天津	貨物の積卸し　天津北站	1939年12月	橋爪	軍報道課 19400612宮田	
25408	北京	貨車と箭楼	1939年12月	安福	軍報道課 19400612宮田	
25584	宣北	烟筒山の露天堀　龍烟鉄鉱	1939年10月	豊田	軍報道課 19400604宮田	
25585	宣北	鉄索にて運搬されて来る鉄鉱　龍烟鉄鉱	1939年10月	豊田	軍報道課 19400604宮田	
25590	宣化	鉄鉱の運搬、積込み　龍烟鉄鉱	1939年10月	豊田	軍報道課 19400604宮田	
25591	宣北	鉄鉱の積込み　龍烟鉄鉱	1939年10月	豊田	軍報道課 19400604宮田	
25596	宣化	露天掘より鉄鉱を運ぶインクライン　龍烟鉄鉱	1939年10月	豊田	軍報道課 19400604宮田	
25608	長辛店	日語孳習　愛路婦女隊長　長辛店警務段	1939年12月	吉田	軍報道課 19400612宮田	メモ「16.2　東京支社」。裏：『新中国大観』194104に使用
25611	長辛店	刺繍教授　愛路婦人隊　長辛店警務段	1939年12月	吉田	軍報道課 19400612宮田	メモ「教へるは扶輪学校教員」
25614	長辛店	国防婦人会員と共に遺骨の出迎をする愛路婦女隊員	1939年12月	吉田	軍報道課 19400612宮田	

原板番号	場所	説明	撮影年月	撮影者	検閲印	その他
25616	長辛店	忠魂碑の掃除奉仕　愛路婦女隊員	1939年12月	吉田	軍報道課19400612宮田	
25618	長辛店	愛路のポスターを貼る愛路婦女隊員	1939年12月	吉田	軍報道課19400612宮田	
25622	長辛店	鉄道実務訓練手旗信号愛路婦女隊	1939年12月	吉田	軍報道部19400612清都	
25624	長辛店	軽機関銃射撃見李　愛路婦女隊員	1939年12月	吉田	軍報道部19400612清都、在北京日本総領事館19420514	
25634	長辛店	携帯電話機による通話訓練　愛路婦女隊	1939年12月	吉田	軍報道課19400612宮田	裏：『新中国大観』194104に使用
25639	長辛店	施薬施療に活躍の愛路婦女隊員	1939年12月	吉田	軍報道課19400612宮田	裏：『新中国大観』194104、『写真週報』194004に使用
25641	長辛店	施療　警務段員に協力する愛路婦女隊員	1939年12月	吉田	軍報道部19400612清都	社内
25755	北京	華北交通自動車　正陽門営業所	1939年12月	橋爪	軍報道課19400612宮田	
25950	古北口	城内切通し　潮河の南	1940年1月	志波	軍報道課19400710宮田	自家用
25980	津浦線	開通　試運転列車	1939年9月25日	奥園	軍報道課19400605宮田	(ネガ欠)
26123	張家口	大境門外	1939年10月	吉田	軍報道課19400612宮田	メモ「長城線山崖より張家口に落ちる処」
26214	包頭	羊皮の積出シ	1939年11月	吉田	軍報道課19400612宮田	
26248	包頭	龍泉寺山上より黄河を望む	1939年11月	吉田	軍報道課19400710清都	
26431	大原	商店街　橋頭街	1939年11月	吉田	軍報道部19400710清都	
26507	運城	硝土	1939年11月	吉田	軍報道課19400606宮田	メモ「主成分たる硫酸ソーダの利用　ガラス工業、製紙用ソーダ、染料工業に用ゐらる」
26511	運城	鹹水汲み	1939年11月	吉田	軍報道部19400614清都	
26557	石太線	電線修理の社員　微水站	1939年11月	吉田	軍報道課19400612宮田	
26772	京漢線	樹木の間にある監視所の警務段員　漕河－保定	1940年1月	田中	軍報道課19400613宮田	
26773	京漢線	線路巡察の警務段員　漕河－保定	1940年1月	田中	軍報道部19400612宮田	
26987	新郷	城外　南門より城内を望む	—	後藤	軍報道部19400710清都	
27097	京漢線	新塘河橋梁破壊現場　假橋を渡る旅客	1940年2月	田中	軍報道課19400612宮田	
27134	漢沽	白河ノ流水	1940年1月	吉田	軍報道課19400612宮田	裏：『華北』11に使用

原板番号	場所	説明	撮影年月	撮影者	検閲印	その他
27135	北京	華北交通医学　留学生出発　北京站	1940年2月	吉田	軍報道課 19400612宮田	
27225	北京	新都市建設　西城切壊し	1940年2月	志波	軍報道課 19400612宮田	
27237	済南	南埠地　二大馬路	1940年2月	加藤	軍報道部 19400710清都	
27279	北京	箭楼と列車　東便門站	1940年2月	安福	軍報道課 19400612宮田	
27489	石景山製鉄所	野焼コークス　蒸し上ったか否か調べる	1940年2月	橋爪	軍報道課 19400502宮田	
27503	石景山製鉄所	野焼コークス　コークスを割って取出す	1940年2月	橋爪	軍報道課 19400502宮田	
27522	石景山製鉄所	熱風爐と鎔鉱爐	1940年2月	橋爪	検閲課0920、軍報道課 19400502宮田	
27525	石景山製鉄所	鎔鉱爐　250瓲	1940年2月	橋爪	軍報道課 19400502宮田	メモ「原鉱は龍烟鉄山より来る」
27550	保定	路警訓練　通行人を訊問　南関	1940年2月	湯本	軍報道部 19400612清都	
27551	保定	路警訓練　潜伏斥候　南関	1940年2月	湯本	軍報道部 19400612清都	
27553	保定	路警訓練　射撃　南関	1940年2月	湯本	軍報道部 19400612清都	
27558	保定	路警訓練　線路巡察　携帯電話機ニテ連絡　南関	1940年2月	湯本	軍報道課 19400613宮田	
27564	保定	路警訓練　銃剣術　南関	1940年2月	湯本	軍報道部 19400612清都	
27897	〔包頭〕	包頭公所　南海子分所　望楼に立つ歩哨	1939年11月	西森	軍報道課 194000502宮田	
28008	済南	撰綿作業　鐘紡工場	1940年3月	加藤	軍報道課 19400612宮田	メモ「機械に入る前に行ふ」
28123	同蒲線	愛路列車　廉売車の混雑	1940年2月	竹島	軍報道部 19400612清都	
28135	同蒲線	愛路列車　群がる村民	1940年2月	竹島	軍報道部 19400612清都	
28178	北京	石炭自動車	1940年3月	安福	軍報道課 19400612宮田	
28233	〔南同蒲線〕	聞喜城　死守の壁	1940年3月	—	軍報道課 19400612宮田	メモ「山西の新名所として天覧に供された」
28420	済南	棉花を積んだトラック　郊外	1940年3月	安福	軍報道部 19400614清都	
28428	済南	トラックに乗った苦力の群　自動車営業所前	1940年3月	安福	軍報道課 19400612宮田	
28477	桃園	華北交通のトラックとバス	1940年3月	安福	軍報道部 19400614清都	
28481	王慶坨	休止中の自動車群	1940年3月	安福	軍報道課 19400612宮田	

原板番号	場所	説明	撮影年月	撮影者	検閲印	その他
28491	堂勝	華北交通バス内部	1940年3月	安福	軍報道部 19400614清都	
28495	勝芳	天津行乗客の群	1940年3月	安福	軍報道部 19400614清都	裏：『華北』4に使用
28504	山海関	華北交通バス　天下第一関前	1940年3月	安福	軍報道部 19400612清都	
28647	済南	苦力輸送の華北交通トラック　郊外	1940年2月	加藤	軍報道部 19400614清都	
28664	開封	華北交通自動車営業所看板	1940年2月	加島	軍報道課 19400612宮田	
28827	〔門頭溝〕	北京建設事務所門頭溝連絡所　工事現場との連絡	1940年3月	山之内	軍報道課 19400502宮田	
28838	同塘線	中心測量機と技師　王平村－安家荘	1940年3月	山之内	軍報道課 19400502宮田	
28846	同塘線	吊橋建設工事　永定河　王平村－安家荘	1940年3月	山之内	軍報道課 194000502宮田	
28847	同塘線	鉄道建設用の道路工事　永定河畔　王平村－安家荘	1940年3月	山之内	軍報道課 194000502宮田	
28848	同塘線	鉄道建設用の道路工事畔　王平村－安家荘	1940年3月	山之内	軍報道課 194000502宮田	メモ「苦力工賃一日一円二十銭。手取り九十銭。」
28916	張家口	五原より凱旋の勇士を迎へるアトバルーン	1940年2月	豊田	軍報道課 194000612宮田	
29094	天津	苦力輸送	1940年4月	奥園	軍報道部 194000619清都	（ネガ欠）
29156	徐州	レール置場	1940年4月	加島	軍報道課 19400614宮田	裏：『華北』6に使用
29201	隴海線	愛路列車　群衆　新安鎮	1940年4月	加島	軍報道部 19400613清都	［原板番号3］と表記のカードもあり
29223	隴海線	愛路厚生列車　販売車の群集	1940年4月	加島	軍報道部 194000614清都	
29234	隴海線	愛路厚生列車　演芸に喜ぶ村民	1940年4月	加島	軍報道部 194000614清都	
29265	隴海線	枕木の輸送　呉村站	1940年4月	加島	軍報道課 19400613宮田	
29505	山西省東南部	清化鎮　澤州間山地	1940年4月4日	―	軍報道部 194000515清都	メモ「高度二五〇〇米突ヨリ斜撮影」
29507	山西省東南部	清化鎮　澤州間山地	1940年4月4日	―	軍報道部 194000515清都	メモ「S字形ハ丹河 高度二八〇〇米突ヨリ斜撮影」
29520	山西省東南部	高平　長治間山地	1940年4月4日	―	軍報道部 194000515清都	メモ「高度四〇〇〇米突ヨリ斜撮影」
29526	山西省東南部	長治　新郷間山地	1940年4月4日	―	軍報道部 194000515清都	メモ「太行山脈ノ支脈　高度三八〇〇米突ヨリ撮影（斜）」（ネガ欠）
29561	河北省石家荘邯鄲間	光る山肌	1940年4月2日	―	軍報道部 194000515清都	メモ「高度一五〇〇米突ヨリ撮影」

原板番号	場所	説明	撮影年月	撮影者	検閲印	その他
29704	北京	華北交通　婦人社員　茶の湯講習会　東城日本人小学校	1940年5月	安福	軍報道部 194000614清都	
29883	大台線	警備　色樹攻車站	1940年5月	田中	軍報道部 194000819清都	
30111	北京	事変三週年記念　一文字山大会　一文字山	1940年7月7日	松本	軍報道課 19400729宮田	
30124	北京	通風車　青果類積荷　広安門站	1940年7月	安福	軍報道課 19400729宮田	
30173	大運河	会社第一回発船団　運河站	1940年6月	加島	軍報道課 19400729宮田	
30178	大運河	会社第一回発船団　運河站	1940年6月	加島	軍報道課 19400729宮田	
30271	同塘線	雁翅－安家荘　建設資材輸送中の自動車	1940年6月27日	松本	軍報道課 19401129宮田	
30297	大同	大同炭田　大露頭	1940年6月	吉田	軍報道課 19400729宮田	(ネガ欠)
30298	大同	大同炭田　大露頭	1940年6月	吉田	軍報道課 19400729宮田	(ネガ欠)
30299	大同	大同炭田　大露頭	1940年6月	吉田	軍報道課 19400729宮田	
30320	大同	大同炭田保晋坑内	1940年5月	吉田	軍報道課 19400729宮田	メモ「コールドリルにて発破孔を穿つ」(ネガ欠)
30329	大同	大同炭田　坑内用柳條帽にキャップをつけた日本人監督	1940年5月	吉田	軍報道課 19400729宮田	(ネガ欠)
30330	大同	大同炭田　保晋坑内	1940年5月	吉田	軍報道課 19400729宮田	メモ「炭車による坑道の運炭」
30366	大同	大同炭田　煤峪口　ダンプカー連結中の少年工人	1940年5月	吉田	軍報道課 19400729宮田	裏：石炭
30369	大同	大同炭田　永定荘　ダンプカーを操作する少年工人	1940年6月	吉田	軍報道課 19400729宮田	
30370	大同	大同炭田　永定荘　少年工人	1940年6月	吉田	軍報道課 19400729宮田	
30396	大同	大同炭田　永定荘貯炭場ダンプカーより貨車へ積込み	1940年6月	吉田	軍報道課 19400729宮田	
30410	大同	大同炭田　保晋坑　テイプラーより貨車へ積込み	1940年6月	吉田	軍報道課 19400729宮田	
30464	大同	盗掘炭を拾って帰る少年庄瓦溝	1940年6月	吉田	軍報道課 19400729宮田	
30647	海州	海州塩田　塩夫の子供	1940年7月	加島	軍報道課 19401003宮田	
30649	海州	海州塩　塩の山	1940年7月	加島	軍報道課 19401003宮田	
30650	海州	海州塩田　塩の運搬	1940年7月	加島	軍報道部 19401003宮田	

原板番号	場所	説明	撮影年月	撮影者	検閲印	その他
30651	海州	海州塩田　塩の山	1940年7月	加島	軍報道課 19401003宮田	(ネガ欠)
30654	海州	海州塩田　塩の運搬	1940年7月	加島	軍報道課 19401003宮田	(ネガ欠)
30657	海州	海州塩田　塩の運搬	1940年7月	加島	軍報道課 19401003宮田	(ネガ欠)
30663	海州	海州塩　貨車の積込み	1940年7月	加島	軍報道課 19401003宮田	
30666	海州	海州塩田　貨車へ積込み	1940年7月	加島	軍報道課 19401003宮田、在北京日本総領事館19420514	
30766	厚和	蒙古軍市中行進	1940年7月	西森	軍報道部 19401003清都	
31188	隴海線〔連雲港〕	海軍陸戦隊上陸地　連雲、孫家山	1940年7月	加島	軍報道課 19401003宮田	
31190	隴海線〔大浦港〕	大浦港	1940年7月	加島	軍報道課 19401003宮田	
31344	北京	城壁開鑿工事　前門站附近	1940年8月	安福	軍報道課 19401003宮田	
31557	京包線	改修工事　東園、三堡間31号橋梁	1940年7月	豊田	軍報道課 19410313宮田	
31562	京包線	改修工事　三堡、居庸関間30号橋梁	1940年7月	豊田	軍報道課 19410313宮田	
31563	京包線〔三堡鎮〕	改修工事　三堡附近	1940年7月	豊田	軍報道課 19410313宮田	
31580	京包線	改修工事　石仏寺　隧道	1940年7月	豊田	軍報道課 19410313宮田	
31703	遵化県	北支産金会社　山金採取、坑道堀状況	1940年8月	田中	軍報道課 19401003宮田	メモ「坑道内で爆破孔道穿つ」
31736	遵化県	北支産金会社　山金採取馬蹄峪製錬所	1940年8月	田中	軍報道課 19401003宮田	メモ「粉にした鉱石を拉留に入れ採金する」
31792	北京	北支産金株式会社	1940年8月	田中	軍報道部 19401003清都	
32000	京包線	大青山線開通　開通列車包頭駅	1940年8月	豊田	軍報道部 19401118清都	
32447	易県	反共ビラを読む村民　城外	1940年10月	松本	軍報道課 19401129宮田	
32452	北京	西郊の水田　遠景は万寿山	1940年6月	吉田	北支軍報道部検閲係	メモ「高度150米」 不許可
32523	北京	西郊の水田	1940年6月	橋爪	北支軍報道部検閲係	不許可
32526	北京	西郊の水田	1940年6月	橋爪	北支軍報道部検閲係	不許可
32851	小清河黄台橋	会社船団	1940年9月	荒木	軍報道課 19401129宮田	裏：『華北』10に使用 (ネガ欠)
32865	小清河羊角溝	筏子　南洋土人の「カヌー」に似たる小舟	1940年9月	荒木	軍報道課 19401129宮田	裏：『華北』15に使用？

原板番号	場所	説明	撮影年月	撮影者	検閲印	その他
32886	半角溝 小清河	苦力の曳舟	1940年9月	荒木	軍報道課 19401129宮田	
32967	北京	扶輪学校　運動会	1940年10月	安福	軍報道課 19401129宮田	
33154	王家井	徳石線建設殉職勇士の墓 徳石線開通式　王家井	1940年11月15日	有澤	軍報道部 19401222清都	
33156	貢家台	処女列車到着　徳石線開通式　貢家台	1940年11月15日	有澤	軍報道部 19401222清都	メモ「石門起点一〇六キロ」(ネガ欠)
33211	京漢線 定県	子供達	1940年11月	西	軍報道課 19410313宮田	
33282	徳県	駅前風景	1940年11月	有澤	軍報道部 19401222清都	
33290	徳県	選棉花　城外	1940年11月	有澤	軍報道部 19401222清都	
33417	北京	ドイツ小李校教室　交民巷	1940年11月	橋爪	軍報道課 19410117宮田	
33459	北京	整列を終へた青年隊　中国人鉄道青年隊、前門站	1940年11月	松本	軍報道課 19410117宮田	
33463	北京	華北交通歌合唱　前門站中国人鉄道青年隊	1940年11月	松本	軍報道課 19410117宮田	
33465	北京	駅構内警備訓練スナップ前門站中国人鉄道青年隊	1940年11月	松本	軍報道課 19410117宮田	
33466	北京	駅構内警備訓練スナップ前門站中国人鉄道青年隊	1940年11月	松本	軍報道課 19410117宮田	
33472	北京	駅構内警備訓練スナップ前門站中国人鉄道青年隊	1940年11月	松本	軍報道課 19410117宮田	
33475	北京	城壁上の駅舎警備　前門站中国人鉄道青年隊	1940年11月	松本	軍報道課 19410117宮田	
33478	北京	分列式　前門站中国人鉄道青年隊	1940年11月	松本	軍報道課 19410117宮田	
33483	北京	前門站中国人鉄道青年隊員	1940年11月	松本	軍報道課 19410117宮田	
33484	北京	前門站中国人鉄道青年隊	1940年11月	松本	軍報道課 19410117宮田	
33487	北京	日本語の講習　前門站中国人鉄道青年隊	1940年11月	松本	軍報道課 19410117宮田	
33538	北京	新造の家畜車　前門站	1938年11月	森	軍報道課 19410117宮田	
33705	北京	貨物を満載した列車到着前門站	1940年12月	松本	軍報道課 19410117宮田	メモ「無事故の封印が切られ貨車の戸が開かれる」
33814	津浦線 利国	現場排水ポンプ　利国鉄鉱	1940年11月	加島	軍報道課 19410219宮田	
34011	門頭溝線 三家店	三家店建設事務所工事段	1940年12月	山之内	軍報道課 19410313宮田	メモ「工事段の庭　敵弾に具へて土深く置いた通信鳩舎」
34048	同塘線	八路軍帰順兵を指揮する警備員　建設事務所工事段	1940年12月	山之内	軍報道部 19410402清都	

原板番号	場所	説明	撮影年月	撮影者	検閲印	その他
34136	石徳線 晋県	棉花をつんで石門へ出発するトラック　晋県	1940年12月	有澤	軍報道課 19410219宮田、在北京日本総領事館19420514	
34276	隴海線 東海	東海站燐鉱石積下し　海州燐鉱石	1940年11月	加島	軍報道課 19410313宮田	
34284	津浦線 沛県	沛県時計台前	1940年11月	加島	軍報道課 19410219宮田	メモ「自動車開通歓迎の小李児童」
34392	隴海線 海州	積荷前　塩運河航運船団	1940年10月	加島	軍報道課 19410313宮田	
34445	北京	箭楼と機関車　東便門站	1941年1月	安福	軍報道課 19410313宮田	
34480	—	愛路村民の歓迎　順徳、万城間自動車路線開通	1940年12月	松本	軍報道課 19410313宮田	メモ「南和、平郷間」
34483	—	愛路村民の歓迎　順徳、万城間自動車路線開通	1940年12月	松本	軍報道課 19410313宮田	
34485	定県	愛路村民の鉄道復旧工事　定県附近	1940年12月	松本	軍報道課 19410313宮田	
34486	—	石門自動車営業所の装甲自動車　順徳、万城間自動車路線開通	1940年12月	松本	軍報道課 19410313宮田	
34491	京漢線 順徳	東門（望客とも謂ふ）順徳	1940年12月	松本	軍報道課 19410313宮田	注：門に「建設東亜新秩序」の文字板あり
34505	京漢線 順徳	南門城壁から見た府前大街（前方に見えるのは情風楼）	1940年12月	松本	軍報道課 19410313宮田	
34507	京漢線 順徳	城内府前大街	1940年12月	松本	軍報道課 19410313宮田	
34727	京漢線 順徳	新都市に通ずる新道路（民族街）	1941年1月	湯本	軍報道課 19410313宮田	
34800	石太線 王家井	建設の人柱の墓と開通を嬉ぶ農民　石徳線開通式	1941年2月15日	西	軍報道課 19410315宮田	（フィルムなし）
34801	石太線 王家井	開通を嬉ぶ農民　石徳線開通式	1941年2月15日	西	軍報道課 19410315宮田	
34802	石太線 馬干	列車を迎へる農村の子供達　石徳線開通式	1941年2月15日	西	軍報道課 19410315宮田	
35442	沢州	南門城壁上の警備兵　晋城県城	1941年1月	加島	軍報道課 19410529宮田	
35579	太原	滅共和平の壁画　市内所見	1941年2月	竹島	軍報道課 19410529宮田	（フィルムなし）
35653	〔蘭村〕	蘭村紙廠	1940年5月	竹島	軍報道部 19410529清都	メモ「乾燥機」
35655	〔蘭村〕	罌粟畠　蘭村	1940年5月	竹島	軍報道部 19410529清都	
35701	同蒲線 解県	臨晋県防共少年団	1940年10月	竹島	軍報道部 19410529清都	
35703	同蒲線 解県	臨晋県防共少年団	1940年10月	竹島	軍報道部 19410529清都	

原板番号	場所	説明	撮影年月	撮影者	検閲印	その他
35726	同蒲線徐溝	滅共自衛団の旗　徐溝県模範愛護村	1940年4月	竹島	軍報道部19410529清都	
35727	同蒲線徐溝	滅共自衛団　徐溝県模範愛護村	1940年4月	竹島	軍報道部19410529清都	
35736	同蒲線徐溝	市内店舗の軒下に見られる五十音表　徐溝県模範愛護村	—	竹島	軍報道部19410529清都	
35950	北京	年画を売る店	1941年1月	河合	軍報道部19410529清都	メモ「旧歳末風景」
36186	来遠鎮	来遠鎮部落　東潞線開通	1941年3月	竹島	軍報道部19410529清都	
39747	徐州	麦畑の中をゆく自動車の集団運行	1941年7月	加島	在北京日本総領事館19420514	
41679	京漢線周口店	シナントロプスペキネンシス発掘跡（深サ約25米）	1942年1月	松本	裏：北京領警検閲済	

京都大学人文科学研究所所蔵　華北交通写真資料集成
《写真編》

二〇一六年一一月二五日初版第一刷発行

編者　貴志俊彦・白山眞理

発行者　佐藤今朝夫
発行所　株式会社国書刊行会
東京都板橋区志村一—一三—一五　〒一七四—〇〇五六
電話〇三—五九七〇—七四二一（代）
ファクシミリ〇三—五九七〇—七四二七
URL：http://www.kokusho.co.jp
印刷所　株式会社エーヴィスシステムズ
製本所　株式会社ブックアート
ISBN978-4-336-06089-1〈写真編〉
ISBN978-4-336-06088-4〈全二冊揃〉（分売不可）